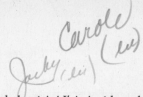

Éloges pour
La nuit est à moi

«*La nuit est à moi* m'a comblée — le couronnement de la série! J'ai aimé le cadre historique, les détails, les histoires d'amour, les personnages qui changent et grandissent. Le rythme et l'intrigue m'ont entraînée page après page; je ne pouvais m'en séparer.»

— Francine Rivers, auteure de *Redeeming Love*

«Peu d'auteurs arrivent à m'émouvoir aussi profondément que Liz Curtis Higgs. On ne fait pas que lire ses romans; il s'établit un lien si intense avec ses personnages que l'histoire et le lecteur ne font plus qu'un, et l'on se voit entraîné dans un voyage qui inspire et transforme. Mais soyez avisés, *La nuit est à moi* volera vos nuits de la première jusqu'à la dernière page, et jamais vos heures n'auront été si bien employées. Ce fut un plaisir absolu à lire.»

— Julie Lessman, auteure de *A Hope Undaunted*

«Liz Curtis Higgs a de nouveau combiné son extraordinaire talent d'auteure et son style élégant pour tisser une grande histoire écossaise, qui vous transportera dans un voyage sentimental inoubliable. Vers la fin, j'étais triste à l'idée d'abandonner les femmes de la famille Kerr — mais quelle touchante conclusion!»

— B. J. Hoff, auteure de la série *The Emerald Ballad*

«Liz Curtis Higgs a encore réussi! *La nuit est à moi* nous offre une histoire saisissante remplie d'intrigues, d'aventures et de relations amoureuses. Avec son constant souci des détails historiques, Liz a su créer une histoire sentimentale qui transcende les époques.»

— Tracie Peterson, auteure de *Embers of Love*

«*La nuit est à moi*, de Liz Curtis Higgs, donne vie à l'histoire du Ruth dans l'Écosse jacobite, une lecture captivante, bouleversante, très bien documentée et émouvante à souhait. Je m'imaginais au XVIIIe siècle en compagnie de ces personnages que je ne voulais plus quitter. Simplement brillant.»

— Linda Windsor, auteure de *Healer*

«Étonnant du début à la fin! Spirituel, charmant, romantique, captivant, Liz Curtis Higgs nous livre une conclusion qui satisfait à tous les points de vue. Son meilleur à ce jour!»

—Tamera Alexan

Éloges pour *Ici brûle ma chandelle*

«Le dernier roman de Liz Curtis Higgs, d'une grande richesse de détails, au rythme paisible, mettant en scène deux femmes que la foi rapproche, est une histoire fascinante d'amour, de déchirement, d'espérance et de pardon. Il plaira tant aux lecteurs qui cherchent une lecture inspirante qu'aux amateurs de romans historiques de qualité.»

— *Booklist*

«Les personnages sont remarquablement faillibles... Liz Curtis Higgs est pointilleuse en ce qui concerne l'exactitude des détails et elle a bien fait ses recherches linguistiques et historiques. Ses admirateurs attendaient depuis longtemps ce roman et ils ne seront pas déçus.»

— *Publisher Weekly*

«S'inspirant de l'histoire de Naomi et Ruth, mais bien campé dans l'Écosse du XVIIIe siècle, *Ici brûle ma chandelle* est un récit remarquable de loyautés équivoques et de courage face à l'adversité, avec des personnages convaincants, mais faillibles, et une grande abondance d'éléments historiques.»

— *Historical Novels Review*

«La récipiendaire du prix Christy (*L'honneur d'un prince*) possède une cohorte d'admirateurs fidèles... Le charme de ce roman ravira les amateurs qui apprécient la fidélité des détails historiques.»

— *Library Journal*

«Le dernier roman de Liz Curtis Higgs est remarquable par sa prose et son exactitude des faits historiques. L'auteure transporte le lecteur dans une autre époque et dans un autre lieu, tout en suivant le fil d'Ariane de l'histoire de Ruth. Les lecteurs attendront avec impatience la suite de cette histoire.»

— *Romantic Times*, romans historiques d'inspiration de premier choix

La nuit est à moi

Liz Curtis Higgs

Traduit de l'anglais par
Patrice Nadeau

éditions

Éditeur : François Doucet
Traduction : Patrice Nadeau
Révision linguistique : Féminin Pluriel
Correction d'épreuves : Carine Paradis, Nancy Coulombe
Montage de la couverture : Matthieu Fortin
Conception de la couverture : John Hamilton
Photo de la couverture : Aspen Photography
Mise en pages : Sébastien Michaud
ISBN papier 978-2-89667-851-8
ISBN PDF numérique 978-2-89683-917-9
ISBN ePub 978-2-89683-918-6
Première impression : 2013
Dépôt légal : 2013
Bibliothèque et Archives nationales du Québec
Bibliothèque Nationale du Canada

Éditions AdA Inc.
1385, boul. Lionel-Boulet
Varennes, Québec, Canada, J3X 1P7
Téléphone : 450-929-0296
Télécopieur : 450-929-0220
www.ada-inc.com
info@ada-inc.com

Diffusion
Canada :   Éditions AdA Inc.
France :   D.G. Diffusion
                 Z.I. des Bogues
                 31750 Escalquens — France
                 Téléphone : 05.61.00.09.99
Suisse :   Transat — 23.42.77.40
Belgique :   D.G. Diffusion — 05.61.00.09.99

Imprimé au Canada

Participation de la SODEC.
Nous reconnaissons l'aide financière du gouvernement du Canada par l'entremise du Fonds du livre du Canada (FLC)
pour nos activités d'édition.
Gouvernement du Québec — Programme de crédit d'impôt pour l'édition de livres — Gestion SODEC.

Catalogage avant publication de Bibliothèque et Archives nationales du Québec et Bibliothèque et Archives Canada

Higgs, Liz Curtis

   La nuit est à moi
   Traduction de : Mine is the night.
   ISBN 978-2-89667-851-8
   I. Nadeau, Patrice, 1959 2 févr.-   . II. Titre.

PS3558.I3625M5614 2013   813'.54   C2013-940542-9

À deux Elizabeth spéciales dans ma vie :
Elizabeth Hoagland,
et Elizabeth Jeffries,
mes chères amies de Louisville,
et aux agréables souvenirs de nos
déjeuners élisabéthains.

Que la signification de votre nom,
« dévouée à Dieu »,
bénisse vos âmes
maintenant et à jamais.

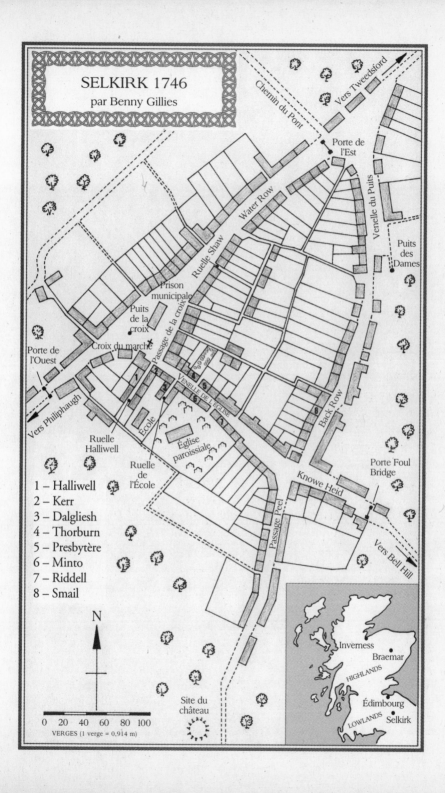

SELKIRK 1746
par Benny Gillies

Chemin du Pont
Vers Tweedsford
Porte de l'Est
Water Row
Venelle du Puits
Ruelle Shaw
Puits des Dames
Prison municipale
Passage de la croix
Puits de la croix
Croix du marché
Porte de l'Ouest
Vers Philiphaugh
VENELLE DE L'ÉGLISE
Back Row
École
Ruelle Halliwell
Église paroissiale
Ruelle de l'École
Porte Foul Bridge
Knowe Heid
Passage Peel
Vers Bell Hill

1 – Halliwell
2 – Kerr
3 – Dalgliesh
4 – Thorburn
5 – Presbytère
6 – Minto
7 – Riddell
8 – Smail

N

0 20 40 60 80 100
VERGES (1 verge = 0,914 m)

Site du château

Inverness
Braemar
HIGHLANDS
Édimbourg
LOWLANDS
Selkirk

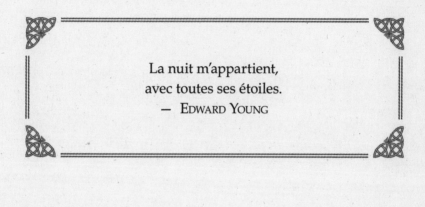

La nuit m'appartient,
avec toutes ses étoiles.
— EDWARD YOUNG

Chapitre 1

Les plus folles rumeurs circulent.
— William Shakespeare

L e claquement distant des sabots s'amplifiait.

Elisabeth Kerr repoussa rapidement le rideau et se pencha par la fenêtre de la diligence. Une pluie froide, portée par un vent soufflant en bourrasque, lui pinçait les joues. Elle ne pouvait voir les cavaliers, dissimulés par la colline abrupte derrière eux. Mais elle pouvait les entendre galoper et se rapprocher rapidement.

Sa belle-mère ne semblait pas préoccupée, son attention étant absorbée par la petite flaque se formant à ses pieds. Une ride barra son front.

— Voulez-vous dire que nous arriverons à Selkirk dans un état encore plus lamentable que celui dans lequel nous sommes parties?

Après avoir été cahotée pendant trois longues journées dans la voiture exiguë et malpropre, Marjory était d'humeur aussi désagréable que le temps.

— Ce n'est pas la pluie qui m'inquiète, dit Elisabeth en retrouvant sa place, un peu nerveuse. Un groupe de voyageurs ordinaires ne se déplacerait pas avec une telle hâte.

Marjory retint son souffle.

— Vous ne pensez sûrement pas…

— Si, je le crains.

N'avaient-elles pas entendu les rumeurs dans toutes les auberges et tous les relais? Les hommes du roi George battaient la campagne à la recherche de toute personne ayant aidé le beau prince Charlie dans sa tentative désastreuse de s'emparer du trône d'Angleterre au nom des Stuart, déchus depuis longtemps. Chaque rumeur murmurée était plus inquiétante que la précédente. Des soldats rebelles blessés battus à mort à coups de gourdin. Des maisons brûlées avec des familles entières à l'intérieur. Des femmes et leurs filles violées par les dragons britanniques.

Mon Dieu, aidez-nous. Je vous en prie. Elisabeth passa un bras autour des épaules de sa belle-mère alors qu'elle entendait les cavaliers qui franchissaient le sommet de la côte pour fondre sur eux.

— Nous étions presque rendues à la maison, se désola Marjory.

— Le Seigneur viendra à notre rescousse, dit Elisabeth fermement, au moment où la diligence était rejointe par ses poursuivants.

Une voix masculine éclata dans l'air chargé de pluie, et le véhicule s'immobilisa.

Monsieur Dewar, leur cocher à la panse rebondie, descendit de son perchoir et atterrit près la fenêtre avec un grognement. Il oscilla sur ses talons jusqu'à ce qu'il ait retrouvé l'équilibre et ouvrit la portière sans cérémonie.

— J'vous d'mande pardon, m'dames. L'capitaine voudrait v'dire un mot.

Marjory ne contint plus sa colère.

— Il ne s'imagine tout de même pas que nous sortirons sous la pluie.

— Plus que vous l'pensez, m'dame.

Un dragon britannique mit pied à terre et se présenta devant elle tel un canon chargé. Ses épaules étaient larges, ses jambes courtes, son cou invisible.

— J'insiste, reprit-il, et sur-le-champ, s'il vous plaît.

En récitant une prière silencieuse pour s'en donner la force, Elisabeth rassembla ses cerceaux et se glissa tant bien que mal par la porte étroite de la diligence. Elle fut reconnaissante à monsieur Dewar de l'aider à descendre tandis qu'elle essayait de maintenir ses jupes hors de la boue. En dépit du crépuscule, elle put distinguer les contours de la ville à flanc de montagne, non loin au sud. *Presque rendues à la maison.*

Le capitaine, un homme dans la mi-quarantaine, estima Elisabeth, observa Marjory descendre dans un silence de pierre. Son manteau écarlate était gorgé d'eau, ses manches et ses bottes noires étaient couvertes de boue, et son bicorne arborait une bosse bien visible.

Il était aussi plus petit qu'Elisabeth l'avait imaginé. Lorsqu'elle leva la tête, étirant son long cou, elle avait au moins deux pouces[1] de plus que lui. Certains jours, elle se désolait de sa grande taille, mais pas celui-là.

Au moment où elle rejoignit Marjory sur le bord de la route, une demi-douzaine d'hommes en uniforme l'entourait. Les lourdes épées suspendues à leur taille et leurs visages fermés n'avaient rien de rassurant.

— Allons, messieurs, dit monsieur Dewar d'un ton bourru. Vous n'avez rien à craindre de mes passagères. V'nez-en au fait et finissons-en. La nuit tombera bientôt, et il ne nous reste qu'un mille[2] à parcourir.

— Selkirk est votre destination ? demanda le capitaine, qui parut déçappointé. On ne trouve pas beaucoup de rebelles des Highlands là-bas.

— C'est un bourg royal, lui dit Marjory, et son irritation était visible. Nos concitoyens sont loyaux à la Couronne depuis des siècles.

Elisabeth lui glissa un regard de mise en garde. *Soyez prudente, Marjory.*

Le capitaine ignora le commentaire de sa belle-mère. Une curieuse lueur de curiosité brillait dans son regard alors qu'il étudiait leurs robes noires.

---

1. N.d.T. : Mesure de longueur équivalant à 2,54 cm.

2. N.d.T. : Un mille équivaut à 1,6 km.

— En deuil, n'est-ce pas ? De maris, je suppose ?

Il s'avança effrontément vers Elisabeth, se postant plus près d'elle qu'il n'eût convenu.

— Dites-moi, jeune femme. Vos hommes ont-ils donné leur vie au service du roi George ? À Falkirk, peut-être ? Ou bien à Culloden ?

Elle ne pouvait risquer un mensonge. Pourtant, elle ne pouvait révéler la vérité.

Je vous en prie, mon Dieu. Soufflez-moi les mots qu'il faut.

Elisabeth respira profondément, puis dit ce que son cœur lui suggéra.

— Nos braves hommes sont morts à Falkirk, honorant le roi qu'aucun autre n'égale.

Il leva un sourcil.

— Le savaient-ils ?

— Oui, dit-elle.

Elle soutint le regard du capitaine sans broncher, sachant fort bien de quel roi elle voulait parler. *Je suis Dieu, et il n'y en a pas d'autres comme moi.* Elle n'avait pas menti. Pas plus que le dragon n'avait percé à jour la vérité derrière ses mots : par droit divin, la couronne appartenait au prince Charlie.

— Personne ne se compare à Sa Majesté, le roi George, dit-il emphatiquement. Bien que je sois désolé pour vos pertes, vos hommes sont assurément morts en héros.

Elisabeth hocha simplement la tête, espérant qu'il s'abstiendrait de demander leurs noms. Une liste de soldats morts à Falkirk circulait à Édimbourg depuis des semaines. Le capitaine se rappellerait sûrement que Lord Donald et Andrew Kerr ne figuraient pas au nombre des hommes tombés pour le roi. Son beau mari et son frère cadet comptaient plutôt parmi les rebelles tués en un soir orageux de janvier.

Mon doux Donald. Peu importe le caractère odieux de ses péchés, les blessures infligées, elle l'avait aimé et portait toujours son deuil.

Son courage ranimé par la pensée de Donald dans son uniforme bleu, Elisabeth se redressa, ignorant la pluie qui dégoulinait sur sa nuque.

— Ma belle-mère et moi sommes impatientes de continuer notre route. Si notre présence n'est plus requise ici…

— Nous n'avons pas encore fini, répondit le capitaine, qui restait tout près d'elle; il inclina la tête vers l'arrière pour la dévisager. C'est une honte que votre mari ait laissé une aussi jolie veuve en deuil, reprit-il. Mais si vous désirez un autre soldat pour le remplacer dans votre lit, l'un des mes hommes vous obligera sûrement…

— Monsieur! protesta Marjory. Comment osez-vous parler à une dame d'une manière aussi grossière?

Ses dragons resserrèrent aussitôt les rangs.

— Une dame, grommela l'un d'eux. À mon oreille, elle sonne plutôt comme une femme des Highlands.

L'expression du capitaine s'assombrit.

— Oui, il me semble, en effet.

Sans avertissement, il s'empara de la manche évasée d'Elisabeth et la retourna.

— Où est-elle, jeune femme? demanda-t-il. Où est votre rose jacobite?

— Il est inutile de regarder, dit Elisabeth en essayant de se libérer. Je n'en ai pas une seule.

Ignorant ses objections, il examina brusquement l'autre manche, dont il faillit déchirer la couture.

— La rose blanche d'Écosse était la favorite du prince Charlie, n'est-ce pas? J'en ai cueilli plusieurs sur des rebelles des Highlands.

— Je n'en doute pas, dit Elisabeth qui parvint finalement à libérer sa manche de la prise du dragon. Êtes-vous satisfait, maintenant?

— Loin de là, jeune femme, dit le capitaine, qui lorgna l'encolure de sa robe, et sa bouche se tordit en une grimace

vulgaire. Il semble que votre fleur soit bien cachée. Néanmoins,
j'ai l'intention de la trouver.

Chapitre 2

Le brave trouve un foyer dans tout pays.
— Ovide

— Cessez! dit Marjory, qui se lança devant Elisabeth, les bras en croix, faisant de sa personne un bouclier devant le dragon britannique grossier au regard insolent. Cela suffit, monsieur, dit-elle, le cœur battant à tout rompre.

Sa patience l'avait depuis longtemps abandonnée sur cette route de campagne du sud, et Marjory hurlait presque au visage du soldat :

— Si ma belle-fille vous dit qu'elle n'a pas de rose, insista-t-elle, c'est qu'elle n'a pas de rose.

— Pas une seule, dit Elisabeth d'un ton égal en faisant un pas en arrière.

Marjory baissa les bras, mais ne bougea pas, regardant toujours le capitaine avec colère. Ce coquin s'imaginait-il qu'elle allait rester plantée là à l'observer, pendant qu'il prenait des libertés avec sa belle-fille? *L'idée même.*

Tandis que le capitaine restait interloqué quelques secondes, incapable de répondre, ses hommes semblèrent s'agiter, murmurant entre eux. Finalement, il haussa les épaules et feignit l'indifférence.

— Madame, je n'avais pas l'intention…

— Vous mentez, monsieur, répliqua Marjory. Vos intentions étaient très claires et déshonorantes. Peut-être devrais-je écrire au général Lord Mark Kerr pour l'informer de votre vile conduite.

Elle vit une étincelle de peur dans les yeux du capitaine et fut secrètement heureuse de l'effet produit par sa vaine menace. Il changea de position.

— Vous… connaissez Son Excellence?

— Fort bien, monsieur.

Marjory garda le reste pour elle-même : Lord Mark n'était pas seulement le gouverneur honoraire du château d'Édimbourg ; il était également un cousin éloigné de son défunt mari et un militaire sans pitié, qui avait causé bien du tort à sa famille. Elle ne correspondrait pas avec le général Lord Mark Kerr pour tout l'or du monde.

— Nous avons été suffisamment retardés, dit-elle, puis elle se tourna vers la voiture, sentant que sa bravade commençait à flancher.

Jamais dans sa vie elle n'avait parlé aussi audacieusement à un homme, encore moins à un dragon, même s'il le méritait bien. Peut-être que le Tout-Puissant était venu à leur aide, en fin de compte, comme Elisabeth l'avait dit.

Marjory tendit la main, étonnée qu'elle ne tremblât pas.

— Monsieur Dewar ?

— Oui, m'dame.

Il l'aida à monter dans la diligence et lança un regard dédaigneux par-dessus son épaule.

— Eh bien, cap'taine, y semble que vous ayez trouvé à qui parler.

Le dragon fit un pas en arrière.

— Si ces femmes ne sont pas des rebelles jacobites, elles ne m'intéressent pas, lança-t-il, avant de faire un geste en direction de ses hommes. Remontez en selle, jeunes hommes. Nous n'avons plus rien à faire ici.

Un sourire se dessina sur le visage rubicond de monsieur Dewar.

— Nous non plus, répondit-il.

Alors que les dragons s'éloignaient, le cocher aida Elisabeth à regagner son siège, puis claqua bruyamment la portière.

— J'vous amènerai à la maison avant la tombée d'la nuit, m'dames. Même si j'doute qu'vous ayez peur de l'obscurité.

Il grimpa sur son siège, puis héla ses deux chevaux, tandis que les dragons galopaient devant, le bruit de leurs sabots s'évanouissant rapidement. Les deux femmes poussèrent un profond soupir et s'adossèrent au cuir usé de leur banquette.

— Vous avez été très courageuse, dit finalement Elisabeth.

— Ou inconsciente, répondit Marjory, qui retira un mouchoir de sa manche pour tamponner ses joues humides. Les prochains soldats que nous croiserons pourraient ne pas se laisser aussi facilement dissuader.

— En effet, dit Elisabeth en étirant ses longues jambes. Ni être d'aussi petite taille que ce capitaine.

Marjory regarda la robe de sa belle-fille.

— Mais dites-moi, où sont passées vos roses de soie ?

— Cousues dans l'ourlet de mon jupon, répondit Elisabeth, et un sourire se dessina aux coins de ses lèvres. Si le capitaine m'avait fouillée, il aurait trouvé une rangée entière de rosettes jacobites. Mais j'ai dit la vérité quand j'ai dit que je n'avais pas *une* seule rose.

Marjory hocha la tête.

— Chère et spirituelle Bess.

Dans le passé, Marjory n'avait pas toujours apprécié l'esprit délié d'Elisabeth, qu'elle estimait dissimulatrice et déloyale. Comme elle l'avait mal jugée ! Bien qu'Elisabeth fût originaire des Highlands et de naissance modeste, elle était devenue une dame dans toute l'acception du mot, dotée d'un courage et d'une ténacité peu communs. Et la jeune femme n'avait que vingt-quatre ans !

Marjory soupira silencieusement. Avait-elle déjà été aussi jeune ?

— Il est heureux que nous ayons dit adieu aux Hedderwicks, à Galashiels, mentionna Elisabeth. S'ils avaient été avec nous, leur langue pendue les aurait sans doute conduits dans une prison britannique.

— *Aurait*? faillit s'étouffer Marjory. Jamais je n'avais entendu deux hommes qui parlaient autant pour ne rien dire.

Le père et le fils, qui avait voyagé vers le sud en leur compagnie depuis Édimbourg, s'étaient targués sans arrêt de leurs sympathies jacobites. Pourtant, ni l'un ni l'autre n'avait porté les armes pour le prince Charlie.

Contrairement à mes courageux garçons.

Alors que Marjory enfouissait son mouchoir dans sa manche, les mots de Donald lors de leur séparation résonnaient dans son cœur : *Puis-je compter sur vous pour veiller sur Elisabeth ?* Naturellement, Marjory avait promis de le faire, ne s'imaginant pas qu'un jour, elle n'aurait ni maison ni argent. Comment prendrait-elle soin d'Elisabeth, à présent?

Levant les yeux, Marjory imagina sa malle, petite et lourde, sanglée sur le toit de leur voiture, contenant la grosse Bible familiale avec ses mots réconfortants : *Qui cherche Dieu ne manque d'aucun bien.* Pourrait-elle faire confiance au Tout-Puissant pour leur procurer ce qu'il leur faudrait? Ou continuerait-il de l'écraser avec de nouvelles épreuves? En vérité, il ne restait plus rien à prendre.

Quand Elisabeth tendit la main pour fermer le rideau, Marjory arrêta son geste.

— Ce n'est plus nécessaire, ma chère. La pluie a enfin cessé.

Sous le ciel gris du crépuscule, un brouillard dense flottait au-dessus du sol, s'élevant et retombant comme une créature vivante, leur offrant des aperçus de la ville au-dessus d'eux. Des maisons en pierre surmontées de toiture de paille et de gazon. Des fenêtres illuminées par la lueur des bougies et des foyers.

Elisabeth croisa les mains sur ses genoux, ses yeux bleus luisant dans la pénombre.

— J'ai longtemps attendu pour voir Selkirk.

— Trop longtemps, répondit Marjory, qui ouvrit le rideau de son côté du véhicule, invitant les derniers rayons du jour à pénétrer. Bienvenue dans votre nouveau foyer, Bess.

La maison. Dix années avaient passé depuis que Marjory avait jeté un dernier regard sur la paroisse de Selkirk. Pourtant si peu de choses avaient changé. Les collines ondulées se chevauchaient, formant la berge herbeuse de la rivière Ettrick, gonflée par la pluie.

— Plus d'un millier d'âmes vivent à Selkirk, dit-elle distraitement.

Est-ce qu'il y en aurait une seule qui se souviendrait d'elle ? Lui tendrait une main secourable ? Ou, après avoir pris connaissance de sa disgrâce, toute la société allait-elle lui tourner le dos à jamais ?

Non. C'était la ville de son enfance. Elle trouverait sûrement des appuis ici.

Alors qu'elles traversaient un nouveau pont de pierre enjambant la rivière Ettrick, au pied du moulin, Elisabeth considéra le bourg tentaculaire.

— C'est plus grand que je l'avais imaginé, dit-elle. J'espère que Gibson n'a pas eu de difficultés à trouver votre cousine Anne.

— Gibson a vécu ici, autrefois, lui rappela Marjory. Il sait où Anne habite.

Plus tôt cette semaine-là, Marjory avait envoyé son valet, Neil Gibson, en éclaireur pour porter une lettre à sa cousine, dans laquelle elle lui demandait de l'héberger provisoirement. Marjory palpa la poche suspendue à sa taille, sachant très bien que la bourse qu'elle contenait était vide. N'avait-elle pas troqué son dernier couteau et sa dernière fourchette contre leur repas du midi ? Elles n'auraient pu s'offrir un lit à l'auberge Forrest, pas même pour une seule nuit. Sa cousine Anne *devait* être à la maison, il *fallait* qu'il y ait de la place pour elles sous son toit.

La voiture entama sa rude ascension vers le centre de la ville, et les femmes se sentirent écrasées contre le dossier de leur siège. Monsieur Dewar encourageait de la voix son attelage.

— C'est une longue pente à gravir pour les chevaux, fit remarquer Marjory.

Elisabeth hocha la tête.

— Et une longue route pour Gibson. Pensez-vous qu'il soit arrivé hier ?

— Peut-être ce matin, répondit Marjory.

La culpabilité de Marjory croissait à chaque tour de roue. Elle savait quelle côte redoutable il avait dû escalader, en particulier pour un homme de soixante ans, après un long voyage à pied.

Il n'y avait pas beaucoup de piétons à cette heure-là. Quelques hommes en haillons erraient, déambulant, un bâton à la main, avec des chiens sur leurs talons. Ils regardaient par les vitres de la voiture, le temps de satisfaire leur curiosité, mais poursuivaient leur chemin sans saluer les passagères.

— Gibson escaladait les rues d'Édimbourg plusieurs fois par jour, lui rappela Elisabeth. Nous le trouverons en train de prendre le thé à la table de votre cousine Anne. J'en suis certaine.

Mais Marjory ne l'était pas du tout.

Des doutes et des craintes qu'elle réprimait l'envahirent soudain. Et si Anne avait renvoyé Gibson, refusant d'offrir un refuge à des parentes stigmatisées ? Et si elle s'était mariée, après toutes ces années, et avait déménagé dans une autre maison de Selkirk ? Et si — Dieu l'en préserve — Anne ne vivait plus du tout dans le comté de Selkirk ?

Non, non, non. Se faire du mauvais sang ne réglait rien, se rappela Marjory. N'avait-elle pas déjà appris cela ? Déterminée à afficher une attitude confiante, elle concentra son attention sur la scène en mouvement.

— Lorsque nous aurons franchi la porte de l'Est, nous ne serons plus très loin de la place du marché et de la ruelle Halliwell.

Sa belle-fille s'avança un peu sur son siège.

— J'espère que votre cousine Anne sera heureuse de nous voir, dit-elle.

— Je le souhaite aussi, répondit Marjory en déglutissant. *Faites que Gibson soit là. Et qu'Anne soit à la maison. Et que tout se passe bien.* Elle envoya ses prières comme des messagers ailés en regardant devant elle dans la brume et la grisaille.

Un moment plus tard, la voiture manœuvra prudemment à travers la porte de la ville pour emprunter la Water Row. Les deux côtés de la grand-rue débordaient de maisons et de boutiques, comme dans les souvenirs de Marjory. Elle pouvait encore lire les noms typiques du Borderland peints au-dessus de chaque linteau. *Tait. Shaw. Elliot. Murray. Scott. Anderson.*

S'agrippant au bord de la fenêtre ouverte, elle tendit le cou, son cœur se serrant à la vue de chaque scène familière. Monsieur Fletcher, l'ébéniste, vivait dans un cottage blanchi à la chaux collé sur la rue. Monsieur Fairbairn, le commerçant, vendait sa marchandise sous un auvent en canevas, à un jet de pierre des roues de la diligence.

Un souvenir lointain lui revint. Deux tout jeunes garçons blonds aux yeux bleus remontant la Water Row, chantonnant les noms des différents ateliers en essayant de les faire rimer : *tonnelier, cordonnier, teinturier, potier* et *sellier; tanneur, scieur* et *fileur.* Donald, avec ses longues jambes et son corps mince, allait devant. Andrew, plus petit et plus délicat, faisant de son mieux pour suivre.

N'en avait-il pas été ainsi jusqu'à la toute fin ?

Mon Donald bien-aimé. Mon précieux Andrew.

— Oh, Bess ! dit Marjory en s'appuyant sur la vitre. Je n'aurais jamais…

Sa voix se brisa.

— Je n'aurais jamais imaginé que je rentrerais à la maison sans ma famille.

Chapitre 3

Ne crains pas l'avenir,
ne pleure pas le passé.
— Percy Bysshe Shelley

E lisabeth attira sa belle-mère doucement dans ses bras.
— Je sais que c'est difficile, murmura Elisabeth en serrant Marjory contre elle. Je sais.

D'autres mots de consolation surgissaient dans son esprit pour être aussitôt écartés. Un bon mari perdu et ensuite deux fils ? Seul le Tout-Puissant pouvait guérir des blessures aussi profondes.

Mais tu as fait tout ce chemin avec elle, Bess. Ne fais-tu pas aussi partie de sa famille ?

Elisabeth rejeta cette pensée mesquine avant qu'elle prît racine. *C'est mon devoir. Et mon destin. Et ma joie.* Elle avait dit ces mots à Marjory le mardi matin précédent et y croyait de tout son cœur. Maintenant, elle devait le prouver.

Quand la voiture rebondit sur une profonde ornière, Elisabeth serra fortement Marjory une dernière fois avant d'être séparée d'elle par la secousse.

— Nos jours les plus difficiles sont derrière nous, chère Marjory. Nous sommes rendues à la maison. Et Gibson nous attend.

Sa belle-mère hocha la tête, mais son visage conserva son expression inquiète.

La voiture ralentit.

— Selkirk ! cria monsieur Dewar, et il immobilisa ses chevaux en douceur.

Son cœur battait la chamade sous son corset. Elisabeth rassembla rapidement leurs quelques possessions — son réticule de soie, son petit livre de poésie, le mouchoir de lin de

Marjory — et suivit sa belle-mère par la portière de la voiture.

— Y a pas beaucoup de gens en ville la veille du sabbat, fit observer monsieur Dewar en aidant les femmes à descendre.

Marjory resserra sa cape autour de son cou.

— Avez-vous l'heure, monsieur ?

D'un grand geste, il sortit une montre en argent de sa poche, dont le boîtier sculpté réfléchissait la lumière de la lanterne de sa diligence.

— Tout juste passé vingt heures, m'dame. J'avais l'intention d'arriver à Selkirk avant, mais — il haussa ses épaules arrondies — j'pouvais pas prévoir les trois jours de mauvais temps ni la roue brisée.

— Ni un régiment de dragons, ajouta Marjory, encore secouée.

Elisabeth marcha lentement en cercle sur la place, prenant la mesure de son nouvel environnement. Le marché était désert, en effet. Les kiosques des vendeurs étaient fermés à clé. L'ancienne croix du marché était une version plus modeste de la fière colonne qui s'élevait au centre de la grand-rue d'Édimbourg, marquant l'endroit où la viande et la nourriture étaient vendues et où les événements importants étaient proclamés.

Deux veuves arrivent de la capitale. Elisabeth était sûre que personne ne se donnerait la peine de faire une telle annonce. Les commères de la ville auraient tôt fait de répandre la nouvelle.

Monsieur Dewar indiqua du pouce une structure inquiétante au bout du marché de viandes.

— La prison municipale, v'savez. Soyez pas étonnées si vous entendez des prisonniers hurler dans leur cellule, expliqua-t-il en prenant leurs bagages, chargeant une petite malle sur chaque épaule. Après vous, m'dames Kerr.

Marjory les précéda vers une rangée d'immeubles faits de pierres de basalte mal équarries, dont certains logeaient, au rez-de-chaussée, des boutiques faisant face au marché.

— Le lundi, l'arôme du pain frais se répand par cette porte, dit-elle en indiquant l'immeuble de coin. Dans le logis au-dessus, vous trouverez un tisserand penché sur son métier.

Comme mon père, autrefois. Elisabeth leva les yeux vers les volets fermés de la fenêtre. Elle n'avait pas gardé le compte de toutes les nuits où elle s'était endormie au rythme régulier des pédales de son père, élevant et abaissant les fils de chaîne.

Marjory les emmena jusqu'à un passage voûté coincé entre deux immeubles.

— Et voici la ruelle Halliwell, où vit ma cousine Anne.

Bras dessus bras dessous, les femmes Kerr s'aventurèrent dans la ruelle obscure, éclairée par une seule lanterne suspendue au mur de pierre, quelques portes plus loin. L'air était humide et il régnait une forte odeur de poisson pourri. Un rat fila près d'eux et sa longue queue mince les frôla avant de disparaître.

Elisabeth imagina sa mère lui murmurant à l'oreille : *Un homme pauvre est heureux de peu de choses.* Peu importe la modestie de leur logis, Elisabeth était déterminée à se montrer reconnaissante. Elle avait été pauvre étant enfant et ne s'en était jamais affligée. Elle avait été une épouse riche, mais vivait pourtant frugalement. En tant que veuve, ses besoins étaient limités et ils diminuaient d'heure en heure. Un couvert et un abri suffiraient.

Marjory s'arrêta devant une porte de bois anonyme et utilisa le heurtoir de métal. L'écho se réverbéra le long de la ruelle. Pendant qu'elles attendaient, monsieur Dewar déposa leurs malles près d'elles.

— J'vais chercher l'aut', dit-il, et il partit d'un pas traînant.

Après un long silence, Elisabeth leva de nouveau la main.

— Je ne veux pas paraître impatiente, mais…

Lorsque Marjory hocha la tête, Elisabeth abattit l'anneau métallique contre le bois, imaginant un feu de foyer, un bol de soupe chaude et un lit douillet.

Mais personne ne vint leur ouvrir.

Monsieur Dewar revint avec la dernière malle et la déposa à leurs pieds.

— Voulez-vous que je reste avec vous, m'dames ?

— Notre cousine répondra sûrement d'un moment à l'autre, l'assura Elisabeth.

— Alors, j'm'en vais de ce pas à l'auberge pour mon dîner. J'vous souhaite une bonne nuit.

Il retira son chapeau pour les saluer et disparut.

La ruelle Halliwell retomba soudain dans le silence et la nuit, d'une noirceur oppressante, s'abattit sur elles. La lanterne éclairait leurs visages, mais pas beaucoup plus.

Tandis qu'elles s'attardaient devant la porte, à l'affût d'un bruit de mouvement ou de voix à l'intérieur, Elisabeth regarda Marjory, de plus en plus affolée et qui paraissait ses quarante-huit ans. La peau tendre sous ses yeux semblait meurtrie et sa robe de deuil pendait mollement sur ses épaules. Ce qui était le plus préoccupant, c'était les rides profondes gravées sur le front de Marjory. Était-elle inquiète du sort de Gibson ? Ou quelque chose d'autre pesait-il sur sa conscience ?

Finalement, Elisabeth demanda.

— Êtes-vous sûre que c'est la porte d'Anne ?

Marjory baissa les yeux et dit d'une voix presque trop faible pour être entendue :

— Je ne suis plus certaine de rien, répondit-elle.

L'appréhension noua l'estomac d'Elisabeth.

— Marjory, que voulez-vous dire ?

— Notre cousine a déjà vécu ici, mais — sa belle-mère leva la tête — je ne puis dire si c'est encore le cas. Quoique je n'aie rien entendu suggérant autre chose, s'empressa-t-elle d'ajouter. Pas depuis que Lord John et moi avons déménagé à Édimbourg.

— Mais... c'était il y a dix ans! s'écria Elisabeth, qui ne put cacher son désarroi. N'avez-vous jamais écrit à Anne pendant tout ce temps?

— Non, je crains que non. Mon régisseur de Tweedsford... dit Marjory en soupirant bruyamment, c'est-à-dire monsieur Laidlaw, m'a tenue au fait des nouvelles de Selkirk au fil des ans. Il n'a jamais mentionné de changement dans la situation de notre cousine Anne.

Elisabeth resta bouche bée. Est-ce que sa belle-mère espérait un accueil cordial d'une parente si longtemps délaissé? À en juger par son environnement, Anne était une femme de condition modeste, qui aurait bénéficié du soutien des Kerr. Seule une âme particulièrement charitable pouvait fermer les yeux sur un aussi mauvais traitement.

Marjory mordilla sa lèvre inférieure.

— Peut-être n'est-elle pas à la maison...

Une voix de femme provenant de l'extrémité éloignée du passage flotta jusqu'à elles.

— Qui n'est pas à la maison?

Marjory virevolta et faillit trébucher sur les bagages à ses pieds.

— S'il vous plaît, madame, dit-elle dans l'obscurité. Nous cherchons mademoiselle Anne Kerr, la cousine de mon défunt mari. Peut-être la connaissez-vous?

Elisabeth retint son souffle. *S'il vous plaît, mon Dieu.*

— Je *suis* mademoiselle Kerr, annonça la femme, accélérant le pas.

En poussant un petit cri, Marjory agrippa le bras d'Elisabeth.

— Nous sommes sauvées, murmura-t-elle.

Leur cousine apparut bientôt, soulevant le bord de sa robe de droguet bleu au-dessus des pavés mouillés alors qu'elle se hâtait vers elles, sa mince cape de laine battant sur ses épaules. Ses cheveux blonds et son teint clair surprirent Elisabeth, tant ils lui rappelaient ceux de Donald. De petite stature, avec une taille svelte en proportion, Anne Kerr marchait d'un pas leste, ses chaussures de cuir usées ne faisant aucun bruit dans l'étroite ruelle.

Quand elle fut à leur hauteur, les trois femmes échangèrent de brèves révérences.

Marjory parla la première.

— Cousine Anne, je ne peux vous exprimer combien nous sommes heureuses de vous avoir trouvée.

Anne hocha la tête, mais aucune lueur dans ses yeux ne montrait qu'elle l'eût reconnue.

— Avez-vous dit que votre défunt mari était un cousin à moi ?

— Oui, dit Marjory, prenant les mains nues d'Anne dans les siennes. Lord John Kerr. Je suis sûre que vous vous souvenez de lui.

— Le dernier propriétaire de Tweedsford ? demanda d'Anne, dont le teint devint considérablement plus foncé. Je ne pourrais jamais oublier ce gentilhomme. Que Dieu ait son âme.

Elle se tut et étudia Marjory plus attentivement.

— Mais si Lord John était votre mari, cela veut dire que vous êtes... Ses yeux s'écarquillèrent. Non, vous ne pouvez être... Lady Marjory ?

Chapitre 4

*La pauvreté est une herbe amère pour la plupart des femmes,
et il y en a peu en vérité qui peuvent l'accepter avec dignité.*
— Eliza Lynn Linton

Marjory se raidit devant l'expression de stupéfaction qu'elle lisait sur le visage d'Anne. *Est-ce mon âge ? Ma robe en loques ? Ou me croyiez-vous morte aussi ?*

— Ne m'appelez pas « Lady », dit enfin Marjory, reniant le titre qu'elle avait autrefois tant aimé.

Anna resta un moment interloquée.

— Alors, vous…

— Appelez-moi Marjory, insista-t-elle. La main du roi s'est abattue lourdement sur moi et il a révoqué nos titres, nos terres et notre fortune.

Elle n'avait pas eu l'intention de révéler l'entière vérité d'un coup, mais c'était fait, maintenant.

— Le roi George a fait cela ? demanda Anne en fronçant les sourcils. Il doit y avoir une explication…

— La trahison, répondit Marjory sans détour. Mes fils, Donald et Andrew, ont combattu pour la cause jacobite et ils sont morts à Falkirk.

Voilà, pensa-t-elle. Et elle projeta son menton vers l'avant, ne serait-ce que pour l'empêcher de trembler.

Anne retira lentement ses mains de celles de Marjory.

— Ce sont là de bien mauvaises nouvelles, ma cousine.

Elle sentit la condescendance dans le ton d'Anne, le retrait volontaire de ses mains. Non, quelque chose n'allait pas.

— Est-ce que notre domestique, Gibson, a apporté une lettre à votre porte ?

— Il ne l'a pas fait, dit Anne d'un ton neutre. Je n'ai rien reçu de votre part depuis…

— Depuis très longtemps, compléta rapidement Marjory. Gibson a fait le voyage à pied avant nous afin que nous n'arrivions pas ici à l'improviste.

— Et pourtant, c'est le cas.

Anne fit un pas en arrière, mettant un peu plus de distance entre elles.

— Qu'attendez-vous de moi ? demanda-t-elle.

Marjory regarda la femme qui était sa cadette d'une bonne douzaine d'années. Anne Kerr ne s'était jamais mariée, n'avait jamais été riche ni titrée, pourtant elle avait tous les atouts en main. Avec un toit sur sa tête et de la nourriture dans son garde-manger, Anne avait tout ce dont elles avaient besoin, mais qu'elles ne pouvaient s'offrir.

Dois-je l'implorer, mon Dieu ? Dois-je demander l'aumône ? L'orgueil comprima la gorge de Marjory, étouffant ses mots.

À ce moment-là, Elisabeth intervint.

— Nous cherchons désespérément un endroit où loger, expliqua-t-elle, et nous nous contenterions de la nourriture la plus simple. Pourriez-vous nous héberger, mademoiselle Kerr ?

Anne se tourna vers Elisabeth en levant un sourcil.

— Et vous êtes ?

— La veuve de Donald, dit-elle en essayant de sourire. Elisabeth Kerr.

Anne répondit en hochant légèrement la tête.

— Andrew n'était-il pas marié lui aussi ?

— Il l'était, dit Elisabeth. Ce soir même, sa veuve, Janet, rentre dans sa famille des Highlands.

Marjory grimaça à ce rappel. Au cours de son bref mariage avec Andrew, cette femme gâtée et égoïste n'avait tissé aucun lien avec les autres membres de la famille Kerr. Avant de quitter Édimbourg, Marjory lui avait payé une place dans une diligence qui se rendait au nord de l'Écosse. Les protestations peu sincères de Janet avaient cessé après que Marjory eut placé deux shillings dans sa paume gantée.

Marjory regardait la plus jeune de ses belles-filles avec une sincère affection, maintenant. *Tu aurais dû rentrer chez toi aussi, ma chère Bess.* Mais peu importe les exhortations de Marjory, Elisabeth avait refusé de l'abandonner, insistant pour faire le voyage avec elle jusqu'à Selkirk. Elle n'avait pas prévu cette décision d'Elisabeth, mais elle en était heureuse.

— Venez avec moi, dit Anne en ouvrant sa porte avec un soupir. Je ne peux vous laisser dormir dehors comme des mendiantes.

Horrifiée par cette possibilité, Marjory marmonna des remerciements, puis suivit sa cousine à l'intérieur du bâtiment, où, après avoir gravi une douzaine de marches, elle se trouva devant une seconde porte mal peinte. Elle n'avait jamais rendu visite à sa cousine Anne, mais Lord John lui avait décrit son logis comme étant à la fois douillet et rustique. Peu importe ce qui l'attendait, c'était bien supérieur à une ruelle pavée par un soir glacé d'avril.

Anne entra la première pour prendre une chandelle, dont elle alluma la mèche sur les charbons rougeoyants du foyer, et elle fit signe à Marjory d'avancer.

La lueur projetait des ombres qui dansaient sur tout le plafond bas de la pièce, avec ses murs de plâtre et son plancher de bois grossier. Les meubles d'Anne étaient convenables, mais il y en avait si peu : un lit clos doté de simples rideaux ; une table de toilette rudimentaire pourvue d'une cuvette ; deux fauteuils rembourrés aux accoudoirs dénudés ; une table basse encombrée d'articles de couture ; une table de cuisine ovale qui pouvait à peine recevoir quatre personnes ; et quelques chaises en bois dépareillées entassées dans un coin, comme des commères échangeant les dernières nouvelles.

Marjory retrouva enfin la voix.

— Vous avez un charmant logis, cousine Anne.

— Il est facile de s'organiser quand on possède si peu de choses, dit Anne en allumant une seconde chandelle de suif.

Elle la plaça sur l'étagère entre les deux fenêtres de devant. Les seules fenêtres, comprit Marjory. Au moins, les vitres étaient propres et les rideaux, étonnamment, étaient ornés de dentelle. Une touche extravagante pour un logement aussi modeste. Elle s'approcha et regarda vers la place du marché en contrebas.

— Vous avez une jolie vue sur la ville, dit Marjory.

— Et la ville aussi me voit d'un bon œil, dit Anne sèchement. Si vous croyez dissimuler ici la disgrâce de votre famille, Marjory, vous avez frappé à la mauvaise porte.

Elle broncha légèrement à ces paroles si dures.

— Croyez-moi, ma cousine, si j'avais eu un autre endroit où aller...

Anne s'était déjà tournée pour tisonner le charbon dans le foyer, déplaçant les braises avec une efficacité empreinte d'animosité.

Marjory fixa son regard sur le dos de sa cousine. Une absence de lettres au cours des années pouvait difficilement justifier une réception aussi froide. Était-ce parce que les Kerr avaient eu la mauvaise idée de soutenir le prince Charlie ? Ou quelque chose d'autre mettait-il Anne dans cet état ?

Quand Elisabeth franchit le seuil, apportant la première de leurs malles, Anne se hâte d'aller l'aider, comme si elle avait été heureuse de fuir la présence de Marjory. Les deux jeunes femmes disparurent dans l'escalier, laissant Marjory examiner leur environnement et accepter l'inévitable.

Une seule pièce. Nous devrons toutes vivre dans une seule pièce.

Abattue par cette perspective, Marjory marcha le long du mur de devant, comptant ses pas. *Dix-huit.* Puis, elle mesura la distance de la façade jusqu'au mur du fond. *Dix-huit.* Le mur de soutien qui se dressait jusqu'au milieu de la pièce procurait un minimum d'intimité entre le lit d'Anne et le reste du logement, tout en le faisant paraître encore plus petit.

Avec un gémissement étouffé, Marjory s'assit lourdement dans la chaise la plus proche, se demandant ce qu'Anne Kerr pourrait leur servir pour le dîner. Du fromage moisi avec un *bannock*[3] sec, imagina-t-elle, puis elle s'en voulut de juger sa cousine aussi sévèrement. Anne n'avait reçu aucun préavis annonçant leur arrivée et n'avait disposé d'aucun délai pour réapprovisionner son garde-manger. De plus, elle disposait de ressources bien limitées.

Entendant des voix dans l'escalier, Marjory se leva avec un sursaut coupable, puis observa Anne et Elisabeth traverser tant bien que mal l'embrasure de la porte, portant une lourde malle à deux.

— Vous devriez la déposer là, suggéra Marjory, incertaine de la manière de se rendre utile.

Elles placèrent docilement la malle au pied du lit d'Anne et ressortirent pour aller chercher la suivante, sans dire un mot.

Comme des domestiques, pensa Marjory sombrement.

Son cœur sauta un battement. *Gibson.* Comment avait-elle pu l'oublier aussi rapidement ?

Atterrée, Marjory se hâta à la fenêtre comme si par miracle elle allait apercevoir sa tête chauve frangée de gris. Était-ce la pluie qui l'avait retardé ? Une blessure ? La maladie ? Peut-être avait-il croisé un voleur de grand chemin sur la route déserte. Ou pire, des dragons. Quarante milles séparaient le square Milne de la ruelle Halliwell. N'importe quoi aurait pu arriver.

Quand les autres revinrent, Marjory faisait les cent pas.

— Où trouverons-nous Gibson ?

— Moi aussi, je suis inquiète, admit Elisabeth en se dirigeant vers la table de toilette au pied du lit d'Anne.

---

3. N.d.T. : Pain plat et rond sans levain.

Ce ne fut qu'à ce moment-là que Marjory remarqua leurs visages rougis par l'effort et leurs mains sales.

— Nous penserons à votre serviteur tout à l'heure, dit Anne en passant près d'elle. D'abord, je dois m'occuper du dîner. Cousine Marjory, si vous voulez bien mettre la table.

Elle fit un geste vers une tablette basse où se trouvait un assortiment d'ustensiles, de bols en bois et de tasses de corne sculptée.

Marjory regarda la grossière vaisselle de bois. Les cuillères et les fourchettes étaient devenues grises après des années d'usage et les quelques assiettes étaient profondément fendillées le long du grain. Voilà comment se présentait son avenir. Fini les plats d'étain, les gobelets de cristal, les cierges en cire d'abeille dont la flamme se miroitait doucement sur un buffet d'acajou.

De l'autre côté de la pièce où elle se trouvait, Anne lui dit :

— Quelque chose ne va pas, cousine ?

— Non, répondit Marjory rapidement.

Elle ne pouvait refuser d'aider, aussi modeste que fût la tâche. N'était-elle pas la pire intruse au monde ? Une parente sans le sou mendiant son pain, avec une belle-fille veuve à sa charge et un domestique égaré dans les collines.

Marjory tendit une main tremblante pour saisir une poignée d'ustensiles. *Que vais-je faire, mon Dieu ? Pourrons-nous jamais vivre comme cela ?*

Chapitre 5

La nuit est sombre,
et je suis loin de la maison;
Guidez-moi!
— John Henry Newman

Elisabeth avait oublié la sensation désagréable qu'une cuillère de bois produisait dans la bouche. Quand la chaleur et l'humidité du bol de soupe fumante eurent fait enfler l'ustensile, il lui fit l'effet d'une seconde langue. Elle déposa rapidement la cuillère, se sentant nauséeuse.

— Le potage n'est pas assaisonné à votre goût? demanda Anne. Trop de thym sauvage, peut-être?

— Il est savoureux, répondit Elisabeth en repoussant le bol de bouillon aqueux. Mais je dois admettre que je suis plus fatiguée qu'affamée.

Ce qui n'était pas l'exacte vérité. Elle était fatiguée *et* affamée, mais elle ne voulait pas offenser leur cousine.

Anne se tourna vers Marjory, la seule chandelle sur la table illuminant les traits anguleux de la jeune femme.

— Et votre serviteur, est-ce un homme capable?

— Oui, et brave, répondit Marjory, même s'il n'est pas en parfaite santé. L'hiver dernier, il a souffert d'une fièvre et d'une toux persistante.

Elisabeth se souvenait très bien de ce jour où Marjory avait pris la température de Gibson — en plaçant la main sur son front, sur ses joues et sur sa poitrine —, avec des gestes tendres, les yeux remplis d'une grande affection pour l'homme qui servait si loyalement sa famille.

— Cousine, dit Anne sévèrement, vous devez vous préparer au pire. Un serviteur avançant en âge, toujours en

convalescence, voyageant à pied par ce temps froid et pluvieux ? Il pourrait fort bien ne jamais atteindre Selkirk.

Marjory parut bouleversée.

— Ne dites pas une telle chose ! s'écria-t-elle. J'ai connu
Neil Gibson durant toute ma vie d'épouse et tout mon veu-
vage aussi.

Elisabeth tendit la main pour prendre celle de sa
belle-mère.

— Je n'ai aucun doute : Gibson arrivera dans un jour ou
deux. Sinon, il nous fera envoyer un mot par un cocher qu'il
aura croisé en route.

Marjory serra les doigts en guise de réponse, mais n'ajouta
rien.

Quand Anne se leva et se mit à débarrasser la table,
Elisabeth se leva tout de suite pour l'aider, voulant à la fois
changer le cours de ses pensées et se montrer utile. Les deux
femmes s'agenouillèrent près du feu et lavèrent la vaisselle
avec de l'eau chaude et des chiffons, puis elles déposèrent les
articles de bois sur la dalle du foyer pour qu'ils sèchent.

— Je n'ai pas à me rendre très loin pour puiser de l'eau,
dit Anne. Le puits de la croix se trouve sur la place du marché,
juste au-delà de l'entrée de la ruelle Halliwell.

Elisabeth était déjà debout.

— J'irai en chercher pour demain matin.

— Oh, mais cousine Elisabeth…

— Bess, dit-elle en baissant le regard vers elle.
Appelez-moi Bess, s'il vous plaît.

— Et moi je préfère Annie, répondit-elle au bout d'un
moment. Malgré tout, je ne peux demander à mes invitées…

— « Invitées » est un grand mot, lui rappela Elisabeth.
Des parentes éloignées, dans le meilleur des cas. Nous
n'avions aucune raison de nous présenter à votre porte à l'improviste, mais je ne blâmerai pas ce pauvre Gibson.

— Ni moi, dit Anne, qui jeta un coup d'œil à Marjory,
maintenant somnolente dans l'un des fauteuils rembourrés.

Quand Anne parla de nouveau, sa voix était basse et tendue.

— Je dois avouer, continua-t-elle, qu'il m'est difficile d'abriter Lady Kerr sous mon toit. Elle... c'est-à-dire, Lord John...

La voix d'Anne faiblit et s'éteignit.

Elisabeth n'insista pas. Peut-être quand elles se connaîtraient mieux. Peut-être quand Anne lui ferait confiance.

— Je n'en ai que pour un moment, dit Elisabeth.

Puis elle se hâta de descendre l'escalier pour s'engager dans la ruelle sombre, clignant les yeux jusqu'à ce que ses pupilles s'habituent à l'obscurité. Quelques pas encore et elle atteindrait la place du marché, aussi noire que la nuit elle-même, où le puits carré se trouvait. Elle remplit le pichet à col étroit à la hâte, tremblant dans la brume humide qui tournoyait autour de ses jupes. Au-dessus d'elle, la lune et les étoiles étaient perdues dans les nuages, et les trois rues qui convergeaient pour former la place du marché triangulaire étaient plongées dans l'obsucité.

Elisabeth leva les yeux vers les fenêtres du logis d'Anne, dont les rideaux étaient fermés, et une douloureuse prise de conscience l'oppressa. *Je n'aurai pas dû venir.* Anne ne pourrait les nourrir avec les maigres provisions de son garde-manger, jour après jour. Et son petit logement n'était pas fait pour accueillir trois personnes. Si Marjory savait ce qui l'attendait à Selkirk, pas étonnant qu'elle eût insisté autant pour renvoyer ses belles-filles dans les Highlands.

Janet avait honoré la requête de Marjory.

Hélas, moi, je ne l'ai pas fait.

Le cœur lourd, Elisabeth remonta l'escalier et trouva Anne attendant près du lit clos, avec ses murs de bois et ses rideaux de laine.

— J'ai un lit gigogne rangé en dessous, lui dit Anne, mais nous devrons nous y mettre à deux pour le tirer de là.

Après quelques minutes d'efforts, Elisabeth et Anne parvinrent à retirer le petit lit gigogne de son réduit, libérant un nuage de poussière. Elles le firent rouler dans le coin opposé de la pièce et époussetèrent le matelas avec un balai de paille.

Dans la plupart des foyers, les lits gigognes étaient destinés aux enfants ou aux domestiques. Marjory regarda avec un désarroi évident le mince matelas rempli de paille et les roues de bois branlantes.

— Devrons-nous partager ce lit? demanda-t-elle.

Anna leva le menton, une lueur coléreuse dans les yeux.

— C'est le seul que j'aie à vous offrir, cousine.

Elisabeth intervint rapidement.

— Marjory, je vous en prie, prenez ce lit. Je dormirai près du feu avec un *creepie*[4] sous mes pieds.

Elle positionna l'un des fauteuils devant le foyer et tira vers elle un petit tabouret de bois.

— Annie, dit Elisabeth, si vous aviez une autre couverture, je vous en serais reconnaissante.

— Mais vous ne pouvez dormir dans un fauteuil, s'opposa Marjory.

— Bien sûr que je le peux, répondit Elisabeth en commençant à retirer les épingles de ses cheveux. Les gens des Highlands ont la réputation de dormir dans les montagnes et les landes enveloppés d'un simple plaid.

— Les hommes peut-être, maugréa sa belle-mère.

— Non, l'assura Elisabeth, les femmes aussi. J'ai passé plusieurs nuits d'été à la belle étoile, le dos appuyé contre un arbre, dans la pinède entourant Castleton-de-Braemar.

— Vous avez dormi dans les bois? demanda Marjory en hochant la tête. Vraiment, Bess, vous ne cesserez jamais de m'étonner.

Elisabeth regarda autour de la pièce, espérant que leur échange anodin avait donné à la colère de leur cousine le

---

4. N.d.T. : Chaise basse ou petit tabouret.

temps de s'apaiser. Mais le visage d'Anne était toujours maussade.

— J'ai un plaid pour chacune d'entre vous, dit-elle.

Puis, elle fouilla dans son lit clos et en retira deux légères couvertures de laine tissées dans des tons mats de bleu et de rouge.

— N'en aurez-vous pas besoin ce soir ? s'enquit Elisabeth, qui tenait à s'en assurer.

Anne secoua négativement la tête.

— C'est de sommeil dont j'ai besoin, maintenant.

Elles passèrent à tour de rôle à la table de toilette, puis retirèrent leur robe et se préparèrent pour la nuit. Quand Anna souffla la dernière chandelle, un silence embarrassé, plus épais qu'un plaid, s'abattit sur la pièce obscure.

— Bonne nuit, dit Elisabeth, espérant qu'on lui répondît et que la soirée se terminât sur une note plus légère.

Mais Anne ferma les rideaux de son lit sans dire un mot et Marjory émit un soupir où la frustration était perceptible.

Avec le jour sabbat qui devait se lever bientôt, Elisabeth refusa de se laisser décourager. La lumière du jour et la chaleur des rencontres allégeraient sûrement l'atmosphère. Elle arrangea silencieusement son plaid à la lueur mourante du feu de charbon, puis ferma les yeux et se tourna vers le Tout-Puissant.

Quand je songe à toi sur ma couche, au long des veilles, je médite sur toi. Depuis le début de l'hiver, elle avait relu les psaumes jusqu'à ce que les paroles deviennent son pain quotidien, nourrissant son âme et son esprit. Quand la Bible familiale était hors de portée, ou qu'il se faisait tard, ou que la lumière s'était retirée, elle pouvait puiser à même cette sainte vérité qu'elle portait en elle.

Les mots vinrent rapidement, silencieusement, mais sûrement.

Mon âme se presse contre toi. Son cœur s'émut à cette pensée. Dieu l'avait conduit à Selkirk, elle en était certaine. Maintenant venait la tâche la plus difficile : demeurer dans la conviction qu'Il l'avait amenée ici pour une bonne raison.

Ta main droite me sert de soutien. Si le Tout-Puissant la soutenait, ne pourrait-elle pas appuyer les autres ? Elisabeth leva la tête, soulevée par cette prise de conscience. Plutôt qu'être un fardeau pour Anne, elle pourrait offrir un soutien matériel à leur cousine en mettant son aiguille à leur disposition. N'avait-elle pas gagné son pain en travaillant dans la boutique d'un tailleur ? Et cousu ses propres robes pour le seul plaisir de voir l'ouvrage de ses mains ?

Elle ferait de la couture, alors, et prierait pour que le cœur d'Anne s'adoucisse à leur égard. Se calant douillettement dans son fauteuil, Elisabeth succomba au sommeil et laissa le Tout-Puissant façonner ses rêves.

Chapitre 6

*Il y a dans le cœur de toute vraie femme
une étincelle de feu divin...
qui s'embrase, et rayonne et illumine
dans l'heure sombre de l'adversité.*
— Washington Irving

Marjory fixa sa tasse de thé, les yeux rouges après une mauvaise nuit de sommeil. Sa belle-fille avait voulu bien faire, mais le lit gigogne n'avait rien d'un luxe. Le matelas était bosselé et le cadre de bois gémissait dès qu'elle remuait ou se retournait.

Malgré tout, tu as eu un lit à toi, Marjory. Et un dîner avant d'aller dormir.

Le souvenir l'irrita et elle aurait aimé que sa conscience fût toujours endormie. Mais c'était le sabbat. Tout Selkirk serait debout, habillé et prêt à partir pour l'église de la paroisse au premier tintement de la cloche.

Marjory considéra le dernier morceau de sa galette d'avoine, puis l'éloigna d'elle. Son appétit avait disparu à la pensée de revoir ses anciens voisins, qui remarqueraient sa condition misérable et apprendraient bientôt sa déchéance. Et que dirait-elle au révérend Brown?

— Venez, Marjory.

Elisabeth lui fit signe de s'approcher de la fenêtre, une brosse à cheveux à la main.

— Puisque tous les regards seront tournés vers vous ce matin, il faut que vous soyez à votre avantage.

Marjory se soumit aux soins de sa belle-fille, agréablement surprise de voir ses minces cheveux auburn se transformer en une tresse lisse épinglée au sommet de sa tête. Tenant le petit miroir d'Anne, Marjory essaya de ne pas voir les rides marquant ses traits pour n'admirer que le travail d'artiste d'Elisabeth.

— Un autre talent bien employé, la complimenta Marjory. Ma robe est défraîchie, mais ma coiffure, elle, est présentable.

— Un jour, je vous confectionnerai une nouvelle robe, lui promit Elisabeth tout en replaçant quelques mèches avant que la cloche se mît à sonner.

L'estomac de Marjory se noua. *Pas déjà, pas déjà.*

— Nous devons partir, les prévint Anne, nouant sa cape autour de ses épaules. Le révérend ne tolère pas les retardataires.

Marjory brossa rapidement les peluches de ses jupes, puis elle suivit les autres qui descendaient l'escalier et atteignit la place du marché bien plus vite qu'elle ne l'eût souhaité. *Aidez-moi à ne pas avoir peur, mon Dieu. Aidez-moi à ne pas avoir honte.*

Le ciel était bleu pâle et une brume légère était suspendue dans l'air. Marjory s'arrêta à l'entrée de la ruelle, s'imprégnant du spectacle. Les passants déambulaient devant elles, à pied ou à cheval. Les chiens et les poulets s'ébattaient où bon leur semblait. Des porcs fouillaient dans des piles d'ordures près des maisons et les rues pavées ne disposaient pas de caniveaux adéquats. Des structures construites au XVIe siècle trahissaient leur âge, avec leurs volets brisés et leurs portes mal ajustées.

Pourtant, c'était maintenant son nouveau foyer. Malgré l'aspect banal des rues et des constructions de Selkirk, la campagne vallonnée au-delà des portes de la ville était un réconfort pour les yeux. De la place du marché où elle se trouvait, Marjory repéra la colline Harehead, à l'ouest, et la colline Bell, à l'est. Son ancien domaine se trouvait à deux milles au nord, au confluent du fleuve Tweed et de la rivière Ettrick. Quand leur attelage était passé devant Tweedsford, elle avait détourné le regard, incapable de supporter la douloureuse vision d'une demeure qui n'était désormais plus la sienne.

À l'insistance d'Anne, elles se joignirent à la foule qui se déversait dans la venelle de l'Église, une étroite rue pavée et bordée de maison de deux ou trois étages. Les gens y affluaient de tous les côtés. Une femme en haillons arriva en boitant, suivie par deux garçons avec leurs colleys aboyant, et un homme grisonnant aux yeux chassieux.

Elisabeth prit le bras de Marjory.

— Avez-vous vu des visages familiers?

— Pas encore, dit Marjory, qui ne savait pas si elle en était soulagée ou déçue.

Elle n'avait remarqué personne. Personne ne l'avait saluée dans la rue.

— Par ici, dit Anne, qui les entraîna vers une humble demeure à leur droite, dont la porte grande ouverte semblait être une invitation muette. Les Minto ne nous en voudront pas de traverser leur maison, expliqua-t-elle.

Marjory fronça les sourcils, regardant la rue un peu plus loin.

— Le passage voûté conduisant à l'église a-t-il été fermé?

— Oh! Le passage est encore là, dit Anne, mais aussi le doyen de l'église, posté à l'entrée avec son plateau de quête.

Elle se pencha sous le linteau de la porte, invitant du geste les autres à l'imiter. Marjory se sentit à peine coupable d'éviter l'homme d'Église. Après tout, qu'aurait-elle pu déposer dans son écuelle de bois? Un vieux bouton? Un petit caillou ramassé dans la rue?

Quand Anne remercia monsieur Minto en entrant, il hocha la tête avec indulgence.

— Vous n'pouvez pas donner c'que vous avez pas, m'dames.

Les Kerr traversèrent en vitesse une pièce miteuse après l'autre. Marjory hocha poliment la tête en direction de divers membres de la famille, imaginant l'élégante Lady Minto de Cap, et la ruelle de la Plume, à Édimbourg, dans son logement somptueusement meublé. Si ces Minto-là étaient de sa parenté, la noble dame les avait gravement négligés.

Comme tu as négligé Anne ?

La chaleur monta aux joues de Marjory. Pendant toutes ses années à Édimbourg, elle ne s'était jamais informée de la situation d'Anne. Même maintenant, elle n'avait aucune idée de la manière dont sa cousine assurait sa subsistance.

— Par ici, dit Anne.

Elle traversa la porte de derrière et pénétra dans la cour brumeuse de l'église, sans se soucier de s'assurer que les autres étaient derrière elle.

Aux côtés d'Elisabeth, Marjory continua l'ascension vers l'église paroissiale, construite deux siècles auparavant, avec son haut clocher carré surmontant le portail voûté. Tandis qu'elle approchait, ses yeux s'écarquillèrent. Dans quel piteux état se trouvait la maison de prière ! Le toit était affaissé comme s'il était sur le point de s'effondrer, les murs se désagrégeaient et la grande porte semblait arrachée de ses gonds.

— Cousine ! dit Marjory en accélérant le pas, contournant une rangée de pierres tombales abîmées. Est-il prudent d'entrer ?

Anne s'arrêta, le temps de regarder par-dessus son épaule, et afficha une expression sévère.

— Vous feriez mieux de faire une prière, car c'est bien pire à l'intérieur.

Marjory regarda l'église avec consternation.

— Je crains que vous n'ayez raison.

— Venez, ma chère, dit Elisabeth en présentant son coude arrondi, afin d'aider Marjory à franchir la porte.

— J'ai peu d'amis véritables, confessa Marjory à voix basse, seulement des connaissances.

À sa grande honte, alors qu'elle était encore Lady Kerr de Tweedsford, elle se croyait bien supérieure au reste de la paroisse. Maintenant, elle était la dernière. Non, moins que la dernière.

Marjory parcourut du regard le sanctuaire faiblement éclairé, espérant qu'une âme généreuse la saluerait. Cette femme là-bas, aux cheveux roux sans éclat, était-ce Jane Nicoll ? Et cette mère, avec sa ribambelle d'enfants, pourrait-elle être Katherine Shaw ? Des noms et des visages lui revenaient à l'esprit. Celles-là pourraient-elles être Christina March et Agnes Walker ?

Marjory était si sûre qu'une certaine dame âgée était Jean Scott, qu'elle dit son nom à voix haute et attendit qu'elle tournât la tête dans sa direction.

— Jean est morte il y a deux ans, l'informa Anne. C'est sa sœur cadette, Isobel.

Jean, morte ? Marjory se laissa le temps d'assimiler la triste nouvelle.

— Et qu'en est-il de Margaret Simpson ? Ou de Grisell Lochrie ?

Sa cousine hocha la tête de nouveau.

— Elles nous ont quittés, toutes les deux.

— Alors, j'irai voir leurs tombes après les services, dit Marjory, attristée par ces nouvelles inattendues.

Bien qu'elle ne les eût pas très bien connues, elle savait que ces femmes n'étaient pas tellement plus âgées qu'elle-même.

Alors qu'elles avançaient le long de l'allée centrale, Marjory jeta un regard circulaire, et son cœur s'attrista un peu plus. Les boiseries, autrefois imposantes, pourrissaient sur place. Des oiseaux s'égaillaient au plafond et de la paille était répandue sur le plancher sale. Des sections des murs étaient inclinées d'une bonne largeur de main et les tribunes des marchands étaient dans une position si chancelante qu'elles semblaient vouloir s'écrouler.

N'était-ce pas le miroir de sa vie ? Ruinée, au-delà de tout espoir de restauration.

— Avez-vous l'intention de vous asseoir sur le banc des Kerr ? demanda Anne, qui indiqua d'un hochement de tête le côté nord de l'église. Depuis la mort de Lord John, il a été fort négligé.

Marjory fixa le banc crasseux et le mur instable tout près.

— Pourquoi monsieur Laidlaw n'a-t-il pas veillé à son entretien ? Ne payait-il pas le loyer à Martinmas[5] ?

— Il semble que non, dit Anne, alors que les têtes commençaient à se tourner. Pas plus qu'il n'a franchi le seuil de ce temple depuis plusieurs années.

Marjory avança d'un pas lourd. Si Gibson avait été là, il aurait passé un coup de chiffon sur le banc avant qu'elles s'y assoient, ou il aurait retiré son manteau pour épargner leurs robes. Mais Gibson s'était égaré dans les bois, peut-être même avait-il été agressé par quelque voleur de grand chemin.

Quand Marjory prit place sur le banc des Kerr, les voix autour d'elle s'amplifièrent et roulèrent le long des allées en un sourd grondement.

— C'est impossible !

— Lady Kerr ?

— Sûrement pas…

Une femme d'âge moyen se fraya un chemin dans la foule.

— Dites-nous, Annie ! Qui sont ces visiteuses ?

Visiteuses ? Marjory se tourna pour faire face à l'assemblée. *Ne me reconnaissent-ils plus du tout ?* Quand Elisabeth glissa un bras autour de sa taille, Marjory s'inclina vers elle, heureuse que sa belle-fille fût grande et forte. Oui, et courageuse également.

— Voici mes cousines, dit Anne assez fort pour que toutes les personnes présentes puissent l'entendre. Marjory Kerr revient d'Édimbourg avec sa belle-fille, Elisabeth Kerr.

Des exclamations fusèrent dans l'église.

---

5. N.d.T. : La Saint-Martin ; représente la fin du cycle agricole annuel, fêtée le 11 novembre. C'est à cette date que se paient les baux ruraux et que se règlent les dettes.

— Pas *Lady* Kerr ? cria une femme âgée, dont toute la détresse se lisait sur ses traits ridés. Mais, madame, où sont vos garçons ? Où sont Donald et Andrew ?

Marjory la reconnut immédiatement.

— Mademoiselle Cranston !

Elle tendit la main vers l'ancienne gouvernante qui avait pris soin de ses jeunes garçons.

— Est-ce bien vous ?

— Mais si ! répondit Elspeth Cranston, qui se précipita vers l'avant et serra brièvement ses mains tendues.

Elle ouvrit la bouche, puis la referma, regardant attentivement Marjory.

— Mais que vous est-il arrivé, milady ? l'interrogea-t-elle. Vous ne semblez plus… vous-même.

Les témoins de la scène approuvèrent par leurs murmures la dernière remarque alors qu'ils approchaient d'elle. Quand Marjory leva les yeux, ils n'étaient plus des étrangers. Elle reconnut Martha Ballantyne, qui venait souvent à Tweedsford l'après-midi pour jouer au whist. Derrière elle, Douglas Park, avec sa mine sévère et son double menton frémissant. Charles Hogg, dans le banc suivant, avait enseigné le latin à ses fils. Une autre partenaire de whist, Sarah Chisholm, de Broadmeadows, à l'abondante chevelure d'ébène, se tenait tout près, tandis que John Curror, de Whitmuir Hall, était debout derrière elle.

L'un après l'autre, les habitants de la ville l'invitaient à parler, l'interrogeaient.

— Mais qu'est-il arrivé ?

— Pourquoi êtes-vous rentrée ?

— Où sont vos fils ?

La bouche de Marjory tremblait. Non, c'est tout son corps qui était secoué de tremblements alors qu'elle luttait pour trouver les mots justes.

— Je ne suis pas… celle dont vous vous souvenez, finit-elle par dire, d'une voix tendue au point de se briser. Quand je suis partie de Selkirk, j'avais une famille. Elle montra ses mains vides. Maintenant, je n'ai plus rien.

Elle baissa la tête alors qu'une vague d'angoisse la submergeait. *Aidez-moi, je vous en supplie. Aidez-moi.* N'avait-elle pas compris que ce jour viendrait, lorsque tout Selkirk apprendrait la vérité ? Quand leurs murmures s'apaisèrent enfin, Marjory dit ce qu'elle devait dire.

— Mon mari est décédé il y a plusieurs années. Mais mes fils… mes chers fils sont morts en janvier. Dans la lande de Falkirk.

— Non ! s'écria Elspeth Cranston en faisant un pas en arrière, les mains pressées sur la bouche. Pas dans la bataille contre les jacobites ?

Elle regarda alentour comme si elle demandait l'avis des autres.

— Pardonnez-nous, Lady Kerr, mais nous n'avions pas entendu parler de cette perte tragique.

Dans le silence qui s'ensuivit éclata une voix rude.

— Vos fils ont porté les armes pour le roi George, n'est-ce pas ?

— Ce sont des Kerr, répondit une autre. Pour qui d'autre auriez-vous voulu qu'ils combattent.

Marjory regardait autour d'elle, et sa vision s'embrouillait. Devait-elle avouer le reste ? Ou devait-elle en parler d'abord au révérend Brown, en privé, et laisser la nouvelle se propager d'elle-même ? Il n'y avait pas d'honneur à cela. Le Tout-Puissant ne l'avait pas ramené chez elle pour qu'elle se cache.

Tu es avec moi. Oui, de cela elle était certaine.

Marjory se redressa et leva la tête. Ce n'était pas de l'orgueil, mais de la confiance.

— Mes fils ont combattu pour la cause à laquelle ils croyaient, dit-elle aussi fermement qu'elle le put. La cause du prince Charlie, la cause des Stuart, nommez-la comme bon vous semble. Mes fils l'ont embrassée. Et ils sont morts pour leurs idées.

Un hoquet collectif remplit le sanctuaire. Puis, les cris retentirent. Elle avait entendu ces mots avant. *Rebelles. Jacobites. Traîtresses.*

Quand leurs vociférations hargneuses menacèrent d'enterrer ses explications, elle leva les mains, priant pour que sa voix restât forte et que son courage ne l'abandonnât pas.

— Le roi partage votre opinion, assura-t-elle à la foule, mettant fin à la clameur. Mardi dernier, mon fils Donald a été disgracié. Notre famille a été déclarée déchue de ses titres. Et la propriété de Tweedsford a été restituée à la Couronne.

Si les murs s'étaient abattus sur eux, les paroissiens n'auraient pas été plus abasourdis. Tous tinrent leur langue, à l'exception d'un seul.

— À c't'heure, z'êtes plus aussi grande et puissante qu'vous l'étiez, n'est-ce pas, m'dame Kerr?

— Je ne le suis plus, dit-elle au jeune homme qui la regardait de dessous le bord de son bonnet sale.

Elle savait que ce n'était pas le roi George qui l'avait humiliée. Non, c'était Celui qui l'aimait.

Avec des larmes ruisselant sur ses joues, Marjory projeta les mots sacrés jusque dans les recoins les plus éloignés du sanctuaire.

— «Dieu avait donné, Dieu a repris», dit-elle, ravalant son orgueil, ses peurs, sa honte. «Que le nom de Dieu soit béni.»

Chapitre 7

Salut, sabbat ! Je te salue, toi,
le jour de l'homme pauvre.
— James Grahame

Elisabeth baissa les yeux vers sa belle-mère, son cœur débordant d'admiration. *Comme vous êtes courageuse, chère Marjory !*

— Prêcherez-vous le sermon, ce matin, madame Kerr ? tonna une voix masculine.

Les deux femmes se tournèrent et aperçurent le ministre de la paroisse qui les fustigeait du regard du haut de sa chaire. Un homme grand et voûté, sans doute septuagénaire, qui portait une robe noire simple et affichait un visage austère.

Marjory se ressaisit rapidement, asséchant ses larmes.

— Pardonnez-moi, révérend Brown. Je voulais seulement...

— Oh ! J'ai entendu chaque mot, dit-il d'un ton calme. Gloire à Dieu, oui. Mais aucun respect pour le roi souverain.

Son expression sévère ne le quitta pas alors qu'il invitait le maître de chapelle à diriger le psaume de rassemblement.

— Nous parlerons en privé, madame Kerr, dit encore le révérend d'un ton sec qui n'admettait aucune discussion. Vous avez suffisamment perturbé le sabbat comme cela.

Marjory baissa les yeux, mais Elisabeth put voir que sa belle-mère redoutait la perspective d'une rencontre avec le révérend. Dans une paroisse placée sous la protection du duc de Roxburgh, une loyauté indéfectible au roi George était attendue, sinon exigée. Les Kerr pourraient-ils être bannis de l'église ? Chassés de la paroisse ? Ou bien la prison municipale près de la place du marché, avec ses fers et ses carcans, accueillerait-elle deux nouvelles prisonnières avant la fin de la semaine?

Ça suffit, Bess. Elle fit taire ses peurs, se rappelant qu'elles ne servaient à rien. Dieu ne les avait-il pas protégées, jusqu'à maintenant?

Tandis que les membres de l'assistance regagnaient leur banc, Elisabeth brossa rapidement les débris du banc des Kerr, afin de protéger la robe vert mousse d'Anne. Leurs propres robes noires étaient déjà souillées.

Le maître de chapelle apparut peu après.

— William Armstrong, marmonna Marjory, rejoignant à Elisabeth sur le banc avec Anne auprès d'elle.

Monsieur Armstrong, un homme mince de tempérament nerveux, aux cheveux gris rêches et aux bras minces, se rendit d'un pas traînant au pupitre où le psautier ouvert l'attendait. Il secoua les manches de sa soutane, rajusta ses lunettes et baissa les yeux vers les psaumes, transposés en mètres communs et en rimes pour le culte.

Elisabeth leva son regard vers le ciel, au-delà du toit en train de s'affaisser, pendant que le maître de chapelle chantait une ligne à la fois, puis s'arrêtait pour laisser l'assemblée répondre à l'unisson:

Mon âme avec espoir
s'en remet à Dieu;
Ma force et mon salut
me viennent de Lui seul.

La vérité de ces paroles la revivifia comme une brise fraîche. Elisabeth chanta de tout son cœur, sans se soucier des têtes qui se tournaient et des langues qui s'animaient. Elle connaissait le Tout-Puissant et était connue de lui. Elle lui faisait confiance, dépendait de lui. *Dans les cieux, Seigneur, ton amour; jusqu'aux nues, ta vérité!*

Et dire qu'elle avait déjà trouvé du réconfort en rêvérant la lune ! Comme sa mère des Highlands, et sa grand-mère avant elle, Elisabeth avait prié au sixième jour du cycle lunaire, récité des mots sans signification pour un Dieu sans nom, et porté un anneau d'argent qu'elle ne possédait plus. Ces jours-là étaient chose du passé pour elle. Aussi sévère que pût être l'attitude du révérend, aussi austères que fussent ses sermons, c'était le lieu où elle passerait ses sabbats, trouvant une joie secrète dans les mots sacrés eux-mêmes.

Dès que le dernier psaume fut terminé et la bénédiction accordée, Marjory les entraîna vers la porte.

— Je n'ai pas la force d'affronter nos nombreux voisins, admit-elle.

Elisabeth resta tout près d'elle.

— Vous êtes plus forte que vous ne le croyez, Marjory, lui dit-elle. Je parlerais volontiers en votre nom, mais c'est vous qu'ils veulent voir.

— Votre belle-fille a raison, dit Anne alors qu'elles commençaient à marcher ensemble dans l'allée centrale pour se rendre à la sortie. Laissons-les satisfaire leur curiosité, pour qu'on en finisse.

Le trio ne se rendit pas très loin. Des paroissiens de tous âges et de toutes les conditions se pressèrent autour d'elles, tirant sur leurs manches et leur bloquant le passage. C'étaient des gens austères, vêtus de bleu, de gris, de brun, et portant peu de parures. Certains étaient simplement curieux, voulant simplement voir une rebelle jacobite de près. Si d'aucuns exprimèrent leur sympathie ou quelques paroles de réconfort, d'autres se sentirent tenus de réprimander Marjory pour son soutien insensé au prince.

Un vieil homme brandit un index vers elle.

— Vos garçons étaient impétueux et voulaient n'en faire qu'à leur tête. Vous les avez laissés faire et avez payé très cher pour ça.

Marjory accepta leurs assauts verbaux comme s'ils étaient mérités, hochant la tête plutôt que de se laisser entraîner dans une discussion sans issue. Les détracteurs commencèrent à se retirer, laissant la place à une poignée de paroissiens plus enclins à faire preuve de charité chrétienne.

Elisabeth répondit aux questions lorsqu'elle le pouvait.

— Oui, nous habitons dans la ville avec notre cousine pour le moment.

— Non, ma belle-sœur Janet ne viendra pas nous rejoindre.

— Oui, je suis née dans les Hautes-Terres, mais j'ai reçu mon éducation à Édimbourg.

— Non, je n'ai pas d'enfants.

Cette dernière réponse avait été la plus difficile. Trois années de mariage avec Donald n'avaient donné aucun fruit, sinon quelques souvenirs scabreux et un cœur meurtri, lent à guérir.

Heureusement, personne dans le sanctuaire ne souffla mot des infidélités de Donald. Une femme avec un enfant somnolent sur sa hanche se tourna vers Marjory pour lui offrir sa sympathie de mère.

— Je suis désolée pour votre perte, m'dame. Si désolée.

Une domestique à la tête rousse vint se placer au premier rang.

— Et pourquoi être bonne pour une femme qui n'l'a jamais été pour personne ? lança-t-elle sévèrement.

L'éclat de ses yeux verts avait la dureté des pierres précieuses, et ses mains rougeaudes et rugueuses étaient fermées sur ses hanches.

— Bonjour, Tibbie, dit Marjory d'une voix calme.

— Non, c't'un mauvais jour, que celui de vot' retour à Selkirk, dit-elle en plissant les yeux. J'connais pas la raison de vot' humiliation, mais j'suis heureuse d'être là pour y assister.

Elisabeth vit que Marjory tirait sur ses jupes, un signe de nervosité chez elle.

— Tibbie Cranshaw a travaillé pour moi à Tweedsford, dit Marjory en guise de présentation. Elle était l'une de mes meilleures filles de cuisine.

— Si j'tais si bonne que ça, pourquoi m'avoir chassée? rétorqua-t-elle brutalement.

— Vous savez pourquoi, dit Marjory.

Tibbie la dévisagea sans gêne.

— J'sais qu'z'êtes une femme cruelle, voilà c'que j'sais.

Elle tourna les talons et disparut comme elle était venue. Elisabeth inclina la tête de sorte que seule Marjory puisse l'entendre.

— Je suis désolée…

— Non, répliqua Marjory, elle avait tous les droits de me parler ainsi. J'ai renvoyé Tibbie parce qu'elle attendait un enfant. Quand elle l'a perdu peu de temps après, j'ai refusé de la reprendre, dit Marjory en poussant un lourd soupir. J'ai été plus que cruelle.

— Mais vous êtes une nouvelle femme, dit Elisabeth avec conviction. Le Tout-Puissant vous a adoucie. Tibbie le verra bien.

Marjory secoua la tête.

— Il est trop tard, je le crains. C'est à ce moment-là que j'aurais dû aider Tibbie. Je ne peux le faire maintenant.

Après l'esclandre de Tibbie Cranshaw, la foule qui les entourait commença à se disperser.

— Les gens retournent chez eux pour le déjeuner du sabbat, dit Anne. Nous devrions faire de même. J'ai une tranche de mouton pour chacune d'entre nous.

— Nous vous sommes très reconnaissantes, s'empressa de dire Elisabeth. Mais vous ne pouvez continuer à assurer notre subsistance, Annie. Dès demain matin, j'irai offrir mes services à un tailleur ou à une couturière de la ville, afin de contribuer aux dépenses du logis.

— Une dame comme vous? dit Anne, d'un ton moqueur. Gagner de l'argent avec ses mains?

— J'étais autrefois une fille de tisserand, dit Elisabeth, qui observa les sourcils de sa cousine se hausser avec étonnement. Vous verrez que je n'ai pas peur des rudes travaux.

— Pas plus que moi, fut la réponse rapide d'Anne.

Quand leurs regards se croisèrent, un éclair de compréhension brilla entre elles. Pas une amitié naissante. Pas encore. Mais une petite mesure de confiance. Un début.

Chapitre 8

La blessure secrète vit toujours
dans la poitrine.
— Virgile

Elisabeth et ses compagnes approchaient du portail de l'église quand une femme vêtue d'une superbe robe bleue croisa leur chemin. Sa chevelure d'ébène était magnifiquement coiffée et elle avait le port d'une reine.

Marjory la salua immédiatement.

— Lady Murray ! Quel plaisir de vous voir après toutes ces années !

La noble dame se tourna lentement et posa sur Marjory un regard dédaigneux.

— Malheureusement, je ne puis en dire autant, répondit-elle. Après une confession aussi téméraire que celle de ce matin, comptez-vous heureuse si une seule personne de qualité daigne toujours vous recevoir.

Voyant la douleur dans les yeux Marjory, Elisabeth se hâta de défendre sa belle-mère.

— Mais madame…

Lady Murray fit un petit geste de la main pour l'arrêter.

— Malgré tout, reprit-elle avec condescendance, je demanderai à Sir John s'il vous autorise à nous rendre visite à Philiphaugh.

Marjory redressa les épaules.

— Ne vous donnez pas cette peine, Lady Murray, dit Marjory posément. J'ai d'autres amis à Selkirk, sans compter l'agréable compagnie de ma belle-fille, Elisabeth Kerr, et de ma cousine, Anne Kerr.

Elisabeth fit une petite révérence, dissimulant son sourire. *Bien dit, Marjory.*

Ayant été adroitement remise à sa place, Lady Murray se contenta d'un petit haussement d'épaules.

— Vous savez, madame Kerr, vous n'êtes pas la seule à déménager à Selkirk ce printemps. Avez-vous entendu parler de Lord Jack Buchanan?

Une ride creusa le front de Marjory.

— Je ne crois pas connaître ce gentilhomme.

— C'est possible, car il est tout l'opposé d'un rebelle jacobite, ajouta Lady Murray avec un petit soupir. Lord Buchanan a servi sous les ordres de l'amiral Anson, du HMS *Centurion*, dans son voyage autour du monde. Ils ont combattu les Espagnols et leur ont ravi une fortune en or. Vous avez sûrement lu le compte-rendu du retour triomphal du *Centurion* en 1744?

— Les journaux n'ont pour ainsi dire parlé que de cela, cet été, acquiesça Elisabeth.

— Et ce n'est pas étonnant! Trente-deux wagons chargés de coffres remplis de trésors livrés à la tour de Londres, s'exclama la comtesse en faisant battre son éventail de soie, comme si le fait d'imaginer une pareille richesse lui donnait le vertige. Lord Buchanan est attendu dans une semaine ou deux. Riche comme Crésus, dit-on. Un amiral maintenant — et toujours célibataire.

Elle jeta un coup d'œil par-dessus son épaule, hochant la tête en direction de deux jeunes filles debout près de la porte.

— Notre Clara est trop jeune pour lui, bien sûr, expliqua encore Lady Murray, mais l'amiral Buchanan serait un parti idéal pour notre charmante Rosalind. Elle atteindra sa majorité le printemps prochain.

Elisabeth remarqua la chevelure d'ébène lustrée de l'aînée et sa peau d'ivoire, sa mise élégante et ses mouvements gracieux. Si cet amiral était à la recherche d'une épouse, Rosalind Murray de Philiphaugh paraissait un choix judicieux.

— Mais qu'est-ce qui amène un amiral aussi loin à l'intérieur du pays? demanda Elisabeth.

— Une propriété, dit Lady Murray en fermant son éventail avec un claquement sec. J'imagine que Sa Majesté a voulu récompenser les efforts de l'amiral en lui faisant don d'un beau domaine dans le comté de Selkirk.

Elisabeth vit le visage de sa belle-mère blêmir. *Pas Tweedsford, mon Dieu. Pas déjà.*

— Je me suis attardée assez longtemps, dit Lady Murray en saisissant ses jupes. Sir John est resté à la maison, ce matin, car il ne se sentait pas bien. Je ferais mieux d'aller le retrouver.

Elle tourna sur elle-même et disparut dans un murmure de satin.

Elisabeth prit silencieusement le bras de sa belle-mère, inquiète de l'expression vide de son visage.

— Un beau domaine dans le comté de Selkirk, répéta Marjory d'une voix éteinte, dépourvue d'émotions. Le roi George a fait cadeau de ma maison à l'amiral. Il lui a cédé Tweedsford.

— Nous ne pouvons en être sûres, dit Elisabeth, qui se rendait compte que c'était une bien maigre consolation. Si cela avait été le cas, Lady Murray n'aurait-elle pas nommé la propriété ?

— Tu ne connais pas Eleanora Murray, dit Marjory avec un regard où se lisait toute sa résignation. La comtesse se plaît à répandre des rumeurs, où et quand bon lui semble, sans se soucier de blesser les autres.

Elisabeth jeta un coup d'œil à Anne et la vit hocher distraitement la tête. Lady Murray, de toute évidence, n'était plus une véritable amie de Marjory, si même elle l'avait déjà été.

— Vous avez subi assez d'épreuves aujourd'hui, dit Elisabeth à sa belle-mère tout en lui prenant le bras pour l'entraîner. Un repas léger et une longue sieste sont de mise. Si des visiteurs viennent frapper à notre porte, je ferai en sorte qu'ils ne franchissent pas le pied de l'escalier.

Une douce brise accueillit les femmes au-delà du seuil de pierre et sur la butte herbeuse du cimetière. La brume s'était levée, et une lueur jaune pâle baignait le paysage. Elisabeth s'arrêta pour s'imprégner de son nouvel environnement. Des collines aux doux contours ondulaient autour de la campagne, couverte par les premières herbes de la saison d'un brillant vert printanier. La forêt bordant le cimetière formait un rempart de chênes et d'ormes, de bouleaux, de pins, de noisetiers et de saules. À ses yeux, rien n'égalait les vastes landes et les vallées dénudées des Highlands. Pourrait-elle jamais se sentir chez elle, ici?

— Nous pouvons emprunter le passage voûté, maintenant, dit Anne, puis elle les guida à travers l'étroite allée jusqu'à la venelle de l'Église.

Après une descente d'à peine une minute, elles étaient de retour à la ruelle Halliwell.

La lumière du début de l'après-midi se déversait dans la petite maison, réchauffant l'air à l'intérieur. Anne servit le déjeuner sans dire un mot, plaçant le thé fumant et le mouton froid en face de chaque chaise. Marjory avait à peine fini son repas qu'elle tituba jusqu'à son lit gigogne, où elle s'étendit lourdement. Elle s'endormit tout de suite, et sa respiration régulière s'ajouta au bruit de fond du logis paisible.

Elisabeth regarda la malle de cuir.

— Il faudrait que je déballe mes quelques affaires. C'est-à-dire, si vous ne vous y opposez pas...

Anne haussa légèrement les épaules en guise de réponse.

— Je ne peux vous chasser. Où pourriez-vous aller?

Nulle part. Comme il était difficile de l'admettre!

— Il n'en sera pas toujours ainsi, promit Elisabeth, autant pour elle-même que pour Anne.

S'agenouillant près de sa malle, Elisabeth retira un chemisier de lin fripé et plusieurs paires de bas qui avaient tous besoin d'être lavés, une tâche qui attendrait à lundi matin. Elle ne possédait ni bijoux, ni éventails de soie, ni jolis chapeaux, seulement une paire de souliers de brocart et une poignée d'accessoires. Un peigne d'ivoire pour retenir ses boucles et la brosse à cheveux qu'elle avait utilisée ce matin-là trouvèrent une place sur la table de toilette. Puis, elle suspendit sa cape de laine grise à un crochet près de la porte.

Tout ce qui restait dans sa malle était une unique robe convenable pour les soirées, mais pas pour une veuve, toutefois.

— Charmante, murmura Anne, qui regardait par-dessus son épaule.

Elisabeth leva la robe de satin lavande, ornée de gaze de soie et de paillettes dorées.

— Un cadeau de mon défunt mari.

Anne retint son souffle.

— De la dentelle de Bruxelles? dit-elle, et elle effleura révérencieusement l'ample bande crémeuse qui drapait chaque manche à la hauteur du coude. Vous ne pouvez imaginer les mois de travail que cela prend aux femmes qui font cela.

Elisabeth observa Anne examiner le délicat travail d'aiguille, laissant ses doigts caresser les minuscules points de feston qui formaient chaque fleur de dentelle avec sa tige.

— Connaissez-vous cet art?

Anne leva la tête.

— Ne vous l'ai-je pas dit? Je suis dentellière.

Elle fit un geste en direction de la table de couture entre les fauteuils rembourrés.

— C'est ainsi que je gagne ma vie, expliqua-t-elle. Si vous ouvrez le tiroir, vous verrez quelques échantillons de mon travail.

Pour une couturière, l'invitation était irrésistible. Elisabeth replaça la robe de soie dans sa malle, puis se dirigea vers la table basse et ouvrit le tiroir.

— Oh, mon Dieu!

Elle retira une petite lanière de dentelle en cours de confection, prenant soin de ne pas déranger les nombreuses aiguilles qui retenaient le tout en place.

— Quels nœuds délicats! s'exclama-t-elle. Comment appelez-vous cela?

— Des points de neige[6], dit Anne en s'agenouillant près d'elle. Ils sont disposés de façon à ressembler à de la neige. Peu avant que ma mère meure, elle m'a donné sa plus précieuse possession, un col de dentelle vénitienne. Puis, j'ai acheté un livre de patrons de couture d'un colporteur, et...

Elle haussa les épaules. Elisabeth plaça le travail d'Anne devant la lumière, s'émerveillant devant les motifs élaborés.

— Les gens doivent bien vous payer pour votre travail, fit-elle remarquer.

— Oui, dit-elle. Un jour, Lady Murray m'a acheté plusieurs mouchoirs bordés de dentelle et un jabot pour Sir John. Cet argent m'a permis de vivre une demi-année, lui dit Anne. Mais ils sont peu nombreux à Selkirk à pouvoir s'offrir un tel luxe. Je dépends des visites occasionnelles d'un marchand ambulant qui achète mon travail et qui le revend à une boutique de Covent Garden. Malheureusement, il n'est pas venu en ville au cours des douze derniers mois.

Elle reprit avec précaution la dentelle des mains d'Elisabeth et la remit dans le tiroir. Elisabeth la regarda, étonnée.

— Mais Annie, comment faites-vous pour vivre?

Le sourire qui se dessina sur ses lèvres minces n'atteignit pas ses yeux.

— J'enseigne aux jeunes filles de la bourgeoisie locale qui peuvent me payer un shilling par semaine, répondit-elle en se levant, et elle commença à débarrasser la table. Jeudi, vous rencontrerez mes deux élèves, mesdemoiselles Caldwell et Boyd. Ni l'un ni l'autre n'aime manier l'aiguille, mais elles ont la gentillesse de ne pas s'en plaindre à leur mère. Enfin, pas encore.

Elisabeth vint l'aider, ramassant la vaisselle de bois, qui, selon les lois du sabbat, ne pouvait être lavée avant le

6. N.d.T. : En français dans le texte original.

lendemain matin. *Deux shillings par semaine ?* Même dans la rurale Selkirk, ces pièces devaient être rapidement dépensées.

— Et pourtant vous nous avez servi du mouton au déjeuner.

Anne tourna la tête pour chercher son regard.

— C'est le seul jour de la semaine où je peux m'offrir de la viande.

Elisabeth regarda en direction du lit gigogne, puis demanda à voix basse.

— Vos cousins titrés ne pouvaient-ils vous fournir une modeste pension mensuelle ?

Anne prit son temps avant de répondre.

— Je n'étais pas une proche parente de Lord John et je ne fréquentais pas non plus les mêmes cercles, dit-elle en haussant les épaules, visiblement mal à l'aise. Comme personne ne me demandait en mariage, Lord John a eu pitié de moi et m'a fait discrètement parvenir un petit montant chaque mois. Lady Marjory n'était pas au courant de sa générosité. Comme de bien des choses, d'ailleurs.

Elisabeth se contenta de hocher la tête. Les trois années passées auprès de sa belle-mère lui avaient enseigné bien des choses sur les gens de la noblesse, en particulier leur tendance à fermer les yeux quand cela leur convenait.

Sa cousine poursuivit.

— L'argent était apporté chaque mois par... eh bien, par le régisseur de Lord John, par...

— Monsieur Laidlaw ?

— Oui, répondit Anne, et ses joues se colorèrent. Quand Lord John est mort, monsieur Laidlaw est venu me voir.

Elle détourna le regard et son embarras n'était que trop évident.

— Il a dit, reprit-elle d'une voix hésitante, qu'il continuerait à apporter de l'argent à ma porte chaque mois si je consentais... à recevoir... ses caresses.

Un silence de mort s'abattit dans la pièce.

Elisabeth prit sa main.

— Annie, je suis si désolée. Si Marjory avait su…

— Mais elle *aurait dû* savoir, dit sa cousine en s'éloignant d'Elisabeth, et une étincelle colère brillait dans ses yeux bleus. Monsieur Laidlaw avait l'habitude de tourmenter ses servantes. Il avait la main leste et prenait des libertés avec toutes les jeunes filles qui cédaient à ses avances. Interrogez Tibbie Cranshaw, si vous ne me croyez pas.

La voix d'Anne n'était plus qu'un murmure.

— Monsieur Laidlaw est un dépravé de la pire espèce, conclut-elle. Une femme vertueuse comme vous ne peut imaginer un tel pervers.

Le cœur d'Elisabeth s'effondra. *Oh oui, je le peux !*

— Je l'ai chassé deux fois avant qu'il me laisse en paix, dit Anne fièrement. Aucune somme d'argent ne paie une telle humiliation.

— Non, aucune.

Elisabeth baissa les yeux vers le plancher de bois, espérant que la lourdeur en elle se retire. Aucun homme n'était-il donc digne de confiance ?

Elle ressassait rarement les nombreuses infidélités de Donald et n'en parlait jamais à Marjory. Quelle mère aurait pu tolérer d'entendre cela ? Pourtant, des mois après sa mort, la douleur de la trahison persistait et, avec elle, un sentiment agaçant de culpabilité. Peut-être que si elle l'avait affronté, menacé ou s'était refusée à lui, il aurait pu finir par s'amender.

Au lieu de cela, elle l'avait aimé. Et lui avait pardonné.

Je suis plus désolé que je ne saurai jamais l'exprimer. Oui, Donald était toujours désolé. Mais Donald n'était pas fidèle. Elle se rappelait encore chaque mot de la note de l'amante trouvée dans son gant, et la liste de ses maîtresses qu'il avait confessée par écrit. *Pardonnez-moi, Bess. Pour tout ce que j'ai fait.*

Elle l'avait fait. Mais la douleur demeurait.

Elisabeth regarda la porte et aurait voulu prendre un peu d'air frais, faire une promenade.

— Que disent les doyens de l'église lorsqu'un membre du troupeau s'aventure dehors par un après-midi de sabbat ?

Anne prit sa cape de laine.

— Rien. À moins qu'on vous voie.

Chapitre 9

Et quand je me tourne pour rentrer chez moi,
mon ombre me précède.
— Robert Seymour Bridges

Marjory s'éveilla pour trouver la lumière du soleil qui filtrait encore à travers les rideaux. Elle avait fait une sieste d'à peine une heure. La maison était silencieuse et vide. Elle s'aspergea le visage d'eau froide et s'essuya avec une serviette, puis alla prendre une feuille de papier dans la malle d'Elisabeth. Ce n'était que du papier, après tout, se dit-elle, payé avec l'argent de son défunt fils.

Après avoir emprunté la plume et l'encre d'Anne sur la tablette, Marjory s'installa devant la table et pria pour que sa main fût ferme. Cette lettre ne serait pas agréable à écrire.

À monsieur Roger Laidlaw, régisseur
Tweedsford, Selkirkshire
Le 27 avril 1746

Monsieur Laidlaw,

Comme cela l'irritait d'écrire le nom de cet homme! Par où devait-elle commencer? Lui dire ce qu'il savait déjà n'était d'aucun intérêt quand il y avait tant d'autres sujets à traiter. Marjory replongea sa plume dans l'encrier.

Vous avez sans doute été informé que Tweedsford a un nouveau propriétaire. Par conséquent, je ne m'attarderai pas davantage sur ce malheureux sujet.

Elle ne s'était pas encore résolue à dire à voix haute le nom de l'amiral. L'écrire serait encore plus difficile. Une autre fois, peut-être, elle y arriverait. Pour l'instant, les transgressions de monsieur Laidlaw étaient sa première préoccupation.

Vous avez été grossièrement négligent dans l'exercice de vos fonctions, monsieur, pour lesquelles vous avez été pourtant très bien rémunéré pendant de nombreuses années.

Très bien rémunéré. Elle agrippa la plume si fortement qu'elle trembla. Est-ce que cet homme croyait qu'elle ne reviendrait jamais à Selkirk et ne s'apercevrait pas de son laisser-aller ?

Ce matin, je suis entrée dans l'église de mon enfance et j'ai trouvé l'allée des Kerr dans un état pitoyable. Le banc de bois était décrépit, le plancher autour couvert de débris, et les murs au bord de l'effondrement.

Marjory leva la plume, frappée par une pensée effrayante. Si monsieur Laidlaw avait été aussi indolent dans l'entretien de la maison de Dieu, qu'en avait-il été de Tweedsford ?

Des images s'élevèrent en elle. Des murs richement lambrissés. Un escalier élégant avec des balustrades en bois. Des cheminées de marbre rose. Des grilles ornementales en fer forgé. Des jardins en terrasse orientés vers le nord…

Assez, Marjory.

Peu importe la condition de Tweedsford, ce n'était plus sa maison ni sa responsabilité. Le coin appartenant à sa famille dans l'église paroissiale, toutefois, lui importait beaucoup.

Je dois rencontrer le révérend Brown cette semaine afin de discuter de ce qui doit être fait. Il me faudra aussi faire les arrangements pour payer notre rente annuelle, qu'on me dit être en retard.

Marjory fit une pause, se demandant si elle n'avait pas été trop brutale. En vérité, c'était l'église qui tombait en ruine. Elle adoucirait le ton pour finir, ne serait-ce que pour s'assurer que monsieur Laidlaw ferait ce qu'elle lui demandait.

Depuis l'instant où Lady Murray de Philiphaugh avait fait allusion à un nouveau propriétaire pour Tweedsford, Marjory avait pensé aux petites choses qui lui étaient pourtant chères et qu'elle avait laissées derrière. Selon la lettre du général Lord Kerr écrite au nom du roi, le contenu de sa maison devait être saisi en paiement des amendes. Si elle ne les réclamait pas maintenant, ses précieux objets seraient perdus pour toujours.

Elle choisit ses mots avec soin.

Auriez-vous l'obligeance de trouver les effets personnels suivants et de les livrer à la maison d'Anne Kerr, dans la ruelle Halliwell, dès que vous le pourrez ? Je vous assure, ils ne signifieront rien pour le nouveau propriétaire ou Sa Majesté. Vous ne romprez aucun décret royal en me faisant cette modeste faveur.

Que cela fût vrai ou non, Marjory n'aurait su le dire. Mais cela *semblait* vraisemblable.

Elle dressa une brève liste, décrivant chaque article : la loupe de Lord John, qu'elle avait oubliée ; un petit paquet de lettres de son défunt frère, Henry Nesbitt, qui, à vingt-sept ans, avait été tué à la chasse dans la forêt d'Ettrick ; un soldat de bois que Gibson avait sculpté à l'intention d'Andrew pour son quatrième anniversaire de naissance ; *Les histoires célèbres de Thomas Thumb*, un petit livre que Donald chérissait quand il était petit garçon ; et une miniature de Tweedsford qu'elle avait peinte quand elle était jeune mariée, dessinée avec de la plombagine sur du vélin.

Quoiqu'elle eût écrit de la manière la plus compacte possible, il ne restait plus assez d'espace au bas de la feuille pour apposer sa signature complète. C'était peut-être mieux ainsi. Sans titre, son nom avait peu de prestige. Elle inclina une bougie allumée au-dessus de la lettre pliée, puis pressa le pouce sur la cire en train de refroidir. Le sceau de l'homme pauvre, pensa-t-elle.

Marjory essuyait encore l'encre de la plume d'Anne quand elle entendit des claquements de sabots approcher de la fenêtre. Une diligence arrivait pour déposer ses passagers sur la place du marché.

— Nord ! hurla le cocher, ce qui fit s'avancer à pas pressés deux nouveaux voyageurs, valise à la main.

Manifestement, il allait en direction d'Édimbourg et passerait par Tweedsford en chemin. Pourrait-il livrer sa lettre aujourd'hui même ? Bien sûr, c'était le jour du sabbat, mais s'il le voulait bien…

Marjory descendit les marches quatre à quatre, et son cœur battait à tout rompre quand elle atteignit le cocher, qui était déjà grimpé sur son siège.

— Monsieur ! cria-t-elle, tenant la lettre en se présentant. Auriez-vous la bonté de porter ceci à Tweedsford ?

Il fronça ses épais sourcils.

— Suis-je sûr d'être payé ?

— Soyez-en assuré, répondit-elle. Monsieur Laidlaw ou tout autre domestique de Tweedsford vous paiera rubis sur l'ongle.

Elle imagina le petit tiroir dans le bureau du vestibule, où un peu de monnaie était déposée précisément dans ce but.

— C'est un message très urgent, dit-elle en levant la lettre un peu plus haut.

— Très bien, marmonna-t-il, enfouissant la missive dans son manteau.

Il hocha la tête en direction de la ruelle Halliwell.

— J'sais où v'habitez, m'dame, la prévint-il. Si j'n'obtiens pas mon dû…

— Mais vous l'aurez, lui promit Marjory en faisant un pas en arrière.

Il leva les rênes, se préparant à partir, quand elle pensa soudain à Gibson.

— Attendez! dit Marjory, s'avançant et s'agrippant à une roue de la voiture pour se soutenir. Avez-vous vu ou entendu parler d'un domestique du nom de Neil Gibson? demanda-t-elle. De la bouche d'un aubergiste, peut-être? Ou d'un autre cocher? Monsieur Gibson voyage à pied depuis Édimbourg. Un vieil homme, avec des cheveux argentés, d'un maintien très digne.

Le cocher passa sa main dans sa barbe broussailleuse.

— J'n'ai pas vu un tel homme sur les routes. Gibson, dites-vous?

— C'est bien cela. Il a servi notre famille pendant trente ans, expliqua-t-elle, et elle fit un geste en direction de la fenêtre d'Anne. Notre nom est Kerr. Si vous apprenez quelque chose à son sujet...

— Si c'nom-là arrive à mes oreilles, j'vous en glisserai un mot *quand* je r'passerai par Selkirk, dit-il.

Puis, il cria à ses chevaux qui s'ébranlèrent immédiatement, et leurs fers claquèrent sur les pavés comme des coups de mousquets.

— Bonne route! cria Marjory, et elle se hâta de rentrer avant que l'un des espions du conseil de l'Église ne l'aperçût dans la rue.

Un moment plus tard, Marjory était debout devant le foyer, reprenant haleine, heureuse d'avoir accompli quelque chose de valable cet après-midi-là. Cela lui faisait curieux d'être seule à la maison. Mais où donc Anne et Elisabeth étaient-elles passées? Elle était trop agitée pour lire, trop perturbée pour prier — deux passe-temps considérés convenables le jour du sabbat.

En jetant un coup d'œil alentour, elle s'aperçut qu'Elisabeth avait déballé ses quelques effets personnels. Ne pourrait-elle pas faire de même ? Ce n'était pas du vrai travail, comme laver la vaisselle ou faire la lessive. Dans la mesure où Anne ne s'offusquerait pas de la voir s'installer comme chez elle, cela lui sembla une activité acceptable.

Marjory ouvrit sa malle et plaça deux paires de gants blancs, son réticule de soie brodé et un modeste chapeau noir sur la tablette entre les fenêtres. Elle laissa un corset de rechange, des bas de coton et une chemise de nuit brodée dans sa malle par pudeur, avant de refermer le couvercle. Elle fut chagrinée par le son creux qu'il rendit. Elle portait la seule robe qui lui restait, ayant vendu ses nombreuses autres de satin, de soie, de brocart et de velours à Édimbourg, en échange des guinées dont elle avait désespérément besoin.

Elisabeth avait donné l'exemple, ayant vendu toutes ses robes la première, à l'exception de la robe lavande. La jeune femme n'aurait peut-être jamais d'occasion de la porter à Selkirk, mais Marjory était heureuse que sa belle-fille eût choisi de conserver ce présent de Donald. En dépit de son comportement honteux, Elisabeth l'avait aimé de son vivant et honorait sa mémoire. Aucune belle-fille n'aurait pu être plus fidèle.

Marjory rangeait une paire de souliers en damas sous son lit quand elle entendit des voix dans l'escalier. Elisabeth et Anne franchirent la porte d'un pas alerte, les joues vivement colorées.

— Du thé, dit Anne sans préambule, tendant la main vers des tasses propres sur la tablette près du foyer.

Elisabeth replaça quelques mèches frisottantes qui tombaient sur son front moite.

— Pardonnez-nous de vous avoir laissée seule, Marjory. Nous avons fait une promenade dans la forêt autour de l'église, expliqua-t-elle. J'espère que vous avez bien dormi.

— Oui, et j'ai également écrit une lettre, dit-elle, plutôt fière d'elle-même. Elle est déjà en route pour Tweedsford, avec une courte liste d'objets personnels que j'ai demandé à monsieur Laidlaw de m'apporter.

Un court silence s'ensuivit.

— Monsieur Laidlaw ? répéta Elisabeth comme si elle avait mal compris.

Anne déposa les tasses avec un bruit sourd.

— Vous avez demandé à cet homme de venir ici, dans ma maison ? demanda-t-elle.

— Je crains que oui, dit Marjory en les regardant, confuse. Monsieur Laidlaw est le seul qui puisse m'aider à récupérer ce qui m'appartient, avant que l'amiral vienne prendre possession du domaine.

Les deux jeunes femmes échangèrent des regards.

— Mais qu'y a-t-il ? demanda Marjory, d'une voix qui avait monté d'une octave.

— Ce n'est pas contre vous que nous en avons, ma chère, dit Elisabeth en déposant une main sur le bras de Marjory. Annie m'a fait quelques confidences sur le caractère de monsieur Laidlaw. Il n'est pas… l'homme qu'il paraît être.

— Non, intervint Anne rageusement, il est précisément ce qu'il paraît. Un être débauché et sans scrupules.

Marjory la regarda, incrédule.

— Vous ne pouvez penser ce que vous dites !

— J'aimerais qu'il en soit autrement, cousine, dit Anne. Mais les servantes à Tweedsford l'affirment. Et moi aussi.

La mâchoire contractée et le ton grave d'Anne étaient suffisamment convaincants. Marjory s'assit lourdement sur une chaise de bois.

— Cet homme a été à l'emploi de notre famille pendant quinze ans, gémit-elle.

— Alors, soyez heureuse qu'il ne le soit plus, répondit Anne avec un hochement bien marqué de la tête. Venez, prenons notre thé, et je vous répéterai ce que j'ai dit à votre belle-fille.

Une demi-heure plus tard, Marjory était encore assise à table, les mains enveloppant sa tasse, le cœur lourd.

Comment avait-elle pu être aussi aveugle aux agissements odieux de monsieur Laidlaw ? Elle avait condamné Tibbie parce qu'elle était enceinte, alors que c'est le régisseur de Sir John qui aurait dû être chassé. Anne, pendant ce temps, fut forcée de choisir entre l'immoralité et la pauvreté, tout cela parce que sa riche cousine Marjory prêtait trop peu d'attention aux besoins des autres, ne pensant qu'à elle-même.

Elle chercha le regard d'Anne de l'autre côté de la table.

— J'aurais dû savoir...

— Comme il y a longtemps que j'aurais dû être mariée, dit Anne abruptement. Alors, que ferons-nous quand ce triste individu viendra frapper à ma porte ?

Marjory plissa les lèvres.

— Si Gibson avait été ici, il aurait fait face à monsieur Laidlaw en notre nom.

— Hélas, Gibson n'est *pas* ici, lui rappela gentiment Elisabeth. Nous devons nous préparer à l'affronter nous-mêmes.

— Et nous le ferons, renchérit Anne.

Elles s'entreregardèrent autour de la table et la détermination se lisait sur leurs visages.

— C'est entendu, dit finalement Marjory. Quand monsieur Laidlaw frappera à notre porte, il trouvera trois femmes qui n'ont pas peur de l'affronter.

Chapitre 10

Le commencement, comme dit le proverbe,
est la moitié du tout.
— Aristote

Elisabeth passa un linge humide sur sa robe de deuil. Elle aurait souhaité avoir du jus de citron pour nettoyer le tissu ou de l'odorante essence de rose pour la rafraîchir. Les tailleurs remarquaient ce genre de chose.

Heureusement, elle avait pu se frictionner de la tête aux pieds avec de l'eau chaude et son dernier pain de savon de bruyère. Elle s'était aussi brossé les dents avec une brindille de noisetier qu'elle avait rapportée de sa promenade en forêt. Ses cheveux étaient bien coiffés, son peigne d'ivoire en place, et elle avait murmuré ses prières au-dessus des pages ouvertes de la Bible plus tôt, ce matin-là.

Elisabeth jeta un bref coup d'œil au miroir d'Anne, puis se tourna vers la porte, heureuse de voir une étendue de ciel bleu à travers les rideaux.

— Michael Dalgliesh est le meilleur tailleur de Selkirk, l'informa Anne tout en balayant la pierre du foyer avec des gestes rapides et efficaces. Vous le trouverez à quelques pas de la venelle de l'Église, dans la ruelle de l'École. Frappez à la première porte à droite.

Elisabeth hocha la tête tout en essayant de ne pas regarder Marjory qui frottait la table ovale. *La douairière Lady Kerr faisant le ménage ?* Douze mois auparavant, elle n'aurait pu imaginer sa fière et hautaine belle-mère de jadis exécuter une tâche aussi modeste. *Dieu donne sa grâce aux humbles.* En effet, c'est ce qu'il avait fait. Marjory voyait-elle à quel point elle avait changé ? Qu'elle était maintenant plus douce et, en même temps, plus forte ? Plus brave, mais aussi plus sensible ?

Elisabeth savait que les miracles étaient réels, parce qu'elle en voyait un s'opérer sous ses yeux.

Maintenant, c'était à son tour de se mettre à la tâche.

— Gardez-moi une place dans vos pensées, ce matin, dit-elle. Car monsieur Dalgliesh n'attend pas ma visite.

— Assure-toi qu'il te paie convenablement, la prévint Marjory. Tu n'es pas une couturière ordinaire.

— Oh, plus qu'ordinaire ! protesta Elisabeth. J'ai tout appris dans un cottage des Highlands. Ma mère était une bonne professeure, mais est-ce que ce sera suffisant ? Priez pour que monsieur Dalgliesh soit indulgent.

Elle noua le ruban de son bonnet sous son menton, puis descendit l'escalier. Le thé dilué et le pain rôti empêcheraient son estomac de gronder, et le fromage à pâte dure, qu'elle avait enveloppé dans un morceau de linge et enfoui dans sa poche, serait son déjeuner si elle trouvait du travail.

La ruelle Halliwell était aussi froide qu'une cave, mais le soleil de fin d'avril était resplendissant. Par un temps aussi radieux, Gibson pourrait atteindre Selkirk avant la fin de la journée. Elisabeth voyait la peur voiler les yeux de sa belle-mère dès que son nom était mentionné. *Rendez-le-nous sain et sauf, mon Dieu. Et bientôt, si tel est votre volonté.*

Dès qu'Elisabeth foula la place du marché, une femme à l'allure familière, sortant de chez le boulanger du coin, croisa son chemin.

— Mademoiselle Cranston, dit Elisabeth en faisant une révérence. Nous nous sommes rencontrées brièvement à l'église. Vous avez été la gouvernante de mon mari.

— En effet, dit la vieille femme dont le regard s'attarda sur Elisabeth. C'était un beau garçon, Donald, et un lecteur avide. Vous avez ma plus profonde sympathie, madame Kerr.

Tout en murmurant des remerciements, Elisabeth remarqua plusieurs passants sur la place du marché qui trouvaient un prétexte pour s'attarder près d'elle, et la curiosité était inscrite sur leur visage. Si tous s'arrêtaient pour lui parler, elle n'arriverait pas à la boutique du tailleur avant midi. Mais c'étaient ses nouveaux voisins. Ne serait-ce que pour Marjory, elle décida de faire un effort.

Après qu'Elspeth eut continué son chemin, un couple en vêtements rustiques approcha et semblait avoir de nombreuses questions à poser.

— Nous n'sommes jamais allés à Édimbourg, dit la femme, qui ouvrait de grands yeux. Les immeubles ont-ils vraiment dix étages de haut?

C'était une femme à la chevelure cuivrée, courbée par l'âge, qui évoquait des souvenirs de Lord John, qu'elle avait connu dans sa jeunesse.

— Toutes les jeunes filles de Selkirk avaient le béguin pour John Kerr, moi la première, confessa-t-elle.

Elisabeth fit quelques pas sur la venelle de l'Église, seulement pour être arrêtée par une jeune mère qui tenait ses enfants grouillants par la main.

— Nous sommes heureux de voir de nouveaux visages à Selkirk, dit la femme. J'espère que vous resterez parmi nous.

Tous les habitants de la ville ne se montraient pas aussi amicaux. Un boutiquier sortit dans la rue, dans le simple but de la dévisager avec colère. D'autres passants faisaient d'ostensibles détours, comme si le fait d'avoir soutenu les jacobites était une maladie contagieuse. Quelques hommes la regardaient; plus d'un la lorgna avec intérêt.

Elisabeth fut soulagée quand elle atteignit enfin la ruelle de l'École pour se réfugier dans l'étroit passage voûté, en route vers la boutique du tailleur. Elle entra par la porte ouverte, frappant doucement en franchissant le seuil.

— Monsieur Dalgliesh?

Malgré l'intérieur baigné dans la pénombre, elle n'eut pas de difficulté à trouver l'artisan, penché sur son travail, éclairé par une série de bougies. Il était plus jeune qu'elle l'avait imaginé : trente-cinq ans au plus. Elle n'avait jamais vu de cheveux aussi roux ni d'avant-bras aussi couverts de taches de rousseur.

Quand il leva ses yeux bleus, ils semblèrent prendre ses mesures, comme si elle était venue se faire confectionner un vêtement.

— Que puis-je pour vous, m'dame ?

Tout à coup, Elisabeth se sentit un peu ridicule. Oui, elle avait déjà travaillé chez un tailleur à Édimbourg, mais Angus MacPherson, aujourd'hui décédé, était un ami de la famille. L'homme assis devant elle était un étranger. Elle s'humecta les lèvres et osa un sourire.

— Ma cousine, Anne Kerr, m'a dit que vous étiez le meilleur tailleur de Selkirk.

— Elle a dit cela ? répondit-il, et son sourire chaleureux effaça ses appréhensions. Vous devez être la jeune veuve Kerr.

Elle fit une petite révérence.

— C'est bien moi.

— Très bien, alors, dit-il en se levant, délaissant son aiguille et son fil. Je suis Michael Dalgliesh. Bienvenue dans ma petite boutique. Venez, entrez et jetez un coup d'œil.

Son naturel enjoué la surprit ; Anne ne lui avait pas parlé de cela.

Avec des gestes expressifs et un flot incessant de paroles, le tailleur lui fit faire le tour du propriétaire.

— C'est ici que je découpe les étoffes, dit-il en indiquant une grande table dominant la pièce. De la laine, du lin, du drap fin, de la serge, enfin tout ce que mes clients me demandent.

Des rouleaux de tissu étaient empilés au fond et des motifs en mousseline étaient éparpillés un peu partout.

— Vous semblez bien occupé, dit-elle, remarquant plusieurs manteaux et pantalons accrochés çà et là.

Certains vêtements étaient presque finis ; d'autres portaient des marques de craies et attendaient patiemment leur tour.

— Il y a beaucoup de travail à faire, dit-il.

Il avait haussé les épaules avec désinvolture, mais elle avait perçu la note de détresse dans sa voix. Aucun doute, il était écrasé par la besogne à abattre. Il aurait fallu un Angus MacPherson ou encore son fils, Rob, pour mettre la touche finale à tous ces vêtements.

Dans l'unique fenêtre, qui donnait sur la ruelle de l'École, un simple manteau de laine était suspendu, placé en évidence.

— Les hommes de Selkirk ne portent guère de velours, de satin ou de soie, expliqua-t-il. Pas plus qu'ils n'apprécient les piqûres trop originales.

Ses mots la firent réfléchir un moment. Dans la capitale, elle était connue pour sa manière d'orner les gilets avec de délicates broderies. De telles habiletés seraient-elles nécessaires ici ? C'était le moment de le découvrir.

— Monsieur Dalgliesh, commença-t-elle, vous devez vous demander pourquoi je suis ici, ce matin.

Il sourit en croisant les bras sur sa poitrine.

— J'étais à peu près certain que vous ne vouliez pas d'une houppelande.

— Pas pour moi, mais je serais honorée de les confectionner pour vos clients.

Elisabeth retira ses gants, car elle désirait qu'il vît la vérité. Elle n'avait plus les mains douces et blanches d'une dame. Ses doigts gercés avaient tordu trop de chiffons mouillés.

— Je suis venue offrir mes services, reprit-elle. Comme couturière.

Pour la première fois depuis qu'elle avait franchi le seuil, Michael Dalgliesh sembla à court de mots.

— Vous voulez travailler… pour moi? dit-il enfin.

— Oui, dit-elle sans s'excuser. Monsieur MacPherson, un tailleur des *luckenbooths*[7] d'Édimbourg, a fait bon usage de mon habileté avec une aiguille pendant plusieurs années.

— Est-ce bien vrai? dit-il, puis il se leva et se mit à marcher en rond dans sa boutique. Eh bien, regardez cela! lança-t-il comme s'il venait de découvrir une nouvelle île le long de la côte écossaise.

Il s'empara d'un paquet de fine batiste, déjà coupée et épinglée.

— Pouvez-vous coudre des chemises d'homme, madame Kerr?

— Eh bien, dit-elle…

Il lui avait déjà mis les chemises non terminées dans les bras.

— Tous les hommes n'ont pas la chance d'avoir une femme dans leur vie qui peut coudre pour eux, dit-il, et ses taches de rousseur devinrent plus marquées. Je fais des chemises pour le révérend Brown, Daniel Cummings et James Mitchelhill aussi. Mais j'ai beaucoup de retard à rattraper, comme vous pouvez le constater, et j'apprécierais l'aide de vos mains diligentes.

Elisabeth cherchait ses mots. Elle n'avait été dans la boutique qu'un quart d'heure et avait déjà assez de travail pour l'occuper pendant deux semaines. Mais ils n'avaient pas encore discuté de sa rémunération.

— Monsieur, je me demandais…

— Je touche dix shillings pour chaque chemise, dit-il. Il y en aura un pour vous si vous voulez.

— Un shilling? répéta-t-elle, et les chiffres se mirent à danser dans sa tête.

Au rythme d'une chemise par jour, elle pourrait gagner jusqu'à six shillings dans une semaine. *Six shillings!* Assez pour s'offrir de la viande et du poisson tous les soirs et payer à Anne un loyer pour leur logement.

Elle serra les chemises contre sa poitrine, s'efforçant de ne pas pleurer. Monsieur Dalgliesh changea de position.

— Je crois vous avoir offensée, madame Kerr. Mais après avoir payé la batiste et le fil…

— Oh! Mais bien sûr…

— Et mon Peter grandit si vite, il lui faut toujours de nouvelles chaussures.

Elisabeth sentit son cœur s'attendrir.

— Vous avez un fils?

— Oui, dit-il en hochant la tête vers un escalier en colimaçon dans le coin de la pièce, qui menait à une chambre au-dessus de la boutique. Peter a sept ans et il joue avec un ami, en ce moment.

— Et votre femme?

— Jenny, répondit-il en portant la main à sa nuque, évitant maintenant le regard d'Elisabeth. Elle est morte quand mon garçon avait quatre ans.

Elisabeth jeta un regard alentour et tous les éléments du casse-tête tombèrent en place. Un tailleur qui avait trop de clients et pas assez d'heures dans une journée. Un père élevant son fils sans personne pour l'aider. Un homme, désespéré d'avoir un peu de compagnie, qui faisait la conversation à quiconque franchissait le seuil de sa boutique. Un veuf.

— Je suis désolée de votre perte, dit-elle.

De telles paroles, même sincères, n'apportent que peu de réconfort. Mais elles devaient être dites.

— Vous avez vécu vous-même une perte tragique, lui rappela-t-il en relevant la tête.

Leurs regards se croisèrent. Dans le silence, un marché fut conclu.

— Je vous rapporterai chaque chemise dès qu'elle sera terminée, promit Elisabeth.

— Et je vous paierai un shilling à ce moment-là, dit-il en présentant la main, comme s'il voulait serrer celle de la jeune femme, avant de se rendre compte que les bras d'Elisabeth étaient chargés. J'aurai plus de travail pour vous quand vous aurez terminé, continua-t-il, et il fit un geste un peu mélodramatique en direction de sa boutique en soupirant. Cet endroit est un véritable capharnaüm.

Elisabeth sourit.

— Nous verrons ce qui peut être fait, monsieur Dalgliesh.

Chapitre 11

Quiconque craint Dieu
craint de s'asseoir confortablement.
— Elizabeth Barrett Browning

Marjory soupesa le saumon frais dans ses mains, impressionnée par son poids et ses dimensions, espérant qu'elle pourrait lui faire honneur.

— C'est une belle prise, dit-elle.

— La poissonnière a dit que son époux l'avait capturé dans le fleuve Tweed, ce matin, dit Elisabeth en hochant la tête en direction de la table. Si vous êtes certaine de vouloir l'apprêter, Marjory, je vous fournirai toutes les fines herbes qu'il vous faut.

Anne s'approcha en s'essuyant les mains sur son tablier.

— Peut-être devrais-je voir à notre déjeuner...

— Pas besoin, lui dit Marjory fermement. J'ai observé madame Edgar préparer le court-bouillon[8] plusieurs fois.

Enfin, au moins une fois. Peut-être même deux.

Sa cousine avait toutes les raisons du monde de douter de ses talents culinaires. Marjory n'en doutait-elle pas elle-même ? Malgré tout, une Écossaise digne de ce nom devait être capable de pocher un saumon.

— Occupez-vous de vos propres affaires, leur dit-elle.

Puis, elle ajouta du ton le plus sérieux, imitant la voix du révérend Brown :

— Qui ne travaille pas ne mangera pas non plus.

Elisabeth leva les yeux de son ouvrage de couture et lui fit un clin d'œil.

— Alors, je n'abandonnerai pas mon aiguille un seul instant.

---

8. N.d.T. : En français dans le texte.

Sa belle-fille transformait rapidement une nouvelle pièce de batiste en un vêtement élégant. Elle avait achevé une chemise de gentilhomme la veille et avait reçu son premier shilling ce matin-là. Sur le chemin du retour, Elisabeth avait troqué sa pièce d'argent contre le saumon, une livre de beurre frais et une petite collection de fines herbes. Quelques pièces restantes dansaient dans le fond de sa poche. *Prudente Bess.*

Pour sa part, Marjory était déterminée à préparer leurs repas, n'ayant aucun autre talent à offrir pour la bonne marche du logis. Si Elisabeth pouvait lui fournir quelques consignes et Anne, une petite dose de patience, Marjory était persuadée qu'elle s'en sortirait.

Nettoyer le poisson se révéla une affaire salissante et malodorante. Quand ce travail déplaisant fut achevé à sa satisfaction, Marjory entailla les flancs du poisson avec le couteau le plus effilé que possédait Anne et l'enroba de macis finement tranché, de trèfle, de noix de muscade, de poivre noir et de sel. Les épices lui chatouillaient le nez, menaçant de la faire éternuer, tandis qu'elle remplissait les entailles qu'elle avait faites de beurre roulé dans la farine, et enfouissait quelques feuilles de laurier dans le ventre du saumon.

— Regardez notre cuisinière accomplie, la taquina Elisabeth, mais ce sont les encouragements que Marjory entendit dans sa voix.

— Enfin, il *semble* bien apprêté, dit Marjory, enveloppant le poisson dans un linge pour ensuite l'attacher avec de la ficelle.

Elle le déposa dans une marmite peu profonde, y ajouta de l'eau et du vinaigre, avant de la suspendre au-dessus d'un feu de charbon rougeoyant.

Anne reprit son couteau pour l'essuyer.

— On ne peut servir de poisson sans persil frais, insista-t-elle. Madame Thorburn, qui vit près du presbytère, en a une bonne provision dans son potager.

Marjory haussa les sourcils.

— Acceptera-t-elle que vous vous serviez vous-même ?

Anne tira un demi-penny de la poche de son tablier.

— Dès que j'ai besoin d'un oignon, de radis ou d'une laitue, je cueille ce qu'il me faut et je plante une pièce à sa place, que l'un de ses enfants trouvera ensuite. Un échange équitable, dit madame Thorburn. La moitié du voisinage fait comme moi.

Quand Anne se précipita dehors sans cape ni chapeau, Marjory se rappela que le 1er mai n'était plus que dans deux jours, et qu'un chaud été du Borderland était maintenant aux portes.

Et toujours pas de nouvelles de Gibson.

Elle approcha sa chaise du foyer pour s'occuper de leur déjeuner et regarda le charbon rougeoyant, considérant les options à sa disposition. En dépit de l'accueil peu courtois de Lady Murray, son mari était le shérif de Selkirk. Devrait-elle lui demander d'envoyer un groupe de volontaires à la recherche de Gibson ? Sir John croirait Marjory folle d'être aussi inquiète. Mais elle n'osait pas s'adresser au révérend Brown. Il la convoquerait bientôt. *Bien assez tôt.*

Après un long silence, Elisabeth demanda :

— Est-ce Gibson qui vous préoccupe ?

Marjory se tourna, acquiesçant d'un faible sourire.

— Vous me connaissez bien, Bess.

— Et je connais Gibson. Peu importe ce qui a pu le retarder, il nous rejoindra bientôt.

Marjory hocha la tête d'un air absent.

— Dans les moments de silence, je l'entends murmurer : «Vous s'rez toujours une grande dame pour moi.» Ses derniers mots avant que nous nous séparions au square Milne.

Espérant alléger sa mélancolie, elle reprit son travail, remuant les pommes de terre sur le feu et donnant quelques petits coups de fourchette dans les flancs du saumon. Son ancienne gouvernante, Helen Edgar, savait infailliblement quand le poisson était à point. Si on le retirait de l'eau trop tôt, sa texture était gélatineuse ; trop tard, le poisson était coriace. Le saumon d'Helen était toujours floconneux et doux sur la langue, comme du beurre frais.

Cela la consolait de savoir qu'Helen était en sécurité dans la maison de sa mère à Lasswade, qu'elle n'errait pas dans les collines de Moorfoot comme ce pauvre Gibson, blessé, égaré, malade, ou pire encore.

Marjory inclina la tête, la chaleur du charbon chauffant son front. *En Dieu seul repose-toi, mon âme, de Lui vient mon espoir.* Elle savoura les mots anciens, plus délicieux que les herbes qu'elle frottait entre ses doigts. Un sentiment de paix commençait à envelopper son cœur. Elisabeth avait raison : Gibson viendrait les rejoindre à point nommé. Marjory leva les yeux, le regard attiré par la fenêtre, s'imaginant Neil Gibson déambulant sur la place du marché, ses yeux gris-bleu dirigés vers la ruelle Halliwell.

Elle et Elisabeth sursautèrent quand la porte s'ouvrit brusquement.

— De retour, annonça Anna, qui tenait un bouquet de persil comme une jeune mariée tient un bouquet de roses. Encore frais, avec de la rosée.

Elle présenta les herbes feuillues, le visage rayonnant comme le soleil.

— En effet, ils sont très frais, dit Marjory en les prenant des mains d'Anne, les étudiant attentivement.

Qu'était-il arrivé à sa cousine morose ? Elisabeth sembla avoir aussi remarqué le changement, car elle demanda :

— Qui a croisé votre route, Annie ?

Leur cousine fit un geste de la main, éludant la question.

— Oh ! Il y a bien du monde dehors, à midi.

Marjory et Elisabeth échangèrent des sourires entendus. Anne Kerr avait des manières directes qui prenaient parfois les autres à rebrousse-poil. Qui avait-elle bien pu rencontrer en se rendant au jardin de madame Thorburn ?

Anne ne perdit pas de temps à laver et à trancher le persil, puis à le répandre sur une plaque qu'elle maintint au-dessus des charbons.

— Il sera meilleur croustillant, dit-elle, mais quand elle jeta un coup d'œil sur la poissonnière, son sourire s'évanouit. Le saumon a-t-il cuit pendant toute mon absence ? s'enquit-elle.

— Oui, confessa Marjory, qui s'écarta du foyer.

Avait-elle gâché leur déjeuner et gaspillé le shilling durement gagné d'Elisabeth ?

— Dix minutes par livre[9], lui dit Anne avec une note d'impatience dans la voix, puis elle utilisa deux cuillères de bois pour soulever légèrement le poisson. Nous saurons tout de suite s'il est gâché.

Marjory sortit avec précaution le saumon de son enveloppe, qui libéra un arôme relevé dans tout le logis.

— Qu'en dites-vous, Anne ?

— Cela conviendra, décréta-t-elle en piquant le poisson avec sa fourchette.

Soulagée, Marjory répandit le persil sur le poisson et le servit avec du beurre et des pommes de terre. Après une très courte prière, les trois femmes engouffrèrent leur nourriture comme si elles n'avaient rien mangé depuis une semaine. Le déjeuner fut rapidement terminé.

— Délicieux, prononça Elisabeth en s'essuyant la bouche.

— Vous êtes sûres qu'il n'était pas trop cuit ? interrogea Marjory.

Anne hocha la tête en montrant son assiette vide.

— Apparemment non, car nous l'avons dévoré jusqu'à la dernière miette.

Elle se leva, jetant un regard sur la table encombrée de vaisselles.

— Mes étudiantes arriveront bientôt…

9. N.d.T. : Une livre équivaut à un peu moins de la moitié d'un kilogramme.

— Ouste! Sortez de table, toutes les deux, dit Marjory en faisant un geste décidé de la main. Je me charge de tout.

Elisabeth la remercia et retourna à sa couture pendant que Marjory débarrassait la table, ignorant la raideur dans son dos. Elle avait servi un repas acceptable et c'était un premier résultat. La table et le foyer furent bientôt nettoyés, et la maison fut rendue présentable pour les étudiantes d'Anne, qui arrivaient chaque après-midi à quatorze heures précises pour repartir à dix-huit heures.

La veille, Marjory avait lu un livre pendant qu'Elisabeth cousait, toutes deux assises à la table de cuisine, afin de laisser aux jeunes filles l'usage des fauteuils près de la fenêtre pour leurs travaux d'aiguille. Aujourd'hui ne serait pas différent, se dit-elle.

Un coup sec frappé à la porte fit se lever immédiatement les trois femmes. Elles retirèrent leur tablier et se passèrent une main dans les cheveux afin d'accueillir convenablement les jeunes filles. Anne tenait à leur enseigner les bonnes manières au moins autant que la couture.

Mais quand elle ouvrit la porte, elle resta interdite.

— Veuillez nous excuser, monsieur. Nous ne... vous attendions pas.

Chapitre 12

Le changement est douloureux, bien sûr;
pourtant, il est toujours nécessaire.
— Thomas Carlyle

Une voix tonnante gronda à la porte.

— Je désire voir madame Kerr, l'aînée. En privé.

Marjory ferma les yeux. *Le révérend Brown.* L'homme qui tenait leur avenir entre ses mains. À titre de ministre de la paroisse, il répondait non seulement devant Dieu, mais aussi devant le roi George.

Elle s'efforça de le regarder et de s'avancer afin de l'accueillir, tout en faisant un bref hochement de tête vers les autres pour les libérer. *Ne vous inquiétez pas. Dieu est avec moi.* Elisabeth et Anne firent une brève révérence, puis battirent en retraite dans la pièce, laissant Marjory et le ministre seuls près de la porte.

Le regard du ministre se promena dans le petit logis.

— Où... pourrions-nous converser?

Marjory était bien en peine de lui répondre.

— Les élèves de ma cousine arriveront d'un moment à l'autre. Je crains que nous n'ayons aucun endroit privé, ici. Peut-être un autre jour...

— Non, dit-il, et la ride qui sillonnait son front se creusa davantage. Nous discuterons au presbytère. La venelle de l'Église n'est qu'à deux pas d'ici.

Quand elle se tourna pour prendre congé des deux autres femmes, elle remarqua leurs yeux agrandis par l'inquiétude.

— Je reviens bientôt, les assura-t-elle, espérant avoir raison.

Les jambes un peu flageolantes, Marjory suivit le révérend Brown dans l'escalier, puis jusque sur la place du marché, animée et inondée de soleil. La joie qui y régnait offrait un étrange contraste avec la peur qui l'habitait à ce moment-là. L'arôme riche des pâtés à la viande flottait près d'elle et le martèlement de l'enclume de forgeron remplissait l'air. Attirés hors de leur maison par le temps plus chaud, les résidents de Selkirk se rassemblaient autour du puits ou de la croix du marché, de l'hôtel de ville ou de la prison municipale avec son impressionnante nouvelle tour. Ne regardant ni à droite ni à gauche, Marjory resta sur les talons du ministre, évitant ainsi d'être abordée par un voisin qui aurait voulu entamer la conversation. L'homme d'Église semblait déjà suffisamment contrarié.

Drapé dans un vêtement noir informe, les épaules inclinées vers l'avant et le menton contre la poitrine, David Brown ressemblait à un oiseau de proie au plumage foncé et au bec acéré, frayant son chemin à coups de bec dans la venelle ascendante. Il ouvrit la porte du presbytère en face de la demeure des Minto et invita Marjory à entrer.

L'intérieur était moins lugubre qu'elle l'avait imaginé. Des bougies de cire d'abeille étaient dispersées dans le petit salon et un tas de charbon rougeoyait dans l'âtre. Ses meubles étaient vieux mais bien conservés et le plancher était recouvert d'un épais tapis bordeaux. Elle ne vit aucun miroir — trop superficiel pour un ministre —, mais une jolie peinture à l'huile, représentant l'église paroissiale, suspendue au-dessus du manteau de la cheminée.

Marjory accepta le siège offert, une chaise de bois à dossier droit avec un coussin très mince, et attendit que le ministre parle.

— Je n'ai pas de thé à vous offrir, dit-il sèchement en s'assoyant en face d'elle. Vendredi dernier, mon domestique a fui à Jedburgh. Il aurait pu attendre jusqu'au lundi de Whitsuntide[10], alors qu'il aurait été aisé pour moi de le remplacer. Mais il s'est marié précipitamment.

---

10. N.d.T. : Semaine de festivités qui suivait le dimanche de la Pentecôte, habituellement en mai.

Voulant démontrer qu'elle sympathisait avec lui, Marjory dit :

— Je sais combien il peut être difficile de trouver un domestique en qui l'on peut avoir confiance.

— Vraiment ? dit-il en lui jetant un regard perplexe. J'aurais cru qu'embaucher un employé aurait été la dernière de vos préoccupations, madame Kerr.

Si le révérend avait voulu l'humilier, il était un peu tard pour cela.

Un chien se mit à japper sous la fenêtre, amorçant un concert d'aboiements qui se transformèrent bientôt en grondements hargneux. À l'intérieur, les deux occupants durent prendre leur mal en patience et attendre la fin du vacarme. Marjory essayait de paraître calme, de ne pas sembler intimidée, mais son cœur battait à toute allure. Après que le dernier chien se fut éloigné, le silence qui retomba dans la pièce était presque palpable.

— Alors, madame Kerr, dit le ministre, et l'expression de son visage se durcit. Qu'est-ce qui a bien pu vous posséder pour vous inciter à appuyer la prétention des Stuart au trône d'Angleterre ? Est-ce votre belle-fille des Highlands qui vous a ensorcelée ?

— Elle n'a rien fait de tel, s'empressa-t-elle de répondre afin de protéger Elisabeth. Pas plus que mes belles-filles n'ont embrigadé leur mari. Au contraire, nous avons imploré Donald et Andrew de ne pas s'enrôler. Quand ils l'eurent fait, nous étions tenues de nous rallier derrière eux.

— Et vous avez donné de l'argent au prince Charlie, je suppose, grommela-t-il.

— Je l'ai fait.

Quinze cents livres. Si le révérend ne la questionnait pas davantage, elle garderait ce montant colossal pour elle-même.

— Le fou a toujours raison à ses propres yeux, dit-il, et sa voix semblait maintenant provenir du haut de la chaire ; plus forte, plus sévère. Vous avez tout perdu, madame. Votre argent, votre titre, votre maison, et même votre famille. Tout! lança-t-il en frappa du poing la table à ses côtés.

Elle eut un mouvement de recul.

— Révérend...

— Que dois-je faire de vous, madame Kerr? Vous bannir de ma paroisse? Vous remettre entre les mains des dragons?

Non! Marjory fixa le plancher, écrasée par cette menace.

— J'espérais... c'est-à-dire, je priais... pour que vous et les doyens de l'église me pardonniez.

Sa requête resta suspendue dans l'air du petit salon.

— De la miséricorde? dit-il, et, cette fois-ci, il ne s'emporta pas.

— Oui, de la miséricorde, répondit-elle en levant la tête, une lueur implorante dans les yeux. Je n'ai aucun autre endroit où aller, révérend Brown. Anne et Elisabeth sont tout ce qui reste de ma famille, maintenant. Je vous en prie... ne me demandez pas de quitter Selkirk.

Le seul bruit dans la pièce fut le craquement de la chaise du révérend.

Marjory murmura une prière dans le silence, les yeux ouverts, le cœur ouvert et les mains ouvertes sur ses genoux, comme une enfant attendant un cadeau. *Regarde vers moi, pitié pour moi.*

Elle vit quelque chose dans les yeux du révérend. Une étincelle.

— Vous voulez bien? redemanda-t-elle.

Son orgueil était en lambeaux, oui, mais grâce à Dieu, sa honte l'était aussi.

Le ministre s'adossa à sa chaise, ses larges mains appuyées sur ses genoux.

— D'aucuns diraient que vous avez suffisamment payé les conséquences de votre folie. Car c'est ce dont il s'agit, madame Kerr. De la folie pure. Vous n'avez violé aucun commandement…

— Mais je l'ai fait, protesta-t-elle faiblement. « Tu n'auras pas d'autres dieux devant moi. »

Il la regarda, atterré.

— Quel Dieu vénériez-vous si ce n'est pas le Tout-Puissant ?

— Je vénérais…, dit Marjory en laissant errer son regard dans la pièce, espérant trouver les bons mots. J'ai vénéré mes fils, mes possessions, ma place dans la société. Toutes ces choses perdues que vous avez énumérées. Ne le voyez-vous pas ? Dieu me les a toutes retirées.

Elle se pencha vers l'avant, et des larmes coulaient sur ses joues.

— Parce que je les aimais plus que je ne l'aimais, Lui, dit-elle faiblement.

Le révérend Brown rapprocha sa chaise de la sienne.

— Madame Kerr…, dit-il d'un ton bourru. Marjory…

Il déposa doucement une main sur son épaule.

— Dieu vous a ramenée à la maison dépouillée de tout afin qu'il puisse vous remplir de sa présence, dit le révérend.

Puis, après un moment de silence, il ajouta :

— Je ne vois aucune raison pour l'Église de vous punir davantage.

Marjory s'affaissa sous le poids de son pardon, ses joues humides pressées dans la paume de ses mains.

— C'est notre tâche de vous aider, madame Kerr, reprit le révérend d'une voix qui chevrotait, maintenant. De vous montrer la miséricorde divine. Et c'est ce que nous ferons.

Quand il se tut, Marjory se leva lentement et assécha ses larmes.

— Merci, murmura-t-elle.

— Pour ceux qui m'interrogeront, j'ai besoin que vous me disiez la vérité. Êtes-vous maintenant loyale au roi ?

Marjory savait ce que Dieu exigeait d'elle. *Crains Dieu. Honore le roi.* Une demande difficile à satisfaire après tout ce qu'elle avait subi. Pourtant, le révérend Brown avait qualifié son soutien à la cause des Stuart de folie. N'en était-elle pas arrivée à la même conclusion elle-même, quand ses fils étaient en vie ?

Marjory soutint le regard du ministre, afin qu'il ne doutât pas de sa conviction.

— Oui, répondit-elle.

Il parut satisfait, s'adossant à sa chaise en croisant les bras sur sa poitrine.

— Alors, comment comptez-vous reprendre votre place dans la société, madame Kerr ?

Elle se tamponna les joues avec son mouchoir, puis répondit honnêtement.

— J'entrerai par toutes les portes qui s'ouvriront pour moi et je prierai pour y trouver des amis.

Il hocha la tête pensivement.

— Nous attendons un nouveau résident à Selkirk, qui devrait arriver dans moins de deux semaines. Il s'agit de l'amiral Lord Jack Buchanan. Soyez prudente en sa présence, car c'est un homme d'une loyauté indéfectible au roi. La trahison de votre famille ne jouera pas en votre faveur auprès de l'amiral.

Marjory se raidit.

— Je ne pense pas rechercher la compagnie du nouveau propriétaire de Tweedsford.

— Je vous demande pardon ? dit le révérend Brown, qui lui décocha un regard singulier. Madame, on vous a mal informée. L'amiral Buchanan résidera à Bell Hill.

Elle en resta bouche bée.

— Mais je croyais que le roi l'avait favorisé...

— Sa Majesté n'a joué aucun rôle dans cette affaire, déclara-t-il. L'amiral a acheté la propriété directement du duc de Roxburgh. Les officiers du *Centurion* étaient des hommes très riches quand le navire a mouillé dans le port de Portsmouth, vous vous en souvenez sûrement. Puisque le père de Lord Buchanan a déjà résidé dans le Selkirkshire, l'amiral a choisi de s'établir ici.

— Mais Lady Murray de Philiphaugh a insinué…

— Allons! dit-il. Un ministre connaît bien des choses que son troupeau ne sait pas forcément.

Marjory regarda la carpette de laine sous ses pieds, faisant un effort pour se rappeler les paroles exactes de la comtesse. *Un beau domaine dans le comté de Selkirk.* Rien d'autre.

— C'était une supposition incorrecte de ma part, admitelle finalement, s'en voulant d'avoir ainsi sauté aux conclusions. Et qui héritera de Tweedsford?

— Le duc ne m'a rien dit à ce propos. Entretemps, j'imagine que monsieur Laidlaw continuera d'administrer la propriété.

Monsieur Laidlaw. La seule mention de ce nom donna le haut-le-cœur à Marjory. Le révérend Brown connaissait-il la vile nature de cet individu? Peut-être était-ce là une bonne occasion de tâter le terrain.

— J'ai été déçue de ne pas rencontrer mon ancien régisseur à l'église, le jour du sabbat, dit-elle, guettant sa réaction.

Mais le révérend répondit sans hésiter.

— Roger Laidlaw honore maintenant le sabbat à l'église de Galashiels. Il semble qu'à l'instar de mon domestique, il se soit lassé de la vie de célibataire, car il courtise maintenant une veuve de la paroisse voisine.

— Ah bon, dit Marjory, incertaine de la manière d'enchaîner.

Elle s'était trompée sur l'identité du nouveau propriétaire de Tweedsford. Sa cousine avait-elle exagéré la nature de ses avances et les histoires sordides à son sujet? Elle ne ruinerait pas la réputation de monsieur Laidlaw sur la foi de simples ouï-dire.

Mais leur banc en décrépitude à l'église était une autre affaire.

— Je comprends que monsieur Laidlaw a négligé de vous payer notre loyer pour le banc des Kerr, dit Marjory, qui se sentait sur un terrain plus solide cette fois.

— Oui, eh bien…, répondit le révérend Brown en changeant de position sur sa chaise. Nous n'avons pas réclamé les loyers des bancs depuis plusieurs années. Le conseil jongle avec l'idée de raser l'église.

— Vraiment? interrogea Marjory, étonnée par la nouvelle. Notre sanctuaire existe pourtant depuis deux cents ans.

— Certains jours, il me semble que moi aussi, dit le ministre en se levant avec un grand effort.

Il se dirigea vers la porte en s'aidant de sa canne.

— Je vous ai retenue assez longtemps, madame Kerr.

Visiblement, sa visite l'avait épuisé. Marjory suivit le révérend jusqu'à l'entrée.

— J'espère que vous trouverez un nouveau domestique bientôt.

— Moi aussi, dit-il en s'attardant devant la porte, la main posée sur le loquet.

— Au fait, dit Marjory, notre ancien valet, Neil Gibson, devait arriver à Selkirk avant nous. Pourtant, c'est aujourd'hui jeudi, et nous n'en avons toujours pas eu de ses nouvelles.

Marjory hésita un très court moment avant de poursuivre.

— Pourriez-vous nous aider à le retrouver, révérend?

Il ne répondit pas immédiatement et sa mâchoire remua, comme s'il mastiquait une bouchée particulièrement coriace.

— L'un des doyens, Joseph Haldane, doit partir pour Middleton ce matin, dit-il finalement. Je vais lui demander de s'informer à l'auberge…

— Vous le feriez? dit Marjory qui reprit espoir, car presque tous les voyageurs passant par la route d'Édimbourg s'arrêtaient à l'auberge Middleton. Le propriétaire aura sûrement des nouvelles pour nous.

Le ministre s'abstint de lui faire une telle promesse.

— Nous verrons ce que monsieur Haldane aura à nous dire jeudi.

Deux jours. Oui, elle pouvait tolérer deux autres jours d'attente.

Le révérend Brown la regarda, ses lèvres ridées closes comme une bourse en cuir de veau.

— *Le changement est rafraîchissant,* dit-il en ouvrant la porte. C'est un vieux proverbe gaélique que votre belle-fille connaît sûrement. Vous aurez besoin de ce rappel dans les mois à venir, madame Kerr. Pour ma part, il me sera sûrement utile.

Elle regarda le ministre vieillissant qui avait consacré ses meilleures années à sa paroisse. Du haut de la chaire, il était intimidant, presque terrifiant. Mais en personne, à la lueur de la chandelle vacillante, c'étaient sa sagesse et sa bonté qui émanaient de lui.

— Que Dieu soit avec vous, dit-elle quand ils se séparèrent, puis elle s'engagea dans la rue achalandée d'où elle entendit la porte se refermer.

Elle repassait chaque détail de la conversation dans son esprit en descendant la rue, contournant les chevaux et les voitures, les poissonnières et les vendeurs de pâtés en croûte, les artisans et les travailleurs qui passaient rapidement devant elle.

Elle devait rentrer à la maison. Elle devait l'annoncer à Elisabeth. *Nous sommes ici pour rester. Nous sommes chez nous.*

Quand elle tourna dans la ruelle Halliwell, Marjory fit une pause pour laisser ses yeux s'ajuster à la faible lumière, puis plissa les yeux, incertaine de ce qu'elle voyait. Y avait-il quelqu'un à la porte? Un homme de taille et d'âge moyens, pas plus qu'une ombre. Quand elle approcha, la forme se précisa et une voix qu'elle n'avait pas entendue depuis des années prononça son nom.

— Lady Kerr?

Elle essaya de déglutir, mais en fut incapable.

— Monsieur Laidlaw?

Le régisseur de Tweedsford était debout, les mains vides, identique au souvenir qu'elle avait de lui : brun, les cheveux droits retenus à la nuque par un bout de cuir, de petits yeux un peu trop rapprochés et une bouche dessinée d'un trait précis par une main décidée.

Mais c'était la description d'Anne qu'elle gardait à l'esprit. *Un être débauché et sans scrupules.* Elle s'efforça de regarder monsieur Laidlaw en face et sans peur. L'heure était venue.

Il s'éclaircit la gorge.

— J'ai reçu votre lettre...

— Alors, où sont les objets que je vous ai demandé d'apporter?

Elle s'était exprimée plus sèchement qu'elle n'en avait l'intention, mais elle ne pouvait retirer ses paroles. Il inclina la tête vers la porte.

— Je les ai laissés en haut de l'escalier avec les dames.

— Vous êtes entré dans la maison de ma cousine? demanda Marjory, qui ne pouvait qu'imaginer la réaction d'Anne.

— Je ne suis resté qu'une minute, expliqua-t-il rapidement. Une étrangère m'a répondu. Grande, les cheveux foncés. Elle a refusé de me laisser entrer.

Très bien, Elisabeth.

Roger Laidlaw resta près de la porte, lui bloquant le passage.

— Lady Kerr...

— Je suis madame Kerr, maintenant, comme vous le savez très bien.

Il changea légèrement de position.

— J'vous d'mande pardon, m'dame.

Ce n'est qu'à ce moment-là qu'elle remarqua une lueur triste dans ses yeux. Si les rumeurs à son sujet étaient fondées, il avait bien des choses à se faire pardonner.

— Qu'avez-vous à répondre à ce que je vous ai écrit, monsieur Laidlaw ?

Avant qu'il puisse répondre, un trio de servantes arriva en courant dans la ruelle et se fraya un passage près d'eux, saluant du bonnet pour s'excuser. Quand son regard les suivit le long de la ruelle, Marjory perdit sa maîtrise de soi.

— Alors, siffla-t-elle, je vois que vous n'avez pas changé.

S'il avait vraiment abusé de Tibbie Cranshaw, ses gestes ne resteraient pas impunis. N'existait-il pas des lois pour punir pareils comportements ?

— Je songe, reprit-elle en colère, à parler de vous au nouveau propriétaire de Tweedsford. Ou à demander au shérif de Selkirk de vous demander à comparaître en cour.

Monsieur Laidlaw s'écarta rapidement d'elle, détournant le regard.

— Peut-être pourrions-nous parler à un autre moment, m'dame. Quand nous ne serons pas... quand ceci...

Il se retourna et s'enfuit rapidement vers la place du marché.

Chapitre 13

À la manière dont une femme tire son fil
à chaque point de son travail d'aiguille,
toutes les autres peuvent deviner ses pensées.
— Honoré de Balzac

Elisabeth regardait la porte. Des voix étouffées avaient flotté dans l'escalier au cours des dernières minutes, trop faibles pour être bien discernées. Sa belle-mère parlait soit avec le révérend Brown, s'il l'avait raccompagnée à la maison, ou bien avec monsieur Tait, le cordonnier qui partageait leur entrée sur la ruelle Halliwell.

Quand elle se tourna vers Anne et ses étudiantes, Elisabeth fut touchée par le charmant tableau qui s'offrait à sa vue. Le soleil dorait leur figure alors que chacune était penchée au-dessus de son ouvrage, chantant doucement un air de dentelière, un chant rythmique qui aidait les jeunes filles à travailler en cadence.

> Dix-neuf milles d'ici à l'île du Berger,
> Y arriverai-je à la lueur des chandelles ?
> Oui, si tes doigts courent agiles et légers,
> Tu y seras à la lueur des chandelles.

Leurs voix harmonieuses étaient aussi jolies que leurs visages. Lesley Boyd, aux cheveux blond-roux, possédait un doux sourire et une personnalité enjouée. Grace Caldwell était une jeune fille aux longs membres, d'une nature plaisante, avec des yeux qui trahissaient un intellect éveillé. Les deux jeunes filles avaient seize ans, à l'aube de leur féminité. En les regardant maintenant, avec leur si peau douce et si délicate, Elisabeth secoua la tête, incrédule. Avait-elle déjà été aussi jeune ?

« J'aurai vingt-cinq ans dans une quinzaine », s'était-elle confiée à Anne, qui avait murmuré : « Au moins, tu as déjà été mariée. » Elisabeth n'avait su que répondre. Un moment, Anne semblait heureuse de son célibat, le suivant, elle s'en affligeait.

Puis il y avait monsieur Laidlaw. Sa brève apparition plus tôt avait ruiné le début de ce qui s'annonçait comme un après-midi paisible. Anne avait blêmi à sa simple vue. Marjory étant sortie et les jeunes filles présentes, Elisabeth n'avait pas permis au régisseur de franchir le seuil de la porte. Elle s'était contentée de prendre un petit sac d'effets personnels provenant de Tweedsford pour les placer sur le lit de Marjory, attendant son retour.

Assise à la table déserte, Elisabeth avait continué son travail de couture, tirant son aiguille à travers la compacte étoffe de batiste. Un coton français de qualité, avait fièrement lancé monsieur Dalgliesh. Le côté légèrement lustré de la toile réfléchissait la lumière qui se déversait dans la pièce. Elle espérait livrer une autre chemise terminée avant le dîner. Un simple refrain se répétait dans sa tête pendant qu'elle travaillait. *Une autre chemise. Un autre shilling.* De toute sa vie, elle n'avait jamais pensé à l'argent. Mais ce qui lui importait beaucoup, c'est qu'il y eût toujours assez de nourriture sur leur table.

Au son des pas dans l'escalier, Elisabeth mit rapidement de côté sa couture, ayant hâte d'entendre les détails de l'entrevue de Marjory avec le révérend. Il pouvait leur rendre la vie difficile, s'il choisissait de le faire. Un moment plus tard, quand la porte s'ouvrit en grinçant et que sa belle-mère apparut, Elisabeth vit à quel point elle était bouleversée. Elle craignit le pire.

Marjory tira son mouchoir de sa manche et le pressa contre son front.

— J'aurais dû l'accompagner moi-même jusqu'au presbytère, dit-elle en colère.

Elisabeth regarda Anne et ses étudiantes, étonnées par cette entrée bruyante.

— Qu'est-ce que le révérend a dit? demanda Elisabeth d'une voix basse, s'interposant entre Marjory et les autres.

Sa belle-mère parut surprise par la question.

— Le révérend? Oh... eh bien... nous sommes libres de nous installer à Selkirk, lui dit-elle. Et l'amiral ne résidera pas à Tweedsford.

— Oh! s'exclama Elisabeth. Ce ne sont que de bonnes nouvelles, alors.

— Pas toutes, dit Marjory en fronçant les sourcils à la porte. J'ai rencontré monsieur Laidlaw dans la ruelle.

À cette nouvelle, Lesley et Grace abandonnèrent leur dentelle et se hâtèrent aux côtés de Marjory.

— Qui *était* cet homme? demanda Grace, les yeux brillant de curiosité.

— Ne pourriez-vous rien nous dire? interrogea à son tour Lesly.

— C'est une vieille connaissance de la famille, dit Anne d'un ton détaché, puis elle fit un geste en direction de la table. Prendrons-nous notre thé avant de continuer votre leçon?

— Nous ne nous laisserons pas amadouer aussi facilement, protesta Lesley. Nous avons vu l'homme qui s'attardait sur le seuil de la porte. Il était d'une condition *bien* inférieure à la vôtre, mademoiselle Kerr.

— Je suis heureuse que vous le pensiez, leur dit Anne. Il a été autrefois le régisseur des Kerr. Et c'est tout ce que vous avez besoin de savoir.

Elisabeth prit chaque jeune fille par le coude et les dirigea vers les chaises à l'autre bout de la table.

— Nous avons des gâteaux en pain d'épice, dit-elle en espérant les tenter, et du lait frais pour votre thé. Seulement, promettez-moi de ne plus poser de questions à propos de notre visiteur.

— Très bien, dit Grace avec un soupir exagéré.

Dès qu'elles furent toutes réunies, Marjory s'adressa aux jeunes demoiselles.

— Pourquoi ne parleriez-vous pas un peu de vous ? leur demanda-t-elle.

Ce qu'elles firent avec quantité de détails hauts en couleur, oubliant du même coup le mystérieux étranger, au grand soulagement d'Elisabeth.

Elle avait éprouvé de l'antipathie pour ce monsieur Laidlaw dès qu'elle avait répondu à la porte. Que ce fût à cause de son attitude trop familière ou de sa démarche nonchalante, Elisabeth n'aurait su le dire. Les mots d'Anne l'avaient marquée de l'encre la plus noire. *Un dépravé de la pire espèce.* Elisabeth n'avait pas besoin d'en savoir plus à son sujet.

Quand sa tasse fut vide et son gâteau au pain d'épice réduit à quelques miettes, elle ne pouvait différer son travail davantage.

— J'ai beaucoup à faire si je veux finir avant le coucher du soleil.

Alors qu'Anne retirait son tablier, un objet tomba sur le sol avec un petit tintement. Elle se pencha pour le ramasser, puis exhiba sa trouvaille.

— De Michael Dalgliesh.

— Pour moi ? demanda Elisabeth, qui prit le dé en argent et le mit en place. Il me va parfaitement.

— Je le vois bien, dit Anne d'un ton neutre.

— Quand vous l'a-t-il donné ? demanda Elisabeth, montrant son pouce.

— Plus tôt aujourd'hui, quand je me suis rendu chez madame Thorburn cueillir du persil. Il était en route pour venir le porter. Il pensait que vous le trouveriez utile.

Elisabeth étudia sa surface bosselée par des années d'usage.

— Comme c'est délicat de sa part.

Anna haussa les épaules.

— Ce n'est qu'un simple dé à coudre.

Elisabeth perçut une sourde irritation dans la voix de sa cousine, mais n'insista pas davantage. Pas quand ses étudiantes étaient présentes et que Marjory écoutait. Plus tard, peut-être.

Quand les jeunes filles regagnèrent leur place à la table de couture, Elisabeth constata que le jugement d'Anne était juste : Lesley et Grace avaient peu de talent pour les travaux d'aiguille. Les jeunes filles complétaient un point de feston pendant qu'Anne en faisait quatre. Mais leurs manières étaient distinguées et leur expression faciale agréable. Si c'était tout ce que leurs parents demandaient pour leurs shillings, alors cet argent était bien employé.

L'aiguille d'Elisabeth s'anima bientôt au rythme de l'air de dentelière qu'elles fredonnaient.

Anne-Marie et Caroline,
Sont deux jolies jeunes filles ;
Elles ont une maison sur la colline,
Et la recouvrent de jonquilles.

Quand l'horloge de l'église carillonna dix-huit heures, un attelage était déjà posté à l'entrée de la ruelle, et un valet de pied patient attendait les deux jeunes filles à la porte de l'escalier. Les élégantes propriétés de leur famille n'étaient pas très loin de la ville, par la route passant par la porte de l'Ouest.

Anne les renvoya avec une révérence, referma la porte derrière elles et poussa un profond soupir.

— Je n'ai que peu progressé dans la confection de ma propre dentelle pendant qu'elles étaient ici, admit-elle.

Elle regagna tout de suite son siège, qu'elle orienta de manière à bénéficier au maximum de la lumière de l'après-midi.

— Et vos chemises, Bess, comment avancent-elles ?
demanda-t-elle d'un ton familier.

— C'est terminé, dit-elle en s'emparant de l'étoffe, puis
elle l'étendit devant elle. C'est d'une facilité un peu gênante,
admit-elle. Des manches, des coutures, des poignets et un col.

Anne prit l'une des manches et en examina le poignet
d'un œil exercé.

— Vous avez un beau point arrière, lui dit-elle. Et les
soufflets du col sont bien faits. Michael sera content.

— C'est Michael, maintenant ?

Anne ne rougissait pas souvent, mais quand elle le faisait,
sa peau pâle tournait au rose.

— Nous sommes allés à l'école ensemble, pas très loin de
la boutique.

— Alors, vous connaissez Jenny, sa défunte épouse.

Les joues d'Anne rosirent un peu plus.

— Bien sûr.

Comme sa cousine n'ajoutait rien, Elisabeth se leva et plia
soigneusement la chemise. D'autres pièces du casse-tête tombaient en place. Anne avait manifestement de l'affection pour
son ancien camarade de classe. Que celle-ci fût partagée ou
non était moins certain.

— Je saluerai monsieur Dalgliesh et je reviendrai à temps
pour le dîner.

Elisabeth regarda le foyer.

— Vingt heures, promit-elle à sa belle-mère, avant de
dévaler l'escalier.

Le soleil bronzait l'horizon à l'ouest et traçait de longues
ombres sur la place du marché, qui se vidait à l'approche du
crépuscule. Elle tenait la chemise fermement contre son corsage pour ne pas l'échapper sur les pavés crasseux de la
venelle de l'Église. Saluant les passants d'un signe de tête, elle
se rendit compte que certains visages commençaient à lui être
familiers. Ce garçon au visage grêlé dans des vêtements en
loques, qui baissait la tête pour cacher ses cicatrices. Une

laitière aux pieds nus, qui marchait d'un pas dansant sans jamais renverser une goutte de lait. Un homme au dos voûté avançant avec une canne, qui faisait le tour des boutiques. Elle apprendrait leur nom, et Selkirk deviendrait peu à peu son véritable foyer.

Une minute plus tard, elle frappait à la porte du tailleur.

— Une autre chemise? fit-il, et son regard étonné se mua en sourire. Je suppose que vous voudrez un autre shilling aussi.

— C'est notre entente, lui rappela Elisabeth, et elle plaça le vêtement terminé sur la seule surface non encombrée qu'elle put trouver. Votre dé est à blâmer, monsieur Dalgliesh, dit-elle en agitant le pouce. Maintenant, je peux coudre encore plus vite.

— Il appartenait à Jenny, dit-il simplement. Elle aussi était une couturière très douée.

Vous vous séparez du dé de votre femme bien facilement. Elisabeth trouva cette désinvolture un peu troublante. Les possessions matérielles ne signifiaient-elles donc rien pour lui? Ou était-il si peu sentimental?

— Je suis honorée d'utiliser le dé de Jenny, dit-elle finalement, glissant la pièce qu'il lui offrait dans sa poche suspendue. Merci de l'avoir remis à Annie à mon intention.

Une lueur d'émotion brilla dans les yeux bleus du tailleur. Ce n'était ni de la peine, ni des regrets, mais quelque chose d'autre. Jugeant prudent de changer de sujet, Elisabeth regarda l'escalier en colimaçon.

— J'avais espoir de faire enfin la connaissance de Peter.

Monsieur Dalgliesh tendit la main vers son gilet, à la recherche de boutons.

— Sa grand-mère de Lindean l'a emmené pour la nuit. Elle a pensé qu'ça m'aiderait dans mon travail.

Elisabeth pouvait voir toute la fatigue du tailleur. Les lignes autour des yeux étaient plus accusées et ses épaules s'affaissaient.

— Je me demandais si vous aviez pensé à prendre un associé, dit-elle.

Il tourna vivement la tête dans sa direction.

— Que voulez-vous dire?

— Un autre tailleur. Ou bien un apprenti.

Elle ne l'avait jamais vu froncer les sourcils avant. Maintenant, il le faisait.

— Un tailleur voudra être payé. Et un apprenti devra être formé, répondit Michael, qui se leva et mit son gilet de côté. Jenny et moi faisions très bien marcher la boutique ensemble. Mais c'n'est plus la même chose sans elle.

Des regrets submergèrent Elisabeth. Mais à quoi avait-elle pensé? S'imposer dans la vie de cet homme, lui faire des suggestions? Elle se rendit près de lui.

— Je vous prie de m'excuser, monsieur Dalgliesh. Nous venons tout juste de faire connaissance. Ce n'est pas à moi de...

— Non, non, dit-il, et ses traits s'adoucirent. Ne m'en veuillez pas pour cette saute d'humeur. Demain, cela fera trois ans que j'ai perdu ma femme. Ce sont des temps difficiles, vous savez.

Elisabeth hocha la tête, imaginant ce qui l'attendait le 17 janvier.

— Vous faites bien d'en porter encore le deuil.

Le regard de Michael croisa le sien.

— Comme vous portez celui de votre mari, je suppose.

— Oui, répondit-elle.

Mais ce n'était pas Donald qui lui venait à l'esprit alors qu'elle se tenait debout près du tailleur. Elisabeth remarqua le ruban à mesurer enroulé autour de son cou, la craie émergeant de la poche de son gilet, les manches retroussées jusqu'au coude, et elle pensa à Rob MacPherson, un ami d'enfance des Highlands, qui s'était établi à Édimbourg avec son père, Angus, et qui travaillait avec lui dans sa boutique de tailleur, comme elle-même l'avait fait plus tard. Hélas, Rob était tombé éperdument amoureux d'elle et il la harcelait de ses attentions. Encore aujourd'hui, elle tremblait en pensant à ses yeux sombres.

— Je dois partir, dit-elle à Michael en dirigeant ses pas vers la porte. Peut-être que lors de ma prochaine visite, j'aurai le plaisir de voir votre fils.

— Je suis sûr qu'il l'apprécierait, acquiesça Michael.

— Demain soir, alors, dit Elisabeth.

Elle lui souhaita au revoir et se hâta vers la ruelle Halliwell, incertaine de l'heure. La cloche de l'église ne sonnait pas toutes les heures pendant la semaine, seulement à midi et à dix-huit heures. Le caractère de sa belle-mère s'était considé- rablement adouci, mais Marjory avait encore quelques exi- gences. Et dîner à vingt heures précises en faisait parte.

Quand Elisabeth arriva, il n'y avait plus un moment à perdre. La table fut mise, Anne prit place, et Marjory versa la soupe à l'arôme capiteux dans les bols de bois, taillés dans les excroissances noueuses de troncs d'arbre. Puisque le grain était incurvé plutôt que droit, les bols étaient sujets à se fen- diller. Elisabeth l'aida à servir, puis prit place près de Marjory, qui fit une brève prière pour le repas.

Le dîner fut plutôt frugal — un bol de soupe pour cha- cune et un triangle taillé dans un grand *bannock* —, mais Elisabeth avait maintenant de l'argent dans sa poche. Ils auraient de la viande le lendemain et entameraient le mois d'avril dans l'abondance.

— Et qu'est-ce que ce sera, mesdames ? demanda-t-elle. Du poisson, de la viande rouge ou de la volaille ?

— C'est au chef de décider, dit Anne.

— Si le boucher a une poulette et une livre de veau, dit Marjory, je me souviens d'un plat délicieux que madame Edgar nous servait souvent. Mais j'aurai besoin de ton aide, Elisabeth.

— À votre service, dit-elle, honorée d'avoir été sollicitée.

Ayant grandi dans une modeste chaumière, Elisabeth avait appris à faire la cuisine, poussée par la nécessité. Mais c'était quelque chose de totalement nouveau pour sa belle-mère.

Un peu plus tard, alors qu'elles étaient en train de débarrasser la table, Marjory lui dit :

— Aujourd'hui, le révérend Brown m'a appris un proverbe des Highlands, que je ne connaissais pas : *Le changement est rafraichissant.*

Les mots égayèrent le cœur d'Elisabeth.

— Mon père aimait ce proverbe.

— Vraiment ? dit Marjory, qui se tut un moment, un plat à la main, pour la regarder. Et comment le dit-on en gaélique ?

Sa demande toucha profondément Elisabeth. Jamais, dans toutes ses années au square Milne, sa belle-mère ne lui avait demandé de parler dans sa langue maternelle des Highlands. En fait, Marjory avait toujours paru outrée quand elle surprenait du gaélique dans la rue.

Aujourd'hui, elle était disposée, et même désireuse de l'entendre. Un autre miracle.

Elisabeth lui sourit et dit.

— *Is ùrachadh atharrachadh.* Le changement *est* rafraîchissant, Marjory.

Et vous en êtes la preuve vivante.

Chapitre 14

Qu'est-ce qui est aussi délicieux et doux
Qu'un radieux matin de mai ?
— Sir William Watson

Le jeudi, lorsque les premiers rayons du soleil tirèrent Marjory de son sommeil, le cadre du lit gémit en même temps qu'elle lorsqu'elle se retourna. Dépitée, elle se redressa et frictionna son cou douloureux, puis ses genoux raides et son dos courbaturé. Il devait sûrement y avoir quelque remède contre le vieillissement. Une ablution de rosée du 1er mai apportait santé et bonheur pour l'année à venir, disait-on. Si elle pouvait aussi la rajeunir, elle s'y baignerait des pieds à la tête. Et en boirait aussi.

Soudain, Marjory fut saisi de l'envie de se rendre sur la pointe des pieds à la fenêtre. Elle ouvrit le battant et toucha le rebord mouillé. Elle se tapota le front et les joues du bout des doigts, puis referma vivement la fenêtre, pour éviter que l'air froid n'éveillât les autres. D'ailleurs, comment aurait-elle pu s'expliquer ? Une veuve chrétienne faisant ses ablutions dans la rosée de Beltaine[11] comme une païenne d'autrefois. Le révérend ne serait sûrement pas d'accord. Souriant discrètement, elle s'assécha le visage avec la manche de sa chemise de nuit, et se souvint qu'elle aurait quarante-neuf ans en août. Même le rite du mois de mai ne pourrait lui rendre sa jeunesse.

L'eau d'un petit chaudron fut portée à ébullition sur le charbon nouvellement remplacé du foyer. Comme Helen Edgar l'avait fait tant de matins, Marjory laissa s'écouler un mince filet d'avoine de la main gauche, qu'elle agitait dans le sens horaire à l'aide d'une tige de bois qu'Helen appelait un

---

11. N.d.T. : Fête religieuse celtique, célébrée le 1er mai, qui marque la fin de la saison sombre et le début de la saison claire.

spurtle. Au bout d'un moment, Marjory retira le chaudron du feu pour laisser le porridge mijoter, pendant qu'elle s'habillait silencieusement.

Puisqu'on était le 1ᵉʳ mai, elle fit sa toilette avec un soin particulier, coiffant d'abord ses cheveux, qu'elle aspergea d'un peu de l'eau de rose d'Anne. Ses compagnes furent bientôt réveillées et habillées, chacune vaquant à ses propres tâches. Quand le petit-déjeuner fut terminé, Marjory prit le sac d'objets que monsieur Laidlaw avait apporté de Tweedsford et le déposa sur la table.

— De petites choses, mais qui me sont précieuses, confessa-t-elle, si vous voulez les voir.

Après avoir mis de côté les lettres de son défunt frère, Marjory sortit le petit livre d'enfant. Haut de trois pouces à peine et ne contenant qu'une douzaine de pages, il était à l'image de son héros espiègle, Tom. Elle se souvenait de la frayeur de Donald quand le garçonnet de la taille d'un pouce était tombé dans un chaudron et avait accidentellement été cuit dans un pudding.

— Je l'ai acheté pour un penny à un marchand ambulant qui passait dans le Selkirkshire, l'été où Donald a eu trois ans.

Marjory leva le livre pour qu'Elisabeth puisse bien le voir.

— Tom Pouce, n'est-ce pas ? demanda sa belle-fille, et son sourire était mi-amer. C'était l'histoire préférée de mon frère, Simon.

— Et l'histoire favorite de votre mari, dit Marjory.

Voyant le regard d'Elisabeth s'embuer en feuilletant les pages, Marjory pensa au jeune Simon Ferguson, mort au service du prince à Gladsmuir, et à la semaine de deuil qui s'en était suivie.

— Pourquoi ne le gardes-tu pas, Bess ? lui offrit Marjory.

Elle le serra dans ses mains.

— Puis-je ?

— Oui, dit Marjory, mais je ne pourrai me séparer de ceci.

Elle lui montra l'un des soldats de bois d'Andrew, dont la peinture s'était écaillée peu à peu sous la pression des petites mains qui le faisaient marcher au pas dans la chambre d'enfant.

— Un petit cadeau d'anniversaire, expliqua-t-elle, que Gibson avait sculpté.

Évoquer ces deux noms avait fait monter un sanglot dans la gorge de Marjory. Son garçon adoré, qui rêvait d'être un soldat, reposait maintenant dans une tombe, à Falkirk. Quant à Gibson, il était sur les routes depuis dix jours, avec un maigre shilling en poche et un sac de cuir grossier sur le dos. Bien que Marjory extériorisât peu ses sentiments, elle pensait constamment à Gibson. Elle craignait pour sa vie un moment, puis, celui d'après, elle reprenait confiance en pensant à sa force tranquille. Monsieur Haldane était attendu dans la journée, à son retour de l'auberge Middleton. Elle rendrait visite au presbytère dès qu'il serait convenable de le faire et demanderait des nouvelles au révérend.

Marjory glissa le soldat dans sa poche en se disant que Gibson n'était pas seul. *Dieu le protégera et le gardera en vie.*

Tenant toujours le petit livre de Donald, Elisabeth l'interrogea.

— Et qu'est-ce que monsieur Laidlaw vous a apporté d'autre ?

Marjory leva sa miniature de Tweedsford, un peu gênée de la montrer aux autres femmes.

— J'étais une jeune mariée avec un époux indulgent, dit-elle en haussant les épaules. Il a commandé un bâton de plombagine et des feuilles de vélin de qualité d'un papetier d'Édimbourg, et il s'est extasié devant mon talent.

Anne examina la peinture, pas plus grande que la paume de la main.

— Cela ressemble bien à votre ancienne maison, jugea-t-elle, avec ses quatre baies à la devanture.

Marjory n'en était pas persuadée.

— Un jour, quand je me sentirai assez forte, nous mar-
cherons jusqu'à la propriété, et vous constaterez que c'est une
bien pauvre imitation.

— J'adorerais voir Tweedsford, admit Elisabeth.

Marjory regretta d'avoir lancé l'idée. Se sentirait-elle un
jour assez forte pour affronter ses anciens souvenirs ? Cela
pourrait prendre des mois. Ou ne jamais arriver.

Plongeant ses mains dans le sac en toile, elle trouva le dernier objet.

— Cela appartenait à Lord John, dit-elle.

Marjory sortit la magnifique loupe, avec son manche
d'ivoire sculpté et sa lentille cerclée d'argent. Elle revoyait
Lord John, une délicate fleur sauvage tenue dans une main, la
loupe dans l'autre, s'émerveillant devant les pétales et les
feuilles minuscules. Son mari adorait sa propriété de campagne et tous les trésors qu'elle recelait. Hélas, elle avait
insisté pour que Lord John déménage sa famille dans l'élégante Édimbourg, tournant le dos à toutes les choses et à
toutes les personnes qu'ils connaissaient.

Il y avait des regrets que même le temps n'arrivait pas à
effacer.

Anne ne dissimula pas son admiration devant l'instrument, puis elle alla chercher un échantillon de dentelle.

— Regardez, cousine, dit-elle en plaçant son ouvrage
sous la lentille circulaire. Maintenant, on voit bien les détails.
Je dois avouer que les points sont si petits que je commence à
avoir mal à la tête après quelques heures.

Marjory étudia les motifs délicats et les innombrables
points de feston. Elle sut immédiatement ce qu'elle devait
faire.

— Est-ce que la loupe de mon mari vous serait utile ?
demanda-t-elle soudain à Anne.

Avec un petit hoquet de surprise, Anne la prit entre ses
mains.

— Vous ne pouvez vous imaginer à quel point.

— Alors, elle est à vous, dit Marjory sans hésitation. Gardez-la.

— Mais...

Le visage d'Anne était cramoisi.

— Je ne voulais que vous l'emprunter.

Marjory s'inclina vers sa jeune cousine. Elle prit les joues d'Anne entre ses mains et sentit leur chaleur sur ses paumes froides.

— Lord John aurait voulu que vous l'ayez, dit-elle. Et *je* veux qu'elle soit à vous.

Marjory regarda profondément dans les yeux de sa cousine.

— Une simple loupe ne paiera jamais votre gentillesse à notre égard. Ou même racheter un tant soit peu mes années de négligence à votre endroit. Je vous en prie, chère Annie... puis-je vous l'offrir ?

La bouche d'Anne se mit à trembler.

— Oh, cousine, dit-elle en baissant le regard. Je vous avais si mal jugée.

— Non, vous m'aviez bien jugée : hautaine, orgueilleuse et égoïste, dit Marjory, qui aurait tant aimé avoir été différente. J'ai été tout cela, et plus particulièrement à votre endroit.

— Il y a des années, peut-être, dit Anne en serrant la loupe dans sa main. Mais plus maintenant. Vous êtes une femme transformée, Marjory.

Marjory recula légèrement.

— Et d'autres changements seront nécessaires, j'en ai peur.

— Mais cela s'applique à nous toutes, dit Anne, traçant le contour du manche avec le bout de son doigt. Merci, Marjory.

Elle soupira, puis leva la tête.

— Je retourne à ma dentelle jusqu'au crépuscule. Mesdemoiselles Boyd et Caldwell ne viendront pas aujourd'hui, puisque nous sommes le 1er mai.

Elisabeth rassemblait déjà ses objets de couturière.

— Peut-être aurai-je le temps de terminer *deux* chemises, le calme régnant dans la maison.

Marjory, elle, avait d'autres plans. Attirée par l'animation qu'elle entendait sur la place du marché en bas, elle annonça :

— Après ma visite chez le révérend Brown, j'ai décidé que je devais faire une promenade sur la Water Row. J'y saluerai toutes les personnes que je croiserai et qui ne détourneront pas le regard.

Elisabeth et Anne se tournèrent vers elle, et la surprise se lisait sur leur visage.

— Marjory, en êtes-vous sûre ? dit Elisabeth en regardant sa pile de chemises non terminées. Je peux vous accompagner, si vous...

— Non, Bess, répondit doucement Marjory. Si je dois m'établir à Selkirk, il faut que je sache qui est disposé à se lier d'amitié avec moi.

Elle ne s'attarda pas afin de ne pas perdre sa détermination. *Que me fait l'homme, à moi ?* Oui, elle s'accrocherait à ces mots et continuerait de marcher.

Tout comme elle l'avait imaginé, la ruelle Halliwell grouillait de citadins célébrant le mois de mai. Des branches fraîches d'aubépine, odorantes avec leurs petites fleurs blanches, étaient suspendues à toutes les portes. L'atmosphère était empreinte de joie de vivre. Sur la place du marché, des bergers des collines se mêlaient aux jeunes filles de la ville, faisant une ronde autour de la croix du marché, aux accords d'un violoniste qui exécutait un quadrille endiablé. Elle se dit qu'elle avait au moins choisi un jour où ses voisins seraient d'humeur plus charitable.

Mais d'abord, elle devait s'informer au sujet de Gibson. Les mots d'Anne des derniers jours la hantaient. *Vous devez vous préparer au pire.* Mais Marjory n'était pas prête à cela. Non, elle s'interdirait même de l'envisager.

Elle traversa la venelle de l'Église et se dirigea vers le presbytère, priant avec ferveur. *Mon Dieu, faites qu'on ait entendu parler de lui et que les nouvelles soient bonnes.* L'espoir revint dans son cœur lorsque le révérend Brown ouvrit la porte avant même qu'elle y ait frappé.

— Avez-vous des nouvelles pour moi? demanda Marjory, croyant qu'il l'avait observée par la fenêtre.

— En vérité, je sortais à l'instant pour me rendre à l'école, afin d'y rencontrer l'instituteur, monsieur Daniel Cumming.

— Je vois, dit Marjory, qui ne connaissait le maître d'école que de nom. Ma belle-fille confectionne ses chemises, ajouta-t-elle sans réfléchir.

Le visage du ministre se rembrunit.

— Je vous demande pardon?

— C'est-à-dire, elle... prête main-forte à monsieur Dalgliesh, le tailleur...

Marjory s'arrêta afin de ne pas se ridiculiser davantage ou, pire encore, entacher la réputation d'Elisabeth.

À sa grande surprise, l'expression du ministre s'adoucit considérablement.

— La veuve Kerr confectionnera aussi mes chemises. C'est une couturière très douée, dit-on. Mais vous n'êtes pas venue ici pour parler chiffons.

Il traversa le seuil et vint la rejoindre dans la ruelle.

— J'ai rencontré Joseph Haldane, ce matin, dit-il.

Marjory était presque sur la pointe des pieds, son cœur prêt à bondir hors de sa poitrine.

— Et?

Le révérend secoua négativement la tête.

— Aucune nouvelle de Gibson.

Son moral retomba aussitôt.

— Que devrais-je faire? demanda-t-elle.

Le silence du révérend lui offrit peu de réconfort.

— Aucun de nos cochers ne l'a vu, dit-il enfin, et ils ont parcouru le chemin d'Édimbourg plusieurs fois depuis votre arrivée. Le propriétaire de l'auberge Middleton n'a aucun indice sur les allées et venues de votre valet. Je suis désolé, madame Kerr, mais...

Non ! Elle ferma les yeux, espérant qu'elle pourrait occulter la vérité en même temps.

— Il ne peut être mort, murmura-t-elle. Pas Gibson...

Chapitre 15

Nos véritables bienfaits nous apparaissent souvent
sous la forme de douleurs, de pertes et de déceptions ;
mais soyons patients, et nous les verrons bientôt
sous leur vrai jour.
— Joseph Addison

Marjory traversa péniblement la place du marché, à peine capable de soulever les pieds. *Mon cher Gibson, mort. Par ma faute.*

« Nous ne pouvons en être sûrs, lui avait dit le révérend Brown avant de partir. Le temps a été plus doux qu'à l'accoutumée. Et si je me souviens bien, votre Gibson est un homme de ressources. »

Oh oui, il l'était ! Et loyal. Et bon.

Il l'avait ensuite quittée précipitamment pour se rendre chez l'instituteur.

Des larmes lui piquaient maintenant les yeux. Neil Gibson pouvait-il vraiment être disparu de ce monde ?

« J'arriverai à Selkirk bien avant vous », avait déclaré Gibson en lui faisant ses adieux au square Milne. Elle l'avait cru alors, convaincue qu'aucun obstacle rencontré sur sa route ne saurait l'arrêter. Certes, elle était pratiquement ruinée au moment de quitter Édimbourg, mais si elle lui avait payé un siège dans une diligence, Gibson serait aujourd'hui bien vivant, et à ses côtés. Comment pourrait-elle vivre avec cette terrible vérité ?

Pardonnez-moi, pardonnez-moi. Elle avait imploré le pardon de Lord John lorsqu'il reposait dans sa tombe, et celui de ses fils quand elle avait appris leur décès. Peut-être portait-elle une terrible malédiction, condamnant tout homme qu'elle chérissait.

Marjory évita les fêtards du 1er mai à l'exubérance juvénile et se dirigea vers la porte de l'Est. Tous ses projets de fraterniser avec ses voisins furent vite oubliés. De tels bavardages demandaient un cœur léger, des mots gentils et un sourire toujours prêt à s'épanouir. Elle n'avait rien à offrir de tout cela. Pas aujourd'hui.

Marchant d'un côté de la Water Row, Marjory dirigea son regard vers la large voie publique où des étrangers à cheval entraient en trottant dans la ville, et les attelages occasionnels qui passaient à côté d'elle. Elle scrutait les visages des hommes, à la recherche de quelques mèches de cheveux gris ou d'un front ridé. Au moment d'entreprendre son voyage vers le sud, Gibson avait troqué sa livrée impeccable contre un banal manteau brun et un pantalon assorti. Elle ouvrait donc l'œil à l'affût des passants habillés de cette manière.

Mais ses recherches furent vaines. Le monde entier avait-il moins de quarante ans? Et s'habillait de toutes les couleurs, hormis le brun?

Arrête, Marjory. Arrête de le chercher.

Elle projeta son menton vers l'avant pour l'empêcher de trembler, essuya ses dernières larmes et revint sur ses pas. Si elle ne pouvait sauver Gibson, alors elle le pleurerait dans l'intimité.

Il lui semblait que Selkirk au complet s'interposait entre elle et la ruelle Halliwell. Les gens s'étaient réunis devant leurs portes — parlant, discutant, riant —, entourés d'enfants qui couraient avec leurs cerceaux et leurs bâtons, et de chiens jappant sur leurs talons. Des flacons argentés passaient de main en main. Les jeunes filles lançaient toute prudence aux orties, fleuretant avec des garçons qu'elles ignoreraient à toute autre époque de l'année.

Marjory ne remarqua pas l'attelage qui s'approchait, jusqu'à ce qu'une voix d'homme la fît sursauter.

— Attention, m'dame!

Alors que ses chevaux s'immobilisaient brusquement, elle regarda par-dessus son épaule et reconnut tout de suite le cocher, avec ses sourcils épais et son visage fortement buriné.

— Merci d'avoir livré ma lettre à Tweedsford, dit-elle en faisant un pas dans sa direction pour être entendue. On vous a payé, j'espère?

— Oh oui! répondit-il d'une voix bourrue. Votre régisseur m'a donné plus que j'lui demandais.

Monsieur Laidlaw n'était plus à son emploi, mais elle ne reprit pas le cocher sur ce point.

— J'imagine que vous n'avez pas de nouvelles de Neil Gibson, mon valet, que je vous avais décrit le jour du sabbat?

Il hocha négativement la tête.

— Non, m'dame. Et j'attends toujours qu'on prononce ce nom-là devant moi.

Marjory soupira. Précisément ce qu'elle redoutait : d'autres mauvaises nouvelles.

Mais le cocher n'avait pas terminé.

— Mais puisque vous le demandez, reprit-il. J'viens de dépasser un homme qui allait à pied. Y perdait ses cheveux, dites-vous? Et commençait à grisonner?

— Oui! s'écria-t-elle.

L'espoir renaquit en elle. Pourrait-il s'agir de Gibson?

— J'pourrais pas mettre ma main au feu, la mit en garde le cocher en se grattant la tête. Y portait des vêtements ordinaires et marchait la tête haute, vous voyez c'que j'veux dire?

Le cocher rejeta ses épaules vers l'arrière, essayant d'imiter la démarche de l'inconnu.

— Y est pas très loin derrière, sur la route du pont, dit-il. Un homme de soixante ans, j'dirais.

Gibson.

Au moment d'atteindre la ruelle Shaw, Marjory courait.

Elle ne l'avait pas fait depuis des années, mais elle courait, maintenant. Passant devant les maisons, les journaliers et les boutiques, entendant la voix de son fils récitant en vers : *tonnelier, cordonnier, teinturier, potier, sellier ; tanneur, scieur, fileur.* Elle pouvait voir l'arche de la porte de l'Est, où plusieurs hommes à cheval entraient dans la ville. Derrière eux, il y avait un voyageur solitaire marchant d'un pas alerte. Un homme vêtu d'un simple habit brun, mais qui avait le port d'un gentilhomme.

Elle ne pouvait voir son visage, mais ce n'était pas nécessaire.

— Gibson !

En entendant la voix de Marjory, il se mit à courir lui aussi. Quand ils se rejoignirent, des larmes dégoulinaient sur leurs joues.

— Lady Kerr, Lady Kerr !

Il tendit les bras et elle s'élança contre sa poitrine.

— Vous êtes sain et sauf ! cria-t-elle. Vous êtes arrivé à la maison !

Il sentait le cuir et la sueur, ainsi que la terre et les ruisseaux. Il arborait une barbe de dix jours et ses cheveux lui tombaient sur le front. Mais Marjory n'avait cure de sa tenue débraillée à ce moment-là.

Quand il la libéra finalement, son visage était rouge comme une tomate.

— Je vous demande pardon, m'dame. J'avais pas l'intention… j'voulais pas…

— C'est moi qui me suis laissée emporter, lui rappela-t-elle, tout portant son mouchoir à son visage. Et je ne le regrette pas un seul instant.

Gibson sourit.

Elle essaya de ne pas le regarder trop fixement, mais il était là, son domestique adoré, debout devant elle, bien vivant et bien portant.

— Nous ferions mieux d'avancer, dit-il, avant qu'les gens du village s'mettent à jaser.

Marjory l'attira à côté d'elle, et ils marchèrent ensemble vers la place du marché.

— Qu'ils causent autant qu'ils le désirent, dit-elle. L'homme que je croyais mort est sain et sauf.

— Dieu soit loué! dit-il, tapotant sa main, comme il le faisait souvent quand elle lui prenait le bras. J'suis seulement peiné d'vous avoir fait attendre si longtemps.

Son pas était léger, pourtant elle perçut de la lassitude dans sa voix.

— Quand nous s'rons à la maison, promit-il, je vous raconterai c'qui est arrivé à vot' vieux domestique.

Marjory le gronda gentiment.

— Neil Gibson, vous ne pouvez me laisser languir ainsi. Ne me direz-vous pas où vous étiez tout ce temps?

— À Édimbourg, m'dame, dit-il, et ses yeux gris-bleu plongèrent dans les siens. Enfermé dans la prison municipale. Enchaîné au mur.

Chapitre 16

Prenez garde, tant que vous vivrez,
de juger les hommes d'après leur apparence.
— Jean de La Fontaine

Quand elle entendit la voix de Gibson dans l'escalier, Elisabeth traversa la pièce aussi vite qu'elle le pût.

— Venez, cousine! cria-t-elle, ouvrant vivement la porte. C'est Gibson!

Anne fut à ses côtés d'elle en un clin d'œil alors qu'Elisabeth prenait la main de Gibson et l'attirait au-delà du seuil.

— Enfin, enfin! s'écria-t-elle.

Elle embrassa sa joue, le cœur débordant de joie.

— Nous pensions ne jamais vous revoir.

— Eh bien…, dit Gibson, mal à l'aise. J'espère qu'mon aspect n'vous effraie pas trop.

— Votre aspect? s'exclama Elisabeth en riant.

Ses vêtements étaient fripés et déchirés par endroit, mais on pouvait rapidement remédier à cela.

— Après avoir voyagé quarante milles à pied, reprit-elle, vous semblez vous porter à merveille. Et que diriez-vous d'un fauteuil confortable et d'une tasse de thé?

C'est seulement à ce moment-là qu'Elisabeth jeta un coup d'œil vers sa belle-mère, à côté de Gibson. Le teint de Marjory était très coloré et elle souriait aussi, mais ses yeux avaient une étrange lueur. Quelque chose avait effrayé la femme. Non, l'avait terrorisée. Gibson apportait-il de mauvaises nouvelles?

— Y a-t-il quelque chose qui ne va pas? murmura Elisabeth à l'oreille de Marjory en s'approchant.

La réponse de sa belle-mère fut aussi brève qu'énigmatique.

— Tu l'apprendras bientôt, dit-elle.

— Venez et assoyez-vous, dit Anne en retirant le sac de cuir de sur ses épaules. Vous devez être épuisé. Est-il possible que je ne vous ai pas vu depuis dix ans ? C'était à l'église, un matin de sabbat, je pense.

Gibson s'assit dans l'un des fauteuils rembourrés, et Marjory s'installa dans l'autre, tandis qu'Elisabeth versait à leur ancien domestique le thé qui chauffait sur le foyer. Elle plaça la tasse de bois entre ses mains, puis s'assit précairement sur le tabouret, sa robe de deuil couvrant ses pieds.

— Je vous en prie, Gibson, l'implora Elisabeth, dites-nous pour quelle raison il vous a fallu autant de temps pour atteindre la porte d'Annie ?

Un nuage vint assombrir son visage.

— C'n'est pas une histoire réjouissante, mais j'suppose que vous d'vez l'entendre, comme Lady Kerr l'a fait avant vous.

Gibson changea de position sur son fauteuil, prenant soin de ne pas renverser son thé, tandis qu'Anne approchait sa chaise en bois pour mieux l'entendre.

— Vous v'rappelez qu'j'ai quitté le square Milne mardi, commença-t-il. Quand j'ai atteint la porte Netherbow, l'garde n'a pas voulu m'laisser passer avant d'avoir fouillé mon sac. Bien sûr, il a trouvé les deux lettres d'Lady Kerr.

Un frisson parcourut l'échine d'Elisabeth.

— Le portier n'a-t-il pas vu que ces missives étaient bien inoffensives ? L'une, pour notre cousine, demandant le gîte, et l'autre, une simple lettre de recommandation pour vous aider à trouver une nouvelle place.

— Il n'les a pas ouvertes, dit Gibson d'un ton neutre. Un dragon m'a plutôt conduit à la prison municipale su' la grand-rue...

— Oh non! soupira Elisabeth.

Gibson haussa les épaules avec résignation.

— Y m'ont gardé là près d'une semaine. Enchaîné à un collier d'acier, sans viande, ni bière, ni feu pour m'réchauffer.

Elisabeth se sentit mal. Ce pauvre Gibson, que l'on avait enfermé dans un endroit aussi sinistre! Sombre, sale, humide et rempli de bandits et de voleurs. Quand Elisabeth et Marjory étaient partis d'Édimbourg, elles croyaient que Gibson avait une bonne longueur d'avance, mais c'étaient plutôt elles qui l'avaient laissé derrière.

— Je suis si… désolée, dit-elle, honteuse de ses mots, tant ils lui paraissaient insuffisants. C'est nous qui soutenions la cause du prince Charlie, pas vous.

— Mais c'est moi qui essayais d'quitter la ville à pied et c'est moi qui n'portais pas ma livrée, répondit-il. Les soldats étaient sûrs qu'j'étais un traître, apportant des messages aux jacobites.

Marjory déposa sa main sur la sienne.

— Tout cela est ma faute. Si vous aviez voyagé avec nous…

— Non, m'dame.

La tête de Gibson hocha avec énergie.

— C'est pas vot' faute.

Anne avait de la difficulté à cacher sa frustration.

— S'ils avaient simplement lu ces lettres, dit-elle, vous auriez pu continuer votre route tout de suite.

— Oui, acquiesça-t-il, mais il a fallu des jours pour qu'elles arrivent au château d'Édimbourg. C'est l'gouverneur lui-même qui les a lues.

Elisabeth fronça les sourcils.

— Le général Lord Mark Kerr?

Un gentilhomme impitoyable, en dépit de sa parenté éloi-gnée du côté de son beau-père. C'était Lord Kerr qui avait

écrit la terrible missive au nom du roi George, prononçant la
disgrâce de sa famille et annonçant que leur propriété était
confisquée.

— Mais si Lord Kerr a lu ces deux lettres..., reprit
Elisabeth.

Elle baissa la voix en comprenant l'effrayante vérité. *Il sait
où nous sommes.*

Maintenant, Elisabeth comprit la peur dans les yeux de
sa belle-mère. Elle se rappelait ce funeste jour où les soldats
britanniques avaient frappé à la porte de leur logement
d'Édimbourg à coups de crosse de fusil. Et si les dragons faisaient leur apparition chez Anne avant la fin de la semaine ?
Et s'ils forçaient les femmes du clan Kerr à retourner à
Édimbourg — ou, pire encore, à comparaître à Londres —
pour répondre à des accusations de trahison ? Le soulève-
ment jacobite étant presque chose du passé, qui savait ce que
le gouvernement pourrait faire ?

Calme-toi, Bess. Personne n'était venu à leur recherche,
enfin, pas encore. Elle ne gâcherait pas l'arrivée de Gibson en
exprimant de pareilles craintes.

— Qu'est-il arrivé, ensuite ?

Il soupira.

— Quand on m'a enfin libéré, j'me suis dirigé vers le sud
aussi vite qu'j'ai pu, marchant su' les collines et m'tenant loin
de la route. J'craignais qu'les dragons aient changé d'idée et
soient à mes trousses.

— Mon loyal Gibson, dit Marjory en lui tapotant le bras.

Il se tourna vers elle et paraissait sincèrement désolé.

— J'sais qu'vous aviez besoin de moi ici bien plus tôt,
Lady Kerr. J'vous ai désappointée, sans doute.

— Vous ne pourrez jamais me décevoir, Gibson, dit
Marjory, qui se leva avec une grâce surprenante, puis elle
tendit la main pour prendre son tablier. Que diriez-vous d'un
bouillon de mouton, maintenant ?

Il sourit, montrant une dentition remarquable pour son âge.

— C'serait comme un cadeau du ciel, répondit-il.

— Je préparerai notre *bannock* de la Beltaine, déclara Anne en tournant sa chaise vers la table. J'ai tous les ingrédients : de la farine, du lait et de la levure, avec des œufs et de la crème.

Le fait de voir la physionomie réjouie de Gibson aida Elisabeth à réprimer ses dernières craintes.

— Il ne me reste plus qu'à mettre la table, dit-elle.

— Et à terminer une dernière chemise pour Michael, fit remarquer Anne, car leur réserve de shillings fondait rapidement.

Gibson, entretemps, examinait son nouvel environnement.

— Vous avez un coquet p'tit logis, mam'zelle Kerr.

— Avec suffisamment de place pour un nouvel hôte, dit Anne fermement. Nous dormirons mieux avec un homme sous notre toit.

— Vous trouverez que notre Gibson est une addition bienvenue à notre maisonnée, dit Elisabeth en la regardant avec reconnaissance.

— Mais il ne serait pas notre domestique, les mit en garde Marjory. Ces jours-là sont terminés.

Gibson émit un grognement désapprobateur.

— Mais vous n'pouvez pas me servir, m'dame.

— Oh ? fit Marjory, qui coupait fébrilement un navet en le regardant par-dessus son épaule. «Soyez soumis les uns aux autres», lui rappela-t-elle. Ou contesteriez-vous les Écritures ?

— Jamais d'la vie, m'dame, et sa voix s'adoucit. Vous non plus d'ailleurs.

Elisabeth fut touchée par la chaleur de leur échange. Même sans titre et sans fortune, Marjory était, aux yeux de la société, d'un rang supérieur à Gibson, qui avait été au service

des autres toute sa vie et ne savait ni lire ni écrire. Toute
conversation publique entre eux aurait été accueillie avec des
froncements de sourcils. Mais entre ces quatre murs, leur
bavardage anodin était une preuve additionnelle du changement provoquée dans le cœur de Marjory par une main
aimante.

Une heure plus tard, quand le quatuor s'assit autour de la
table pour leur repas du midi, Marjory invita Gibson à faire
la prière. Il hésita au début, mais Marjory ne voulut pas céder.

— Vous êtes assis au bout de la table, lui rappela-t-elle.

Quand Gibson s'inclina pour prier, Elisabeth vit les pâles
taches brunes sur son crâne dégarni et la couronne argentée
qui le cerclait, et remercia Dieu d'avoir épargné cet homme
bon.

— Dieu tout-puissant, commença-t-il, bénissez vos serviteurs qui sont réunis ici. Bénissez l'bouillon et l'pain, et les
mains qui les ont préparés. J'vous remercie de m'avoir ramené
à la maison, et j'vous remercie pour l'accueil qui m'a été fait.
La grâce de Jésus soit avec vous. Amen. Amen.

Tous les quatre levèrent la tête en même temps et sourirent. *À la maison.*

Chapitre 17

Levons-nous donc et agissons,
Avec cœur au gré du destin ;
Toujours à l'œuvre, toujours en quête,
Apprenons à travailler et à attendre.
— Henry Wadsworth Longfellow

— C'est tout ? fit Michael Dalgliesh avec une ironie feinte, ses sourcils roux arqués, sa bouche lippue formant une moue convaincante. Je ne vous ai pas vue depuis mercredi et vous ne m'apportez qu'une seule chemise ?

Elisabeth éclata de rire, l'ayant facilement percé à jour.

— J'aurais espéré en finir davantage, mais…

— Votre domestique est arrivé d'Édimbourg.

— Oh ! Vous en avez entendu parler, alors ?

Le tailleur s'esclaffa à son tour.

— Toute la ville de Selkirk en parle.

Elisabeth n'en fut pas surprise. Après leur déjeuner composé de bouillon et de pain de la veille, les femmes Kerr avaient fait une promenade, laissant à Gibson l'intimité nécessaire pour prendre son premier bain en plusieurs jours. Elles s'étaient arrêtées chez le révérend pour partager la bonne nouvelle et s'informer de l'arrivée imminente de l'amiral Lord Jack Buchanan. Le révérend n'avait rien à leur annoncer. Dans l'intérêt de Marjory, Elisabeth était soulagée que l'amiral n'aille pas vivre à Tweedsford, mais l'idée qu'un officier de la marine de Sa Majesté allait demeurer à moins de deux milles de leur porte ne laissait pas de l'inquiéter.

Curieuse d'apprendre ce que Michael savait sur cette affaire, Elisabeth lui tendit une perche.

— J'aurais cru que Lord Buchanan aurait été un sujet de conversation plus intéressant que l'arrivée de Gibson à Selkirk.

Le tailleur agita un doigt dans sa direction.

— Vous ne m'induirez pas en tentation, madame Kerr. Ou avez-vous oublié ce verset : « Tu n'iras pas diffamer les tiens » ?

— Non, je ne l'avais pas oublié.

Elisabeth était désolée d'avoir abordé le sujet. Même si Michael Dalgliesh la taquinait, il n'avait pas tort.

Elle retomba dans le silence, le laissant achever une boutonnière sans l'interrompre. Il avait des doigts agiles pour un homme, et manipulait son aiguille et son fil avec efficacité, sans effort apparent. Selon Anne, Michael avait appris son métier de son défunt père, comme Angus MacPherson avait l'enseigné à son fils, Rob. Les deux jeunes tailleurs, toutefois, avaient peu d'autres choses en commun. Michel était sociable, Rob était taciturne. Michael avait une nature enjouée, Rob était toujours songeur.

Rob l'avait aimée éperdument, mais elle n'avait pas répondu à ses espérances. À la fin, elle l'avait chassé de chez elle quand il avait détruit le bon souvenir que Marjory gardait de son fils en lui révélant l'horrible vérité concernant les infidélités de ce dernier. Elisabeth n'avait pas entendu parler de Rob depuis qu'il s'en était allé au nord, afin de combattre avec le prince Charlie. Un millier de highlanders étaient morts dans la bataille décisive de Culloden, près d'Inverness. Rob MacPherson était-il du nombre ? Elle craignait de ne jamais avoir de réponse à cette question.

Ayant besoin d'un peu d'air frais pour s'éclaircir les idées, Elisabeth fit un pas en arrière.

— Peut-être ferais-je mieux de vous laisser à votre travail, ce matin.

— Attendez, dit Michael en se levant d'un bond, mettant de côté son travail. Laissez-moi trouver votre shilling avant de partir.

Elisabeth l'observa fouiller dans ses poches, lever le couvercle de plusieurs coffrets de bois, déplacer une foule d'objets çà et là, dans l'espoir de dénicher sa bourse en cuir. Elle pressait ses lèvres ensemble pour s'empêcher de rire. Personne ne pouvait chasser un moment de tristesse comme Michael Dalgliesh. Quoique le tailleur eût de nombreux talents, l'art de s'organiser n'en faisait pas partie.

Debout près de sa table à découper, elle passa la main sur une pièce de laine grise qui venait juste d'être marquée à la craie. Elle aurait aimé sentir la lame des ciseaux sectionnant la fibre, un aspect de la confection qui lui manquait beaucoup. Cela faisait peut-être partie des tâches imparties à Jenny. Avec la comptabilité. Et le rangement de la boutique.

Quand Elisabeth leva le regard, Michael l'étudiait. Avec insistance, lui sembla-t-il.

— *Marquer à la craie n'est pas couper*, dit-il.

Elle avait entendu Angus employer le même proverbe à plusieurs reprises.

— Ce n'est pas parce qu'une tâche a été commencée qu'elle sera menée à bien, n'est-ce pas ?

— Bien dit, lança Michael, qui montra le shilling qu'il venait de trouver avant de déposer la pièce dans sa main. J'ai réfléchi à vot' suggestion d'prendre un associé.

— Pour la boutique ?

— Oui, et pour…

— Père.

La voix d'un enfant chantonna, provenant de l'étage du haut. De petits bruits de pas s'ensuivirent, qui se dirigeaient vers l'escalier en colimaçon. L'instant d'après, un garçon aux cheveux bouclés apparut sur le palier, portant des vêtements déjà étriqués, bien qu'il fût petit pour son âge.

— Qui est c'te dame? demande-t-il avec une étincelle dans les yeux et des fossettes dans les joues.

Elisabeth fut immédiatement frappée.

— Voici madame Kerr, de la ruelle Halliwell, dit Michael en faisant signe au garçon d'approcher. Et voilà mon fils, Peter.

Elisabeth les regarda à tour de rôle, abasourdie.

— Ce n'est pas votre fils, dit-elle, mais votre réplique en miniature.

Les yeux bleus, les cheveux roux lumineux, la peau couverte de taches de son, le caractère charmant — Peter Dalgliesh paraissait davantage son jumeau, quoique décidément plus petit et avec au moins deux dents manquantes.

— Je suis heureuse de faire ta connaissance, jeune Peter, dit-elle.

Son petit front se plissa.

— Non, m'dame. Mon nom n'est pas « jeune » Peter. Simplement Peter.

Michael ébouriffa les cheveux de son fils.

— La dame connaît ton nom, mon garçon.

Le sourire de Peter revint.

— C'est jour de marché, dit-il, rayonnant. Vous m'y emmènerez, père. Comme vous m'l'avez promis?

— Eh bien..., commença Michael en jetant un regard circulaire dans la boutique encombrée de vêtements. Peut-être un peu plus tard...

— Je sais, je sais, gémit Peter. Vous d'vez travailler et vous n'pouvez quitter la boutique.

Elisabeth prit le garçon en pitié. Combien de fois Peter avait-il dû entendre ces mots? Et comme il devait être difficile pour un père de devoir les dire?

Voyant l'expression triste sur leurs deux visages, elle leur fit une proposition.

— Je dois me rendre à la place du marché, ce matin. Tu pourrais peut-être m'accompagner, Peter? C'est-à-dire, si ton père peut se passer de toi. Car je suis sûr que tu lui es d'une grande aide dans la boutique.

— Oh oui ! claironna Peter, gonflant la poitrine. Je compte les boutons.

— Êtes-vous sûre que ça n'vous dérange pas, madame Kerr ? dit Michael en prenant quelque chose dans la poche de son gilet. C'est très généreux de votre part.

Le regard brillant de gratitude, il lui remit une feuille de papier pliée et deux shillings.

— Mais qu'avons-nous ici ? demanda Elisabeth, qui regarda le papier avant de le mettre dans sa poche avec les pièces d'argent. Une liste d'emplettes ? ajouta-t-elle. Voilà qui m'impressionne.

Il haussa les épaules.

— J'dois tout mettre par écrit, sinon j'en oublie la moitié. Jenny arrivait à tout retenir, mais j'n'ai pas cette facilité.

— Vous avez d'autres talents, lui dit Elisabeth.

Ses joues rougeaudes devinrent encore plus foncées.

— À part tenir une aiguille, je n'voix rien d'autre.

— Allons, allons, monsieur Dalgliesh, dit-elle, et elle avait bien failli l'appeler par son prénom.

Pas étonnant qu'elle se sentît à l'aise en sa présence. Michael était sincère, franc et sans prétention. Elle imaginait sans peine combien Jenny Dalgliesh avait aimé cet homme. Et elle devinait facilement ce qu'Anne éprouvait pour lui aujourd'hui.

S'il avait été convenable de le faire, Elisabeth aurait pris sa main et aurait assuré à Michael qu'il n'était pas qu'un bon tailleur, mais également un bon père, puis qu'il était difficile d'être les deux à la fois, et qu'il s'en tirait mieux que la plupart des veufs. Et de plus, une boutique bien rangée n'était pas la mesure d'une vie bien menée. Mais elle ne pouvait ni dire ni faire aucune de ces choses. Elle ne pouvait qu'accompagner son fils à la place du marché, et souhaiter que ce simple geste apaise quelque peu ses sentiments de culpabilité ou de regret.

— Nous trouverons tout ce qu'il y a sur la liste de ton père, n'est-ce pas, Peter?

Elisabeth se chargea du grand panier destiné à recevoir les provisions, puis agita les doigts en direction du garçonnet, une invitation tacite. Il répondit immédiatement en plaçant sa petite main dans la sienne, et lui vola son cœur sans coup férir.

— Nous partons, annonça Peter en tirant Elisabeth vers la porte.

Chapitre 18

Les enfants adoucissent les tâches.
— Sir Francis Bacon

— Par ici, m'dame, dit Peter Dalgliesh, qui la tira vers la place du marché, comme un cheval tirant un attelage, s'assurant qu'elle ne dévie ni à gauche ni à droite. Les colporteurs! Les colporteurs! cria le garçon, s'arrêtant à l'entrée de la venelle de l'Église, où les marchands ambulants dressaient leurs kiosques.

S'élevant comme de hautes tentes verticales, les étals portatifs étaient faits de bois et de toile, retenus par des chevilles, des crochets et par les étagères étroites où les différents articles étaient exposés.

Elisabeth étudia avec soin la liste de Michael pendant que son fils examinait les figurines de bois, les balles de cuir, les livres pour enfants, les toupies, les billes de pierre et autres trésors. La liste de son père n'incluait rien de la sorte : un gigot d'agneau, du poisson séché, de l'avoine et du fromage, mais rien qui ressemblât à un jouet pour un enfant.

Avec réticence, elle se pencha et toucha l'épaule de Peter.

— Nous achèterons le nécessaire d'abord, lui dit-elle, et nous verrons s'il reste quelques pennies pour un jouet.

Quand elle vit qu'il ne discutait pas, Elisabeth comprit qu'il avait déjà entendu cela auparavant, ce qui la rassura un peu.

— Viens, allons trouver les bouchers, dit-elle.

Selkirk, avait-elle appris, tenait son marché le vendredi. Les habitants de la ville et les étrangers affluaient sur la place publique, jouant des coudes pour se frayer un chemin, s'échangeant des salutations et concluant des ententes. Elisabeth et Peter passèrent devant les cordonniers — l'orgueil

de la cité — et les belles chaussures pour hommes en cuir
lustré et en fin cuir de veau. Elisabeth n'osa pas s'attarder
devant les souliers pour dames faits de damas de laine pei-
gnée et de brocart aux riches teintes de bleu, de vert et de
brun. Un jour, elle aurait une nouvelle paire de mules en
satin, mais pas avant d'avoir un shilling qui lui appartînt en
propre.

Elisabeth tenait la main de Peter, ne voulant pas le laisser
s'élancer dans la foule à la poursuite des autres enfants. Elle
chérissait la sensation de sa petite main dans la sienne, mais
ne le lui dirait jamais, de peur de l'embarrasser. Était-ce cela,
la maternité? L'énorme sens des responsabilités, mêlé à la
fierté, à la peur et à la joie? Une chance de jeter un regard
neuf sur le monde à travers les yeux d'un enfant? Elle baissa
le regard vers les boucles lumineuses de Peter, puis elle
déglutit avec difficulté. Comme sa vie aurait été différente si
elle avait donné à Donald Kerr un fils ou une fille!

— Voilà l'avoine! lança Peter en faisant un signe de la tête
en direction des tables où s'empilaient les sacs de grains
moulus, bien visibles des balances publiques, où la marchandise était pesée. C'est monsieur Watson, le meunier, dit le
garçon, faisant les présentations; puis il se tourna vers
Elisabeth et rougit. J'me rappelle plus son nom, monsieur
Watson, mais voyez comme elle est jolie!

Elisabeth leur sourit et n'était pas offusquée que Peter ait
déjà oublié comment elle s'appelait.

— Je suis madame Kerr, dit-elle.

— J'sais qui vous êtes, répondit le gros meunier en
hochant la tête. La cousine de mam'zelle Anne.

Alors que d'autres clients se pressaient autour des étals, il
n'y avait pas de temps pour des conversations anodines.
Elisabeth s'affairait à ses emplettes, achetant de petits sacs de
farine, d'avoine et d'orge. Le fromage et le beurre vinrent
ensuite, enveloppés dans de la mousseline humide et fraîche.

La plupart des commerçants étaient polis, certains étaient même gentils à son égard. Mais cela n'empêcha pas Elisabeth de surprendre çà et là des propos désobligeants et de voir plusieurs visages se fermer à son approche. Peter, trop innocent pour s'en apercevoir, l'entraînait fièrement derrière lui sur la voie publique.

Partout sur la place du marché, un nom s'élevait au-dessus de la cohue : celui de l'amiral Lord John Buchanan.

— Il a vogué en haute mer, s'émerveillait un marchand.

— Pouvez-vous imaginer pareille existence ? lança un traiteur avec une pointe d'envie.

— Un homme qui a vu le monde le tient dans sa poche.

Les femmes semblaient plus intéressées par l'apparence de ce navigateur au long cours.

— J'ai entendu dire qu'c'était un bel homme, lança timidement une jeune laitière, puis elle fit un clin d'œil à Elisabeth.

— Et qu'il était riche aussi, roucoula la jeune fille à ses côtés.

Elisabeth serra la main de Peter et pensa à son aimable père. Michael Dalgliesh ne serait jamais riche. Mais tant que des hommes porteraient des chemises, des pantalons et des gilets, un tailleur ne tomberait jamais dans l'indigence.

En ce qui concernait Lord Buchanan, Elisabeth croyait que ce qu'on en disait était trop beau pour être vrai, qu'il devait y avoir anguille sous roche. Tous les hommes n'étaient pas comme Donald Kerr, essaya-t-elle de se raisonner. Tous ne dissimulaient pas quelque secret. Mais un gentilhomme qui ne s'était jamais marié cachait sûrement quelque chose, et un amiral britannique devait être évité à tout prix.

Quand Elisabeth et Peter eurent fini leur visite chez le boucher de l'autre côté de la prison municipale, leurs shillings étaient réduits à quelques pennies et le panier commençait à être lourd dans ses bras.

— Maintenant, puis-je avoir mon jouet ? demanda le garçonnet d'un ton implorant, et son visage l'était encore plus.

Elle tâta le fond de sa poche. L'argent de Michel était entièrement dépensé, mais il lui restait quelques pièces de cuivre lui appartenant.

— Va voir si tu peux trouver quelque chose pour un penny ou deux.

Il se libéra de la main d'Elisabeth et se dirigea tout droit vers les kiosques des marchands ambulants. Quand elle l'eut rattrapé, Peter était à genoux, examinant admirativement un petit sac de cuir contenant une douzaine de billes en pierre polie.

Le marchand aux cheveux noirs penché au-dessus du garçonnet paraissait ravi de ce choix.

— C'sont de très belles billes, lui dit-il. Si tu as les huit pence qu'elles coûtent, elles sont à toi.

Peter les remit lentement en place.

— Et que penses-tu de celles-ci? dit le marchand en versant d'un sac de toile grossier dans sa main des billes de moindre qualité. Seulement quat' pence, garçon.

Cette fois, Peter regarda Elisabeth, et ses yeux étaient remplis d'espoir. Bien qu'il lui coûtât de le faire, elle dut se résoudre à secouer la tête de droite à gauche.

— Pas aujourd'hui, j'en ai peur. Y aurait-il quelque chose d'autre qui te plairait?

Peter se leva.

— Non, m'dame, dit-il d'une voix triste.

Peinée pour lui, Elisabeth prit sa main et se dirigea vers la venelle de l'Église.

— Je suis désolée, Peter. Peut-être pourrons-nous arranger quelque chose pour ton anniversaire.

Il sembla reprendre espoir.

— C'est en février, dit-il.

— C'est encore loin, dit-elle en pressant ses doigts. Mon anniversaire est dans moins d'une quinzaine. Et si nous les échangions?

Peter ne fut pas chaud à l'idée.

— Mon père pourrait oublier d'me donner un cadeau.

Elisabeth était tout à fait certaine que cela n'arriverait jamais, et elle le dit à Peter en tournant dans la ruelle de l'École.

Quand ils entrèrent dans la boutique, Michael s'occupait d'un client. Elle avança discrètement vers l'escalier dans l'intention d'aller déposer leurs achats à l'étage. Mais Peter, étant le digne fils de son père, choisit plutôt d'annoncer bruyamment leur arrivée.

— Comment allez-vous, monsieur Mitchellhill ? s'exclama le gamin, et il montra les taches sur la main du visiteur, qui étaient de la même couleur que ses cheveux châtains. C'est un tanneur, dit-il à l'intention d'Elisabeth.

Avec un sourire entendu, l'homme écarta les doigts.

— J'pourrais pas l'nier, concéda-t-il.

Michael fit signe à Elisabeth de s'approcher.

— Voici l'un des hommes pour lesquels vous avez fait de la couture, madame Kerr, et il tapota la pile de chemises sur le comptoir. Et voilà notre jolie couturière, dit-il au tanneur.

Quand elle s'avança dans la lueur de la bougie, monsieur Mitchellhill ne put cacher son admiration.

— Oh oui, très jolie ! s'exclama-t-il en faisant un clin d'œil.

Puis, il lança deux guinées sur le comptoir et sortit de la boutique en portant la main à son chapeau pour saluer.

Michael était visiblement embarrassé.

— Il ne voulait pas vous offenser, dit-il.

— Mais il ne l'a pas fait, l'assura-t-elle en plaçant le panier de victuailles sur le comptoir.

Il ajouta rapidement :

— C'est votre beau travail que je voulais complimenter.

— Je comprends, répondit-elle, et maintenant, c'était elle qui s'amusait.

— Oh ! bégaya-t-il, et sa peau était presque aussi rouge que ses cheveux. Mais vous êtes aussi jolie, m'dame Kerr. Belle comme le jour, je veux dire.

— Vous n'avez pas besoin de vous expliquer, l'assura-
t-elle, puis elle retira le beurre, la farine et l'orge du panier.

Elle tourna son attention vers Peter, lui adressant un
sourire.

— Nous avons passé une merveilleuse matinée, dit-elle.

Il lui rendit son sourire.

— C'est vrai, répondit-il, enthousiaste.

Elisabeth brûlait d'envie d'effleurer son petit nez retroussé
ou de relever la mèche rebelle qui lui était tombée sur le front.

— Nous reverrons-nous demain, Peter, quand j'apporterai une autre chemise?

Le garçon approuva de tout son corps.

Michael éclata de rire.

— Eh bien, jeune Peter, tu as trouvé une bonne amie en
madame Kerr. Maintenant, file en haut et emporte l'avoine et
l'reste avec toi.

Peter obéit à son père sans rouspéter, portant le lourd
panier une marche à la fois. *Boum.* Une marche. *Boum.* Une
autre marche.

Ce fut seulement quand il eut disparu de sa vue
qu'Elisabeth put finalement détacher son regard du garçon et
revenir à son père.

— C'est le plus charmant des petits garçons, dit-elle, et sa
voix vibra en prononçant ces mots. Merci de me l'avoir confié
un moment.

Michael haussa les épaules et ses couleurs étaient redevenues à peu près normales.

— Sentez-vous libre d'emprunter Peter quand bon vous
semble. C'est bon pour lui…, enfin, d'passer du temps…

— Avec une femme, compléta-t-elle à sa place.

Quand Michael hocha la tête, elle voulut lui épargner tout
embarras additionnel et se dirigea lentement vers la porte.

— Et puisque nous abordons le sujet, dit-elle, ma belle-
mère se demandera sûrement ce qui m'a retenue aussi
longtemps.

La mine triste de Michael était un hommage à ses talents de comédien.

— Devez-vous partir si tôt?

— Je suis en retard dans ma couture, lui rappela-t-elle, et vous avez du travail à faire.

— Vous avez raison, dit-il en soupirant tout en lui donnant son congé d'un signe de la main.

Quand elle sortit sur la ruelle de l'École, Elisabeth décida de planter son demi-penny dans le jardin de madame Thornburn. Elle se hâta de traverser la venelle de l'Église et entra dans l'étroit passage entre le presbytère et sa maison. Quand elle eut atteint le potager à l'arrière, Elisabeth choisit une petite tête de chou, une laitue mûre, et quelques tiges de sauge, puis déposa son argent sur le sol. S'assurant de ne rien échapper, elle ramassa sa récolte et s'en retourna à la maison, les bras pleins, mais les poches vides.

La joie de sa sortie avec Peter avait commencé à se transformer en une prise de conscience plus sérieuse. Elle ne pouvait espérer procurer suffisamment de nourriture à la maisonnée avec un pauvre shilling par semaine. Pas plus qu'elle ne pouvait accroître ses revenus en travaillant à la boutique avec Michael, peu importe son criant besoin de main-d'œuvre. Un veuf et une jeune veuve travaillant côte à côte toute la journée? Les commères s'en donneraient à cœur joie.

Plus tôt ce matin-là, Michael Dalgliesh avait fait allusion à la possibilité de s'associer avec un partenaire. Elisabeth regarda le ciel. *Parlait-il d'un tailleur, Seigneur? Ou d'une compagne?*

Elle trébucha sur une grosse pierre appuyée contre le mur de la maison et perdit pied un moment. En se redressant, elle remua le gros orteil pour s'assurer qu'il n'était pas cassé, puis elle hocha la tête. *Fais attention où tu poses le pied, Bess.* Même si le tailleur paraissait digne de confiance et que le garçon lui était déjà très cher, elle ne pouvait — non, elle ne devait pas

— risquer son cœur de nouveau. Surtout si elle devait briser celui d'Anne en même temps.

Chapitre 19

La pauvreté est le test de la civilité
et la pierre de touche de l'amitié.
— William Hazlitt

De lourds nuages menaçants s'accumulaient au-dessus de la place du marché déserte, en ce frais samedi matin.

— Nous allons avoir de la pluie, dit Marjory en regardant par la fenêtre. Plus vite nous aurons franchi la porte, Gibson, mieux cela vaudra.

— Oui, m'dame.

Il se tenait patiemment au garde-à-vous tandis qu'elle brossait les peluches de ses vêtements empruntés à un voisin, monsieur Tait. Quoique les manches fussent trop courtes et le pantalon trop ajusté, Gibson était certainement plus présentable qu'à son arrivée, jeudi.

Deux nuits de sommeil avaient redonné de l'éclat à son regard, tandis que la viande et la bière avaient adouci les contours anguleux de son visage. Un bon rasage grâce à la lame affûtée offerte par leur propriétaire et voisin, Walter Halliwell, avait aussi fait des merveilles.

« Si v'z'avez aussi besoin d'une perruque, v'savez où m'trouver », avait dit le perruquier d'un ton affable. Gibson n'avait jamais porté de postiche de sa vie, mais Marjory avait tout de même remercié monsieur Halliwell pour son offre.

À sa propre insistance, Gibson avait passé chaque nuit enroulé dans un plaid, le corps pressé contre le bas de la porte.

— Pour vot' sécurité, avait-il dit.

Gibson était encore inquiet au sujet des dragons britanniques, surtout après que Marjory lui eut relaté leur rencontre malencontreuse sur la route de Selkirk.

— Bess et moi avons rivé son clou à leur capitaine, l'avait-elle assuré, essayant de ne pas paraître un peu trop fière de son exploit.

Tout en passant la brosse le long de sa manche, Marjory lui rappela :

— J'ai envoyé une note au révérend Brown. Il vous attendra vers midi. N'oubliez pas de lui parler de votre loyauté à la famille Kerr...

— Oui, m'dame, je sais ce que je dois dire, dit Gibson, d'une voix douce mais ferme. Quand l'révérend Brown est monté en chaire pour la première fois en 1726, j'étais déjà membre de l'Église depuis quarante ans. J'crains pas l'homme, Lady Kerr.

Sa confiance faisait plaisir à voir.

— Je commence à croire que vous n'avez peur de rien.

— C'est pas vrai, dit-il en lui jetant un regard oblique. J'ai une peur salutaire de vous, m'dame.

Marjory hocha la tête, certaine qu'il ne pensait pas ce qu'il disait.

— Vous avez une lettre de recommandation, si le révérend vous la demande. Mais je crains que mon nom n'ait plus le même poids qu'auparavant.

Anne, qui était penchée sur son travail, leva la tête.

— Le nom de *Kerr* commandera toujours le respect dans le Borderland.

— Elle a raison, acquiesça Gibson. V'pouvez être fière d'porter ce nom.

Elisabeth le regarda, l'aiguille à la main.

— Comme vous êtes beau, Gibson.

Il se balança d'un pied à l'autre, redevenu l'écolier de jadis.

— Eh bien, comme ma mère disait, « Au moins, tu es propre. »

Elisabeth hocha la tête distraitement, puis retourna à son travail. Après avoir fait de la couture vendredi après-midi et toute la soirée, elle avait repris son aiguille à l'aube, s'arrêtant à peine pour prendre le thé et un *bannock*. Marjory appréciait son zèle, mais elle n'aimait pas voir sa belle-fille travailler si fort.

— J'y vais, annonça Gibson, et son maintien était aussi droit que celui d'un homme de trente ans, la tête portée bien haut.

Marjory ouvrit la porte d'entrée pour lui — un juste retour des choses, pensa-t-elle — et lui souhaita bonne chance en faisant une prière silencieuse. *Comme un bouclier, ta faveur le couronne.* Si le ministre voulait l'employer, les femmes Kerr jouiraient encore de sa compagnie de temps à autre. Mais si Gibson se retrouvait au service de quelque famille de la campagne, elles ne le verraient que le jour du sabbat, et même cela n'était pas assuré. Marjory fut surprise de constater que cette idée ne lui plaisait pas du tout.

Alors que le bruit de ses pas s'éloignait dans l'escalier, elle retourna aux préparatifs du déjeuner : de la truite brune fraîche, cuite dans du beurre et des fines herbes.

— Nous serons de retour au bouillon, demain, dit-elle aux autres femmes, car nous ne pouvons prendre l'habitude de toujours manger aussi copieusement.

— Oui, mère, dit Anne pour la taquiner.

Elisabeth ne dit rien.

Tout en observant l'aiguille de sa belle-fille entrer et sortir de l'étoffe à un rythme régulier, Marjory jura de ne jamais tenir les shillings durement gagnés d'Elisabeth pour acquis. Du travail trouvé facilement pouvait être perdu tout aussi rapidement. Tout pouvait arriver. N'avaient-elles pas appris cette leçon à Édimbourg ?

Elle hacha rapidement un oignon et des herbes, puis badigeonna la poêle de beurre, laissant le poisson hors du feu en attendant le retour de Gibson. De la farine du marché signifiait une gâterie rare — du pain de blé —, qui montait déjà près du foyer, et fait en suivant la recette d'Elisabeth.

Marjory se lava les mains à la cuvette, puis revint examiner la livrée de Gibson, enroulée et remisée dans son sac de voyage en cuir. Il aurait besoin de sa tenue de domestique bientôt ; elle en avait la certitude.

— Annie, demanda-t-elle en tenant son manteau noir froissé. Pourrais-je emprunter votre fer ?

Sa cousine leva les yeux au ciel.

— Si vous le permettez, je vais d'abord inviter nos voisins, dit-elle d'un ton ironique. Ils paieront facilement un penny chacun pour voir Lady Kerr repasser le manteau d'un domestique.

— Et nous pourrions sûrement faire usage de cet argent, répondit-elle sèchement.

— Allez, laissez-moi faire cela, cousine.

Anne disposa plusieurs linges de toile sur la table et prit le fer de son trépied au-dessus du feu de charbon.

— Il a dû laver ses vêtements avant de partir, dit-elle en jetant quelques gouttes d'eau sur le drap fin, avant d'y appliquer fermement le fer. Je n'y vois pas une tache.

— C'est tout à fait Gibson, dit Marjory avec chaleur. Sa mise était toujours impeccable.

Elle secoua le gilet de son valet, à la fois gênée et curieuse de manipuler ses effets personnels, qui portaient son odeur unique ; poivrée, décida-t-elle, chaude et forte. Elle avait acheté la livrée moins de douze mois auparavant, l'arrangement habituel avec les domestiques, tant masculins que féminins. Les salaires étaient versés à Martinmas[12] et à Whitsuntide[13], et une fois l'an, de nouvelles robes et habits leur étaient fournis.

Anne leva la veste repassée avec un sourire satisfait, puis la déposa sur la chaise de bois, laissant l'étoffe refroidir pendant qu'elle prenait le gilet des mains de Marjory.

---

12. N.d.T. : La Saint-Martin, en novembre.

13. N.d.T. : La Pentecôte, en mai.

— Et qu'est-ce qu'on a ici ? demanda-t-elle en pinçant une bosse entre le pan de laine et la doublure de mousseline, avant d'afficher un grand sourire. Des shillings, je parierai. Cousus dans la doublure en guise de porte-bonheur, et astucieusement disposés côte à côte afin qu'ils ne tintent pas.

Anne contourna les pièces avec son fer, puis repassa la chemise et le pantalon, tandis que Marjory apportait son aide, humectant les vêtements au fur et à mesure.

Anne suspendit la chemise repassée sur le dossier d'une chaise au moment où Gibson franchissait la porte d'entrée, arborant un visage plus lumineux qu'un lustre.

— M'dames, déclara-t-il, vous avez d'vant vous l'nouveau valet du révérend Brown.

— Oh ! fit Marjory en frappant dans ses mains. Vous serez tout près de nous, alors.

— Oui, dit-il en souriant, à deux pas.

Anna semblait moins ravie.

— Le révérend n'est pas réputé pour sa générosité, marmonna-t-elle. Vous auriez dû proposer vos services à Lord Jack Buchanan. Quand il s'installera, l'amiral aura sûrement besoin d'un homme possédant vos talents et il vous aurait offert un bien meilleur salaire.

Gibson secoua la tête.

— L'offre du révérend m'convient, dit-il.

Puis, il vint pour ajouter quelque chose, mais s'arrêta. Il regarda plutôt en direction du foyer.

— C't'une belle truite qu'vous avez dans vot' casserole, Lady Kerr.

Moins d'une demi-heure plus tard, tous les quatre étaient réunis autour de la table, savourant un poisson assaisonné aux herbes et du pain fraîchement cuit. Marjory était secrètement étonnée de la camaraderie aisée qui existait entre eux, en dépit de leurs différences marquées. Une fille de tisserand des Highlands, une vieille fille aux horizons bloqués, un valet comptant plusieurs décennies de service et une veuve de haute naissance. Dans aucune autre maisonnée ces personnes se seraient retrouvées assises à la même table, partageant la même nourriture, comme si elles avaient été égales.

Mais ne l'étaient-ils pas ? Elle avait lu les Écritures toute sa vie. *Il n'y a ni esclave ni homme libre, il n'y a ni homme ni femme, car tous, vous ne faites qu'un dans le Christ Jésus.* Seulement maintenant, parce qu'elle vivait la vérité de ces paroles, elle les comprenait. Si une telle égalité la rendait un peu mal à l'aise, qu'il en soit ainsi. À ce moment-là, elle était heureuse d'avoir de la nourriture dans son assiette et des amis à ses côtés.

— Quand votre service avec le révérend Brown débute-t-il ? demanda Elisabeth.

— Aujourd'hui, à c't'heure même, en fait, dit Gibson, qui se leva pour prendre ses vêtements sur la chaise. J'vois qu'une âme serviable a repassé ma livrée.

— C'est Annie qui l'a fait, dit Marjory rapidement, car je n'ai pas de talent avec un fer.

— V'z'êtes une femme aux multiples talents, Lady Kerr, dit-il ; puis il baissa les yeux vers elle. Vous m'avez accueilli et m'avez bien nourri. Vous avez brossé mes vêtements et écrit une belle lettre de recommandation. Quelle dame en aurait fait autant pour son mari, alors que moi, j'suis juste un domestique ?

— Ce n'était rien, Gibson, murmura Marjory, surprise par tous ces compliments.

L'expression du visage de Gibson racontait une tout autre histoire.

— M'dames, si vous voulez bien m'excuser. Il est temps pour moi d'm'habiller pour aller travailler.

Afin de jouir d'un peu d'intimité, il apporta sa livrée de l'autre côté de la cloison pendant que les femmes restaient à table, parlant du temps qu'il faisait et du sabbat à venir.

Elisabeth reprit sa couture tout en bavardant, et elle eut bientôt fini une autre chemise. Elle la leva pour l'examiner d'un œil exercé.

— Cela conviendra, décréta-t-elle au bout d'un moment en hochant lentement la tête. Puisque la pluie a cessé, je l'apporte tout de suite chez monsieur Dalgliesh.

— Comment va Michael, ces jours-ci? demanda Anne.

Le ton était désinvolte, mais ses yeux étaient fixés sur Elisabeth. Elle se contenta de répondre sans la regarder.

— Comme toujours, je suppose.

Le regard de Marjory passa de l'une à l'autre, essayant de comprendre le sens de ce dernier échange. Et surtout ce qui n'avait pas été dit.

Sa belle-fille avait déjà passé sa cape.

— Je ne serai pas absente trop longtemps, promit Elisabeth avant de franchir le seuil.

Gibson apparut un moment après, très élégant dans sa livrée et tenant ses vêtements empruntés dans les mains.

— Je rapporterai ceci à monsieur Tait en chemin, dit-il.

Anne tendit la main vers une autre miche de pain intacte et frotta l'excès de farine.

— Donnez-lui ceci avec nos remerciements, dit-elle à Gibson.

— Bonne idée, m'dame, répondit-il avec un hochement de tête.

L'esprit de Marjory était toujours fixé sur Elisabeth. Naturellement, sa belle-fille portait toujours le deuil de Donald; et elle n'était pas la seule. Mais quelque chose d'autre avait occupé ses pensées récemment.

— Notre Bess célébrera son anniversaire de naissance dans moins d'une quinzaine, dit Marjory aux autres, et son cerveau fonctionnait à vive allure. Elle aura vingt-cinq ans. Un quart de siècle, en vérité.

— Si jeune, murmura Gibson.

— Oui, mais pas de son point de vue, dit Anne. Je me souviens que cet anniversaire n'avait pas été très agréable pour moi.

— Et si nous en faisions une journée mémorable pour Bess ? suggéra Marjory, espérant faire plaisir à sa belle-fille. Malheureusement, je n'ai pas d'argent et il ne me reste rien à vendre. Si nous voulons lui offrir un cadeau, nous devrons dépenser ses propres shillings, ce qui me semble injuste.

— Attendez, dit Anne, qui plongea derrière les rideaux de son lit, puis elle réapparut avec une petite cassette de bois. Ce sont mes bijoux.

Elle leva le couvercle, révélant une petite collection d'objets hétéroclites. Des perles enfilées, très tachées. Un collier en ruban. Un bracelet destiné à un enfant. Une petite broche d'ivoire. Une paire de boucles d'oreilles faites d'ambre. Mais ce qu'elle en retira fut un mignon petit peigne d'argent, qui n'avait besoin que d'un bon polissage pour être aussi joli que neuf.

— Il appartenait à ma mère, dit Anne en le plaçant dans la paume de sa main, et son visage exprimait de la douleur. Mes cheveux sont si pâles que le peigne disparaît quand je le porte. Mais dans la chevelure sombre de Bess…

— Il sera ravissant, acquiesça Marjory. Mais c'est un grand sacrifice, Annie.

Anne indiqua la demi-douzaine de livres sur sa tablette.

— Ils étaient à ma mère aussi et ils sont bien plus chers à mes yeux.

Gibson prit le peigne dans la paume ouverte d'Anne.

— J'connais un orfèvre qui l'fera briller, dit-il en le glissant dans la poche de son gilet. Et si ce n'est pas déplacé, j'voudrais aussi faire un présent à la jeune Lady Kerr. J'ai un vieil ami à Selkirk, un charpentier, qui aura sûrement que'ques bouts d'bois à m'donner.

Marjory sut tout de suite ce qui ravirait Elisabeth.

— Pourriez-vous lui fabriquer un tambour pour sa broderie? demanda-t-elle. Les dragons ont détruit celui en acajou qui lui appartenait, avant de le jeter au feu.

— J'm'en souviens, dit Gibson sombrement. Mais, oui, j'crois que c't'une bonne idée.

Un peu dépitée parce qu'aucune idée de cadeau ne lui venait à l'esprit, Marjory parcourut la pièce du regard, à la recherche d'une inspiration. Ses yeux se posèrent sur la cheminée et les restes de leur déjeuner.

— Je suppose que je pourrais préparer quelque chose, mais ce n'est pas vraiment un cadeau…

— Au contraire, dit Anne, dont les yeux brillaient. Ce sera le présent idéal, si cela ne vous dérange pas de faire la cuisine pour… disons, trois douzaines de voisins et amis.

— Trois douzaines? Mais comment paierons-nous? demanda Marjory.

Gibson sourit et offrit quatre shillings.

— Voilà c'qui reste de mon salaire du terme. C'est vous-même qui me les avez remis, m'dame, le 11 novembre.

Marjory regarda fixement les pièces, ayant du mal à se rappeler leur dernière Martinmas à Édimbourg.

— Mais c'est votre argent. Que vous venez de prendre dans la couture de votre gilet, j'imagine.

— J'n'en ai plus b'soin, m'dame, dit-il en le déposant dans la main de Marjory. L'révérend Brown me procurera tout' la viande et tout' la bière qu'y m'faut.

Elle cligna des yeux pour retenir des larmes tandis que Gibson repliait les doigts de Marjory autour des pièces, avant de les envelopper dans ses mains. Même si ses doigts étaient calleux, ils étaient si chauds. Si chauds.

Il lui fit un clin d'œil.

— Maintenant, dit-il, v'pourrez organiser une fête digne d'la jeune femme qui vous a ramenée chez vous.

Chapitre 20

Un anniversaire : — et maintenant un jour qui se lève
Avec beaucoup d'espoirs, et riche de sens —
Un jour mémorable de l'aube au crépuscule.
— Jean Ingelow

— Tu en es sûr, Peter ? demanda Elisabeth.

Elle jeta un regard sur ses chaussures brunes éraflées, qui lui semblaient trop étroites, puis elle referma la porte derrière elle.

— C'est une longue randonnée jusqu'à Bell Hill.

— Pas pour moi, répondit Peter, l'entraînant le long de la ruelle Halliway, sa petite main agrippant ses doigts. De plus, mon père ne dira rien si nous ne nous attardons pas.

— Je ne m'en plaindrai pas non plus, alors, avoua-t-elle, accordant son pas à sa foulée courte mais déterminée.

Elle avait travaillé à la maison toute la journée, mais à aucun moment, ni Marjory ni Anne n'avaient parlé de son anniversaire. Un cadeau n'était pas à prévoir — qui pouvait se permettre de payer l'objet le plus modeste ? —, mais elle aurait volontiers accueilli leurs bons vœux. Peut-être avaient-elles oublié. À moins que cette discrétion n'ait été inspirée par leur délicatesse, sachant qu'elle redoutait d'atteindre le cap des vingt-cinq ans.

Maintenant que ce jour si redouté était arrivé, Elisabeth fut soulagée de découvrir qu'elle ne se sentait pas différente. Une promenade en compagnie de Peter Dalgliesh restait la même chose, sans besoin d'une canne pour la soutenir ou de lunettes pour trouver son chemin. Du moins, pas cette année.

Quand ils émergèrent sur la place du marché, son humeur s'égaya un peu. Après des jours de pluie et de brume ininterrompues, un temps plus clément était de retour dans le

Borderland. Le ciel de la mi-mai était bleu gentiane et le soleil de fin d'après-midi brillait comme de l'or, réchauffant leurs épaules.

— Quelle journée splendide! s'exclama-t-elle en serrant la main de Peter.

— Oui, m'dame, dit-il avec une lueur taquine dans le regard.

Michael avait envoyé Peter à leur porte avec une notre griffonnée, maintenant pliée dans sa poche. *Je dois finir un manteau de gentilhomme. Peter a besoin d'une gardienne. Êtes-vous libre?* Elle pouvait difficilement refuser la requête du tailleur, surtout quand elle était communiquée par un garçon au visage criblé de taches de son et au sourire irrésistible.

Au cours de la dernière quinzaine, elle avait cousu une douzaine de chemises pour la boutique de son père et gagné autant de shillings, qui avaient tous été dépensés pour acheter des provisions. Remplir le garde-manger du logis avait apaisé quelques-unes de ses peurs restantes. Aucun dragon n'était venu marteler leur porte, personne n'avait trouvé de prétexte pour lancer à leurs trousses le shérif de Selkirk. Avec Gibson qui servait au presbytère voisin, Marjory qui préparait leurs repas au foyer et Anne qui enseignait à ses étudiantes à faire de la dentelle, un mode de vie confortable avait commencé à s'établir.

Seules ses rencontres avec Michael Dalgliesh en troublaient le paisible cours.

Chaque fois qu'elle lui livrait une autre chemise terminée, Michael trouvait quelque prétexte pour la retenir un peu. Aurait-elle la gentillesse de découper pour lui ce tissu qu'il venait de marquer à la craie? Avait-elle un peu de temps pour lire une histoire à Peter? Pourrait-elle trouver des boutons assortis à ce gilet bleu? Elisabeth se prêtait volontiers à ses demandes, naturellement, mais elle ne laissait pas de s'en étonner. Était-ce son cœur que Michael voulait conquérir? Ou était-il simplement à la recherche d'une paire de mains serviables ?

Assez, Bess. Il n'y avait aucune raison de se faire du mauvais sang quand un joli garçonnet était à ses côtés et qu'elle disposait d'une heure de répit.

Elle et Peter passèrent devant l'église et avaient presque gravi la première montée de la route vallonnée menant au sud-est de la ville, quand il dirigea un doigt dodu vers la droite.

— Le château de Selkirk est là-bas, dit Peter, près du loch Haining.

Même en s'étirant le cou, Elisabeth ne pouvait en apercevoir la trace.

— Il doit être si vieux qu'il est tombé en ruine, dit-elle.

— Vous êtes très vieille aussi, lui rappela Peter, et vous n'êtes pas en ruine.

— Mais j'*ai* vingt-cinq ans, lui dit-elle, devant encore s'habituer à cette idée.

Ils s'arrêtèrent au sommet du monticule, puis marchèrent sur les collines verdoyantes entourant Selkirk, qui ressemblaient aux doux replis d'une robe de velours vert.

— Merveilleux, dit Elisabeth à cette vue, alors qu'une douce brise, portant les senteurs du printemps, agitait l'air.

Peter tira sur sa main.

— Attendez d'avoir vu Bell Hill.

Quand la route se mit à descendre brusquement, Elisabeth décida de défier Peter à la course, filant devant les rangées de cottages, le devançant aisément avec ses longues jambes. Elle ralentit volontairement à l'arrivée, le laissant la dépasser au pied de la côte.

— Tu cours trop vite pour moi, cria-t-elle, s'arrêtant pour reprendre haleine.

Il se retourna pour l'attendre.

— Vous avez ralenti, dit-il, aussi franc et direct que son père. Mais est-ce qu'une dame a l'droit d'courir comme ça ?

— Probablement pas, admit-elle, puis elle reprit sa main quand ils approchèrent de la porte Foul Bridge.

Après l'avoir franchie, ils enjambèrent le fossé gonflé par l'eau de la pluie et laissèrent Selkirk derrière eux. Tout ce temps, la question de Peter l'avait tracassée. Était-elle une dame? Ou une couturière? En ce jour important, elle pouvait être n'importe quoi. Elisabeth baissa le regard vers l'enfant dont elle avait la charge et lui sourit.

— Nous pourrions prétendre que je suis ta gouvernante, dit-elle.

Il leva vers elle des yeux remplis d'espoir.

— Ou ma mère.

Le mot la fit s'arrêter net. *Mère.* Était-ce l'idée de Peter? Ou bien celle de…

Non. Michael Dalgliesh était son employeur, rien d'autre.

— Tu dois t'ennuyer beaucoup d'elle, dit-elle finalement, touchant la joue de Peter, bien qu'elle eût plutôt souhaité se pencher pour le prendre dans ses bras.

— Oui, dit-il en se mordant la lèvre. Je m'en souviens pas aussi bien que mon père.

— Alors, ses souvenirs doivent vous servir à tous les deux, n'est-ce pas?

Peter se contenta de hocher la tête.

La route s'élargissait alors qu'ils gravissaient la pente, puis le chemin devint encore plus large lorsqu'ils pénétrèrent dans la prairie tapissée de fleurs sauvages. Elisabeth s'attarda au bord de la route, se penchant ici et là pour montrer à Peter le bleu profond des pétales de la véronique, l'achillée aux feuilles duveteuses et la primevère d'un jaune ensoleillé.

Mais le garçon n'était intéressé que par une seule chose.

— Bell Hill! cria-t-il en indiquant un endroit devant lui.

Au milieu du paysage vallonné s'élevait une butte impressionnante, où paissaient des moutons. Une route pour les voitures bifurquait au sud vers Hawick, mais ils empruntèrent l'étroite piste qui continuait tout droit, dépassant en montant la commune du sud, où les gens de la ville faisaient pousser l'avoine, l'orge et le foin.

À chaque pas, Elisabeth se sentait plus jeune, plus libre. Sa peau s'était échauffée sous l'effort, et elle buvait l'air saturé de pluie, se sentant la tête légère et un peu étourdie.

Près de la crête de la colline, Peter tira sur sa jupe.

— R'tournez-vous, m'dame Kerr.

Quand elle eut obéi, tout le Selkirkshire était déployé à ses pieds, un vaste panorama de pâturages fertiles et de champs nichés contre les collines drapées de brumes bleutées.

— Quelle vue magnifique ! s'exclama-t-elle.

— Vous n'avez qu'à venir vivre ici, dit Peter en souriant.

Il escalada un gros rocher près du chemin, puis indiqua un manoir de l'autre côté, édifié dans un beau parc au sommet d'une élévation.

Elisabeth se tint près de lui, pour observer la colline Bell et le domaine qui portait son nom, Bell Hill. Les pins écossais étaient d'une taille impressionnante. C'était donc une vieille propriété, avec son manoir bien dissimulé derrière les arbres. Elle entrevit les murs de pierres grises, les fenêtres avec leur cadre de grès rouge, les jardins et les vergers qui s'étendaient derrière la maison. Pendant un bref instant, elle crut voir un gentilhomme à cheval qui tournait le coin de la maison au petit trot, mais cela aurait aussi pu être un palefrenier entraînant les chevaux de l'amiral.

Le faible tintement du clocher de l'église au loin fit descendre Peter de son perchoir.

— Il est temps d'y aller, m'dame Kerr !

Il saisit sa main et dévala rapidement la colline. Elle faillit trébucher en essayant de suivre son rythme.

— Déjà ? demanda-t-elle. Ce n'est sûrement pas encore l'heure de ton repas du soir.

Elisabeth pensait que Michael et Peter dînaient plus tard, et non à dix-huit heures.

— Venez! cria Peter, presque hors d'haleine à force de la traîner. Père a dit qu'il fallait redescendre de la colline dès que la cloche de l'église sonnerait.

Un 14 mai, quand le crépuscule s'étirait bien après vingt et une heures, il n'y avait aucune raison de se hâter. Pourtant Peter semblait déterminé. Elisabeth le laissa l'entraîner vers la ville à toute vitesse, tout en se promettant de revenir escalader la colline Bell dès qu'elle en aurait l'occasion.

Quand ils atteignirent finalement la ruelle de l'École, elle voulut tourner à gauche, mais Peter hocha la tête.

— Non, dit-il, j'dois vous ramener à la maison.

Elle sourit, s'imaginant que Michael enseignait à son fils les bonnes manières.

— Puis-je prendre ton bras, alors, comme une dame doit le faire?

Avec sa grande taille, ce n'était pas une mince tâche. Elisabeth était penchée devant, sa main tenant la partie supérieure du bras du garçon, essayant de marcher avec naturel.

— Fort bien, maître Dalgliesh, dit-elle, quand ils entrèrent dans la ruelle Halliwell.

La dernière chose à laquelle Elisabeth s'attendait, en ouvrant la porte, était de trouver l'escalier croulant sous le poids de personnes qui l'attendaient.

— Que s'est-il passé? s'écria-t-elle, craignant le pire.

Puis elle vit Marjory qui lui souriait du haut du palier.

Et leurs voisins qui la saluaient.

Et monsieur Tait, levant son verre.

— À cette jeune dame dont c'est aujourd'hui l'anniversaire!

Chapitre 21

Mon anniversaire ! — quel son différent
rendait ce mot à mes jeunes oreilles !
— Thomas Moore

Bouleversée, Elisabeth commença à gravir les marches pour rejoindre Marjory.

— Vous… vous êtes rappelé…

Marjory tendit les mains pour prendre celles de sa belle-fille, puis l'étreignit tendrement.

— Après tout ce que vous avez fait pour nous, chère Bess, comment aurions-nous pu oublier ?

Marjory la libéra après l'avoir serrée une dernière fois contre son cœur, puis elle la guida jusque dans leur logis, pendant que Peter filait devant elles, sans doute à la recherche de son père.

Leur logement était encore plus bondé que l'escalier. Une coupe de punch fut placée entre ses mains, puis Elisabeth fut conduite à la table chargée de délicieux pâtés de pigeons, de puddings d'avoine, de tartes aux pommes et de gâteaux aux prunes.

— Marjory, comment avez-vous fait tout cela ?

Sa belle-mère fit un geste élégant au-dessus de tous les plats.

— Annie m'a prêté main-forte, évidemment. Dès que tu quittais la maison pendant une heure ou deux, nous préparions quelque chose sur le foyer de madame Tait et le rangions dans son garde-manger.

— Je vois, fit Elisabeth en hochant la tête, à la fois ravie et désemparée. Mais le coût…

— Allons ! la gronda Anne, portant son index à ses lèvres. C'est Gibson que vous devez remercier pour cela.

C'est seulement à ce moment-là qu'Elisabeth vit leur vieil ami qui se tenait debout près du foyer. Quand elle lui fit un signe de la main, Gibson se faufila entre les personnes présentes et vint la rejoindre près de la table.

— Comment puis-je vous servir, Lady Kerr? demanda-t-il avec une étincelle dans le regard.

— Il semble que vous l'ayez déjà fait, dit Elisabeth en l'embrassant sur la joue, ce qui le fit rougir. Merci infiniment, Gibson.

Il haussa élégamment les épaules.

— Une dame fête ses vingt-cinq ans just' une fois dans sa vie.

D'après les bribes de conversation qu'elle surprenait, son âge n'était pas le sujet principal des discussions. C'était plutôt les toutes dernières rumeurs concernant l'amiral qui animaient les langues. Quand arriverait-il à Selkirk? Arriverait-il en voiture ou à cheval? Avec son entourage ou seul? Portant son uniforme d'amiral ou en habit de cavalier?

Elisabeth trouvait divertissantes toutes ces spéculations anodines.

— Nos voisins ne sont pas venus porter un toast à mon anniversaire, mais pour échanger les dernières nouvelles, dit-elle en secouant la tête, avant d'attirer près d'elle ceux qu'elle aimait. Mais pour vous, reprit-elle, je sais qu'il en est autrement. Vous l'avez fait pour me prouver votre affection et je désire vous exprimer ma reconnaissance.

Gibson haussa les sourcils.

— Mais ce n'est pas encore fini.

— Oui, acquiesça Anne, dont le visage rayonnait, il y a encore les cadeaux à ouvrir.

— Nous ferons cela plus tard, insista Marjory, quand nos voisins seront rentrés chez eux pour dîner. Venez, Bess, allons saluer nos invités.

Elisabeth se faufila à travers la foule des visiteurs et adressa une parole gentille à chacun. Quoiqu'elle ne pût réciter tous leurs noms par cœur, elle connaissait leur visage et commençait à associer maris et femmes, mères et enfants, fiancés et promises.

À la fin, elle aperçut Michael Dalgliesh qui se tenait près de la fenêtre, et il n'était pas seul. Plusieurs jeunes femmes formaient un cercle autour de lui, riant aux éclats à chacune de ses histoires drôles.

— Heureux d'vous voir, madame Kerr, dit-il quand il l'aperçut, puis il leva son verre.

Il était manifestement de fort belle humeur. Quand Elisabeth arriva jusqu'à lui, elle put l'avoir pour elle toute seule, les autres l'ayant momentanément déserté pour le bol de punch.

— Je crois que c'était votre mission de me tenir loin de la maison, commença-t-elle, essayant vainement de paraître contrariée. Et qu'en est-il de ce manteau de gentilhomme que vous deviez terminer ?

Il rit aux éclats.

— Il est fini, répondit-il. Mais dites-moi, avez-vous passé un agréable après-midi avec mon fils ?

— Plus qu'agréable, dit Elisabeth en jetant un coup d'œil à Peter de l'autre côté de la pièce.

Il avait rendu visite aux plateaux de pâtisseries plus d'une fois, semblait-il, car il était couvert de miettes sucrées.

— Père ! s'écria Peter, tirant Anne à sa suite dans leur direction. Voilà une pâtisserie pour toi.

Michael leva les yeux juste au moment où une Anne rougissante lui plaçait une tartelette dans la main.

— C'est très gentil à vous, mademoiselle Kerr, dit-il, puis il engouffra la pâtisserie sans plus de cérémonie.

Anne semblait absorbée dans la contemplation de ses chaussures.

— C'était l'idée de Peter, murmura-t-elle.

— Je n'en doute pas une seconde, dit Michael en tirant l'oreille de son fils. Pourrais-tu m'en dénicher une autre, garçon ?

Dès que Peter fut éloigné, Michael s'excusa à voix basse auprès d'Anne.

— Ne vous offusquez pas, Anne, dit-il. Nous sommes amis depuis toujours, n'est-ce pas ? Personne ne pensera du mal de vous parce que vous m'avez apporté une friandise.

Au moment où Anne leva lentement la tête, Elisabeth vit quelque chose passer entre eux aussi rapidement qu'un éclair sillonnant le ciel d'été. *Nous avons été à l'école ensemble.* Bien davantage semblait avoir été communiqué dans cet échange.

Elisabeth fit un pas en arrière, se sentant un peu comme une intruse.

Quand Peter repassa près d'elle vivement, une tartelette à la main, elle chercha une chaise vide, ayant besoin d'un moment pour récupérer. La chaleur de la pièce, pensa-t-elle. Toutes ces personnes présentes. Les bavardages bruyants.

Gibson apparut après un moment, apportant une tasse de thé fumant.

— Buvez, Lady Kerr, car vous semblez un peu fatiguée.

Elisabeth murmura des remerciements, puis elle porta rapidement la tasse de bois à ses lèvres, se consolant à l'idée qu'on ne lui avait pas volé son cœur. Peter, peut-être, mais pas Michael.

Elle était parvenue à se recomposer un visage souriant, au moment où Gibson revint près d'elle accompagné de Marjory et d'Anne.

— Not' fêtée a eu son content de bons souhaits, leur dit Gibson. Il est temps pour tous ces gens de rentrer chez eux.

Les trois femmes s'assirent autour de la table et regardèrent Gibson reconduire les invités à la porte avec l'efficacité et la courtoisie d'un majordome accompli.

— Voilà un p'tit pâté pour vous à emporter, dit-il à un homme tout en le poussant doucement vers la sortie. Faites attention à la marche, mit-il un autre en garde.

Une heure plus tard, les bougies étaient allumées pour dissiper la pénombre de fin d'après-midi, et la maison redevint calme. Il ne restait plus que les femmes du clan Kerr et Gibson. Michael avait été le dernier à partir, s'attardant à la porte, renvoyant les invités avec un mot jovial ou une tape amicale dans le dos. Peter était calmement blotti contre les genoux de son père, prêt pour son dîner et un lit chaud. Finalement, Michael l'emporta en souhaitant aux Kerr une bonne soirée.

Elisabeth ne les regarda pas s'en aller ni ne laissa ses pensées s'attarder sur Peter. Le garçon avait besoin d'une autre mère, certes, pourtant il semblait que le Seigneur en avait une autre qu'elle en vue. C'était Anne, et cela n'était-il pas la meilleure solution dans les circonstances ?

— C'est l'heure des cadeaux, dit Gibson en faisant un grand sourire et en se frottant les mains.

Déterminée à profiter des derniers moments de son anniversaire, Elisabeth s'assit sur le fauteuil rembourré où elle dormait chaque nuit, accoutumée à ses contours et à la sensation du tissu sur sa joue. Dès que Marjory ou Anne proposait des solutions de rechange — un matelas fait de couvertures ou un petit lit emprunté à un voisin —, Elisabeth les assurait qu'elle dormait à poings fermés.

Elle regarda son petit cercle d'êtres chers et avoua :

— Je ne serai pas heureuse si vous avez dépensé quelques-uns de vos précieux pennies pour moi.

— Ne craignez rien, dit Anne en lui présentant ses deux poings fermés. Choisissez avec soin, dit-elle, car un seul contient quelque chose.

Elisabeth regarda un poing, puis l'autre, espérant découvrir un indice.

— Et que se passera-t-il si je fais le mauvais choix ?

— Alors, je garderai mon cadeau, dit Anne, qui semblait sérieuse.

— Votre hospitalité est un bienfait suffisant, protesta Elisabeth, puis elle fut stupéfaite quand Anne ouvrit la main. Ma cousine! dit-elle. Vous ne pouvez me donner un tel trésor!

— C'est fait, dit-elle.

Anne montra le peigne d'argent, qui luisait à la lueur de la bougie dans sa main, puis elle le fixa dans la chevelure d'Elisabeth avec un hochement de tête satisfait.

— Exactement comme je l'avais imaginé, déclara-t-elle.

Elisabeth porta la main à son peigne avec ravissement.

— Oh, Annie! Quand je pense que vous vous séparez d'un tel héritage!

Lorsque leurs regards se croisèrent, Elisabeth pria pour que sa cousine vît ce qu'elle ne pouvait exprimer à voix haute. *N'aie pas peur, chère Annie. Tu es la femme que Michael désire et la mère dont Peter a besoin.*

Puis elle remarqua du coin de l'œil Gibson qui transportait quelque chose à travers la pièce, dissimulé sous le châle de laine de leur cousine.

— C't'un cadeau d'ma part, dit fièrement Gibson.

— Est-ce une table? demanda Elisabeth à voix haute.

Les pieds de bois et les traverses qui les reliaient étaient bien visibles, mais elle n'était toujours pas sûre de ce dont il s'agissait. Lorsqu'il souleva le châle, elle en resta muette de joie.

— Un tambour! s'exclama-t-elle au bout d'un moment. Mais où l'avez-vous trouvé?

Charmée, elle laissa courir ses mains autour du double cerceau qui maintenait l'ouvrage en place et admira les pieds simples, mais pratiques, qui permettaient de le positionner à la hauteur idéale. Le tambour que Donald lui avait acheté peu après leur mariage était d'acajou richement verni et sculpté avec art. Celui-là était simplement fait de chêne robuste, mais c'était malgré tout un tambour de qualité. Elle le plaça devant elle et déposa ses pieds sur les traverses, se demandant ce qu'elle broderait d'abord.

— L'avez-vous trouvé au marché du vendredi ?

— J'l'ai fabriqué moi-même, dit Gibson. Avec du bois qu'm'a donné l'charpentier.

Emprisonnée sur sa chaise par le cadre du tambour, Elisabeth ne pouvait bondir sur ses pieds et embrasser Gibson, mais elle put tendre les bras pour l'attirer vers elle, afin de déposer un baiser sur sa joue.

— Qu'ai-je fait pour mériter un tel hommage ?

— Les anniversaires sont comme la miséricorde de Dieu, dit Marjory. Non méritée, pourtant toujours célébrée.

Elle reprit son tablier et son regard redevint sérieux en faisant le tour de la pièce en désordre.

— Nous avons du travail à faire avant de dîner et d'aller au lit, reprit-elle. Et Gibson nous a apporté des nouvelles du presbytère.

Il s'inclina.

— À vous l'honneur, Lady Kerr.

Marjory prit une pose digne.

— L'amiral Lord Jack Buchanan est à Selkirk.

— Ah ! fit Anne, qui se redressa sur sa chaise. Mais je le savais déjà.

— Il est arrivé ce matin, les informa Marjory, et il s'est installé à Bell Hill avec une poignée de domestiques qui sont venus de Londres avec lui.

— Il est à Bell Hill ? s'exclama Elisabeth en écarquillant les yeux. Mais alors… je l'ai vu.

Chapitre 22

Si ce n'était d'une bonne provision de rumeurs,
moitié vraies, moitié fausses, que feraient les commères ?
— Thomas Chandler Haliburton

Tous les yeux dans le sanctuaire étaient attirés vers la porte ouverte et chaque paroissien émettait son opinion. Marjory essayait de ne pas se retourner sur son banc, de ne pas écouter les murmures, mais c'était difficile, puisque l'amiral était dans le comté de Selkirk depuis plusieurs jours et qu'il ne s'était pas encore manifesté. Lord Buchanan chevaucherait sûrement depuis Bell Hill pour apparaître le jour du sabbat.

Katherine Shaw et ses quatre jolies filles étaient assises derrière les Kerr et jacassaient à qui mieux mieux.

— Y a jamais eu d'épouse, disait madame Shaw à ses filles, qui étaient toutes en âge de se marier.

— Pas étonnant, répondit l'aînée d'une voix douce, puisqu'il peut passer des années sans poser l'pied sur la terre ferme. Quelle sorte d'mari un tel gentilhomme peut faire ?

— Un riche mari ! gloussa la benjamine.

— J'espère qu'y restera un peu à Selkirk, ajouta la troisième en soupirant.

— Il a quarante ans, leur rappela madame Shaw. Un homme n'achèterait pas une aussi belle maison si y avait pas l'intention d'y habiter. Écoutez-moi bien, j'suis convaincue qu'y veut s'fixer ici et fonder une famille.

Sur ce, les jeunes femmes s'esclaffèrent en même temps, attirant les regards vers leur banc.

Marjory tenait sa langue, mais ne pouvait s'empêcher de réfléchir. L'amiral ne marierait sans doute jamais l'une des filles de madame Shaw, malgré leurs sourires charmants ou leurs agréables silhouettes. Pas lorsqu'il pouvait choisir entre toutes les demoiselles de haut lignage du monde entier. Lord Buchanan n'avait-il pas fait le tour de la planète à bord du *Centurion*? Un tel homme voudrait une femme avec un titre prestigieux et une dot à l'avenant. Quand cet amiral fortuné se déciderait à prendre épouse, il ne viendrait pas la chercher dans les venelles et les ruelles de Selkirk.

— Pourquoi monsieur Armstrong ne commence-t-il pas le psaume de rassemblement? murmura Anne.

À ce moment-là, le maître de chapelle se tenait debout près de la chaire, comptant les têtes, avec une expression satisfaite sur son visage flétri. Une église remplie de fidèles était de bon augure pour la quête qui suivrait.

Quand le révérend Brown passa dans l'allée centrale, tous les murmures se turent pour le début du service. Gibson marchait à quelques pas derrière son nouveau maître. Il s'arrêta à la hauteur du banc des Kerr, le temps d'échanger un bref hochement de tête avec Marjory, avant d'aller rejoindre son siège à l'avant, d'où il pourrait assister le révérend au pied levé.

En observant ses larges épaules et son menton levé, Marjory ne put s'empêcher de sourire. Peu importe le glorieux amiral; *voilà* un homme qui aurait dû se marier. Plus d'une fois, Marjory s'était demandé si Gibson et Helen se seraient rendus mutuellement heureux. Mais bien que leurs relations aient été cordiales alors qu'ils étaient à son emploi à Édimbourg, aucune véritable étincelle n'avait jailli entre eux.

Monsieur Armstrong s'installa derrière le livre des Psaumes, regardant l'assemblée par-dessus ses lunettes. Lorsque le maître de chapelle entonna le psaume métrique choisi pour ce sabbat, Marjory sourit. L'amiral Lord Jack Buchanan n'était pas seulement attendu, il était espéré.

À Dieu la terre entière,
Le monde et tous ses peuples.

Qui d'autre, à moins que ce fût le Tout-Puissant lui-même, le maître de chapelle aurait-il pu avoir en tête, avec ce chant qui évoquait la totalité du monde, la terre entière ? Marjory estima que ce psaume était un message de bienvenue approprié pour le nouveau résident de Selkirk. Les paroissiens devaient aussi le penser, car ils entonnèrent le couplet suivant avec une ferveur inhabituelle.

> C'est lui qui l'a fondé sur les mers
> Et sur les flots l'a fixé.

Marjory faillit éclater de rire. Les mers et les flots ? Bien sûr, l'amiral pouvait franchir la porte de l'église à tout moment ! Elle s'était imaginé qu'il s'assoirait dans la première rangée pendant quelques semaines, jusqu'à ce qu'une tribune appropriée ait pu être construite pour lui. Peut-être dans le coin en haut à droite, au-dessus du banc des Kerr. Elle prierait volontiers dans son ombre.

Huit strophes plus tard, il n'y avait encore aucun signe de l'amiral, mais Marjory ne perdrait pas espoir si facilement. Elle continua à chanter, lançant des regards à droite et à gauche afin de voir si un visage non familier avait été remarqué. La plupart des églises paroissiales fermaient leurs portes une fois que les services sont commencés, mais le sombre sanctuaire de Selkirk, avec ses fenêtres étroites tombant en décrépitude, avait besoin de toute la lumière que le ciel pouvait prodiguer. Et bien sûr, l'amiral aurait pu se glisser par la porte grande ouverte sans faire de bruit.

> Portes, levez vos frontons,
> Élevez-vous, portails antiques,
> Qu'il entre, le roi de gloire !

Une dernière strophe et les chants s'achevèrent, les dernières notes suspendues dans l'air comme la poussière du matin.

Quand le révérend Brown monta en chaire, son regard parcourut le sanctuaire bondé — cherchant Lord Buchanan, Marjory en était certaine — avant de commencer son sermon tiré du livre d'Isaïe.

— «Ainsi parle l'Éternel, ton rédempteur, lança-t-il. Ma main a fondé la terre.»

Elle hocha la tête en signe d'approbation. Si l'amiral était un homme de Dieu, il aimerait ce qu'il verrait à l'église de sa paroisse ce jour-là.

Marjory s'adossa à son siège, heureuse que le plancher ait été balayé et le banc frotté. *Dieu vous bénisse, Gibson.* D'autres bancs avaient aussi été nettoyés, que ce fût par la main de Gibson ou à la suite du bon exemple qu'il avait donné. Mais le mur en train de s'effondrer avait besoin de plus qu'un bon coup de plumeau. L'amiral consacrerait peut-être une partie de sa vaste fortune à l'entretien du sanctuaire.

À moins qu'il thésaurise son or, comme tu l'as déjà fait.

Marjory inclina la tête, sachant que c'était vrai. Elle avait baigné dans la richesse à Édimbourg, pourtant elle n'avait consacré que très peu d'argent à leur église paroissiale, à l'exception de la location du banc familial. Pourtant Elisabeth, qui ne gagnait que quelques shillings par semaine, déposait discrètement l'une de ses pièces d'argent dans le plateau de quête à chaque sabbat, ce qui était bien plus que ce que le révérend Brown demandait à son troupeau.

Le sermon se termina au moment où la cloche de l'église sonnait midi. Après le psaume final et la bénédiction, Marjory se leva, un peu ankylosée après être restée assise trop longtemps, puis elle se tourna pour embrasser l'assemblée de fidèles du regard.

— Je n'ai jamais vu l'église aussi remplie, lui confia Anne.

Marjory hocha la tête, plissant les yeux pour mieux voir.

— Qui est cet homme aux cheveux noirs, à l'arrière? Celui qui se dirige déjà vers la porte?

— C'est l'amiral, dit Elisabeth doucement. Du moins, je le pense. Le jour de mon anniversaire, je l'ai entraperçu à cheval.

Marjory ne doutait pas de l'identité de l'homme qui s'en allait. Les têtes se tournaient et les retardataires assis près de l'entrée se hâtaient vers les portes. Les Kerr les suivirent, marchant résolument dans l'allée au lieu de s'attarder, comme elles l'avaient fait les dimanches précédents.

Des questions murmurées s'amplifièrent et devinrent des cris.

— Avez-vous cet homme?

— Êtes-vous sûr que c'était lui?

— Oh! De quoi avait-il l'air?

Lorsque Marjory et les autres atteignirent le parvis de l'église, il n'y avait plus aucun signe de l'étranger qui s'était glissé dans l'assistance. Des gens s'attardèrent autour des pierres tombales, espérant avoir d'autres nouvelles, maintenant que la rumeur était confirmée.

— L'amiral est parti sur un beau ch'val gris, leur dit James Mitchelhill en pointant du doigt vers l'est.

— Comment savez-vous que c'était lui? voulut savoir Robert Watson.

Le tanneur sourit.

— J'lui ai crié : « Bonjour à vous, Lord Buchanan », et y m'a envoyé la main.

À la suite du témoignage de Mitchelhill, un concert de voix s'éleva.

— Alors, c'était bien Son Excellence.

— Y montait un ch'val gris, v'dites?

— Je m'demande combien y en a d'autres dans ses écuries.

Marjory échangea des regards avec Elisabeth et Anne, et elle aurait voulu lire dans leurs pensées. Anne n'avait aucune raison de craindre leur nouveau voisin, mais sa belle-fille jacobite en avait certainement. Marjory les saisit toutes les deux par le bras, dans l'intention de rentrer à la maison en empruntant le passage voûté, au moment où Elspeth Cranston posa la question qu'elle avait justement à l'esprit.

— Quand aurons-nous le plaisir de rencontrer Son Excellence ?

Le révérend Brown prit la parole du seuil de l'église :

— Moi, je peux répondre à cela.

Subitement, l'assemblée des paroissiens se tourna vers le portail, à la recherche d'une voix digne de confiance au milieu de la clameur.

— J'ai parlé à l'amiral plus tôt cette semaine, les informa le ministre. Lord Buchanan fera connaissance avec plusieurs d'entre vous bientôt, dit-il, puis il fit une pause, soit pour voir l'effet produit par sa déclaration, soit pour s'assurer qu'on l'écoutait bien. L'amiral envisage d'embaucher le reste de sa domesticité à compter du lundi matin de Whitsuntide, reprit-il. Près de deux douzaines de personnes d'expérience seront requises.

La foule était maintenant enthousiaste. Des cris de joie résonnaient jusque sur les collines verdoyantes, et les servantes s'embrassaient les unes les autres.

Marjory se rappelait bien les lundis de Whitsuntide à Tweedsford. Des servantes, des jardiniers, des bergers et des travailleurs agricoles étaient embauchés pour l'été et la saison des moissons, leurs salaires étant payés à Martinmas. Pour ceux qui cherchaient du travail, l'arrivée du propriétaire fortuné d'un vaste domaine était une bonne raison de célébrer.

Du coin de l'œil, Marjory remarqua Tibbie Cranshaw qui s'avançait vers elle. Elle se tourna pour accueillir son ancienne domestique, espérant faire amende honorable pour ses erreurs du passé. Elle ne pouvait offrir à la femme que des excuses sincères, mais elle les présenterait volontiers si Tibbie daignait les accepter.

Quand Tibbie fut près d'elle, Marjory la gratifia d'un sourire.

— Que ce jour du sabbat soit béni pour vous.

— Ça alors, z'êtes bien polie, aujourd'hui, répondit Tibbie d'un ton sarcastique.

Chagrinée par sa réaction, Marjory s'écarta un peu des autres afin de pouvoir s'entretenir avec elle en tête-à-tête.

— Je crains que je vous doive des excuses, Tibbie, pour...

— Non! répondit la femme dont les yeux lançaient des éclairs. Vous m'devez bien plus que ça. Vous m'devez une bonne situation, ajouta Tibbie en hochant la tête en direction de Bell Hill au loin. J'compte m'y rendre, afin de chercher du travail lundi prochain. Si vous m'donnez d'bonnes références, j'dirai pas à Son Excellence c'que j'sais sur vous.

Marjory la regarda, consternée. La menace de Tibbie était-elle à prendre au sérieux? Ou se présenterait-elle chez l'amiral pour lui en mettre plein les oreilles au sujet d'une certaine dame sans pitié, qui avait tourné le dos au roi? De telles accusations ruineraient à tout jamais les espoirs des Kerr de fréquenter l'amiral, et pourraient même conduire les dragons jusqu'à leur porte.

— Je ferai ce que vous me demandez, consentit Marjory, sachant qu'elle n'avait guère le choix. Vous étiez une bonne fille de cuisine, Tibbie. Cela ne me peinera pas de l'écrire.

Tibbie fit un pas vers elle et lui dit d'une voix à la fois basse et menaçante :

— Et vous n'parlerez pas du bébé?

— Sûrement pas, promit Marjory. Monsieur Laidlaw était bien plus à blâmer que vous dans cette malencontreuse situation.

Tibbie parut ébranlée et plissa les yeux.

— Qui v'l'a dit?

Marjory n'avait aucunement l'intention d'impliquer Anne dans cette conversation.

— Ce qui importe, Tibbie, c'est que vous trouviez une place dans une maison où vous ne serez ni tentée ni mal-traitée. N'ai-je pas raison?

Les traits de Tibbie s'adoucirent un peu.

— Oui, répondit-elle.

— J'aurai une lettre pour vous au prochain sabbat, l'assura Marjory.

Après avoir reçu cette promesse, Tibbie tourna rapidement sur ses talons et disparut dans la foule, sa robe tachée traînant dans l'herbe.

Marjory la regardait toujours s'éloigner quand Anne approcha, le visage soucieux.

— Que voulait-elle ?

Marjory hésita, se demandant ce que sa cousine penserait de leur accord.

— Elle m'a demandé une lettre de recommandation, fut tout ce que Marjory révéla.

C'était une réponse honnête qui ne donnerait à Anne aucun motif de se mettre en colère.

— Tibbie veut travailler à Bell Hill ? supposa sa cousine.

Marjory confirma simplement.

— Elle ne passera pas la porte sans une robe propre et la bénédiction divine, dit Anne, puis elle marcha vers le passage voûté, faisant signe à Elisabeth de les rejoindre. Heureusement, nous ne ferons pas partie de la foule qui se rendra à Bell Hill lundi prochain, dit-elle. Car moi, j'ai ma dentelle, et vous, Bess, vous pouvez compter sur Michael Dalgliesh.

— Seulement tant qu'il aura besoin de mon aiguille, se hâta de répondre Elisabeth.

Le visage d'Anne redevint sombre.

— J'ai vu sa boutique, dit-elle. Il aura besoin de vous chaque jour de sa vie.

Chapitre 23

L'Amitié, c'est l'Amour,
sans les fleurs ni le voile.
— Augustus et Julius Hare

Elisabeth ne reparut pas à la porte de Michael cette semaine-là. Cela lui sembla prudent alors qu'Anne broyait du noir dans la maison. De plus, Elisabeth était déterminée à venir à bout de la pile de tissus déposée sur le dossier de sa chaise.

Pendant qu'elle continuait à coudre tard chaque soir, ses voisins mettaient à profit les longues heures d'ensoleillement pour gravir la colline Bell. Ils admiraient les jardins et les vergers de Lord Buchanan d'une distance respectueuse et espéraient surprendre l'éminent propriétaire faisant quelques pas dans son domaine. À Édimbourg, une cité accoutumée aux visites des princes et des rois, l'amiral serait arrivé presque incognito ; dans la rurale Selkirk, il était reçu comme une tête couronnée.

Elisabeth partageait la curiosité de ses voisins, mais pas leur ardent enthousiasme. Elle avait vu comment la richesse et un titre pouvaient corrompre l'âme d'un homme, en le convainquant qu'il était au-dessus de toutes les contraintes morales ou sociales. Lord Donald Kerr avait su tenir son rôle de gentilhomme en société, mais son comportement a souvent été ignoble. Qui pouvait dire si Lord Jack Buchanan n'était pas fait de la même étoffe ?

Seul le caractère de l'homme importait. Le reste n'était que poudre aux yeux.

Mais elle devait toutefois convenir que l'extérieur de Bell Hill était fort flatteur.

Dès l'aube, le samedi suivant, Elisabeth s'éveilla avant les autres et s'habilla en marchant sur la pointe des pieds. Une chemise de batiste à la main, elle déplaça sa chaise plus près de la fenêtre et commença à coudre la dernière manche, tout en se demandant ce que Michael Dalgliesh avait en tête pour elle, ensuite. Aurait-il encore du travail à lui confier? L'autoriserait-il à confectionner le manteau et le gilet d'un gentilhomme, lui permettant enfin de prouver ses talents de couturière? Elle pouvait sûrement coudre les boutonnières, les ourlets ou préparer les doublures de mousseline, le libérant pour accomplir d'autres tâches plus exigeantes.

Ce matin-là, en dépit du temps gris et pluvieux, le cœur d'Elisabeth s'allégeait alors qu'elle imaginait les possibilités à venir. Un jour, elle espérait avoir sa propre boutique de confection, mais, d'ici là, travailler pour Michael lui convenait — tant que cela lui convenait à lui aussi.

Une heure plus tard, Anne se leva et ouvrit les rideaux de son lit clos.

— Déjà à l'ouvrage?

— Oui, dit Elisabeth à voix basse pour ne pas réveiller Marjory. Je vais chez monsieur Dalgliesh à neuf heures.

Elle détourna le regard pendant qu'Anne se lavait à la cuvette et revêtait la robe de droguet bleue qu'elle portait le soir de l'arrivée des Kerr. Bien que l'étoffe fût faite de laine bon marché, tissée grossièrement, la couleur s'harmonisait parfaitement avec les yeux bleus d'Anne.

— Cette robe est ma favorite, la complimenta-t-elle.

Anne haussa les épaules en traversant la pièce.

— Dieu sait que je l'ai portée trop souvent.

Le ton froid de sa voix suggérait qu'elle était plus irritable que d'habitude.

— Je vous en confectionnerai une autre volontiers, l'assura Elisabeth. Quand j'aurai gagné assez d'argent pour acheter le tissu au marché...

— Non, dit Anne, l'interrompant. Vos shillings seront mieux employés à acheter de la nourriture, ou à satisfaire vos propres besoins, plutôt qu'à procurer une robe à une vieille fille.

Anne parlait rarement d'elle-même aussi négativement. Choisissant ses mots avec soin, Elisabeth lui demanda :

— Pourquoi une femme qui n'est pas mariée ne pourrait-elle pas être bien habillée ?

— Les soies et les satins servent à capturer des maris, répliqua Anne. J'ai depuis longtemps renoncé à ce genre d'espoir.

Elle tourna le dos à Elisabeth et commença à remplir de charbon la grille de l'âtre, mettant ainsi une fin abrupte à leur conversation.

Dans le silence inconfortable qui s'ensuivit, Elisabeth chercha dans son cœur quelque encouragement pour elle.

— Trente-six ans n'est pas si vieux…

— Oh ? dit Anne en regardant par-dessus son épaule, les mains noires de poussière. C'est facile à dire lorsqu'on est une jolie jeune femme dans la vingtaine dont la moitié des hommes de la ville sont entichés.

Maintenant, Elisabeth comprenait.

— Annie, dit-elle en mettant rapidement de côté la chemise qu'elle cousait pour s'asseoir près de sa cousine. Vous êtes précieuse pour plusieurs personnes à Selkirk, pour Marjory et pour moi par-dessus tout.

Elle glissa un bras autour des épaules étroites d'Anne, priant pour que ses prochaines paroles n'enveniment pas les choses.

— Mais je crois, reprit-elle, qu'il y a quelqu'un d'autre qui vous tient en très haute estime.

Le visage d'Anne était toujours maussade.

— Qui cela pourrait-il être ?

Elisabeth se leva, aida sa cousine à se remettre sur pied et observa avec attention l'expression de son visage.

— Le soir de mon anniversaire, j'ai vu une petite étincelle jaillir entre vous et monsieur Dalgliesh.

— Michael ? dit-elle en frottant ses mains ensemble pour chasser la poussière de charbon, visiblement gênée. Nous... nous connaissons depuis longtemps.

Elisabeth perça à jour sa tentative de dissimuler ses sentiments. Elle essaya doucement d'amener Anne à les exprimer, ce qui ne lui venait pas toujours facilement.

— Et qu'en est-il de Michael et de vous, maintenant ? N'êtes-vous toujours que des amis ?

Quand Anne détourna le regard, Elisabeth eut peur d'avoir trop insisté ou de s'être mal exprimée. Elle attendit un moment et dit :

— Pardonnez-moi...

— Non, répondit Anne en la regardant, et ses yeux brillaient de larmes. Il n'y a rien à pardonner. Vous avez simplement décrit ce que vous avez vu. Mais vous ne connaissez pas le reste.

Elisabeth effleura son bras en signe d'acquiescement silencieux.

— D'abord, du thé, proposa-t-elle. Ensuite, vous pourrez me dire tout ce que vous voulez. Ou rien du tout, si vous préférez.

Quelques minutes plus tard, une tasse fumante entre les mains, les deux femmes étaient assises, leurs chaises tout près l'une de l'autre.

Anne étudia son thé un moment, ses cheveux blonds attachés lâchement sur la nuque. Quand elle parla, sa voix était basse et tendue.

— Depuis que je suis une toute jeune fille, je suis éperdument amoureuse de Michael Dalgliesh.

Elisabeth imaginait facilement le beau garçon que Michael avait dû être dans sa jeunesse.

— Et lui, il ne vous aimait pas ?

Anne leva les yeux, son visage creusé par le chagrin.

— Non, il ne m'aimait pas.

— Oh, Annie ! dit Elisabeth, ravalant un sanglot, car elle sentait tout ce que cet aveu avait coûté à Anne. Mais comment avez-vous pu le supporter quand il a épousé Jenny ?

— Je voulais mourir, avoua Anne. Vous savez comment sont les jeunes filles, qui pensent que leur vie est terminée quand l'homme dont elles sont amoureuses en préfère une autre.

— Je le sais, l'assura Elisabeth doucement. Pourtant, vous et Michael êtes restés amis.

— Si l'on veut, dit Anne en haussant les épaules. Jenny était une âme douce et elle m'était chère autant que lui. Je ne peux en vouloir à Michael d'avoir été en adoration devant elle. Nous l'étions tous. Quand Peter est né, leur joie était contagieuse. Tout le monde aimait être en leur compagnie. Puis, Jenny a contracté une maladie terrible qu'aucun médecin n'a pu guérir...

Elle baissa la tête.

Elisabeth attendit, afin de permettre à sa cousine de se ressaisir.

Quand Anne parla de nouveau, sa voix était chevrotante.

— Étant l'une de ses plus vieilles amies, j'aurais voulu réconforter Michael dans sa douleur. Mais puisque j'étais une femme non mariée, les convenances me l'interdisaient. En fait, les rumeurs s'acharnaient sur moi...

Elle agrippa sa tasse de bois plus fortement dans ses mains.

— On disait que je voulais Michael pour moi, continua-t-elle. Que j'étais... heureuse que Jenny soit...

— Comment ? demanda Elisabeth, qui sentit une nausée l'envahir. Annie, *vous*, jamais vous n'auriez pensé une chose pareille.

— Non, bien sûr. La dernière de toutes à qui j'aurais pu souhaiter un pareil sort était Jenny, dit-elle en baissant la tête. Michael l'aime encore, vous savez. Et moi, j'aime encore Michael.

Quand Elisabeth posa doucement une main sur l'épaule d'Anne, sa cousine s'écarta d'elle et dit d'une voix amère :

— Maintenant, il semble que ce soit à vous qu'il fasse les yeux doux.

— Annie…

— Ne protestez pas, dit-elle en détournant la tête. C'est vrai, et vous le savez.

— Non, ce n'est *pas* vrai, répliqua Elisabeth, contenant sa frustration. Mais je suis tout de même curieuse de savoir pourquoi vous m'avez envoyée à sa boutique, alors que vous êtes si amoureuse de lui. Il y a d'autres tailleurs à Selkirk qui auraient pu me donner du travail.

Anne ne répondit pas tout de suite. Quand elle le fit, sa voix était basse.

— Michael avait désespérément besoin d'aide. Et puisque vous êtes en deuil…

— Il ne pouvait me faire la cour.

Anne soutint le regard d'Elisabeth.

— Voilà.

Quand Elisabeth vit l'angoisse dans les yeux de sa cousine, elle se jura sur-le-champ de lui venir en aide. Elle ne connaissait pas les sentiments de Michael à son égard, alors elle n'osa pas donner à Anne de faux espoirs. Mais ce qui s'était passé entre eux le jour de son anniversaire était réel, et non le fruit de son imagination.

— Annie, quand j'apporterai ses chemises à Michael aujourd'hui, puis-je lui parler ? En votre nom ?

Elle se leva immédiatement.

— Non, vous ne le devez pas ! Car il nierait sûrement éprouver quoi que ce soit pour moi.

Elisabeth se leva aussi.

— Êtes-vous certaine de cela?

Anne hocha la tête, mais Elisabeth vit le désir dans ses yeux.

De l'autre côté de la pièce, Marjory remua.

— Bonjour, murmura-t-elle en rejetant de côté son dessus-de-lit.

Si elle avait surpris leur conversation, elle n'y fit pas allusion.

Lorsque Marjory leur servit du porridge frais et du pain rôti avec de la confiture de framboises, Anne mangea lentement et Elisabeth rapidement, car elle avait hâte de mettre la touche finale à sa dernière chemise et de livrer son lot. Tel qu'elle l'avait promis, elle ne dirait rien des sentiments d'Anne. Mais si Michael lui ouvrait son cœur, elle l'écouterait volontiers.

Avant de partir pour la boutique, Elisabeth porta une attention particulière à sa toilette, rassemblant ses cheveux bouclés en un nœud, qu'elle fixa avec le joli peigne d'argent d'Anne. Si Michael le reconnaissait, une conversation au sujet d'Anne pourrait s'ensuivre, et qui sait où elle pourrait mener? Elisabeth ne s'était jamais vue dans le rôle d'une entremetteuse, mais elle voulait bien s'y essayer. Une fois son visage lavé et sa robe brossée, Elisabeth prit les dernières chemises dans ses bras et se hâta de franchir la porte.

La pluie avait cessé, mais le répit serait de courte durée, pensa-t-elle. L'air était épaissi par la brume, et le ciel était d'un gris mat et métallique. Marchant d'un pas alerte sur les pavés humides, elle fut au seuil de la porte de Michael avant d'être tout à fait préparée. Pourrait-elle s'empêcher de révéler la vérité, puisqu'elle la connaissait?

La porte était ouverte comme d'habitude. Mais quand elle entra, Elisabeth faillit échapper son paquet de chemises.

Chapitre 24

*Le changement ne survient pas
sans désagréments.*
— Richard Hooker

Elisabeth regarda le plancher qui venait d'être balayé, les vitres qui étincelaient, les bougies bien taillées. *Michael, c'est vous qui avez fait cela ?*

La grande table à découper était dégagée à l'exception de quelques rouleaux de laine soigneusement disposés, attendant d'être coupés. Des vêtements à différents stades de confection étaient suspendus aux murs de façon ordonnée. Les fils épars et les retailles de tissu qui encombraient auparavant chaque surface plane de l'atelier avaient disparu.

Elisabeth fut si surprise qu'elle ne sut dire autre chose que le nom du tailleur.

-- Monsieur Dalgliesh ?

Il arriva en dévalant l'escalier en colimaçon, et il avait le visage rouge lorsqu'il atteignit le rez-de-chaussée.

— Madame Kerr ! Je n'vous attendais pas... C'est-à-dire, je n'vous ai pas vue d'la semaine.

— Veuillez m'excuser, dit-elle en déposant les chemises sur la table. J'ai pensé qu'il valait mieux les apporter ensemble, plutôt que de venir vous réclamer un shilling chaque jour.

— Vos visites n'm'ont jamais dérangé, dit-il.

Il s'approcha d'une démarche qui semblait hésitante, et son regard erra dans la pièce.

— Nous avons un peu rangé les lieux, dit-il.

Nous ? Elisabeth s'efforça de garder un ton léger.

— Vous avez dû être aidé par un farfadet, dit-elle.

Michael fit semblant d'être outré par la remarque.

— Qu'le révérend n'apprenne jamais qu'vous avez dit ce mot! Il n'croit pas aux p'tits bonshommes hirsutes qui rangent vot' maison pendant la nuit.

— Je n'y crois pas non plus, admit-elle, et son regard parcourait chaque recoin bien ordonné de la pièce. Mais il semble que des mains bien humaines aient été fort actives ici récemment.

— Oui, dit Michael, et l'expression de son visage s'assombrit. J'ai écouté vot' conseil, madame Kerr, et j'ai embauché un tailleur.

— Oh! fit Elisabeth, qui sentit le sol trembler sous ses pieds. Qui est-ce?

Michael indiqua une autre petite table de travail placée près de la fenêtre.

— Il est sorti, pour l'instant, dit-il. Son nom est Thomas Brodie. Il est venu à ma boutique jeudi dernier, cherchant du travail. Il possédait sa propr' boutique à Melrose. Quand il m'a offert d'commencer tout d'suite, et après qu'il eut remis en ordre mon atelier en un rien d'temps..., ajouta-t-il en détournant le regard. Je n'pouvais refuser. Pas quand j'avais si grandement besoin d'aide.

— Je suis... heureuse pour vous, dit-elle en essayant de se convaincre qu'elle était sincère. Avec monsieur Brodie pour vous assister, vous aurez plus de temps à consacrer à Peter.

Elle jeta un coup d'œil en direction de l'escalier; elle aurait tant voulu sentir sa petite main dans la sienne.

— Est-il ici?

— Non, répondit Michael, et il n'arrivait toujours pas à regarder Elisabeth dans les yeux. Il sera là un peu plus tard, si vous r'passez.

Il veut que je m'en aille. Elisabeth s'agrippa au bord de la table la plus proche, se sentant défaillir. *Il n'a plus de travail pour moi.* Ébranlée, elle se contenta d'indiquer les chemises de la tête.

— Ce sont les dernières. Cinq en tout.

Michael se précipita vers sa bourse, maintenant suspendue à un crochet où il n'aurait plus à la chercher. Une initiative de monsieur Brodie, sans doute.

— Et j'ai cinq shillings pour vous, dit-il en laissant tomber cinq pièces dans sa main gantée.

Michael s'efforçait de ne pas la toucher, c'est du moins ce qu'il lui sembla.

Alors que ses doigts se refermaient sur les pièces, sa gorge se serrait aussi. À moins qu'elle ne trouve un autre employeur, il n'y aurait bientôt plus de viande sur la table des Kerr, plus de sucreries à partager avec leurs voisins, plus de pièces de monnaie pour le panier de la quête.

Aussi difficile que cela fût pour elle, elle s'efforça de l'interroger.

— Monsieur Dalgliesh, j'espère que vous avez été satisfaite de mon travail.

— Allons, Bess, dit-il d'un ton familier, avant de se reprendre. J'veux dire : madame Kerr. Bien sûr, j'en suis très heureux. Vous avez fait un travail remarquable. Mais maintenant…

Il se frotta la nuque.

— J'n'ai plus besoin d'vous, puisque monsieur Brodie est là…

Voilà. C'est dit. Je suis renvoyée.

Quand sa lèvre inférieure se mit à trembler, Elisabeth la mordit fortement pour s'empêcher de pleurer.

— Je vous remercie pour… la chance que vous…

— Madame Kerr, dit-il en faisant un pas vers elle. C'n'est pas vot' faute. Je n'peux travailler en compagnie d'une jolie jeune femme dans ma boutique toute la journée. Vous comprenez ça, n'est-ce pas ?

Elle hocha la tête, car elle n'osait plus parler. Michael ne lui avait pas promis une telle place, alors il n'avait brisé aucune promesse. Et il avait raison : un homme et une femme célibataires ne pouvaient travailler côte à côte dans une petite boutique. Ne l'avait-elle pas toujours su ? Pourtant, lorsqu'elle lui avait suggéré de trouver un associé, elle n'imaginait pas que les choses se termineraient ainsi.

Elisabeth s'efforça de le regarder dans les yeux.

— M'écrirez-vous un mot de recommandation, afin que je puisse me chercher du travail ailleurs ?

— Allons ! gronda-t-il. Vous savez bien que j'le ferai. Tout d'suite, si vous voulez.

Michael s'assit à son bureau nouvellement organisé. Il prit du papier, une plume et de l'encre, le tout à portée de main.

Il ne perdit pas une seconde avant de jeter les mots sur la feuille. Elisabeth le regardait faire, essayant de se calmer, réfléchissant à ce qu'elle devait faire ensuite. Bien qu'il y eût plusieurs tailleurs à Selkirk, elle craignait qu'aucun autre ne la reçût aussi bien ni aussi généreusement que cet homme-là l'avait fait.

Quand il eut fini, Michael éparpilla un peu de sable sur l'encre, puis lui présenta la lettre avec un sourire triste.

— Vous n'aurez aucun mal à trouver du travail. Commencez par Edward Smail, sur la Back Row. C't'un homme bon et juste.

Elisabeth plia soigneusement la lettre, espérant que Michael y ait inscrit une appréciation honnête de son talent. Il valait mieux qu'un nouvel employeur soit plaisamment surpris plutôt qu'ouvertement déçu.

Elle baissa les yeux, cherchant la force dont elle aurait besoin pour repartir à zéro. C'est-à-dire s'adresser à un étranger et le convaincre de lui accorder sa confiance. Et remettre son avenir entre les mains de Dieu encore une fois et ne pas avoir peur. *Je vous en prie, mon Dieu. En vous, je place ma confiance.*

Quand elle leva le regard, Michael l'observait et jamais elle n'avait vu visage aussi sérieux.

— J'ai appris quelque chose lors de vot' passage ici, dit-il. Je comprends que je n'dois pas faire la cour à une femme uniquement parce que j'ai besoin d'aide dans ma boutique ou d'une mère pour mon fils.

— Faire la cour ? demanda-t-elle en lui jetant un regard singulier. Mais monsieur Dalgliesh, je suis une veuve en deuil...

— Mais je n'parlais pas d'vous ! s'exclama-t-il, puis son visage devint cramoisi. C'est-à-dire... j'avais une aut' femme... en tête...

Annie. Elisabeth se détendit pour la première fois depuis son arrivée chez Michael ce matin-là.

— Vous avez raison, monsieur Dalgliesh. Vous ne devriez faire la cour à une femme que pour une seule raison, et...

Un coup frappé à la porte ouverte fut le seul avertissement.

— Alors ! cria un homme, et Elisabeth faillit mourir de peur. Maintenant, j'vois c'que vous voulez dire, monsieur Dalgliesh, lança-t-il d'une voix enthousiaste.

Elisabeth resta figée sur place, laissant son cœur se calmer un peu, tandis que Michael exprimait des excuses. Qu'il fût désolé de la présence du nouveau venu ou de son entrée fracassante, elle n'aurait su le dire.

Il se tenait maintenant près de Michael ; un gentilhomme tailleur s'il en est. Son visage était rasé de frais, ses cheveux retenus par un catogan, sa tenue impeccable, ses chaussures vernies. Seul un ruban à mesurer enroulé autour de son cou annonçait sa profession de tailleur.

— Voilà monsieur... Brownie, dit Michael d'un ton hésitant.

— Brodie. Thomas Brodie, corrigea-t-il tout de suite, puis il s'inclina jusqu'à la taille.

Quand il se redressa, monsieur Brodie souriait, montrant une dentition saine et complète. Carnassière, pensa Elisabeth.

— Vous êtes sûrement madame Kerr, dit-il, car on n'mentionne que vot' nom ici, depuis une semaine.

— Votre présence dans la boutique a déjà fait sentir ses effets, dit-elle d'un ton posé.

— Oui, oui, dit monsieur Brodie en se croisant les mains dans le dos, et il jeta autour de lui un regard en rayonnant de satisfaction. Y a encore beaucoup à faire, mais comme mon père avait l'habitude de dire, « Un début laborieux est un bon début. »

Elisabeth voyait à quel point leur présence simultanée mettait Michael mal à l'aise. Il valait mieux s'en aller sans plus attendre.

— Je vous remercie pour cela, dit-elle en tenant la lettre, avant de l'enfouir dans son réticule. Et pour avoir contribué à adoucir l'existence dans notre petit logis ce mois-ci.

— Pourrais-je m'entretenir un moment avec vous ? dit Michael en faisant un pas vers elle.

Elle hocha la tête, heureuse de cette occasion de faire ses adieux en privé.

Peu après, ils étaient dans la ruelle de l'École.

— Vous *trouverez* un emploi, l'assura Michael. Si ce n'est pas monsieur Smail, alors Charlie Purdie ou Hugh Morrison seront heureux d'vous prendre à leur service. Autant que j'l'ai été moi-même, dit-il après une courte pause, ainsi que Peter. J'vous souhaite la meilleure des chances, Bess.

Dès que Michael eut pénétré dans sa boutique, monsieur Brodie referma la porte sans bruit mais fermement, comme pour lui en interdire l'accès.

Blessée d'avoir été rejetée et se sentant abattue, Elisabeth marcha vers la venelle de l'Église. Elle n'avait pas de travail, peu d'argent, et seulement quelques heures pour résoudre le problème avant que les nuages menaçants déversent leur contenu.

Edward Smail. Le nom lui était familier, mais elle n'arrivait pas à lui associer un visage. Elle savait toutefois qu'elle le retrouverait, car un tailleur qui voulait des clients ne pouvait vivre clandestinement. Elle fit l'ascension jusqu'à la Back Row, le troisième segment du triangle de rues formant Selkirk. Quand elle atteignit le point où Peter lui avait indiqué les ruines du château, elle tourna vers la droite sur une rue pavée, longée de maisons en pierre et de boutiques.

Les noms peints sur les linteaux des portes étaient utiles : *Fletcher, Waugh, Blackhall, Dunn.* Quand elle trouva une boutique prometteuse affichant le nom de *Smail* au-dessus de l'entrée et un gilet suspendu à la porte ouverte, elle entra sans hésiter. Elle laissa d'abord ses yeux s'adapter à l'obscurité ambiante avant de chercher le propriétaire.

Ce fut Edward Smail qui l'aperçut d'abord.

— Madame Kerr ? demanda-t-il en faisant un pas dans la lumière d'une lanterne.

Dès qu'elle eut posé les yeux sur le tailleur, elle se souvint de l'avoir vu à l'église et au marché, même si elle ignorait son nom à ce moment-là. C'était un homme court et rond, au nez plat séparant deux yeux rapprochés, et ses mains semblaient surgir de ses coudes.

— Vous avez confectionné des chemises pour monsieur Dalgliesh, dit-il en jetant un regard circonspect sur elle. J'dois avouer que j'envie ses affaires. Il fut un temps où j'avais plus de besogne que je n'pouvais en abattre. Mais c'n'est plus le cas maintenant, et il hocha la tête en direction des nombreuses tablettes vides. J'ai assez de travail pour nourrir ma famille, mais pas plus.

Que monsieur Smail fût bon et juste, elle n'en doutait pas ; mais il ne respirait pas la prospérité.

— Qu'est-ce qui vous amène à ma porte ? demanda-t-il d'un ton un peu brusque en lui offrant le seul siège de sa boutique.

Elle hésita, ne voulant pas le mettre dans une position embarrassante. Ou était-ce l'orgueil qui lui liait la langue ? Finalement, elle expliqua l'objet de sa visite.

— Monsieur Dalgliesh a embauché un associé, alors il n'a plus besoin de mon aide.

Monsieur Smail fronça les sourcils.

— J'pense plutôt qu'y n'voulait pas d'une jolie jeune femme autour d'sa porte.

Ses mots la blessèrent.

— Je faisais tous mes travaux de couture à la maison, s'empressa d'expliquer Elisabeth. De plus, monsieur Dalgliesh m'a écrit une lettre de recommandation.

Quand elle tendit la main vers son réticule, le tailleur l'arrêta.

— C'n'est pas nécessaire, madame Kerr. Je n'peux m'permettre vos services. De tout' façon, mon épouse n'voudrait pas d'vous ici.

— Alors, je suis désolée de vous avoir importuné, dit-elle, et elle était déjà sur pied. Je vous souhaite une excellente journée.

Atterrée, elle sortit dans la rue, incertaine de la direction à prendre, ignorant l'adresse des autres tailleurs de la ville. Et elle n'avait plus de courage pour demander son chemin aux passants, qui la dévisageaient comme l'étrangère qu'elle était.

Elle était trop en colère pour pleurer, trop blessée pour nier la douleur du rejet.

Que dois-je faire, mon Dieu ? Que dois-je faire ?

La réponse lui vint rapidement. *Rentrer à la maison.*

Elle soignerait ses blessures, puis rendrait visite à monsieur Purdie ou à monsieur Morrison, bien qu'elle craignît une réponse similaire. N'y avait-il donc à Selkirk aucun tailleur comme Angus MacPherson, prêt à lui offrir du travail à la mesure de son talent, sans se soucier qu'elle fût jolie ou non ? Elle se rappelait encore la lueur amusée de son regard quand il agitait par jeu son index sous son nez. *Oh, Angus, comme vous me manquez !*

Découragée, elle dirigea ses pas vers la ruelle Halliwell. Peut-être qu'en s'affublant d'un horrible chapeau, ou en dissimulant son visage sous ses cheveux, ou encore en arborant une mine renfrognée, elle pourrait coudre pour gagner son pain sans distraire les hommes de leur travail. *Sottises.*

Au moment où elle tournait dans la ruelle de l'Église, le ciel se déchira et la pluie s'abattit en trombe, la mouillant des pieds à la tête avant qu'elle pût atteindre le logis d'Anne. Il n'y aurait pas d'autres démarches ce jour-là ; sa robe mettrait des heures à sécher.

Ce fut seulement quand elle leva les yeux vers le haut de l'escalier que sa conversation avec Michael Dalgliesh lui revint. *J'avais une aut' femme en tête.* Mais il n'avait pas prononcé le nom d'Anne. Et s'il avait voulu parler de quelqu'un d'autre ?

Quand elle atteignit la porte, Elisabeth avait pris une décision : elle se tairait, afin d'éviter de voir les espoirs d'avenir d'Anne piétinés comme les siens venaient de l'être.

Chapitre 25

Serrons-nous autour de ce flambeau
Et délibérons sur ce que nous avons à faire.
— William Shakespeare

Marjory brassait une chaudronnée de bouillon de tête de mouton pour leur déjeuner quand sa belle-fille franchit la porte d'un pas fatigué, trempée jusqu'aux os. Marjory demanda à Anne d'apporter des serviettes propres, puis elle s'asséchait les mains dans son tablier et se hâta auprès d'Elisabeth.

— Pauvre Bess, dit-elle d'un ton plein de compassion. J'espérais que vous rentreriez à la maison avant le déluge.

— Moi aussi, répondit simplement Elisabeth en retirant le peigne en argent de ses boucles dégoulinantes.

Anne arriva les bras chargés de serviettes, puis aida Elisabeth à se dévêtir.

— J'ai gardé une vieille robe de ma mère que vous pourriez mettre.

— Ce ne sera pas nécessaire, répondit Elisabeth tout en frictionnant ses cheveux plus vigoureusement que nécessaire. Je m'envelopperai dans un plaid et je suspendrai ma robe près du feu.

— Mais mes jeunes élèves arriveront à quatorze heures, lui rappela Anne.

— Très bien, alors, répondit Elisabeth.

Sans ajouter un mot, elle se blottit sur le fauteuil et ferma les yeux, tandis qu'Anne s'affairait à aérer la robe défraîchie, rangée sous son lit clos depuis plusieurs années.

Marjory revint près du foyer et observa Elisabeth. Il y avait longtemps qu'elle ne l'avait pas vue si abattue. Même à Édimbourg, alors qu'elles essuyaient perte après perte, Elisabeth était celle qui remontait le moral de tous.

Laissant le bouillon mijoter, Marjory s'assit sur le tabouret au pied d'Elisabeth et serra les mains longues et effilées de sa belle-fille.

— Si froides, s'inquiéta Marjory, les frottant doucement jusqu'à ce que la peau tiédisse.

Elle toucha le front d'Elisabeth aussi et fut soulagée de ne constater aucune fièvre.

Finalement, Elisabeth ouvrit les yeux et offrit un sourire blafard.

— J'agis comme une mère, n'est-ce pas? demanda Marjory, s'efforçant de garder un ton léger, espérant engager la conversation.

— Vous êtes la seule mère que j'ai, maintenant, murmura Elisabeth, presque pour elle-même.

Oh, ma chère Bess! Marjory cligna des yeux. Elle se rappelait ce que sa belle-fille lui avait demandé, au bord des larmes, alors qu'elles se préparaient à monter dans des voitures différentes sur la ruelle du Cheval-Blanc. *Je vous en prie, je ne peux rentrer à Castleton. Ma mère ne voudra pas de moi.* Marjory ne connaissait pas Fiona Ferguson. Et elle ne le souhaitait pas la connaître non plus. Quelle femme ne voudrait pas d'une fille comme Elisabeth auprès d'elle?

— Et si nous vous aidions à mettre des vêtements secs et que je vous offrais un bon bol de bouillon chaud? dit Marjory doucement.

La robe ne lui allait pas bien et la couleur moutarde ne l'avantageait pas, mais pour un après-midi pluvieux à l'intérieur, elle ferait l'affaire. Après avoir fait une courte prière pour bénir le repas, Marjory prit sa cuillère de bois, continuant de prier silencieusement pour Elisabeth. *Mon Dieu, réconforte-la. Donne-lui des forces. Prends le fardeau qui l'accable présentement.*

Ce ne fut que lorsque leurs bols de soupe furent vides qu'Elisabeth poussa un long soupir et que leurs regards inquiets se rencontrèrent.

— Je ne ferai plus de couture pour monsieur Dalgliesh, annonça-t-elle en regardant Anne. Il a engagé un autre tailleur pour travailler à la boutique, un certain monsieur Brodie, de Melrose.

— Non! s'écria Marjory. Pourquoi ferait-il une chose pareille?

— Je suis certaine que Michael n'était pas mécontent de vous, insista Anne. Peut-être avait-il simplement besoin d'un homme vigoureux pour l'assister et habiller les gentilshommes.

Elisabeth arracha un fil de sa manche.

— Il semble que ce soit le cas, dit-elle sèchement.

— Il y a d'autres tailleurs, dit Marjory, qui se sentait coupable d'envoyer de nouveau sa belle-fille dans le monde afin de gagner de l'argent pour la maisonnée.

Mais quel autre choix avaient-elles? La fin des travaux de couture signifiait la fin des shillings, une vérité triste qui n'avait pas besoin d'être dite pour être comprise.

Quand Anne suggéra un tailleur du nom de Smail, Elisabeth admit qu'elle lui avait déjà rendu visite, puis elle décrivit leur bref échange.

— Il m'a dit que sa femme n'accepterait pas ma présence là-bas.

Marjory grimaça. Pas étonnant qu'Elisabeth soit rentrée découragée.

— Ce temps grisâtre finira par toutes nous déprimer, lui dit-elle, allumant une chandelle de suif, ignorant la dépense.

La lueur stable de la bougie éclaira le coin de la pièce où elles se trouvaient, comme elle l'avait espéré.

— Maintenant, reprit-elle, où pourrions envoyer notre chère Bess, un endroit où elle serait appréciée à sa juste valeur?

Anne plissa les lèvres un moment.

— Madame Stoddart confectionne des robes sur la venelle Wynd, dit-elle, mais elle paie très mal ses couturières.

Elisabeth leva le regard, plongée dans ses pensées.

— Lady Murray me laisserait-elle lui confectionner une robe ?

— La comtesse n'accorde sa confiance qu'à une couturière d'Édimbourg pour confectionner ses vêtements, dit Anne, presque sur un ton d'excuse. Ce nom vous est peut-être familier. Une demoiselle Callander, de la ruelle de l'Escalier-des-Dames.

Marjory et Elisabeth échangèrent un lourd regard.

— Oui, nous la connaissons, dit Marjory, essayant de ne pas laisser percer d'amertume dans sa voix. Avant notre départ de la capitale, mademoiselle Callander a acheté presque toutes les robes que nous possédions.

— Et elle vous en a offert un bon prix, j'espère ? demanda Anne.

Marjory ne voulut pas paraître ingrate, mais s'abstint de répondre, ce qui voulait tout dire.

La vaisselle du déjeuner était toujours éparpillée sur la table quand Gibson se présenta à l'improviste. Anne se leva immédiatement et ramassa quelques ustensiles en bois, tout en invitant leur ami à s'asseoir près du feu.

— Vous prendrez un petit biscuit, n'est-ce pas ? Marjory les a faits ce matin.

Gibson se tourna vers Marjory, et son bon sourire la réchauffa.

— V'savez bien que j'refuse jamais.

Quelques instants plus tard, biscuit et thé en main, il dit :

— J'peux pas rester longtemps, car j'fais une course pour le révérend. Mais j'ai quelques p'tites nouvelles et j'ai pensé qu'vous seriez heureuses d'les entendre.

Il fit une courte pause et ajouta avec un grand sourire :

— J'viens tout juste d'voir Lord Buchanan au presbytère.

— Vraiment? s'exclama Anne. On dit que c'est un fantôme, car il va et vient sans être vu.

— Oh, il est très réel, j'vous assure! Bien sûr, j'lui ai pas parlé moi-même. Mais j'ai entendu une bonne partie d'ce qu'y se sont dits.

Il prit une bouchée de son biscuit avant de poursuivre.

— C'est le lot des pauv' domestiques d'écouter quand les grands d'ce monde parlent entre eux.

— Allez, Gibson, le gronda gentiment Marjory. Vous ne pouvez nous garder dans l'ignorance. Que pouvez-vous nous dire au sujet de Lord Buchanan?

— C'que v'savez déjà : qu'y est riche, qu'y a beaucoup voyagé et qu'y parle bien.

Anne approcha sa chaise.

— Mais de quoi l'amiral a-t-il *l'air*?

Gibson haussa négligemment les épaules.

— Y a l'air d'un homme, répondit-il simplement.

Cette réponse faillit arracher un sourire à Elisabeth.

— Plus de biscuits pour vous, Gibson, à moins que vous nous disiez tout.

— Eh bien, y était très bien habillé. En tenue d'équitation, avec d'belles bottes noires et une culotte de ch'val en cuir arrêtant au-dessus du genou.

— On dit qu'il est très grand, intervint Anne.

— Oui, acquiesça Gibson, et y a l'teint bronzé, à cause de ses années en mer.

Si honorable et beau fût-il, Marjory avait encore toutes les raisons de le craindre.

— Diriez-vous qu'il est entièrement dévoué à Dieu et au roi?

— Oh oui! répondit Gibson, qui fit une pause. Mais je l'soupçonne, par ses dires, d'accorder sa préférence au premier. On verra bien quelle sorte d'homme y est, quand y engagera des gens d'la ville.

Ayant terminé son biscuit et vidé sa tasse, le domestique se leva pour prendre congé et s'inclina.

— J'dois partir, dit-il. Bonne journée à vous, m'dames, et j'vous remercie de vot' accueil chaleureux.

Gibson n'était pas sitôt parti qu'Elisabeth se leva, un air de résignation inscrit sur son visage.

— Je n'ai pas le choix, semble-t-il. Lundi, je me présenterai à Bell Hill et je verrai si Lord Buchanan peut m'engager comme couturière.

— Bess, répondit Marjory, consternée. Êtes-vous certaine que c'est sage?

— S'il doit accroître son personnel, dit Elisabeth, ses domestiques auront besoin de nouvelles robes, n'est-ce pas?

C'était raisonnable, mais en même temps périlleux. Même si Tibbie Cranshaw tenait sa langue, Lord Buchanan pourrait apprendre par une autre voie la trahison de Donald et refuser d'engager Elisabeth. Ou pire encore, il pouvait la livrer au roi pour gagner de nouvelles faveurs. Marjory regarda Anne, implorant son soutien. *Elle ne peut faire cela. Dis quelque chose. Fais quelque chose.*

Anne comprit vite ce qu'on attendait d'elle.

— Mais la gouvernante voudra sûrement voir un échantillon de ton travail. Que lui montreras-tu?

Marjory hocha la tête, soulagée. *Merci, Annie.* Elisabeth avait vendu toutes ses créations à mademoiselle Callander. Elle n'avait rien sous la main pour démontrer ses talents.

Mais Elisabeth avait déjà ouvert la malle dans laquelle Marjory avait rangé ses bas et ses corsets. Sa belle-fille en sortit une chemise de nuit en batiste qu'elle avait confectionnée, magnifiquement brodée avec des roses rouge foncé autour de l'encolure.

— Helen Edgar l'a lavée et repassée avant notre départ d'Édimbourg, dit Marjory.

Elle venait de comprendre qu'elle n'avait aucune chance d'arrêter Elisabeth dans sa résolution.

— Si tu veux l'apporter à Bell Hill pour la montrer à la gouvernante, dit-elle, je ne m'y opposerai pas.

Elisabeth traversa la pièce immédiatement et vint déposer un baiser sur son front.

— Merci, Marjory. Et je porterai le peigne d'argent d'Annie, ce qui fait que les deux personnes que je chéris le plus au monde m'accompagneront à Bell Hill. En ce qui concerne ma robe — elle fit un geste en direction de la robe noire dégoulinante près du foyer —, elle vient tout juste d'être lavée.

Chapitre 26

La plus jolie et la mieux parée est celle
Dont le vêtement est l'humilité.
— James Montgomery

Elisabeth se leva de table après le petit-déjeuner, soulagée que Marjory et Anne ne puissent voir ses genoux trembler sous sa robe.

— Je dois partir. Il y a deux milles d'ici jusqu'à Bell Hill.

— Mais il n'est que six heures du matin, lui rappela Anne. Croyez-vous que les autres arriveront si tôt ?

Elisabeth haussa les épaules, ne serait-ce que pour chasser sa nervosité.

— Vous connaissez ce dicton de vieilles femmes : *La première vache levée obtient la première rosée* ?

— Mais vous n'êtes pas une vache, lui dit Anne d'un ton sec. Et je n'aime pas vous voir trop empressée.

— Mais je le *suis*, admit Elisabeth. Nos provisions s'épuisent. Et monsieur Halliwell s'attend à recevoir ses shillings aujourd'hui, n'est-ce pas ?

À Whitsuntide, les rentes étaient payées, les dettes réglées et les nouveaux domestiques embauchés. Si Dieu le voulait, elle serait du nombre.

— Il ne me reste plus qu'à prendre mes ustensiles de couture et je suis prête.

La veille, elle s'était lavé ses cheveux à l'eau de rose et les avait brossés jusqu'à ce qu'ils soient lustrés. Ensuite, elle s'était brossé les dents avec une tige de noisetier au point d'irriter ses gencives, dans l'espoir qu'un sourire éclatant plairait à la gouvernante. Elle avait poli ses chaussures noires avec la cendre du foyer, cependant que sa robe de deuil, raide après avoir séchée près du foyer, tombait maintenant en plis souples grâce au repassage adroit d'Anne.

Elisabeth tendit la main vers le petit miroir, chagrinée de trouver le reflet d'une peur tenace dans ses yeux. Et si dix autres couturières bien plus qualifiées qu'elle se présentaient à Bell Hill? Ou si la gouvernante la renvoyait après un seul coup d'œil jeté à sa robe défraîchie?

Non, Bess. Avait-elle déjà oublié ce qu'elle avait lu au réveil? *En Dieu, j'ai placé ma confiance.* Le moment était venu d'agir selon ces paroles, au lieu de se contenter de les méditer.

Elle prit son panier à couture sur l'étagère, puis ramassa son nécessaire de couturière : une demi-douzaine de bobines de fil de soie, ses meilleurs ciseaux, un paquet d'épingles droites, son ruban à mesurer, sa pelote à épingles, une poignée de boutons pour chemise, une craie de tailleur enveloppée dans un linge, et une petite boîte de bois contenant ses précieuses aiguilles. Quelle que soit la tâche qu'on lui proposerait, elle était prête à relever le défi.

Les objets ayant le plus de valeur dans son panier étaient les lettres de recommandation de Michael Dalgliesh et du révérend Brown, cette dernière ayant été rédigée la veille, à la demande de Marjory. Sans elles, elle ne pouvait espérer qu'on la prenne au sérieux comme couturière.

Finalement, elle glissa autour de son cou un ruban noir duquel pendait une petite paire de ciseaux, qui servirait tant à couper les fils pendants qu'à indiquer sa profession. Une dame ne se présenterait jamais en public en exhibant une paire de ciseaux, mais une couturière le pouvait.

Elle s'apprêtait à fermer le couvercle de son panier quand un reflet métallique capta son regard. *Le dé de Jenny.* Elisabeth s'immobilisa, son esprit fonctionnant à toute allure.

— Annie, dit-elle, s'efforçant de parler d'un ton léger, pourriez-vous rendre cela pour moi?

Elle prit le dé et le plaça dans la main de sa cousine.

— Je suis sûre que c'était un prêt, et non un cadeau, pourtant je serais mal à l'aise de me rendre à la boutique de monsieur Dalgliesh.

Elisabeth leva les yeux vers ceux de sa cousine.

— Vous me comprenez ? demanda-t-elle.

— Considérez que c'est chose faite, dit Anne avec un haussement d'épaules, laissant tomber le petit dé dans la poche de son tablier.

Elisabeth hocha la tête. *Le reste est entre vos mains, Michael.*

Un instant plus tard, elle descendit l'escalier pour se rendre à la ruelle, où elle dut soulever ses jupes au-dessus de la boue jusqu'à ce qu'elle ait atteint les pavés de la venelle de l'Église. Même à cette heure matinale, il y avait bien des citadins dans la rue. Des laitières et des lavandières passaient près d'elle, vaquant à leurs affaires. Des boutiquiers avaient déjà ouvert leurs portes. La rue était encombrée de bétail, comme les moutons et les bovins appartenant aux gens de la ville étaient conduits aux pâturages communs autour de Selkirk.

Le lundi de Whitsuntide était déjà bien entamé.

Elisabeth remarqua une femme marchant seule, portant une robe fraîchement repassée et affichant un air timide. Molly Easton, une paroissienne avec qui elle avait eu l'occasion de parler, était une jeune fille discrète, à qui il ne manquait que quelques années pour atteindre sa majorité. S'en allait-elle aussi à Bell Hill ? Persuadée qu'une compagne de route rendrait le trajet plus agréable pour toutes les deux, Elisabeth la rattrapa rapidement.

— Bonjour à vous, mademoiselle Easton.

Elle hocha sa tête brune.

— À vous aussi, m'dame Kerr.

Alors qu'elles accordaient leurs pas, Elisabeth demanda :

— Allez-vous chercher un emploi à Bell Hill ?

— Ça s'pourrait, répondit-elle sans se compromettre. Et vous ?

Elisabeth hésita. Devait-elle lui révéler ses intentions, ou simplement prendre acte de la question, comme mademoiselle Easton l'avait fait ? Peut-être que cela pourrait porter malheur de dévoiler ses projets en un tel jour.

— J'espère travailler pour l'amiral, dit finalement Elisabeth, puis elle parla du temps agréable, et attendit de voir le tour que prendrait la conversation.

Hélas, elle n'eut pas de suite, car Molly Easton était d'une grande timidité. Elle prononçait deux mots quand Elisabeth en disait vingt et révéla peu de choses sur elle, si ce n'est son âge, dix-huit ans, et son mois favori, juin.

— À cause de la Chevauchée de la commune[14], expliqua-t-elle.

Elisabeth avait entendu parler de la Chevauchée, mais n'en connaissait pas beaucoup plus que le nom.

— Je n'ai jamais eu la chance d'y assister, dit-elle.

— Oh, m'dame Kerr ! s'exclama Molly, et, comme une marionnette revenue à la vie, Molly se mit à sautiller d'un pied à l'autre. Elle a lieu en juin, expliqua-t-elle, les couleurs revenant sur ses joues tandis ses yeux foncés brillaient comme des châtaignes. Quand les beaux hommes à ch'val partent pour les marches[15] tôt c'matin-là, c't'un spectacle à voir. Et pour terminer la journée, y a d'la musique et d'la danse sur la place du marché.

La jeune fille continua son bavardage alors qu'elles traversaient la route pour Hawick et commençaient l'ascension de la piste herbeuse vers Bell Hill. Tandis que le soleil s'élevait plus haut, baignant le pâturage de la douce lumière du matin,

---

14. N.d.T. : Common Riding : Événement célébré annuellement dans la région frontalière, pour commémorer l'époque où les hommes risquaient leur vie pour protéger leur famille et leur village (source : Wikipédia).

15. N.d.T. : « Marche » est ici un terme général qui désigne une région frontalière. L'action de ce roman se situe dans le Borderland, un territoire longtemps revendiqué par l'Écosse et l'Angleterre.

d'autres marcheurs et marcheuses apparurent, et tous allaient dans la même direction. Ce n'est que lorsqu'elles furent à proximité de la propriété de l'amiral que Molly reparla du sujet du jour.

— Croyez-vous qu'il y en aura d'autres qui voudront être hôtesses? demanda-t-elle.

— Je ne saurais le dire, répondit Elisabeth en toute franchise, peu familière avec la domesticité d'une grande maison.

Dans leur appartement d'Édimbourg comptant six pièces, les Kerr avaient à leur service une gouvernante, un majordome et une servante. Mais Bell Hill compterait des douzaines de domestiques, avec une structure hiérarchique précise et une rémunération en conséquence. Palefreniers et valets de pied, chefs et filles de cuisine, femmes de chambre et laitières. Devrait-elle apprendre les noms de toutes ces personnes? Ou lui assignerait-on une petite chambre où elle travaillerait seule?

Quand elles commencèrent à remonter la longue allée, l'estomac d'Elisabeth se noua et resta ainsi alors que les arbres feuillus, aperçus au loin, les enveloppaient maintenant de leur ombre. Le manoir de pierres grises, haut de trois étages, semblait plus vaste et plus imposant à chaque pas. Formant un «L», la maison était plus vieille qu'elle l'avait imaginée et comportait les vestiges d'un château médiéval rejoignant une section plus longue, percée d'une rangée de fenêtres qui semblaient regarder les jardins fraîchement cultivés.

Molly murmura comme si elle craignait que les pignons et les tourelles puissent l'entendre.

— J'ai jamais vu un tel endroit, dit-elle.

Elisabeth, qui avait déjà dansé au palais d'Holyrood, ne pouvait dire la même chose. Mais elle n'avait jamais travaillé ni vécu dans une demeure aussi vaste que celle-là. Alors qu'elles tournaient le coin, en direction de la porte ouverte, elles furent accueillies par des voix qui flottaient vers elles. Molly et elle n'étaient pas les premières arrivées, alors. Elles pressèrent le pas, irrésistiblement attirées par le massif portail sculpté.

Quand elles franchirent le seuil, Elisabeth eut un moment de découragement. Le vaste hall grouillait déjà de douzaines d'autres candidats, un nombre bien supérieur à celui des places disponibles. Combien d'autres couturières y avait-il dans cette mer de visages ? L'expression affligée de Molly Easton reflétait la sienne.

Dans l'embrasure de la porte se tenait une femme de grande taille d'âge moyen, dont les cheveux soigneusement coiffés étaient de la couleur d'un demi-penny flambant neuf. Bien qu'elle élevât parfois la voix, la femme ne criait jamais.

— Les servantes au centre. Les lavandières sous la fenêtre. Les aide-cuisinières près de la porte, là-bas.

De toute évidence, il s'agissait de la gouvernante de Bell Hill responsable du personnel féminin. Un gentilhomme impressionnant, qui ne pouvait être que le majordome, était debout près d'elle, donnant des directives semblables aux hommes qui entraient, les envoyant à différents endroits du côté opposé du hall.

— Pour les hôtesses du p'tit salon, m'dame ? demanda Molly timidement.

La gouvernante la jaugea d'un regard rapide et expert.

— Avec les servantes, dit-elle.

Alors que Molly se précipitait vers le lieu désigné, Elisabeth leva le menton, cherchant à faire une bonne première impression.

— Mon nom est madame Kerr, dit-elle. Je suis venue offrir mes services comme couturière. Où dois-je aller ?

Les yeux gris acier de la gouvernante s'arrêtèrent sur elle.

— Vous n'avez jamais été domestique, dit-elle.

Elisabeth blêmit.

— Si vous l'aviez déjà été, reprit la femme d'un ton sec, vous sauriez qu'il n'y a pas de couturière ni de tailleur dans une maison. Ils ne sont engagés que lorsque leurs services sont requis, et jamais le lundi de Whitsuntide.

L'embarras enveloppa Elisabeth des pieds à la tête. *Pourquoi ne me suis-je pas informée avant ? Pourquoi ai-je cru que j'avais une chance ?* Elle se raidit les genoux, afin qu'ils ne cèdent pas sous elle, et trouva le courage de répondre.

— Vous avez raison quand vous dites que je n'ai jamais été domestique. Mais j'ai été couturière dans deux boutiques de tailleur et...

— Mais vous n'avez jamais été au service d'un gentilhomme.

— Je ne l'ai jamais été, concéda Elisabeth, mais j'ai déjà vécu dans la maison d'un gentilhomme.

Elle déglutit avant de dire le reste.

— À titre d'épouse.

La gouvernante la prit rapidement par le bras.

— Venez avec moi, madame.

Chapitre 27

Les plus grands actes d'héroïsme sont ceux
qui sont accomplis entre quatre murs
et dans l'intimité de la maison.
— Johann Paul Friedrich Richter

Elisabeth ne pouvait deviner où la gouvernante la condui-
sait ni ce qu'elle avait en tête. Est-ce qu'une entrevue avec
Lord Buchanan l'attendait au prochain tournant ?

— Je suis madame Pringle, dit la dame plus âgée.

Puis elle demanda à l'une de ses domestiques d'aller
prendre sa place près de la porte. Tournant ensuite le dos au
hall grouillant d'activité, elle accompagna Elisabeth vers l'aile
la plus longue de la maison.

— Que Son Excellence soit disposée à engager une couturière pour confectionner les robes de ses servantes, je ne saurais le dire, reprit madame Pringle, mais je lui en parlerai dès
son retour d'Édimbourg.

— Il n'est pas ici ? demanda Elisabeth, qui était à la fois
soulagée et déçue.

La veille, on n'avait pas vu l'amiral à l'église. Elle en
connaissait maintenant la raison.

— Lord Buchanan règle quelques affaires pour Sa
Majesté, dit madame Pringle avec désinvolture.

Elle retira immédiatement un trousseau de clés de sa
poche alors qu'elles approchaient d'une porte aux propor-
tions imposantes.

— En son nom, reprit-elle, Roberts et moi sommes auto-
risés à pourvoir tous les postes de domestiques de la maison.

— Oui, madame, dit Elisabeth qui ne douta pas des
paroles de la femme un seul instant.

Elle suivit madame Pringle dans un grand salon, assez spacieux pour contenir le logis d'Anne et cinq autres pareils. Elles traversèrent la pièce avec une telle hâte qu'Elisabeth ne vit passer devant ses yeux qu'une palette indistincte de bordeaux et de bleu royal. De riches tapis, des colonnes ornementales, des tissus d'ameublement brodés de soie, des miroirs à cadre doré, des portraits à l'huile, d'opulentes tentures de velours semblaient se bousculer pour solliciter son attention.

L'effet était éblouissant, l'amiral était riche au-delà de tout ce qu'elle pouvait imaginer. Elle avait à peine remarqué la sortie dans un coin, conçue pour se fondre dans le décor, jusqu'à ce que la gouvernante glissât sa clé dans une serrure cachée et ouvrît un grand panneau mural.

— C'est mon bureau du rez-de-chaussée, où je m'occupe des affaires courantes de la maison, dit-elle, avant d'inviter Elisabeth à l'intérieur.

La pièce carrée, quoique petite, était élégamment aménagée. Madame Pringle fit un geste de la main vers une chaise à haut dossier près de son bureau.

— Je vous en prie, dit-elle.

Après avoir marché aussi longtemps, Elisabeth était heureuse de reposer ses jambes. Elle aurait aussi apprécié quelque chose à boire, car ses lèvres étaient si sèches qu'elle craignait qu'elles ne se soudent ensemble.

Madame Pringle tira sur un cordon tressé, puis s'assit. Son bureau était exceptionnellement bien ordonné, et il y avait une tablette de livres à portée de main. La lumière se déversant de la fenêtre étroite sur le visage de la gouvernante révélait un réseau enchevêtré de lignes et de ridules. À l'approche de la cinquantaine, décréta Elisabeth. *L'âge de Marjory.*

— Madame Kerr, commença la gouvernante, vous êtes évidemment une femme de qualité. Vous êtes arrivée à Bell Hill avec une paire de ciseaux nouée autour du cou, à la recherche d'un travail. Expliquez-vous.

— Peut-être que ceci pourrait aider, dit Elisabeth, qui prit son panier à couture, à la recherche de ses références.

Elle avait cacheté les deux lettres, afin de ne pas être tentée de les lire, et les présentait maintenant à la gouvernante pour qu'elle en prît connaissance.

— Voici deux lettres que je désire porter à votre attention, dit-elle.

Madame Pringle leva la main.

— Je ne veux pas savoir ce que les autres pensent de vous, dit-elle immédiatement. Pas encore. Je veux savoir pourquoi vous êtes ici.

Le ton de sa voix était froid, son attitude plus froide encore.

Elisabeth soutint son regard sans broncher, sachant qu'elle devrait dire la vérité maintenant ou passer le reste de sa vie à essayer de la cacher.

— Mon ex-époux, Lord Donald Kerr, est mort à la bataille de Falkirk.

Elle fit une pause, pour s'armer de courage.

— Parce que notre famille soutenait le prince Charles Édouard Stuart, expliqua-t-elle, nos titres, nos propriétés et notre fortune ont été confisqués. Ma belle-mère et moi n'avons plus d'autres ressources pour vivre que l'argent que je peux gagner comme couturière.

Madame Pringle l'étudia attentivement avant de parler.

— Votre situation est regrettable, dit-elle enfin, et l'expression de son visage s'adoucit légèrement. Il y avait aussi de nombreuses personnes à Londres qui soutenaient secrètement le prince. Je présume que vous avez été suffisamment humiliée et que vous êtes à présent disposée à jurer fidélité au roi...

Elisabeth se sentit en paix avec elle-même quand elle répondit.

— Vous pouvez en être assurée.

Car Dieu est le Roi de toute la terre.

— Et vous ne parlerez jamais de vos anciennes sympathies jacobites avec Son Excellence ?

— Seulement s'il me le demande, auquel cas je suis tenue par l'honneur de confesser la vérité, répondit sans hésiter Elisabeth, qui tendit ensuite la main vers son panier, désireuse de passer à autre chose. Pourrais-je vous montrer un échantillon de mon travail ? dit-elle en exhibant la chemise de nuit brodée pour Marjory, afin que madame Pringle puisse l'examiner. Même si je sais bien que ce ne sont pas de chemises de nuit dont vous aurez besoin…

— Je peux voir que vous avez de multiples talents, comme il sied à toute dame, dit madame Pringle en lui remettant le vêtement, l'ayant à peine regardé. Ce dont je ne peux juger est votre efficacité au travail.

Un coup frappé à la porte annonça une jeune servante aux cheveux brun roux qui tenait un plateau de thé en équilibre entre ses mains. Elle leur versa une tasse fumante, puis fit une révérence, ses manières étant aussi agréables que les traits de son visage.

— Aut' chose pour vous, m'dame ?

— Le panier à reprisage, dit madame Pringle, avant de la renvoyer d'un hochement de tête.

Si la gouvernante avait l'intention de la regarder coudre, Elisabeth ne se laisserait pas intimider. Rob MacPherson n'avait-il pas passé d'innombrables heures silencieuses à Édimbourg, le regard fixé sur elle, alors qu'elle faisait de la couture pour son père ? Cela ne serait pas différent.

Elisabeth ajoutait du lait dans son thé quand la servante réapparut avec un grand panier d'osier qui débordait de vêtements jetés pêle-mêle. Madame Pringle vida sa tasse d'une longue gorgée, puis la déposa dans sa soucoupe avec un léger cliquetis.

— Dans ce panier, madame Kerr, vous trouverez des coutures déchirées, des boutons manquants, des poches trouées, enfin, les réparations habituelles. Faites-les, si vous le pouvez. Je repasserai avant l'heure du dîner, afin de voir comment vous progressez.

Elisabeth regarda le panier. Devrait-elle accomplir tout cela avant la fin de la journée?

— Très bien, madame Pringle, dit-elle simplement.

La gouvernante se leva en se tamponnant la bouche.

— Sally vous conduira dans la salle de couture, dit-elle. Entretemps, je dois voir à la bonne marche de la maisonnée.

Madame Pringle n'attendit pas de réponse, mais sortit de son bureau dans un bruissement de jupes.

Elisabeth n'avait pas une seconde à perdre. Elle avala le reste de son thé, se brûlant presque la langue, puis ramassa ses affaires et suivit Sally dans le salon, avant de traverser le large corridor avec ses appliques allumées et ses murs recouverts de tapisserie.

— Par ici, m'dame.

Portant toujours le lourd panier, Sally la précéda, passa par une porte latérale, puis descendit un escalier tournant roide menant au quartier des domestiques. Quoiqu'il fût banal et sans ornement, le corridor de service était propre et bien éclairé.

Elisabeth jeta un coup d'œil par chaque porte ouverte, en passant. Elle remarqua l'influence de madame Pringle dans chaque pièce, avec les tablettes bien rangées, les chaises alignées, le linge soigneusement plié et les lanternes de laiton polies. Vingt, peut-être trente domestiques travailleraient là, bientôt. Pour l'instant, les quelques âmes déjà à la besogne s'arrêtaient, le temps de hocher la tête dans sa direction et de lui adresser un sourire. Lord Buchanan était-il un employeur juste et honnête, ou bien un tyran? Avant la fin de la semaine, si Dieu le voulait, elle aurait sa réponse.

— C'est ici, m'dame, dit Sally, qui rougit joliment en tenant la porte ouvrant sur une pièce à plafond bas.

Bien qu'elle fût pourvue d'une unique fenêtre de bonne dimension, la pièce possédait aussi un guéridon porte-luminaire. Un cercle de chaises était disposé alentour.

— Je m'occupe du feu, dit Sally, prenant la bougie posée sur le manteau de la cheminée.

Elle s'agenouilla ensuite devant le petit foyer où les brindilles, les bâtons et les bûches fendues étaient disposés de manière experte, n'attendant que le contact de la flamme. Elle tailla et alluma la mèche au centre du guéridon à trois pieds, bordé de ballons de verre ronds, chacun étant rempli d'eau afin d'augmenter l'intensité de la lumière. Une seule chandelle de cire d'abeille illuminait autant qu'une douzaine l'auraient fait sans ce dispositif.

— Cela vous va, m'dame ? demanda Sally lorsque le bois commençait à crépiter.

Elisabeth prit son panier, examinant la pièce. Bien qu'elle fût fraîche maintenant, le feu aurait tôt fait de la rendre confortable, et l'astucieux éclairage était plus que suffisant. Si seulement Angus avait disposé d'un tel instrument dans sa boutique si obscure ! Le contenu inconnu de son panier d'osier était sa principale préoccupation.

— Je ferais mieux de commencer, dit-elle à Sally, qui disparut avec une révérence.

Enfin seule, Elisabeth retira sa cape de laine et la suspendit près de la porte, puis s'installa dans l'une des chaises, plaçant le panier de vêtements à repriser dans la chaise vide près d'elle. Il était encore tôt. Si Dieu souriait à son travail, elle aurait fini avant le crépuscule.

Elisabeth murmura une prière demandant des doigts agiles et un œil alerte, puis s'empara du premier article à repriser, une chemise d'homme. Plutôt que de la mousseline grossière du travailleur ou de l'épaisse toile du domestique, le tissu était de la batiste de grande qualité : appartenant sans doute à Lord Buchanan lui-même.

Un frisson nerveux dansa le long de ses vertèbres quand elle leva le vêtement pour l'examiner plus attentivement. Elle avait confectionné des chemises d'homme au cours du dernier mois, mais celle-là était différente. Un gentilhomme qui n'était pas son mari, un gentilhomme qu'elle n'avait jamais vu, l'avait portée contre sa peau. Plusieurs fois, de toute évidence, car la batiste avait perdu son éclat après plusieurs lavages.

À en juger par la longueur des manches et la largeur de la couture à la hauteur des épaules, Lord Buchanan devait être très grand. Elle aurait besoin de lever les yeux pour soutenir son regard, et un tel homme devant elle masquerait une bonne partie de son champ de vision. Une odeur plaisante, davantage celle du savon que de la sueur, était imprégnée dans les fibres, et le col propre indiquait un homme qui se baignait souvent.

C'est assez, Bess. Elle rougit en déposant la chemise sur ses genoux. Sa tâche était de raccommoder ses vêtements, pas de les scruter à la loupe. Elle trouva rapidement une longue déchirure le long d'une couture sur le côté, facile à réparer. Après avoir passé le fil dans le chas de l'aiguille, elle se mit au travail et termina le dernier point une demi-heure plus tard. Elle passa rapidement à l'article suivant, un gilet auquel il manquait trois boutons ; il fallait donc tous les remplacer. Elle trouva un nouvel ensemble de boutons dans son panier. Un tablier presque neuf n'avait besoin que de quelques points à la taille, et une deuxième chemise de moindre qualité fut rapidement ourlée.

Alors que la matinée progressait, elle plaçait chaque vêtement terminé sur la chaise près d'elle, s'arrêtant de temps à autre pour tisonner le feu, s'étirer les membres ou marcher dans le hall pour écouter les voix. Elle imagina madame Pringle et Roberts dans leur bureau respectif au-dessus d'elle, interrogeant les candidats. Est-ce que Molly Easton aurait obtenu le poste convoité d'hôtesse quand la journée se terminerait?

Quand le soleil fut haut dans le ciel, la jeune Sally réapparut avec un plateau sur lequel se trouvait son déjeuner.

— J'ai pensé qu'vous auriez faim aussi, dit-elle, plaçant le plateau de bois sur une table le long du mur. Du mouton froid, du thé chaud et des sablés de madame Tudhope.

— Tout cela me semble délicieux, dit Elisabeth, heureuse non seulement de la nourriture, mais aussi d'avoir un peu de compagnie. Si vous ne m'en voulez pas de le demander, Sally, depuis combien de temps travaillez-vous à Bell Hill?

— D'puis une quinzaine, répondit-elle fièrement. Ma mère est lavandière. Nous avons été les premières à être engagées à Selkirk. M'dame Pringle et les autres viennent d'la ville de Londres.

— Et qu'en est-il de Lord Buchanan? demanda Elisabeth, essayant de ne pas paraître trop curieuse. Est-ce un bon maître?

Sally sourit.

— Je n'ai jamais connu d'homme aussi gentil. Il est vieux, v'savez. Presque quarante ans. Et pas très bel homme, j'dirais. Mais il est bon.

Elisabeth hocha la tête, ajoutant les détails à son répertoire d'informations concernant l'amiral Lord Jack Buchanan. Elle pouvait presque se le représenter, maintenant, et elle pourrait certainement le reconnaître s'il franchissait la porte, ce qu'il pouvait faire à tout moment. Elle remercia Sally, déjeuna à la hâte, puis retourna à sa couture, l'ombre à la fenêtre s'allongeant d'heure en heure.

Quand elle tint le dernier vêtement entre ses mains, un lourd gilet de laine, Elisabeth compta les boutons et étudia les coutures, mais ne trouva rien à réparer. Cela avait-il atterri par erreur dans le panier à reprisage? Faisant courir ses doigts sur l'étoffe dans la lumière déclinante, elle sentit plus qu'elle vit le problème : une légère déchirure, comme si une lame avait percé la laine, tranchant le tissage.

Elisabeth fronça les sourcils, sachant qu'il lui serait très difficile de réparer ce gilet. Du fil de coton et de soie ne serait pas à la hauteur d'une telle tâche. Elle s'inclina vers la lumière tremblotante du guéridon, examinant la laine filée. Si son père avait été là, il aurait su quoi faire. *Pense Bess. Comment un tisserand réparerait-il cela ?*

À l'aide d'un fer plat chauffé sur le foyer, Elisabeth repassa la région endommagée, puis découpa une section de l'ourlet qui était presque invisible, retirant avec précaution quelques brins de laine. Elle les inséra ensuite le long de la déchirure, en s'assurant que les couleurs s'accordent parfaitement, puis retissa la chaîne et la trame, n'utilisant que ses doigts et une aiguille émoussée. Finalement, elle coupa les bouts de fil qui dépassaient à petits coups de ciseaux et appliqua le fer une autre fois.

Elisabeth leva le gilet devant ses yeux et ressentit de la fierté. Pas en raison du travail qu'elle avait exécuté, mais du père qui lui avait montré à le faire, jadis.

Une voix féminine flotta à travers l'embrasure de la porte.

— Vous cousez toujours, madame Kerr ?

Elisabeth se retourna vivement.

— Madame Pringle ! J'ai cru que vous m'aviez oubliée, dit-elle d'un ton léger, puis elle souhaita que la gouvernante ne fût pas offusquée de la remarque.

— J'arrive plus tard que prévu, admit-elle. Venez et laissez-moi voir votre travail.

Elisabeth déposa le gilet pour l'instant et lui montra le reste.

Madame Pringle sembla stupéfaite.

— Vous avez tout fini ?

La gouvernante inspecta chaque vêtement, ses sourcils s'élevant un peu plus à chaque article examiné, jusqu'à ce que son visage ne fût plus que l'expression même de l'étonnement.

— Vous avez accompli le travail de trois jours en une seule journée, madame Kerr, déclara-t-elle, puis elle hocha la tête en direction du gilet. Naturellement, nous devrons l'envoyer chez un tailleur ou un tisserand spécialisé d'Édimbourg. C'est une vilaine déchirure.

— Oui, ce l'était, dit Elisabeth, puis elle montra le vêtement réparé. Voyez comme il est mieux maintenant.

Fronçant les sourcils, madame Pringle prit le gilet et le retourna en tous sens. Une fois, puis deux.

— Mais où est-elle? demanda-t-elle. Je me souviens distinctement que...

— C'était ici, dit Elisabeth, pointant l'endroit de la réparation.

Madame Pringle regarda une autre fois, puis hocha la tête.

— Je ne l'aurais jamais cru. Où avez-vous acquis ce savoir-faire?

— Mon père était tisserand. Et mon plus vieil ami à Édimbourg était tailleur.

— Très bien, dit madame Pringle en pinçant les lèvres. J'ai une dernière tâche à vous confier, madame Kerr, et ensuite, nous verrons si nous avons une place pour vous à Bell Hill.

Elisabeth jeta un rapide coup d'œil à la fenêtre. Les derniers rayons du soleil mourraient dans moins d'une heure, et elle n'avait pas encore dîné.

— Est-ce que ce sera long? demanda-t-elle.

— Une semaine, plus ou moins, dit la gouvernante en prenant le ruban à mesurer dans le panier d'Elisabeth. Si vous devez faire des robes pour toutes les domestiques de Bell Hill, alors vous commencerez par la mienne. Prenez mes mensurations, je vous prie.

L'espoir grandit dans le cœur d'Elisabeth. Il était maintenant clair que madame Pringle était ravie de son travail.

— Lord Buchanan a acheté l'étoffe à Londres, expliqua madame Pringle. Des rouleaux et des rouleaux de drap fin de couleur gris anthracite.

Elisabeth se contenta de hocher la tête alors qu'elle prenait les mensurations de la gouvernante. *De l'épaule au coude, dix pouces*[16]. *Du cou à la taille, vingt-deux pouces devant, douze derrière. De la taille à l'ourlet, trente-huit pouces.* Elle imaginait déjà la robe qu'elle confectionnerait. Simple mais élégante et, avant tout, pratique.

Quand elle commença à mesurer le tour de taille légèrement épaissi de madame Pringle, la gouvernante murmura :

— Cette information restera entre nous, n'est-ce pas ? Madame Tudhope est la seule responsable. Nous travaillons toutes les deux pour Son Excellence depuis le retour du *Centurion*, et je ne puis résister à ses biscuits sablés.

— Ce sera notre secret, l'assura Elisabeth, tout en mémorisant le chiffre. *Trente et un pouces.*

— Confiez-moi votre panier, si vous voulez, lui dit madame Pringle. Je vous attends à huit heures du matin, prête à commencer.

Son front se contracta légèrement.

— C'est une mise à l'essai, madame Kerr, continua-t-elle, comprenez-moi bien, sans aucune promesse d'engagement.

— Alors, je ferai de mon mieux pour gagner votre approbation et celle de Son Excellence également.

Madame Pringle hocha la tête vers la porte.

— Je vous y encourage, madame Kerr.

---

16. N.d.T. : Un pouce équivaut à 2,54 cm.

Chapitre 28

La prospérité n'est pas sans peurs ni sans désagréments ;
et l'adversité n'est pas sans réconforts ni sans espoirs.
— Sir Francis Bacon

Marjory préparait le thé pour le révérend Brown tout en ne quittant pas les fenêtres des yeux, observant le brillant ciel du soir passer au bleu rosé. Où pouvait bien être Elisabeth ? L'amiral ne s'attendait sûrement pas à ce que le personnel rentre à la maison à pied après le crépuscule ? Parfois, les gens de la noblesse étaient si insensibles.

Marjory avait été nerveuse toute la journée, sursautant au plus petit bruit de pas dans l'escalier, au moindre cri entendu sur la place du marché. Pour envenimer les choses, les jeunes élèves avaient été agitées du début à la fin de la leçon, et Gibson n'avait pu se libérer un seul instant pour leur rendre visite. Puis, à dix-neuf heures, le ministre était arrivé à l'improviste à la maison, demandant à lui parler. « En privé », avait-il insisté. Anne était obligeamment sortie faire une course, laissant Marjory et le révérend converser en paix.

Toutefois, le mot « paix » était le dernier mot qu'elle eût employé pour décrire son état d'esprit à ce moment-là.

Le dos tourné au révérend, Marjory ferma les yeux et pria silencieusement. *Advienne la paix dans tes murs : que soient prospères tes palais !* Si la paix régnait à la ruelle Halliwell ce soir-là et que la prospérité se déversait de Bell Hill, les femmes de la famille Kerr pouvaient envisager l'avenir avec confiance.

Réconfortée par cette pensée, Marjory trancha quelques parts de gâteau au beurre, versa le thé et servit le révérend Brown à table, où il était assis, paraissant plutôt mal à l'aise. Il engouffra le riche gâteau en quelques rapides bouchées et avala son thé en quelques gorgées, comme s'il était pressé de rentrer chez lui.

— Révérend Brown, il est clair que vous avez quelque chose à dire, dit Marjory en déposant sa fourchette, n'ayant aucun appétit. En quoi puis-je vous faciliter les choses ?

— Vous l'avez déjà fait, dit-il d'un ton bourru, et je vous en remercie.

Il s'éclaircit la voix, puis la regarda dans les yeux.

— Je suis venu vous parler de Neil Gibson.

— Oh ?

La peau de Marjory refroidit, son imagination se mit à courir sur la venelle de l'Église. *Comment va Gibson ? Que s'est-il passé ?*

Le révérend se pencha au-dessus de la table, baissant la voix.

— Je suis certain que vous n'êtes pas au courant, madame Kerr, mais Gibson parle de vous d'une manière bien trop familière.

— Trop… familière ?

Elle fronça les sourcils, n'arrivant pas à imaginer une telle chose.

— Qu'est-ce que Gibson dit de moi, si je puis me permettre ?

Le révérend s'adossa à sa chaise, étudiant ses mains, essayant peut-être de penser à un exemple. Finalement, il livra le fond de sa pensée.

— Il n'a jamais parlé de vous en ma présence, dit-il. Mais ce matin, je l'ai entendu dire à la laitière que vous étiez une dame charmante et une grande amie.

Le révérend montra les paumes de ses mains, comme pour la supplier.

— Vous devez comprendre mes inquiétudes, dit-il.

— Oh ! Je les comprends très bien, dit Marjory pour l'apaiser.

Une dame charmante. Une grande amie. Elle ne pouvait se rappeler la dernière fois où on lui avait fait tant de compliments.

— Quoique, ajouta-t-elle, j'aurais été plus contrariée si Gibson avait dit des choses peu flatteuses sur moi. Après tout, il a été à mon service pendant plus de trente ans.

— Précisément, dit le révérend en abattant sa main sur la table pour marquer son insistance. L'homme ne doit pas oublier sa place. En dépit de votre situation actuelle, madame Kerr, vous êtes une dame, et on ne doit pas parler de vous aussi librement, ni en termes aussi chaleureux, surtout pas de la part d'un domestique. On pourrait croire que Neil Gibson nourrit des... espoirs en ce qui vous concerne.

— On pourrait le croire, en effet, acquiesça-t-elle, avant de dissimuler un sourire derrière sa tasse de thé.

Soyez prudent, cher Gibson. Je ne voudrais pas qu'il vous renvoie par ma faute.

— Que me conseillez-vous, révérend Brown? demanda Marjory. Après tout, Gibson est un ami de notre famille. Je ne voudrais pas lui interdire ma porte. Ce ne serait pas très charitable.

Le révérend Brown hocha la tête et la ride de son front s'accusa un peu plus.

— C'est un dilemme, en effet, qui demande plus ample réflexion. Entretemps, je vous demanderais d'être prudente dans vos rapports avec Gibson et de ne pas... hum... l'encourager dans ce sens.

— Jamais je ne ferais pareille chose, dit Marjory doucement.

Elle n'avait pas besoin de le faire. Neil Gibson avait toujours été généreux de ses compliments.

— Il a servi les Kerr de nombreuses années, révérend, reprit-elle. Je prie pour qu'il en fasse de même pour vous.

— Oui, oui, dit-il en se levant, paraissant soulagé d'avoir accompli un devoir d'une grande importance. J'espère que mon mot de recommandation a pu être utile à votre belle-fille aujourd'hui.

Marjory regarda vers la porte et ses peurs la rattrapèrent.

— Nous apprécions infiniment tous vos efforts pour nous aider, dit-elle.

Puis, après quelques échanges de politesses, elle dit au revoir au ministre.

Gardant un œil sur le ciel qui s'assombrissait, elle mit trois couverts, souhaitant que les êtres qui lui étaient chers fussent déjà rentrés à la maison. Bien qu'Anne fût trop âgée pour être sa propre fille, Marjory ne pouvait s'empêcher de ressentir une certaine affection maternelle envers elle. Et Elisabeth *était* sa fille maintenant. La jeune femme ne l'avait-elle pas affirmé elle-même ? *Rentrez vite, mes chères filles.* Quel que soit leur âge, elles seraient toujours jeunes à ses yeux.

Une demi-heure s'écoula lentement tandis que Marjory arpentait la pièce, saisissant des objets pour les remettre aussitôt à leur place, simplement pour occuper ses mains et calmer ses inquiétudes. Lorsqu'enfin elle entendit des voix au pied de l'escalier, elle ouvrit la porte toute grande.

— Annie ? Bess ?

— C'est nous ! lancèrent les jeunes femmes à l'unisson, levant les yeux vers le haut de l'escalier.

Marjory dut se contenir, résistant à l'envie de les prendre toutes les deux dans ses bras. Sa propre mère, Lady Joanna Nesbitt, n'avait jamais embrassé ses enfants, pas même en privé. Mais Marjory pouvait quand même leur prendre les mains pour les attirer vers le foyer.

— Réchauffez-vous, dit-elle, pendant que je vous sers votre dîner.

Elles se lavèrent d'abord les mains, puis se tinrent debout auprès du feu de charbon.

— Je suis affamée, admit Elisabeth. Pardonnez-moi si je mange avant de décrire ma journée à Bell Hill.

— Je vous en prie, dit Anne en versant le thé. Nous garderons nos histoires pour le dessert.

Quand les trois femmes eurent pris place, Marjory sourit.

— La prière avant la viande, dit-on. Même si vous n'en trouverez pas à notre table ce soir.

Elle servit plutôt une tarte aux œufs, l'un des plats favoris d'Helen Edgar. De la cannelle et de la muscade la rendaient savoureuse, de la crème et du beurre en faisaient un plat onctueux, tandis que les raisins de Corinthe offraient aux dents quelque chose à mastiquer.

Marjory fut enchantée de voir ses filles adoptives vider leurs assiettes et le fut davantage encore quand elles acceptèrent une deuxième portion. Elle était surprise par le plaisir qu'elle ressentait en voyant ses êtres chers apprécier ses plats le plus simples. Lady Nesbitt n'aura pas partagé *cette* émotion-là non plus. En ce qui concerne l'opinion probable de sa défunte mère sur Neil Gibson…, eh bien, il valait mieux ne pas penser à certaines choses.

— Nous avons attendu assez longtemps, Bess, dit Anne en se croisant les mains sur les genoux.

Marjory déposa sa serviette de table, souhaitant elle aussi entendre un compte-rendu complet de sa journée.

— Je n'ai pas encore de place, commença Elisabeth, mais j'ai du travail.

Elle poursuivit en décrivant sa longue journée à Bell Hill, depuis sa rencontre avec la timide Molly Easton sur la ruelle Shaw, jusqu'au défi lancé par la remarquable madame Pringle, qu'elle avait relevé avec brio.

— Elle travaillait pour l'amiral à Londres, expliqua-t-elle, et elle n'est à Selkirk que depuis une quinzaine.

Marjory fut heureuse de l'entendre.

— Alors, elle ne sait rien de vos liens jacobites, fit-elle remarquer.

Mais l'expression qu'elle vit dans le visage de sa belle-fille et le temps qu'elle mit à répondre n'étaient pas de bon augure.

— Je les ai révélés moi-même, avoua enfin Elisabeth.

— Oh, Bess! dit Marjory en s'affaissant contre le dossier de sa chaise. Faut-il toujours que vous soyez si honnête?

Anne arqua les sourcils.

— Cousine, je croyais que c'était *vous* qui aviez proclamé le soutien de votre famille à la cause des Stuart devant la paroisse entière.

Lorsque ses deux belles-filles la dévisagèrent — avec une certaine ironie, pensa-t-elle —, Marjory n'eut d'autre choix que de hocher la tête pour se rendre.

— Madame Pringle l'aurait sûrement su de quelqu'un d'autre, dit Elisabeth doucement. J'ai cru qu'il était préférable qu'elle l'apprenne de ma bouche. Et puisqu'elle a insisté pour que je n'en parle jamais à Son Excellence, vous pouvez être assurée de sa discrétion.

Marjory soupira.

— Espérons que Tibbie Cranshaw l'imitera, dit-elle.

— Il se pourrait aussi qu'on ne l'engage pas, lui dit Elisabeth. J'imagine que nous le saurons d'ici un jour ou deux. Ce soir, je ferai le croquis de la robe de madame Pringle et je lui demanderai son approbation demain matin.

Elisabeth fit un clin d'œil à sa cousine avant de poursuivre.

— Je ne partirai pas de la maison aussi tôt que je l'ai fait aujourd'hui. Pas avant sept heures, annonça-t-elle.

— Fainéante, la taquina Anne. Le soleil sera à mi-chemin dans le ciel.

Marjory crut remarquer que sa cousine était de très bonne humeur et chercha à en connaître la raison.

— Auriez-vous fait quelque heureuse rencontre en rentrant, ce soir?

Anne haussa les épaules, mais ne put réprimer un sourire.

— Je suis allée à la boutique de Michael pour rendre le dé de Jenny.

— C'est gentil de votre part de l'avoir fait pour moi, dit Elisabeth.

— Pour *vous*? Oh oui! dit Anne dont les joues rosirent. Peter, lui, semblait très heureux de me voir.

— Et son père? demanda Elisabeth.

Son visage vira à l'écarlate.

— Nous avons bavardé ensemble pendant que monsieur Brodie habillait un client.

Marjory observa Anne avec un intérêt croissant. Qu'y avait-il au sujet de Michael Dalgliesh qui animait tant la jeune femme? L'homme avait belle apparence, certes, et il était un bon raconteur, comme il l'avait démontré lors de la fête d'Elisabeth. Peut-être était-ce Peter Dalgliesh qui avait volé le cœur d'Anne, ce que Marjory comprendrait parfaitement. Donald et Andrew ne le faisaient-ils pas quotidiennement quand ils avaient son âge?

— Et comment monsieur Brodie se débrouille-t-il? demanda Elisabeth.

— Le pauvre Michael passe plus de temps à l'étage qu'au rez-de-chaussée, admit Anne. Il dit que la boutique est trop bien rangée à son goût et qu'il ne trouve plus rien.

— Bien sûr, il n'a jamais pu le faire, dit Elisabeth en souriant à Anne. Bien qu'il semble qu'il ait trouvé quelque chose qui vaut la peine d'être conservé.

Chapitre 29

Une femme est assise dans ses vilains haillons,
Maniant l'aiguille et le fil...
Cousant ! Cousant ! Cousant !
— Thomas Hood

Elisabeth déploya le grand rouleau de drap fin, passant les mains sur la surface duveteuse. *Comme du velours.* C'était l'impression laissée sur ses paumes, tant le tissage, calandré entre des rouleaux chauffés pour produire un fini exceptionnellement lisse, était serré. Elle regarda sa craie et ses ciseaux, brûlant du désir de commencer.

— Est-ce que la table est adéquate pour vous ? demanda madame Pringle, debout près d'elle, les mains posées sur sa taille. Vous devrez libérer cette pièce vers midi, car c'est ici que les domestiques viendront déjeuner à treize heures.

Elisabeth assura qu'elle aurait fini de marquer à la craie et de découper le tissu dans moins d'une heure, puis elle montra le dessin qu'elle avait placé sur un coin de la table.

— Vous êtes tout à fait certaine que ce croquis vous plaît ? La gouvernante lui jeta un regard rapide.

— Cela conviendra, dit-elle distraitement. C'est le confort qui m'importe par-dessus tout.

— Naturellement, acquiesça Elisabeth. Nous ferons deux essayages avant que votre robe soit terminée.

— D'ici samedi, dit la gouvernante d'un ton ferme.

— Oui, madame, dit Elisabeth, qui s'humecta ensuite les lèvres, qui s'étaient desséchées à l'idée de ce qui l'attendait. Si vous voulez bien passer par ici vers quinze heures. Je l'aurai épinglée, et elle sera prête pour votre premier essayage.

Lorsque madame Pringle tendit la main pour palper le tissu, Elisabeth remarqua une légère usure aux bords des poignets de la femme. Quoique son tablier blanc fût bien amidonné, madame Pringle avait besoin d'une nouvelle robe. La couleur gris anthracite de l'étoffe s'harmoniserait avec sa chevelure cuivrée bien mieux que le brun mat que la gouvernante portait présentement, même si Elisabeth se gardait bien de le lui dire.

— Pendant que vous êtes ici, à Bell Hill, dit madame Pringle, on s'adressera à vous par votre nom de famille, madame Kerr, puisque vous ne faites pas partie du personnel.

— Très bien, dit Elisabeth.

Elle savait qu'elle était étrangère, dans tous les sens du terme. Une femme des Highlands, une jacobite, une dame. Si les servantes lui accordaient un peu de leur confiance, elle en serait heureuse.

— Entretemps, continua madame Pringle, j'ai engagé quatorze nouvelles domestiques, qui commencent toutes leur service aujourd'hui.

Elle commença à les énumérer en comptant sur ses longs doigts effilés.

— Deux à la cuisine avec madame Tudhope, deux au petit salon, deux à l'arrière-cuisine, une au service de table, trois aux étages supérieurs, deux aux étages inférieurs et deux filles de laiterie.

Elisabeth inclina lentement la tête. *Et une couturière d'ici la fin de la semaine ? Mon Dieu, faites qu'il en soit ainsi.* Visiblement, ce n'est pas toutes celles qui s'étaient présentées le lundi précédent qui avaient trouvé une place. Elle n'avait pas vu Molly Easton sur la route, ce matin-là. Elle avait marché seule sous un ciel gris lourd de nuages annonciateurs de pluie.

— Les nouvelles servantes doivent arriver à neuf heures, dit madame Pringle en consultant une montre de poche de gentilhomme tirée des replis de son tablier. Autre chose, madame Kerr ?

Elle s'arma de courage et demanda :

— Quand le maître de la maison est-il attendu ?

— Je ne connais ni le jour ni l'heure, lui dit madame Pringle. L'amiral a été en mer les trois quarts de sa vie. Il possède une résidence à Londres et une à Portsmouth, mais n'a jamais été propriétaire d'un domaine à la campagne. Il faudra sans doute plusieurs mois avant que Lord Buchanan considère Bell Hill comme son véritable domicile.

Après une longue pause, elle demanda :

— Avez-vous peur de rencontrer l'amiral en raison de la trahison de votre défunt mari ?

La question directe de la gouvernante surprit Elisabeth.

— Je le crains, admit-elle.

— Alors, nous devons nous assurer de taire ce sujet, dit madame Pringle, qui fit ensuite un pas en arrière. Mettez-vous au travail, madame. Si vous avez besoin de quoi que ce soit, Sally Craig peut vous assister.

Elle se dirigea vers la sortie d'un pas assuré, les talons de ses chaussures claquant sur les dalles du corridor des domestiques.

Ayant la petite salle à manger pour elle seule, Elisabeth se mit au travail immédiatement, marquant l'étoffe foncée avec la craie mince. Que n'aurait-elle pas donné pour avoir le vieux mannequin d'Angus MacPherson et assez de temps pour faire un motif de mousseline ! Affûtés avant son départ d'Édimbourg, les ciseaux glissaient littéralement à travers la laine délicate. Les manches, puis des sections du corsage et divers pans de la jupe furent mis de côté jusqu'à ce qu'il ne restât plus qu'à poser des épingles. Et faire les coutures. Et procéder à l'essayage. Et coudre les ourlets.

Oui, et prier pour que tout soit parfait.

Elisabeth prit l'étoffe et son panier à couture, puis se hâta le long du corridor vers la même pièce douillette où elle avait fait son reprisage la veille. Un feu avait été préparé et de nouvelles bougies brillaient entre les globes d'eau du guéridon porte-luminaire. Elle alluma les deux, heureuse d'avoir à la fois chaleur et lumière, puis s'attaqua au corsage, épinglant les six pièces ensemble, couture après couture.

Tandis qu'elle travaillait, des voix animées filtraient du corridor. Les nouvelles domestiques de madame Pringle, imagina-t-elle. Les voix semblaient jeunes, fébriles et nerveuses. Elle sourit, se rappelant ses premiers jours au pensionnat de mademoiselle Sinclair pour jeunes filles à Édimbourg. Elisabeth avait alors dix-huit ans, était totalement inexpérimentée, ne connaissant rien du monde. Elle avait appris beaucoup dans les années qui avaient suivi. Quelques-unes avaient été difficiles, pourtant toutes lui avaient appris quelque chose.

Qu'est-ce qu'Effie Sinclair penserait si elle le voyait maintenant? Elisabeth considéra sa robe de deuil défraîchie, ses cheveux coiffés à la hâte, ses doigts gercés, et elle sut ce que son ancienne institutrice dirait. «Levez la tête, madame Kerr. Vous avez un bel esprit, un joli visage et la faveur de Dieu. Employez-les au service des autres et vous serez récompensée au-delà de toutes vos espérances.»

Son courage ranimé, Elisabeth épingla ses coutures avec une nouvelle ferveur, ignorant les bruits du corridor et les rires qui fusaient de la cuisine, toute proche. Le corsage fut vite complètement épinglé, comme le furent les manches s'arrêtant au coude, et il ne resta bientôt plus que la jupe. Elle était penchée au-dessus de son ouvrage, les épingles à quelques pouces de son visage, quand une patte grise et blanche vint caresser le bout de son nez.

— Oh! fit-elle en sursautant, le cœur battant la chamade.

Elle leva les yeux vers le visage rond d'un chat qui l'observait. Sa fourrure soyeuse était de la couleur de la nouvelle robe de madame Pringle, mais avec des raies blanches dessinées au hasard, comme si l'animal s'était approché trop près d'un seau de peinture blanche. Ses oreilles étaient larges, ses moustaches longues et ses yeux dorés attentifs. Rien ne devait échapper à son attention, pensa-t-elle.

— À qui peux-tu bien appartenir ? demanda Elisabeth en se penchant pour gratter la tête de l'animal, et elle se rendit compte qu'il ronronnait bruyamment.

Lorsqu'elle reprit position sur sa chaise, le chat plaça ses pattes sur ses genoux, s'étirant pour la flairer.

— Nous devrons en arriver à une entente, toi et moi, dit-elle à la créature poilue. J'ai beaucoup de travail et peu de temps pour te cajoler.

Le chat était d'une douceur remarquable, comme le velours qui se trouvait sur ses genoux. Plus elle lui grattait la tête, plus son ronronnement s'amplifiait, si bien qu'elle était sûre que madame Tudhope surgirait de sa cuisine, une cuillère de bois à la main, pour chasser l'intrus à quatre pattes.

— V'z'avez été élue, dit l'une des jeunes filles par l'embrasure de la porte.

Elisabeth leva la tête et vit Sally qui l'étudiait, un plateau de déjeuner dans les mains.

— Y a pas beaucoup d'servantes qu'y aime, commenta Sally, plaçant la nourriture sur un haut buffet, hors de la portée du chat. Il reste tout seul quand l'maître n'est pas là.

Elisabeth plissa des yeux.

— Tu veux dire qu'il appartient à Lord Buchanan ?

Elle n'aurait pu imaginer qu'un homme aussi important gardât un chat qui furetait dans toute la maison. Des chiens de chasse, peut-être, ou des colleys. Les chats étaient généralement destinés aux granges et aux étables, et non aux manoirs.

Sally expliqua sa présence.

— Son Excellence a dit que le chat était monté à bord à Canton.

— Un chat chinois ? dit Elisabeth en regardant l'animal avec plus d'intérêt. Il est certainement amical.

Sally lança par-dessus son épaule.

— Avec vous, p't-être.

Chapitre 30

Car il ronronne de reconnaissance
quand Dieu lui dit qu'il est un bon chat.
— Christopher Smart

L'ami moustachu d'Elisabeth était encore là, faisant le tour de la pièce, quand elle prit son plateau de nourriture. Le plat de bouillon de bœuf fumant, l'épaisse tranche de pain et la généreuse portion de beurre lui mirent l'eau à la bouche. Elle fit une rapide prière au-dessus de son repas, puis mangea à la petite table avec le chat à ses pieds, qui observait la cuillère aller et venir, ses yeux en amande luisant à la lueur de la bougie.

— J'ai oublié de demander ton nom à Sally, dit Elisabeth.

Elle déposa son assiette presque vide sur le plancher pour qu'il la lèche pendant qu'elle savourait son pudding aux amandes. Elle la reprit ensuite, remit son plateau sur le buffet, se lava les mains dans la cuvette d'eau sous la fenêtre et retourna à son ouvrage.

Mais le chat ne voulait pas partir, même si la porte était grande ouverte et le corridor rempli de sons et d'odeurs tentantes. Tandis qu'elle plantait ses épingles dans la jupe de madame Pringle, le chat s'étirait en face du foyer, les pattes étendues, exhibant son ventre d'un blanc immaculé.

— Tu devras te distraire tout seul cet après-midi, lui dit Elisabeth, car j'ai une séance d'essayage à quinze heures.

Madame Pringle connaîtrait sûrement le nom du chat, s'il en avait un. L'amiral l'appelait peut-être simplement « le chat ».

Elisabeth mettait les dernières épingles aux amples jupes quand madame Pringle apparut, sa montre de poche à la main.

— Je suis ici pour l'essayage, annonça-t-elle.

Peut-être en raison des manières brusques de la gouvernante, ou de sa voix sévère, le chat détala entre ses jupes et franchit la porte comme une trace de fumée grise.

— Ah! Ce *chat*, dit madame Pringle d'un ton exaspéré, avant de refermer bruyamment la porte.

— Rien n'est cousu encore, lui rappela Elisabeth, et les épingles sont pointues, alors prenez garde quand je vous passerai la robe.

Puis, elle se mit à ajuster le vêtement avec efficacité.

— Nous pouvons retirer un bon pouce à la taille, déclarat-elle, ce qui provoqua un léger sourire sur le visage de la gouvernante, comme Elisabeth l'avait souhaité, l'ayant faite trop ample d'un pouce à la ceinture.

Une couturière avisée devait savoir flatter la clientèle.

— J'aurais aimé avoir un miroir sur pied, dit Elisabeth, afin que vous puissiez voir que l'étoffe s'accorde à ravir avec votre teint.

Madame Pringle effleura sa coiffure.

— Ils étaient encore plus pâles quand j'étais jeune fille.

Elisabeth sourit. *Enfin, quelque chose de personnel.*

— C'est une jolie nuance, comme une orange fraîche.

La gouvernante détourna le regard, mais pas avant qu'Elisabeth n'ait vu l'ombre d'un sourire dans ses yeux.

— Si vous avez terminé, dit madame Pringle, il y a quelques jeunes filles qui ont besoin d'être consolées.

Elle s'habilla en vitesse, puis regarda Elisabeth dans les yeux.

— Vous êtes faite de la plus solide étoffe, madame Kerr, lui dit-elle. Je ne m'imagine pas en train de sécher vos larmes.

Elisabeth plongea une épingle égarée dans sa pelote.

— Si vous aviez été là en janvier, quand j'ai perdu mon mari, tous les mouchoirs de vos tiroirs n'auraient pas suffi à essuyer mes larmes.

— Bien sûr, dit madame Pringle en nouant les cordons de son tablier. C'est vrai pour nous toutes. Monsieur Pringle est mort de la peste peu après notre mariage.

— De la peste? s'exclama Elisabeth involontairement.

— Il s'était rendu sur l'île de Man avec un autre commerçant afin d'acheter de la marchandise. Quand des navires en provenance de Marseille ont accosté au port, les rats à bord ont propagé la maladie sur l'île.

Son compte-rendu était détaché, mais la tristesse dans ses yeux était réelle. Elle fouilla dans la poche de son tablier, en sortit deux shillings, puis les plaça dans la main d'Elisabeth.

— Pour le reprisage d'hier, dit-elle. Madame Craig, notre première lavandière, a dit que vous aviez fait un travail exceptionnel.

Elisabeth serra les doigts sur pièces, transportée de joie.

— Je ne m'attendais pas à ceci...

Madame Pringle avait déjà ouvert la porte quand elle se tourna pour demander :

— Cela ne vous dérangera pas de passer la semaine seule ici?

Elisabeth entraperçut une queue grise qui se glissait près des jupes de la gouvernante.

— Je pense que j'aurai de la compagnie, dit-elle.

Le chat trotta à travers la pièce et vint s'installer devant le foyer, apparemment fort satisfait de lui-même.

— Est-ce que cet animal a un nom?

Madame Pringle fit une légère grimace.

— L'amiral l'a appelé Charbon. Un mot français, apparemment.

Naturellement. Elisabeth sourit au chat et ensuite à la gouvernante.

— Il est gris charbon, en effet, tout comme le tissu que Lord Buchanan a choisi. Croyez-vous qu'il ait voulu que le personnel de sa maison ressemble à son chat?

— J'en doute, dit madame Pringle, que la remarque
n'amusa pas. Je ne vous reverrai pas avant samedi. J'espère
que vous avez tout ce qu'il vous faut pour compléter ma robe ?

— Oui, madame.

Elisabeth glissa les pièces dans sa poche en récitant pour
elle-même : « mouton et veau, saumon et bœuf », car c'est
sûrement à cela qu'elle emploierait ses gains. Elle regarda
Charbon, puis demanda à voix haute :

— Pourquoi un mot français, pensez-vous ?

— Je ne peux répondre à cette question, dit madame
Pringle en faisant un pas dans le corridor. Le père de Lord
Buchanan était Écossais. Mais sa mère était Française.

Le mercredi se leva encore plus gris. Quoique l'air fût doux,
un vent capricieux soulevait les jupes d'Elisabeth au-dessus
de ses chevilles alors qu'elle escaladait la colline Bell, en route
pour une autre journée de couture. À Édimbourg, la brise
était souvent chargée d'embruns de la mer du Nord, mais pas
dans le Borderland. Est-ce que la senteur vivifiante de l'océan
manquerait à l'amiral quand il viendrait s'installer pour de
bon ? Un jour, elle le lui demanderait. Quand elle le rencon-
trerait. Si elle le rencontrait.

Suivant l'avis de Sally, Elisabeth emprunta l'entrée de service, qui permettait de contourner la maison par l'arrière,
plutôt que de traverser les grandes salles du haut. Après avoir
franchi la porte, sa salle de travail n'était plus qu'à quelques
pas. Sa robe non terminée l'y attendrait là où elle l'avait
laissée, sur le dossier d'une chaise. Madame Pringle semblait
tenir la maison avec autant de poigne que l'amiral commandait son navire, car le plancher était bien balayé, le feu toujours pétillant, les chandelles allumées, et le pichet rempli
d'eau avec une serviette propre à côté.

Un plateau de petit-déjeuner, recouvert d'une serviette de
lin, était déposé sur la table. Elisabeth la souleva et fut
enchanté de découvrir un œuf bouilli, des petits pains au

beurre et un plat de bacon. Personne n'aurait pu deviner qu'elle avait dormi trop longtemps et qu'elle n'avait pas eu le temps de prendre une seule bouchée, pourtant il y avait là un repas appétissant qui l'attendait.

— Bonjour, dit Sally depuis l'embrasure de la porte, tenant sa théière. Puis-je vous servir votre thé ?

— Je t'en prie, dit Elisabeth, tenant la tasse vide et la soucoupe. J'avais oublié la sensation délicate de la porcelaine sur mes lèvres. À la maison, nous utilisons des tasses de bois.

Sally ne dit rien, quoiqu'une lueur de surprise s'allumât dans ses yeux bleu marine. À la campagne, où les riches et les pauvres vivaient côte à côte, mais ne partageaient ni la même table ni le même lit, la situation d'Elisabeth — une dame de bonne éducation vivant dans la pauvreté et travaillant au service de la noblesse — devait lui paraître inusitée.

Dès que Sally eut disparu dans le corridor, Charbon entra dans la pièce, sa queue grise levée comme un drapeau la saluant silencieusement. Il inspecta ses chaussures, toujours mouillées par la rosée de l'herbe, puis renifla l'ourlet de sa robe.

— Oui, c'est la même robe, lui dit-elle.

Elle était tout à fait certaine que non seulement Charbon l'entendait, mais aussi qu'il la comprenait et le lui signifiait par un long battement de cils.

— Installe-toi bien au chaud près du feu pendant que je prends mon petit-déjeuner. Je promets de garder un peu de bacon pour toi et de te gratter la tête avant de reprendre l'aiguille.

Charbon s'installa en prenant tout son temps, faisant battre sa queue sur le plancher, attendant que son tour vînt.

Le samedi, Elisabeth entreprit sa promenade à l'est vers Bell Hill d'un pas léger. Bien que l'air fût encore humide, la pluie avait cessé et les hauts nuages n'étaient plus menaçants.

Mais ce ne fut pas le beau temps qui la rendait si optimiste : la robe de madame Pringle était terminée. Il restait les
boutons à ajouter, les poignets à ourler, les manches à repasser,
mais le travail le plus difficile était fait.

Elisabeth avait confectionné plusieurs vêtements dans sa
vie, pourtant aucun n'avait eu l'importance de celui-ci. Il fallait satisfaire madame Pringle, bien sûr, et Lord Buchanan
encore davantage. Mais même s'il n'y avait que le Tout-
Puissant pour apprécier son labeur, Elisabeth pourrait dormir
tranquille, cette nuit-là.

« Ce qui plaît à Dieu est la foi », lui avait rappelé sa belle-
mère au-dessus de leur bol de porridge. « Et toi, ma chère, tu
en possèdes en abondance. »

Elisabeth avait porté l'assurance de Marjory avec elle ce
matin-là, en passant par la porte Foul Bridge, puis à travers la
large prairie avant de commencer l'ascension jusqu'à Bell
Hill. Elle choisit l'entrée principale, espérant glaner quelques
informations en route vers sa salle de travail.

— Verrons-nous l'amiral aujourd'hui ? demanda-t-elle au
valet de pied à la porte.

— Je ne peux le dire, madame, répliqua-t-il, bien que son
demi-sourire suggérât le contraire.

En franchissant le grand hall, Elisabeth vit des servantes
partout, époussetant, frottant et polissant toutes les surfaces
pour les faire briller. Alors qu'elle s'engageait dans le long
corridor, elle découvrit deux valets astiquant les appliques
murales et taillant les mèches des chandelles, tandis qu'un
troisième accourait avec une brassée de bois pour le foyer.

Au milieu de l'agitation, elle entendit prononcer son nom.

— Madame Kerr ?

— Bonjour madame Pringle, dit-elle, se retournant pour
la saluer.

La gouvernante pressa le pas pour la rejoindre, visiblement agitée.

— Je sais que mon dernier essayage devait avoir lieu à quinze heures, cet après-midi. J'aimerais qu'il ait lieu dès onze heures, car je tiens à porter ma nouvelle robe aujourd'hui même. Serez-vous prête pour moi?

Elisabeth déglutit.

— Oui, dit-elle.

— À tout à l'heure, alors, dit la gouvernante qui disparut dans la direction opposée.

Son cœur battant à tout rompre, Elisabeth se dirigea vers l'atelier, ne regardant ni à droite ni à gauche, afin de ne pas se laisser distraire. Sa liste de tâches à compléter s'allongeait à chaque pas. Elle n'avait pas encore cousu les poches dans les doublures, destinées à recevoir les herbes odorantes. Pas plus qu'elle n'avait fixé les pièces de lin à l'intérieur de chaque poignet, pour y loger les petits poids qui maintiendraient les manches en place. Et il restait à finir les boutonnières. Et il fallait encore ajouter une rangée d'œillets et d'agrafes à la robe.

Une chansonnette d'enfant lui trottait dans la tête alors qu'elle se hâtait de descendre vers la grande salle de l'étage inférieur. *Jacques, fais vite! Jacques, va vite!* Heureusement, la chandelle du guéridon était déjà allumée et il y avait aussi des bûches dans le foyer. Elle fut presque soulagée de constater que personne ne lui avait apporté de petit-déjeuner. Comment aurait-on pu y penser, alors que chaque paire de mains s'activait pour préparer la maison en prévision du retour de l'amiral Lord Jack Buchanan?

Elisabeth était persuadée de son arrivée, maintenant. Rien d'autre ne pouvait expliquer ce tourbillon d'activités. *Il était temps de te joindre à eux, Bess.*

S'efforçant de respirer, de penser, de planifier, elle commença par les touches finales qui importaient le plus et repassa mentalement sa liste de choses à faire. Charbon devait avoir senti sa fébrilité, car il se blottit sur la chaise opposée à la sienne, heureux, semblait-il, de sa simple présence.

À chaque heure qui passait, le bourdonnement des domestiques dans le couloir gagnait en intensité, tandis que l'excitation et l'hystérie semblaient s'être emparées de tous ceux qui passaient devant la porte. Des chaudrons et des casseroles s'entrechoquaient dans la cuisine et des arômes de cuisson emplissant l'air. Madame Tudhope servait du poisson, de la viande et de la volaille, et une variété d'autres plats, tous choisis pour satisfaire le maître de céans.

Lorsque madame Pringle entra en trombe, le visage rouge comme une pivoine, Elisabeth lui demanda de s'asseoir un moment.

— Votre robe est prête, l'assura-t-elle, mais le tissu collera à votre peau si vous ne prenez pas un moment pour vous calmer.

Elle pressa une serviette humide et fraîche sur le front de la gouvernante et lui offrit une tasse de thé tiède, que madame Pringle savoura comme un élixir.

Après avoir fermé la porte, Elisabeth l'aida à passer sa nouvelle robe, sans cesser de prier. *Faites qu'elle lui aille parfaitement, mon Dieu. Faites qu'elle soit satisfaite de mon travail.* Elisabeth ajusta le corsage, puis fixa les agrafes aux œillets, comme si elle avait été une camériste habillant sa maîtresse.

— Comment vous sentez-vous dans votre robe ? demanda-t-elle, bien qu'Elisabeth pût voir qu'elle épousait les courbes naturelles de son corps.

Madame Pringle fit courir ses mains sur la robe, inspectant chaque couture critique autour du corset et de la taille.

— L'étoffe est de belle qualité, dit-elle.

Mais qu'en est-il de la réalisation ? De la robe elle-même ? Elisabeth tint sa langue, se souvenant des paroles de Dieu. *La foi est ce qui plaît à Dieu.*

Dans son panier à couture, Elisabeth s'empara du miroir d'Anne emprunté pour la journée.

— Voyez le résultat, dit-elle à la gouvernante. Je crois que vous trouverez que la couleur et le style vous vont à ravir.

Madame Pringle tint le miroir aussi loin que possible, regardant son reflet. Dans la douce lumière de la bougie, les lignes et les rides de son visage disparaissaient, à l'exception des rares rides creusées par son sourire.

— Je crois qu'il sera très heureux.

C'était tout ce qu'Elisabeth avait besoin d'entendre.

— Bon, dit la gouvernante, qui remit le miroir à Elisabeth et redressa les épaules. Vous devez coudre l'ourlet immédiatement, madame Kerr, car nous n'avons plus de temps à perdre. Lord Buchanan peut arriver à tout moment.

Chapitre 31

Et à la toute fin, un amiral arriva.
— Robert Southey

— Presque à la maison, milord.

Jack Buchanan posa le regard sur Bell Hill, à moins d'un mille de distance. Il n'y avait résidé que deux semaines, et la moitié de ce temps-là, il l'avait passé ailleurs. Est-ce qu'un manoir, même aussi vaste, allait finalement l'attacher à la terre ferme ? Au cours de ses quarante années d'existence, il n'avait jamais posé le pied en Écosse, la terre natale de son père. Pourtant, il y était maintenant, observant le panorama de collines verdoyantes acheté avec de l'or espagnol.

La maison ? Cela restait à voir.

Jack éperonna son cheval et lança par-dessus son épaule :

— Accrochez-vous, Dickson. Je ne tiens pas à prendre mon déjeuner froid.

— Pas plus que moi, milord, répliqua son valet.

Bon cavalier, Christopher Dickson se rapprocha de Lord Buchanan, et leurs chevaux, allongeant la foulée, couraient maintenant au grand galop.

Jack projeta son poids vers l'avant, se soulevant légèrement de sa selle, bien en équilibre, tandis que sa monture fonçait vers les écuries. Il savourait le vent frais sur son visage et la pure puissance du magnifique animal sous lui. Après de si longues années à n'avoir chevauché que des vagues, Jack appréciait le pur-sang gris avant toutes ses autres possessions terrestres.

Les branches majestueuses des chênes, des érables, des ormes s'arquaient au-dessus de lui alors qu'il approchait de sa propriété. Il modéra l'allure de son cheval avec une petite secousse sur les rênes. Quelques instants plus tard, la monture et le cavalier rentraient aux écuries, et Jack remettait à contrecœur les guides à son premier cocher.

— Janvier a mérité son avoine et son foin, dit Jack à Timothy Hyslop, un domestique à la chevelure noire.

Un homme taciturne dans la trentaine, le cocher n'adressait que peu de paroles aux autres bipèdes. Il conduisit le cheval dans la fraîcheur des écuries, murmurant quelques paroles tendres aux oreilles veloutées de Janvier, tandis que Dickson descendait à son tour et tendait les rênes à l'un des palefreniers.

Alors que les deux hommes marchaient en direction de la maison, Dickson lui fit ce rappel :

— Tout le nouveau personnel de Roberts et de madame Pringle sera à la porte d'entrée pour vous accueillir.

Jack ralentit le pas, donnant à l'homme de plus petite taille le temps de le rattraper.

— Vous voulez dire que je ne pourrais me faufiler par l'entrée des domestiques et rafraîchir d'abord ma toilette ?

— Je crains que non, milord, fit Dickson en souriant.

Ayant fait le tour de la planète à son service, le valet savait que son maître se souciait fort peu des apparences.

Jack ne se soumettait aux bons soins de Dickson que dans les circonstances où la tenue était vraiment importante. En ce dernier jour de mai, il n'était qu'un gentilhomme rentrant à la maison après avoir réglé des affaires à Édimbourg. Les affaires du roi, à l'évidence, mais rien qui n'exigeât de porter du velours ou de la soie.

Après avoir tourné le coin du manoir, Jack trouva son majordome, George Roberts, au garde-à-vous près de l'entrée, avec les domestiques alignés de part et d'autre de l'allée pavée. En compagnie de Dickson et d'Hyslop, de mesdames Pringle et Tudhope, Roberts était venu de Londres à la demande de Jack. Celui-ci leur vouait une confiance absolue et avait remis Bell Hill entre leurs mains capables à Whitsuntide, afin qu'ils choisissent les domestiques qu'ils estimeraient être les meilleurs.

Dans quelques minutes, il saurait s'ils avaient été ou non à la hauteur de la tâche.

Dès que Jack marcha sur l'allée pavée, Roberts l'annonça.

— Lord Jack Buchanan, amiral de la marine de Sa Majesté Royale et maître de Bell Hill.

Jack avait l'habitude d'être salué par ses hommes à bord de son navire, mais ces deux longues haies de personnes s'inclinant et faisant la révérence le mirent presque mal à l'aise. Seul le Tout-Puissant méritait une telle obéissance. Jack leva son chapeau et dit joyeusement :

— Que le Seigneur soit avec vous.

Une servante aux yeux brillants fit un pas audacieux en avant.

— Que Dieu vous bénisse, m'sieur.

Quand Jack hocha la tête dans sa direction, heureux de sa réponse, tous les autres suivirent son exemple, et leurs bénédictions chaleureuses volèrent dans l'air comme les pétales d'aubépines du 1er mai.

Au milieu de leurs exclamations de bienvenue, Roberts s'avança, un homme élégant de haute taille de cinquante-cinq ans, portant une chevelure brun clair encore fournie.

— Bienvenue chez vous, monsieur. Puis-je me permettre de vous présenter vos nouveaux domestiques ?

— Je vous en prie, répondit Jack.

De toute évidence, le déjeuner devrait attendre.

Roberts présenta plus d'une douzaine d'hommes d'âges variés qui allaient servir en tant que valets, cochers et palefreniers. Jack avait protesté quand Roberts avait suggéré d'embaucher un page. « Trop présomptueux », avait-il répondu au majordome.

Après que les domestiques masculins eurent été renvoyés à leur travail, ce fut au tour de la gouvernante de faire ses présentations. Lorsqu'il avait engagé Mary Pringle deux ans auparavant, Jack avait conclu que cette femme pouvait facilement commander n'importe quel gaillard d'arrière de la flotte.

— Bon après-midi, madame Pringle, dit-il, remarquant sa nouvelle robe. Est-ce là l'étoffe que nous avons rapportée de Londres?

— En effet, monsieur.

Elle fit une courte révérence, et de grosses plaques rouges apparurent sur ses deux joues.

— J'aimerais vous présenter nos nouvelles servantes.

Madame Pringle avait dressé une liste qui contenait non seulement les noms complets de ses employées, mais aussi leur origine et l'expérience qu'elles apportaient. Un processus laborieux, pourtant chaque jeune fille semblait reconnaissante de voir ses mérites reconnus.

Quand les présentations furent faites, les servantes se dispersèrent — à la cuisine ou dans la salle à manger, espéra Jack. Ce n'est qu'à ce moment-là qu'il remarqua une autre femme à peine visible dans l'embrasure de la porte. Sa robe noire défraîchie trahissait une veuve de condition modeste, pourtant elle n'était pas inscrite sur la liste de madame Pringle.

Le visage de l'étrangère était dans l'ombre de la grande porte ouverte, mais il vit distinctement Charbon blotti à ses pieds. Jack pouvait pratiquement entendre le chat ronronner de l'endroit où il était.

— Roberts?

Son majordome fut à ses côtés immédiatement.

— Oui, monsieur.

— Qui est cette veuve à la porte?

— C'est une femme des Highlands. Elle arrive d'Édimbourg accompagnée de sa belle-mère, une certaine madame Kerr.

Jack fronça les sourcils.

— *Kerr* n'est pas un nom typique des Highlands.

Plissant légèrement les yeux, il entraperçut des cheveux bruns, presque pareils aux siens, un cou gracile, une peau pâle, mais il ne put distinguer ses traits.

— Quel âge peut-elle avoir ? demanda-t-il au majordome.

Le maître d'hôtel s'éclaircit la gorge.

— On ne peut en être sûr à moins de le lui demander, mais selon moi, vingt-cinq ans.

Elle est jeune, donc, pensa Jack. Mais tout le monde ne l'était-il pas pour un homme de quarante ans ? Tandis que Jack l'observait, elle s'éclipsa dans le labyrinthe du manoir avec Charbon sur ses talons.

— Madame Pringle en sait peut-être un peu plus long sur son histoire, dit Jack.

— Je crois que oui, monsieur. Vous pouvez lui parler à tout moment, bien sûr, mais vous préférerez sans doute attendre d'avoir pris votre déjeuner.

— Oui, oui, acquiesça Jack en se dirigeant vers la porte. Il est temps de déjeuner.

Jack était fort malheureux. Sur le *Centurion*, il déjeunait avec les autres officiers présents à la table du capitaine, un groupe toujours convivial. À Londres, il prenait ses repas dans les meilleurs hôtels et les meilleurs pubs, entourés d'hommes enjoués, aussi bien amis qu'étrangers. Mais d'être assis seul au bout d'une longue table chargée d'assez de nourriture pour rassasier dix âmes affamées pendant que Dickson restait planté debout derrière lui, que deux valets se tenaient immobiles à la porte et que des servantes entraient et sortaient en fuyant son regard, eh bien, c'était peut-être convenable, mais cela ne lui plaisait guère.

Il fit venir Roberts auprès de lui.

— Je me demandais si vous et Hyslop pourriez vous joindre à moi à la table, de temps à autre. Même si j'admets que c'est fort peu conventionnel.

Le visage de Roberts se vida de ses couleurs.

— Monsieur... nous ne pouvons pas...

Jack le regarda dans les yeux.

— Même si je l'ordonne ?

— Oh ! Dans ce cas, bien sûr, monsieur, mais... les autres...

Roberts étendit les mains, puis les joignit de nouveau, l'équivalent d'un haussement d'épaules poli. Voyant à quel point l'idée le rendait mal à l'aise, Jack fit une autre proposition moins audacieuse.

— Le révérend Brown a fourni une liste de personnes de qualité du Selkirkshire. Serait-il possible d'envoyer des invitations à déjeuner et à dîner ? Deux ou trois fois par semaine, peut-être ?

Roberts parut soulagé.

— Je m'en occupe immédiatement.

Au moins, c'était un début. Jack jeta sur la table un regard circulaire, jonglant avec une autre idée.

— Combien de convives peut-elle accueillir ?

— Trente, dit Roberts, mais l'ébéniste doit encore livrer une douzaine de chaises.

— Assurez-vous qu'elles soient terminées d'ici la fin de juin, dit Jack en regardant la pièce vide, alors qu'une image se formait dans son esprit. Le dernier jour de chaque mois, je compte inviter toute la maisonnée à dîner avec moi.

Il se tourna vers Roberts.

— Pouvez-vous vous en charger ?

Sa voix était nettement moins assurée.

— Si tel est votre souhait, Votre Excellence.

— Ce l'est, l'assura Jack, imaginant déjà la soirée.

— Mais je dois vous mettre en garde, monsieur, leurs manières de table…

— Ils sauront déplacer la nourriture de la table à leur bouche, je présume?

Jack sourit à l'homme qui supervisait la bonne marche de Bell Hill. Roberts était prudent et n'avait que ses intérêts à l'esprit, mais il savait aussi se plier aux fantaisies de son maître.

— Le dernier jour de juin, dit Jack. J'attends ce moment avec impatience.

Roberts s'inclina.

— Autre chose, milord?

Jack repoussa sa chaise et s'étira les jambes.

— Allez chercher madame Pringle. Et cette dame du nom de Kerr.

Chapitre 32

Que l'honnêteté soit comme le souffle de ton âme.
— Benjamin Franklin

— Est-ce que Son Excellence a été satisfaite ? demanda Elisabeth, dont l'aiguille progressait point par point dans le drap fin.

Elle avait libéré la gouvernante avec une telle hâte que les derniers pouces de son ourlet étaient simplement épinglés en place.

— Espérons qu'il n'a pas remarqué les petits reflets métalliques le long de la bordure, ajouta-t-elle.

La gouvernante baissa son regard sur elle.

— Rassurez-vous, répondit-elle. Et même s'il n'a pas complimenté votre robe, l'expression de son visage était éloquente.

Elisabeth avait remarqué cette expression. Les sourcils levés, les yeux brillants, la bouche incurvée en une fine ébauche de sourire. Il était encore plus grand et plus large d'épaules qu'elle l'avait imaginé, sa peau était tannée par le soleil, et sa mâchoire légèrement contractée par des années de commandement.

Elle se rappela l'opinion de Sally Craig au sujet de l'amiral. *Pas très bel homme.* Mais Sally était jeune.

— Madame Pringle ? dit Roberts, qui venait d'apparaître dans l'embrasure de la porte de la salle de travail. Son Excellence aimerait s'entretenir avec vous. Et avec madame Kerr.

Elisabeth agrippa son ouvrage pour empêcher ses mains de trembler, puis leva les yeux vers la gouvernante.

— Que veut-il savoir ?

— La vérité, dit madame Pringle fermement. Ce n'est pas un gentilhomme dont on peut se jouer. S'il vous parle de votre famille des Highlands, vous devrez répondre honnêtement.

— Est-ce à *moi* de parler?

La gouvernante hocha négativement la tête.

— Je le verrai d'abord, pendant que vous attendrez à la porte, dit madame Pringle, qui se pencha vers elle et baissa la voix. Pendant que vous *écouterez* à la porte, vous me comprenez?

Elisabeth déglutit.

— N'est-ce pas… déshonorant?

— Non, c'est prudent, insista la gouvernante. Vous saurez ce que Son Excellence et moi disons et déciderez ce qu'il convient ou non d'ajouter. Allez, finissez vos points, car il n'aime pas qu'on le fasse attendre.

Elisabeth termina sa couture à la hâte, et les pensées se bousculaient dans sa tête. *Parle franchement.* Comment pourrait-elle faire autrement? *Agrée les paroles de ma bouche et le murmure de mon cœur.* Oui, ce serait sa prière pendant qu'elle attendrait dans le corridor. Si Gibson avait raison et que Lord Buchanan était un homme qui voulait plaire à Dieu, alors elle les honorerait tous les deux avec la vérité.

Elle noua son fil d'un petit coup sec, puis se leva en secouant les retailles de sa jupe.

— Puis-je avoir un moment pour refaire ma toilette?

— Faites vite, l'intima la gouvernante.

Elisabeth se précipita vers le pichet d'eau, se lava les mains et le visage, puis se lissa les cheveux, souhaitant avoir une brosse. Le miroir d'Anne, qu'elle avait pris dans son panier à couture, confirma les craintes d'Elisabeth : sa peau se couvrait de taches de rousseur à la suite de ses promenades matinales, les cernes sous ses yeux trahissaient un manque de sommeil, et ses cheveux étaient une masse de mèches et de boucles emmêlées par la chaleur de l'été.

— Vous êtes tout à fait présentable, dit madame Pringle avec une note d'impatience dans la voix. Venez, il faut y aller.

Quelques instants plus tard, Elisabeth était assise à l'extérieur de la salle à manger sur une chaise que Roberts avait placée exprès près de la porte. Il lui souhaita bonne chance avec un clin d'œil complice avant de s'éloigner.

— Je vous appellerai bientôt, murmura madame Pringle.

Elle entra d'un pas assuré dans la pièce et salua l'amiral.

— Comment puis-je vous être agréable, milord ?

Croisant les mains sur les genoux, Elisabeth écouta, presque immobile, respirant à peine.

La voix de l'amiral flotta dans le couloir.

— J'ai remarqué une jeune femme qui se tenait dans l'entrée lorsque je suis arrivé, pourtant vous ne me l'avez pas présentée.

— Veuillez me pardonner, répondit immédiatement madame Pringle. Comme il n'était pas dans nos plans d'engager une couturière, madame Kerr n'est pas encore à votre emploi. Il me semblait déplacé de l'inclure avec les autres.

— Je vois. Elle est couturière, dites-vous ? Je présume que c'est elle qui a confectionné votre nouvelle robe, n'est-ce pas ?

— En effet, milord.

Elisabeth ne pouvait ignorer leur conversation, même si elle l'avait voulu. La chaise était trop proche, les voix trop claires. Par-dessus tout, son avenir dépendait des questions demandées, des réponses qui s'ensuivraient, et de la clémence de l'amiral. Elle ne trouverait sans doute pas d'autre travail à Selkirk. Michael Dalgliesh avait mis à profit son talent, certes, mais les autres tailleurs de la paroisse semblaient moins empressés de le faire.

— Je connais peu de chose aux vêtements féminins, dit Lord Buchanan, mais je reconnais la qualité quand je la vois. À quel moment et en quelles circonstances madame Kerr s'est-elle présentée à notre porte ?

Elisabeth tendait l'oreille pendant que madame Pringle décrivait son arrivée le lundi de Whitsuntide.

— Elle est venue à bout d'un panier complet de linge à raccommoder en une seule journée, œuvrant du matin jusqu'au soir, ne s'interrompant qu'un court moment pour prendre son déjeuner dans sa salle de travail.

— Elle ne craint donc pas le dur labeur.

— Au contraire, dit la gouvernante avec emphase, elle l'accepte volontiers.

Elisabeth entendit l'amiral changer de position sur sa chaise.

— Et que savez-vous d'autre sur madame Kerr? Est-elle encline à boire? À colporter des commérages? À folâtrer avec les domestiques? À commettre de menus larcins dans les tiroirs? Ou est-elle au contraire une femme dévote?

— Oh, très dévote! dit madame Pringle. Sally Craig m'a dit que madame Kerr priait avant de prendre son thé et la moindre bouchée. Très souvent dans nos conversations, elle a cité des passages des psaumes. Je ne crois pas qu'elle l'ait fait pour m'impressionner.

Les paroles de la gouvernante firent réfléchir Elisabeth un moment. *Est-ce bien vrai? Ne m'arrive-t-il pas de rechercher secrètement l'approbation d'autrui?* À ce moment-là, elle voulait à tout prix entrer dans les bonnes grâces de Lord Buchanan. Mais si elle n'était pas tout à fait sincère, il la percerait sûrement à jour.

Madame Pringle fit une suggestion :

— Peut-être devriez-vous lui parler vous-même, milord.

Elisabeth se leva tout de suite, car elle voulait être sûre que ses genoux la soutiendraient. Elle ne voulait pas tituber en présence de l'amiral. Quand madame Pringle apparut, pas un mot ne fut échangé. Elles entrèrent dans la pièce somptueusement décorée, avec ses hauts plafonds, ses énormes chandeliers de verre, ses longues fenêtres faisant face au sud et sa massive table en acajou.

Lorsqu'Elisabeth eut posé le regard sur Lord Jack Buchanan, le décor perdit tout intérêt. Bien qu'elle l'ait déjà vu de loin, elle pouvait maintenant prendre sa véritable mesure. Son front était buriné par une vaste expérience de la vie, et ses yeux bruns brillaient d'intelligence.

— Milord, dit-elle, puis elle fit une révérence.

— Madame Kerr, dit-il avec un hochement de tête poli. Roberts m'a informé que vous êtes des Highlands.

Il se tut, comme s'il attendait qu'elle donne elle-même des précisions à ce sujet.

— Je suis née à Castleton-de-Braemar, dans l'Aberdeenshire, commença-t-elle, la seule fille de Fiona et James Ferguson, tisserand de son métier.

— Et qu'est-il advenu de votre famille des Highlands?

— Mon père est mort, ainsi que mon frère, Simon. Ma mère s'est… remariée.

Elisabeth espéra ne pas avoir à fournir plus de détails. Le seul fait de parler de Ben Cromar lui donnait la nausée.

Son Excellence changea plutôt de sujet.

— Roberts dit aussi que vous êtes venue à Selkirk depuis Édimbourg.

— À l'âge de dix-huit, je suis arrivée dans la capitale pour y recevoir mon éducation et j'ai travaillé comme couturière chez un tailleur du Lawnmarket.

Lord Buchanan s'adossa à sa chaise.

— Peut-il me le confirmer par écrit?

— Angus MacPherson est mort, milord. Et son fils, peut-être aussi, je le crains.

Elle baissa le regard un moment, afin de retrouver son aplomb.

— Et vous avez porté votre mari en terre récemment, dit l'amiral.

— Hélas, je n'ai jamais vu sa tombe. Il est mort au combat. À Falkirk, en janvier.

Lord Buchanan se redressa et son expression était plus sérieuse.

— Votre mari était soldat? Highlander aussi, je présume?

Elisabeth hésita, mais seulement un moment. *Dis-lui la vérité.*

— Il était soldat. Mais il est né dans les Lowlands. C'est pourquoi ma belle-mère est rentrée chez elle, à Selkirk.

Il la regarda plus attentivement encore.

— Et vous êtes venue avec elle, même si le Borderland n'est pas votre terre natale?

— Ma belle-mère est ma seule famille à présent, dit Elisabeth, qui écarta les mains, cherchant les mots justes. En vérité, nous partageons plus que le même nom. Nous avons foi toutes deux dans le même Dieu.

Il se leva lentement, sans jamais la quitter des yeux.

— Madame, ce que vous venez de dire l'emporte sur tout le reste.

Elisabeth leva les yeux pour croiser son regard.

— Si vous désirez en prendre connaissance, j'ai des références de Michael Dalgliesh, un tailleur de Selkirk, et du révérend Brown.

— Laissez-les à madame Pringle, si vous voulez, mais je n'ai pas besoin de les voir.

Elisabeth eut l'impression que le sol s'effondrait sous elle. Cela signifiait-il qu'il n'était pas intéressé à ses services?

— Milord, j'ai vraiment besoin de cette place, plaida-t-elle.

Le regard de l'amiral demeura fixé dans le sien.

— Et moi, j'ai besoin d'une couturière.

Veut-il dire que... Elisabeth s'humecta les lèvres, devenues soudain très sèches. *Vais-je être...?*

— Dieu sait, continua-t-il, que j'ai apporté assez d'étoffe de Londres pour vêtir la moitié du pays. Mais d'abord, je serai heureux de voir toutes mes servantes aussi bien habillées que ma gouvernante.

Quand madame Pringle se raidit imperceptiblement, il modifia ses paroles.

— Enfin, *presque* aussi bien habillées. Un modèle plus simple conviendra mieux au reste du personnel. Nous disons... dix-huit robes en tout, madame Pringle?

— Cela suffira, confirma la gouvernante, qui parut satisfaite.

Elisabeth les regarda tous deux, voulant être certaine qu'elle avait bien compris.

— Alors... je suis... engagée?

— Assurément, dit Lord Buchanan. Que diriez-vous de rester six mois à mon service? À partir de maintenant jusqu'à la Saint-André?

Le 30 novembre. Elle hocha la tête, ne sachant si elle devait parler ou non. *Que Dieu bénisse cet homme.* Son avenir, ainsi que celui de Marjory, était assuré — au moins jusqu'à la fin de l'année.

— Comment puis-je vous remercier?

— Ne me remerciez pas maintenant, protesta-t-il, car vous travaillerez très dur.

Il se mit à marcher de long en large devant la cheminée, les mains croisées derrière le dos.

— Dites-moi, c'est une longue distance que vous devez franchir chaque jour, n'est-ce pas?

— Ce n'est pas si loin. Deux milles à pied.

Il se retourna vivement.

— Vous *marchez* jusqu'à Bell Hill? demanda-t-il.

Lorsqu'elle lui répondit par l'affirmative, il proposa :

— Peut-être voudrez-vous habiter ici, alors.

Elisabeth se cabra. Elle ne pouvait envisager cette idée, ne serait-ce qu'un seul instant.

— Veuillez me pardonner, milord, mais je n'ai pas seulement promis de me charger des besoins de ma belle-mère, mais aussi de m'occuper d'elle. Je ne peux l'abandonner, et je ne le ferai pas.

— Admirable, dit-il, mais quelque chose semblait le mettre mal à l'aise.

Elisabeth échangea des regards avec madame Pringle. Savait-elle ce qui préoccupait l'amiral en cet instant ? Finalement, il reprit la parole.

— Si vous insistez pour venir à pied de Selkirk, alors je vous demanderai d'être prudente, de ne le faire que le jour et avec d'autres femmes, autant que possible. Même ici, à Bell Hill, recherchez la compagnie de mes servantes.

Elisabeth acquiesça, ne serait-ce que pour le rassurer.

— Avez-vous une crainte en particulier ? demanda-t-elle.

Il se frotta le menton, où l'ombre d'une barbe commençait à poindre.

— Bien que Roberts et Hyslop aient fait tous les efforts pour n'engager que des hommes vertueux, vous êtes une veuve, une femme des Hautes-Terres, et d'une grande beauté, par surcroît. Certains hommes verraient dans tout cela une permission pour... enfin, pour outrepasser les bornes de la décence, étant donné que vous n'avez aucun parent mâle pour défendre votre honneur.

Ses joues rougirent devant un langage aussi direct.

— Comme il vous plaira, milord.

— Je parlerai aux hommes moi-même et je m'assurerai qu'on ne vous maltraite pas et qu'on n'essaie pas d'abuser de vous.

Il sembla particulièrement résolu sur ce point.

Madame Pringle intervint.

— Vous pouvez être assuré que je verrai à la sécurité de madame Kerr.

— Fort bien, et à ses repas aussi, ajouta-t-il. En ce qui concerne votre salaire, plutôt que de le retenir jusqu'à Martinmas, madame Pringle vous paiera chaque robe dès qu'elle sera terminée. Que diriez-vous... d'une guinée chacune ?

Elisabeth déglutit. *Une guinée ? Vingt et un shillings !*

Madame Pringle voulut protester faiblement.

— Mais je pense...

Il leva la main pour l'interrompre.

— N'ai-je pas le droit de dépenser mon argent comme je l'entends ?

— Oui, milord.

La gouvernante baissa la tête, et jamais Elisabeth ne l'avait vue aussi docile.

— Pardonnez-moi.

— Vous êtes simplement économe, madame Pringle, et vous faites bien. J'ajouterai aussi quelques pièces d'or à votre budget afin que vous n'ayez pas à rogner sur le sucre. Cela vous convient-il ?

Elle leva sa tête cuivrée et sourit.

— Oui, milord.

Elisabeth regarda cet homme, stupéfaite par une générosité dont elle avait rarement été témoin.

— Je commencerai lundi, alors ?

— Lundi, acquiesça-t-il, quoiqu'en vérité, vous ayez déjà travaillé toute la semaine.

L'amiral sortit une lourde bourse de cuir de veau, dans laquelle il prit une pièce d'or.

— Pour la robe de madame Pringle, dit-il. La première de plusieurs.

Quand il déposa la fraîche guinée dans le creux de sa main, Elisabeth la fixa un moment.

— Êtes-vous toujours aussi généreux avec les étrangers ?

— Vous n'êtes pas étrangère à Dieu, lui rappela-t-il. C'est sa bénédiction, pas la mienne.

Elisabeth baissa les yeux, bouleversée. *Vous ne nous avez pas abandonnées, mon Dieu.*

Elle sentit quelque chose qui frottait contre son pied.

— Charbon, dit-elle. Comme tu dois être content de voir ton maître à la maison.

L'amiral regarda sévèrement l'animal et lui dit :

— Ah, te voilà, créature ingrate, qui change de maître à la première occasion.

Il se pencha pour ramasser Charbon, qu'il plaça sous son bras.

— Vous devez être bien spéciale, en effet, car en général mon chat n'accorde aucune attention aux femmes.

Elle caressa la rainure blanche entre les oreilles de Charbon, déclenchant un bruyant ronronnement.

— Il m'a tenu compagnie toute la semaine, attendant votre retour.

— C'est bien, mon chat, dit-il en changeant légèrement de position. Vous verrai-je à l'église demain matin ?

Elle fit une révérence, et son regard croisa celui de l'amiral.

— Oui, milord.

Chapitre 33

Ô jour de repos !
Si beau, si radieux.
— Henry Wadsworth Longfellow

Marjory n'en croyait toujours pas ses yeux. Il y avait un gentilhomme qui avait navigué autour du monde assis sur son banc, dans son église. Enfin, pas vraiment *son* église. *À Dieu la terre et sa plénitude.* Elle savait que tout appartenait au Tout-Puissant. Pourtant, en ce matin de sabbat, Lord Jack Buchanan était bel et bien assis avec les Kerr.

De plus, il avait engagé sa belle-fille comme couturière, une situation qui n'était pas sans mérite, même pour une dame. Et comme si cela n'était pas suffisant, Son Excellence avait renvoyé Elisabeth à la maison avec une guinée d'or. *Une guinée !* Les trois femmes de la famille Kerr avaient retourné la pièce en tous sens pendant presque toute la durée du dîner.

Notre chère Bess, la couturière. Et notre nouvel ami, l'amiral.

Marjory essayait très fort de ne pas s'enfler d'orgueil et échouait lamentablement.

En vérité, elle n'avait pas d'abord été très heureuse quand Elisabeth était rentrée à la maison tôt la veille, pour annoncer la proposition de Lord Buchanan. C'était un célibataire, après tout, et il lui avait proposé de résider à Bell Hill. Une dame en deuil, dormant sous son toit ? *Quelle idée !* Quand sa belle-fille lui avait expliqué la raison — sa sécurité —, Marjory avait consenti à accorder à Son Excellence une autre chance de mériter son estime.

Et il l'avait fait dès son arrivée à l'église, ce matin-là, impeccablement vêtu, portant un manteau de soie bleu royal et coiffé d'une perruque, et qu'il lui avait demandé s'il pouvait s'asseoir au bout de son banc.

— Madame Kerr, avait-il dit en s'inclinant poliment, ce serait pour moi un grand honneur de partager votre allée, ce matin, avec votre permission.

Quand un homme très grand, très poli et très riche sollicite la faveur d'occuper deux pieds[17] de surface de bois pour s'y s'asseoir, seule une femme bien sotte refuserait. « Naturellement, milord », lui avait-elle répondu, se déplaçant d'une place afin qu'il fût assis auprès d'elle, et non à côté d'Elisabeth. Cela lui sembla prudent.

Marjory jeta un regard circulaire dans l'église, où elle commençait à se sentir de nouveau chez elle. Écrire une lettre de recommandation pour Tibbie Cranshaw avait été une bonne décision. Tibbie était maintenant embauchée comme fille de cuisine à Bell Hill. Elle avait ainsi un travail honnête et une motivation additionnelle de ne pas ébruiter sa malheureuse histoire. *Et la mienne. Et celle d'Elisabeth.*

L'amiral ne s'assoirait pas à côté d'elle s'il connaissait la vérité. Quand il l'apprendrait — et Marjory n'en doutait pas, car Lord Buchanan était un homme intelligent —, leur amitié serait peut-être déjà bien soudée, et des écarts de la sorte étaient pardonnables.

Elle estima qu'il avait chanté les psaumes avec sincérité et écouté l'austère sermon du révérend Brown sur les Madianites avec une attention méritoire. Plus tôt ce matin-là, Marjory avait échangé des propos plaisants avec Sarah Chisholm et Martha Ballantyne dans la cour de l'église. C'était à tous égards un sabbat remarquable. Quant à la journée, le temps était clair, lumineux et doux. Cela n'était-il pas propre au mois de juin de faire une entrée aussi ensoleillée ?

La bénédiction vibrante du révérend flottait encore à travers le sanctuaire lorsque Marjory se tourna vers Lord Buchanan. Un millier de questions se bousculaient sur ses lèvres.

---

17. N.d.T. : Un pied équivaut à un peu plus de 30 centimètres.

— Construirez-vous une tribune ici dans l'église ? lui demanda-t-elle. Je l'imaginerais suspendue juste au-dessus de nos têtes.

— Je préfère m'asseoir avec l'assemblée, dit-il. Dans le banc des Kerr, si je ne m'impose ni à vous ni à votre maisonnée.

— Pas du tout ! s'écria Marjory, qui aurait souhaité être moins enthousiaste.

Les gens observaient et tous les visages n'étaient pas amicaux. La moue de Tibbie Cranshaw était particulièrement amère, ce qui irritait Marjory après le service qu'elle venait de lui rendre.

Retrouvant sa réserve, Marjory reprit sa conversation avec l'amiral.

— On m'a dit, milord, que votre père était plutôt Écossais qu'Anglais.

— En effet, madame, originaire du Borderland. Bien qu'il ait, lui aussi, navigué dans la marine de Sa Majesté et vendu sa propriété au duc de Roxboro bien avant ma naissance.

Marjory sourit, les pièces du casse-tête tombant peu à peu en place.

— Vous l'avez rachetée, n'est-ce pas ? Bell Hill était autrefois la résidence de votre famille ?

— Oui, elle l'était, répondit l'amiral.

Il ne rendit pas son sourire à Marjory, mais une lueur infime s'alluma dans ses yeux bruns.

Quand il se tourna pour parler à Elisabeth, Marjory leur accorda un moment d'intimité en se plaçant à l'entrée du banc, afin qu'on ne les interrompît pas. Elle avait appris deux éléments d'information importants au sujet de Lord Buchanan, et tous deux étaient encourageants. Il était disposé à s'asseoir avec les gens du commun. Et ses ancêtres étaient du Selkirkshire. Toutefois, il était fidèle au roi George, un fait crucial qui ne devait jamais être oublié.

— Lady Kerr ?

Elle se tourna et vit Gibson qui marchait dans sa direction. Les mots du révérend lui revinrent à l'esprit : *Soyez prudente dans vos rapports avec Gibson.* Elle ne ferait rien de la sorte. Neil Gibson était son plus loyal ami à Selkirk. Non, pour rien au monde. Puisqu'elle ne pouvait écrire de lettres à un homme qui n'aurait pas su les lire, elle tirerait le meilleur parti possible de leurs rencontres.

— Bonjour, monsieur, dit-elle en lui présentant sa main gantée.

Elle l'avait fait dans l'intention qu'il la serrât brièvement. Il l'enveloppa plutôt complètement dans la sienne et ses pupilles grises s'assombrirent.

— Bonne journée à vous aussi, milady, dit-il.

Marjory regarda par-dessus son épaule, espérant que le révérend Brown fût déjà en route vers la porte.

— Faites attention, murmura-t-elle.

Gibson l'attira un peu plus près.

— Vous avez toute mon affection, dit-il, et bien plus.

Surprise, Marjory retira sa main.

— Mon Dieu, vous êtes bien sérieux ce matin, Gibson.

Il s'écarta légèrement et son expression devint un peu plus distante.

— Le révérend m'fait signe d'rentrer avec lui.

— Et c'est ce que vous ferez, insista-t-elle, ne voulant pas irriter l'homme dont Gibson dépendait pour sa subsistance.

Tant de maîtres à servir ! Le révérend Brown et maintenant, Lord Buchanan. Marjory s'était habituée à ne posséder que peu de choses et à vivre sous le toit d'une autre, mais de ne plus être maîtresse de sa propre maisonnée lui manquait. Mieux valait ne pas regretter une vie qu'elle ne retrouverait jamais, se dit-elle, puis elle se tourna pour voir comment Elisabeth se débrouillait avec Son Excellence.

— Alors la créature a bondi sur mon lit sans avertir, racontait l'amiral, et elle m'a passé la langue sur le visage. Un dur réveil, c'est le moins qu'on puisse dire.

Marjory pensa s'évanouir.

Elisabeth répondit calmement :

— Alors vous devez verrouiller votre porte la nuit.

— Ou vous donner mon chat, marmonna-t-il.

Un chat. Marjory sentit son cœur se calmer un peu.

— Je crains qu'Anne n'aime pas vraiment cette idée, lui dit Elisabeth. Ma belle-mère et moi sommes déjà un fardeau suffisant sans lui imposer un invité à fourrure.

Anne se joignit à la conversation, ayant été présentée à l'amiral avant qu'il s'assoie.

— Lord Buchanan, j'accepterai tout ce que vous enverrez dans la ruelle Halliwell, à condition que cela n'ait pas de griffes.

— Alors je ne peux vous envoyer Dickson non plus, dit-il, jetant un regard vers son jeune valet. Car on dit qu'il gratte à ma porte toutes les heures.

— Seulement à votre demande, répondit Dickson sèchement, visiblement habitué à subir ce genre de plaisanteries.

Du coin de l'œil, Marjory remarqua Michael Dalgliesh et son garçon qui s'approchaient de l'allée des Kerr, le menton baissé et regardant furtivement autour d'eux. Elle fit un geste en direction du tailleur pour qu'il s'avance.

— Lord Buchanan, si je puis me permettre, j'aimerais vous présenter un ami et voisin de notre famille, monsieur Michael Dalgliesh, un tailleur, et son fils, Peter.

Michael s'inclina maladroitement, mais Peter s'en tira mieux, se courbant de la taille en descendant, un pied devant.

— Quelles belles manières vous avez, garçon ! lui dit Lord Buchanan.

Marjory vit le visage de Son Excellence s'adoucir et perçut la tendresse dans sa voix. Comme il était singulier que cet homme ne fût pas marié et n'eût pas de fils. Trop d'années en mer, se dit-elle, et pas de maison pour une épouse. Il avait résolu ces deux problèmes en déménageant dans le comté de

Selkirk. Est-ce que trouver une épouse était le prochain élément sur sa liste?

— Lord Buchanan, je vous remercie de m'accorder votre pratique, dit Michael Dalgliesh.

L'amiral haussa un sourcil.

— *Ma* pratique?

— Monsieur Hyslop, monsieur, expliqua le tailleur, et son teint déjà rougeaud était maintenant cramoisi. Il est passé à la boutique hier soir, à la recherche de tissu pour vous.

— Ah, dit l'amiral, qui se pencha vers Michael. Et si nous gardions cette affaire entre nous, qu'en dites-vous? demanda-t-il, simulant un murmure.

Le tailleur hocha la tête.

— À votre guise, milord.

Marjory trouva leur petit échange intriguant. Elisabeth était curieuse, elle aussi. Si le tissu avait été acheté, était-ce pour que sa belle-fille confectionne quelque chose d'autre?

Se redressant, Lord Buchanan attira l'attention de son valet.

— Nous devons partir, dit-il, sinon madame Tudhope sera très vexée. Elle a travaillé très fort hier soir pour préparer mon déjeuner du sabbat. Elle tient à ce que je me présente à table à quatorze heures précises.

Un léger sourire adoucit son visage basané.

— Le fait qu'il soit servi froid ne semble pas avoir d'importance à ses yeux, ajouta-t-il.

Lorsque l'amiral se tourna vers elle, Marjory fut de nouveau frappée par sa taille. Plus grand que Donald et bien plus fort. Sa perruque non poudrée, avec sa longue queue qui bouclait dans son dos, s'accordait bien avec ses yeux brun foncé.

— Ce fut un plaisir de faire votre connaissance, madame Kerr. Et la vôtre également, mademoiselle Kerr.

Il s'inclina devant Marjory et Anne, puis se tourna vers Elisabeth.

— Et vous, madame, je compte vous revoir tôt demain matin.

— Pas *trop* tôt, milord, répondit Elisabeth. Avec l'été à nos portes, le soleil se pointe au-dessus de l'horizon peu après trois heures.

Son regard sévère semblait simulé.

— Je ne m'attends pas à ce que vous apparaissiez à ma porte à la sixième cloche du quart de nuit, lui dit-il. Huit heures, c'est bien assez tôt.

Elisabeth hocha la tête.

— Très bien, milord.

Ce ne fut qu'à ce moment-là que Marjory remarqua les Murray de Philiphaugh, qui avançaient avec la majesté d'un navire de guerre britannique, Sir John en proue, avec une jeune demoiselle souriante à chaque bras.

— Amiral! lança-t-il jovialement. Sir John Murray à votre service.

Les gentilshommes s'inclinèrent l'un vers l'autre.

— J'aimerais vous présenter ma charmante épouse et mes deux filles.

Marjory ne s'était jamais senti aussi invisible. Ni Sir John ni Eleanor ne l'avaient même regardée, réservant toute leur attention à l'amiral.

Rosalind et Clara firent les plus belles révérences qu'il était possible d'exécuter dans une église bondée. Clara était encore la jeune fille timide et plutôt quelconque dont Marjory gardait le souvenir. Mais sa sœur aînée s'était épanouie telle une fleur de serre, fragrante et exotique, avec une chevelure noire lisse et brillante, et des yeux de la couleur des campanules écossaises.

— Lord Buchanan, dit Rosalind, levant le menton pour croiser son regard. Votre admirable réputation est la meilleure présentation.

Marjory observait les Murray tenter de plaire à l'amiral, et leurs intentions étaient d'une clarté gênante : Sir John et Lady

Eleanora désiraient que Son Excellence devînt leur beau-fils.
Marjory aurait difficilement pu le leur reprocher. N'avait-elle
pas autrefois cherché une fiancée riche et titrée pour Andrew?
Toutefois, elle espéra que ses intentions n'aient pas été *aussi*
flagrantes. Ils offraient Rosalind comme un faisan juteux sur
un plateau d'argent. On ne présenta à Lord Buchanan ni couteau ni fourchette, mais les Murray firent de leur mieux pour
le mettre en appétit, vantant les nombreux talents de Rosalind.

Ce n'est qu'après que les Murray eurent pris congé que
Lord Buchanan se tourna pour faire de rapides adieux aux
Kerr.

— Je crains que madame Tudhope ne me pardonne pas
de sitôt mon retard, dit-il. Au plaisir d'une prochaine
rencontre!

Son salut fut bref mais poli, remarqua Marjory, et destiné
uniquement à Elisabeth.

Chapitre 34

Peu d'homme ont été admirés
dans leur propre maison.
— Michel Eyquem de Montaigne

Jack flatta l'encolure de Janvier.

— Tu l'as bien brossé, garçon? Et nettoyé ses sabots?
Avant de te laisser l'éponger, laisse-moi employer la lanière.

Le jeune palefrenier lui apporta tout de suite un bout de
corde étroitement tressé destiné à masser les muscles du
cheval et à stimuler son épiderme. Venant d'être mouillée, la
lanière de chanvre tenait bien dans la main de Jack. Partout
où les muscles de Janvier étaient fermes et plats, Jack appli-
quait vigoureusement la corde, suivant le contour de la robe,
sentant les muscles se tendre.

Quand il eut fini, il fit un pas en arrière et passa un avant-
bras nu sur son front en sueur.

— Éponge-le bien, garçon, et ensuite selle-le. J'ai l'intention de faire une longue promenade aujourd'hui.

Jack retourna dans la fraîcheur des étables et se nettoya le
visage et les mains dans un seau d'eau propre, puis fit courir
ses doigts dans ses cheveux coupés ras avant de remettre sa
perruque. Certains jours, la mer lui manquait, mais pas un
jour d'été comme celui-ci. Bientôt, il chevaucherait Janvier en
direction des vergers à un trot modéré. À en juger par l'incli-
naison du soleil, il n'était pas plus tard que sept heures du
matin.

Il longea le verger, ne voulant pas retarder les laboureurs
dans leur travail ou risquer de blesser Janvier sur les racines
protubérantes. Jack leva la main pour saluer le jardinier, Gil
Richardson, un homme de la région qui avait commencé à
mettre en valeur la propriété dès le moment de l'achat. Bien

des arbres étaient vénérables, sans aucun doute plantés par son grand-père Buchanan, mais d'autres étaient des additions récentes au verger, et ils ne produiraient pas de fruits avant plusieurs années.

Richardson avait sélectionné les variétés avec soin. Les prunes étaient impériales et damassées, les pommes, des reinettes dorées et Pearmain d'automne, et les poires, comme il se doit, des Buchanan rouges. Les arbres étaient alignés en rangs bien droits, leurs branches couvertes de feuilles, mais pas encore lourdes de fruits. Jack remarqua des bourgeons jaunes, verts et d'un rose ambré. À la fin de l'été, il y aurait à sa table des fruits fraîchement cueillis — un luxe que peu d'hommes de la marine de Sa Majesté connaissaient.

Sentant Janvier s'agiter, Jack changea de direction et se mit à trotter à un bon rythme sur la crête de la colline Bell. Il avait l'intention d'explorer les marches de l'est de sa propriété, plutôt que de descendre vers le sentier qui courait entre son domaine et Selkirk, où une certaine veuve marcherait à cette heure même.

Elisabeth Kerr était une énigme. Pour une couturière, elle était exceptionnellement bien éduquée, et ses manières étaient celles d'une dame. Ils n'avaient pas encore discuté de littérature ou d'histoire, mais il la soupçonnait de lire sur ces sujets et sur bien d'autres aussi. Assurément, cette jeune femme était difficile à cerner, mais cela l'impressionnait aussi.

Il poussa Janvier au galop, cherchant à se changer les idées. Pendant qu'elle serait à son service, Elisabeth Kerr méritait le respect, et non des attentions importunes.

Le cheval et son cavalier couvrirent le terrain vallonné, sautant avec aisance par-dessus les pierres et les murets occasionnels, puis ralentirent le pas dans les portions boisées du domaine familial. Son grand-père s'était-il émerveillé de tels matins d'été, il y avait bien longtemps ? Et son père s'était-il même donné la peine de jeter un dernier regard derrière lui quand il avait quitté Bell Hill, obnubilé par ses rêves de voyages au long cours ?

« Quand j'ai quitté l'Écosse, lui avait dit un jour William Buchanan, j'ai brisé le cœur de ton grand-père. »

Se rappelant ces paroles, Jack grimaça. *Et puis, vous avez brisé le mien.*

À titre de capitaine de la marine royale, il avait sillonné les océans du monde entier, mais il était rarement rentré au port, laissant son épouse française et son fils anglais seuls pendant de longs mois, jusqu'à ce que ce loyal capitaine quitte ce monde à tout jamais. Jacques Buchanan avait sept ans quand il perdit son père, quatorze quand Renée Buchanan rendit son dernier souffle.

Orphelin, il était resté abandonné dans le nord de la France, jusqu'à ce qu'un ami de son père, marin comme lui, le prît à bord du HMS *Britannia*, afin de servir comme l'enseigne de vaisseau Jack Buchanan. Il avait gravi les échelons plus rapidement que la plupart, sans responsabilités familiales pour entraver sa progression. Tous ses moments de veille étaient consacrés à la recherche de nouvelles victoires en mer, avec les récompenses qui s'ensuivaient inévitablement.

Selon les banquiers de Londres et d'Édimbourg, sa fortune était prodigieuse. Mais Jack savait la vérité : il ne possédait rien ayant une valeur réelle. Pas de femme, pas de fils, et jusqu'à maintenant, pas de maison qui fût vraiment la sienne. Il avait corrigé la dernière lacune ; avec l'aide de Dieu, il remédierait aux autres sans perdre de temps.

Il imprima un changement de direction plus brusque à Janvier et se redirigea vers Bell Hill.

— Cours, garçon, cria-t-il, un commandement que son cheval connaissait très bien.

Ils galopèrent bientôt à grande allure, les champs et les pâturages se confondant dans un vert indistinct, oubliant les écuries. Ce n'est que lorsque Jack descendit vers Selkirk qu'il vit Elisabeth Kerr qui escaladait l'étroit sentier. Il freina brusquement son cheval dans son élan juste avant de l'atteindre.

Elle leva les yeux, le visage ombragé par le rebord de son chapeau.

— Bon matin, milord.

— Bon matin, madame Kerr.

Il mit pied à terre, prit les rênes et se mit à marcher à côté d'Elisabeth, qui continuait son ascension. Inutile de nier qu'il n'avait pas espéré une telle rencontre. Malheureusement, aucun propos intelligent ne lui vint à l'esprit.

— Vous avez un beau cheval, commenta-t-elle. Quel est son nom ?

— Il est venu au monde en janvier, dit-il, alors je l'ai appelé Janvier.

Elle tendit la main pour toucher l'encolure de l'animal.

— Le gris semble être votre couleur préférée, n'est-ce pas ?

— Je suppose que oui, dit Jack.

Il s'efforça d'observer le ciel sans nuages, les collines ondulées, les moutons dans la basse prairie — tout pour éviter de regarder trop attentivement la merveilleuse jeune femme qui marchait à ses côtés. Le Tout-Puissant l'avait appelé pour veiller sur elle et la protéger, et non pour la pourchasser. Après tout, il était presque assez vieux pour être son père.

Après un moment de silence, elle dit :

— Lord Buchanan, vous avez exprimé des inquiétudes parce que je devais me déplacer seule.

Elle fit un geste de la main pour embrasser le paysage.

— Comme vous pouvez le voir, reprit-elle, toute la campagne m'appartient.

— Ce matin, en effet, dit-il plus brusquement qu'il en avait l'intention. Mais il y a des bergers dans les pâturages, des travailleurs de ferme dans les champs, des dragons à cheval, des colporteurs qui sillonnent les routes...

— Amiral, dit-elle fermement. Je suis une fille des Highlands. Même madame Pringle affirme que je suis faite de la plus solide étoffe. Je peux courir comme le vent s'il le faut, et hurler à tue-tête si je le dois. J'ai aussi une redoutable paire de ciseaux attachés autour du cou.

Elle les exhiba pour prouver ce qu'elle avançait. Il sentit qu'il perdait du terrain.

— Alors vous ne craignez pas les hommes qui pourraient croiser votre chemin ?

— Je n'ai pas peur, dit-il sans hésiter. Ma seule crainte ce matin est de ne pas arriver à huit heures et de décevoir mon nouveau maître.

— En effet, cela ne doit pas arriver, acquiesça-t-il, allongeant le pas, la forçant à faire de même.

Ils escaladèrent la colline abrupte à un rythme si rapide qu'ils durent interrompre leur conversation. Quand ils atteignirent le sommet, ils avaient tous deux le visage rouge et haletaient.

— S'il vous plaît, Lord Buchanan, dit Elisabeth, qui s'arrêta pour prendre son mouchoir. Pourrais-je avoir un moment pour reprendre haleine ?

— Bien sûr, murmura-t-il.

Quel idiot tu fais, Jack ! Voulais-tu épuiser cette femme ?

Lorsqu'ils se remirent en route, il la laissa dicter leur rythme. De retour aux écuries, ses joues étaient redevenues pâles et sa respiration régulière.

— Merci de m'avoir accompagnée, dit-elle, puis elle se hâta vers l'entrée des domestiques.

Il avait l'intention de lui dire de passer par l'entrée principale. Mais celle-ci était peut-être plus proche de sa salle de travail. Avait-il déjà visité les étages inférieurs de Bell Hill ? La cuisine, oui, mais pas davantage. Après avoir cédé les rênes à un palefrenier qui patientait, Jack marcha vers la maison en pensant à un bon bain et à son petit-déjeuner, dans cet ordre-là.

Dickson l'attendait dans sa chambre du premier étage, où un bain de cuivre était placé près du feu, avec des seaux d'eau fumante prêts à y être versés. Jack retira ses vêtements et se glissa rapidement dans l'eau savonneuse jusqu'au menton. Il soupira en se laissant enfoncer encore davantage.

— Vous voulez vous noyer, monsieur ? demanda Dickson.

— Je le mériterais bien, confessa Jack, sans se soucier de s'expliquer.

Faisant rouler ses épaules sous la surface de l'eau, il sentit ses muscles endoloris se contracter.

— As-tu une lanière de chanvre ou quelque chose de semblable ? marmonna-t-il.

— Je ne suis pas un garçon d'écurie, répondit Dickson, et vous n'avez rien d'un pur-sang.

— Je l'ai *déjà* été, répliqua-t-il, mais il n'y avait pas d'amertume dans ses propos.

Il avait bel et bien quarante ans et sentait chacune de ses années dans son corps endolori, ayant galopé plus vigoureusement ce matin-là qu'il ne l'avait fait depuis de nombreux mois. Ensuite, il s'était couvert de ridicule devant sa couturière.

Après avoir procédé à un vigoureux séchage et endossé des vêtements propres, l'humeur de Jack s'améliora. L'excellent bacon de madame Tudhope et les œufs pochés à la perfection contribuèrent aussi à rétablir sa bonne humeur. Il se sentait de nouveau lui-même quand Roberts et madame Pringle vinrent le rejoindre dans son bureau pour leur entretien quotidien de la matinée.

Jack ne perdit pas de temps en préambules inutiles.

— Dites-moi, Roberts, comment se comportent nos nouveaux domestiques ?

Son majordome lui fit un rapport encourageant, et la gouvernante enchaîna sans attendre.

— Et madame Kerr, dit Jack, affectant un ton détaché. Aujourd'hui, elle confectionne une nouvelle robe pour…

— Madame Tudhope, compléta madame Pringle.

— Milord, dit Roberts, qui regarda madame Pringle comme s'il cherchait son soutien. Je me demandais si cela n'irait pas plus vite avec plusieurs couturières ? Toutes nos domestiques porteraient les couleurs de la maison en moins d'un mois.

Jack répondit immédiatement.

— Ce serait plus rapide, Roberts, mais pas plus sage. Comme vous le savez, madame Kerr doit assurer son propre entretien et celui de sa belle-mère, et elle a grandement besoin du revenu que, grâce à Dieu, je suis capable de lui procurer.

— Bien sûr, milord, mais…

Jack se leva, déterminé à faire valoir son point de vue.

— Nous pourrions bien sûr embaucher plus de couturières, afin que toutes nos servantes portent la même étoffe. Mais ce ne serait pas les mêmes robes, n'ai-je pas raison, madame Pringle ?

— Non, assurément, l'assura la gouvernante. Madame Kerr possède un talent unique. Et nous avons vu avec quelle rapidité elle travaillait.

— Il vaut mieux assurer un revenu à une femme pendant six mois, insista Jack, que d'en embaucher six qui devront toutes se trouver du travail en juillet.

Il se tut, ne voulant pas paraître trop satisfait de lui-même. Puis, il se souvint que les personnes présentes étaient ses domestiques, qui devaient agir selon sa volonté, que ses raisons fussent valables ou non.

— Très bien, monsieur, dit Roberts.

— Fort bien, fit madame Pringle en écho.

Dans son cœur, Jack entendit une réponse plus franche. *Les honneurs ne conviennent pas au sot.*

Chapitre 35

Ne me sentirai-je jamais chez moi,
Jamais tout à fait à l'aise ?
— Sir William Watson

— Cela ne sera plus très long, dit Elisabeth à la cuisinière, debout devant elle dans la salle à manger vacante, pendant qu'elle prenait ses mesures. Je sais que vous avez le déjeuner de Lord Buchanan à l'esprit.

— Et dans ma marmite aussi, s'inquiéta madame Tudhope. Le canard ne doit mijoter qu'un quart d'heure.

Elisabeth se pencha pour mesurer de la taille à l'ourlet, cachant son sourire. La cuisinière elle-même mijotait d'inquiétude toute la journée, si les rapports de la cuisine étaient fondés.

Une femme de soixante ans, madame Tudhope était entièrement gris argenté, depuis ses cheveux jusqu'à ses yeux, en passant par les lunettes perchées sur le bout de son nez. Ses mensurations étaient presque l'inverse de celles de madame Pringle, car la cuisinière était très petite et très enveloppée, sans taille apparente.

Alors qu'Elisabeth notait les chiffres sur son ardoise, madame Tudhope regarda par-dessus son épaule.

— Personne d'autre que vous ne les verra ? demanda-t-elle.

— Pas une âme, lui promit Elisabeth. Quand vous reviendrez pour l'essayage cet après-midi, cette ardoise aura été effacée.

— Si seulement cela pouvait être aussi facile, gémit madame Tudhope. Pourtant, si je ne goûtais pas à la nourriture, comment saurais-je si les plats sont bien assaisonnés ?

— On ne saurait être plus d'accord, lui dit Elisabeth, et vous êtes une cuisinière de premier ordre.

Quand le sourire de madame Tudhope s'épanouit, exhibant toutes ses dents, Elisabeth sut que le dessert de Son Excellence serait de la tarte aux framboises.

— Vous pouvez partir, dit-elle à la femme en lui tapotant le bras. Et je veux vous revoir ici à quinze heures précises.

Madame Tudhope n'avait pas sitôt franchi la porte de son pas trottinant que madame Pringle apparut, vêtue de sa robe gris anthracite. La gouvernante fronça les sourcils par-dessus son épaule.

— Est-ce que sa robe sera identique à la mienne? demanda-t-elle.

— La même coupe, oui, mais avec quelques ajustements, dit Elisabeth qui masqua discrètement l'ardoise. Toute femme mérite un vêtement qui flatte sa silhouette.

— Hum, fit madame Pringle pour toute réponse.

Pendant que Charbon inspectait les souliers de la gouvernante, Elisabeth commença à étaler le rouleau d'étoffe sur la table de salle à manger.

— Comment puis-je vous aider, ce matin?

— Lord Buchanan désire vous parler.

Soupirant intérieurement, Elisabeth secoua la poussière de craie de son tablier.

— Croyez-vous que ce sera long? J'ai dit à notre cuisinière...

— Madame Kerr, dit la gouvernante d'un ton péremptoire. Ici, à Bell Hill, nous n'avons tous qu'une seule priorité : Son Excellence. Est-ce clair?

— Oui, madame, dit Elisabeth, acceptant la réprimande.

Elle se dirigea vers l'escalier, précédée par Charbon, qui fut bientôt hors de sa vue. Madame Pringle avait raison : Lord Buchanan méritait leurs meilleurs efforts. Non seulement parce qu'il était généreux et juste, mais également parce que la Bible le commandait. *Serviteurs, obéissez à vos maîtres d'ici-bas.* La vérité ne pouvait être exprimée plus clairement. Ce qui suivait, toutefois, touchait davantage Elisabeth, car ceci décrivait comment les services devaient être rendus : *en sim-plicité de cœur, comme au Christ.* Si elle cousait pour le Seigneur lui-même, son vrai Maître, alors toute couture invisible, toute boutonnière cachée, importaient.

Elisabeth atteignit bientôt le bureau du rez-de-chaussée, l'une des nombreuses pièces qu'il lui restait encore à explorer. Franchissant le seuil, elle fit une courte pause, stupéfaite par ce qu'elle vit. Des livres partout. Sur son bureau. Sur ses fauteuils. Sur sa table. Sur les tablettes.

Au milieu de ceux-ci était assis Lord Buchanan, tenant Charbon sur ses genoux.

— Quelque chose ne va pas, madame Kerr ?

— Pas du tout, dit-elle, puis elle fit une brève révérence. Vous avez une bibliothèque impressionnante.

Son regard fit le tour de la pièce comme s'il remarquait sa collection pour la première fois.

— Lisez-vous ? demanda-t-il.

Elle le regarda, perplexe.

— Je peux lire et écrire, monsieur.

Il sourit presque.

— Je veux dire, lisez-vous souvent des livres ? Pour le plaisir ou votre enrichissement personnel ?

— Je le fais. Pour ces deux choses.

— Et que lisez-vous, dites-moi ?

Une question à laquelle il était facile de répondre, puisque Marjory et elle ne possédaient qu'un seul et unique volume à la maison.

— *Les Saisons*, de James Thomson.

— De la poésie ? dit-il en plissant le front. Je vous aurais cru une lectrice plus aventureuse. Defoe ou Richardson, ou encore Fielding.

— J'ai commencé *Moll Flanders*, admit Elisabeth, mais son héroïne ne m'inspire pas.

— Eh bien, elle est à peine héroïque, notre Moll, quoiqu'elle ait passé les derniers jours de sa vie dans un sincère repentir.

Et je crois fortement au pardon, dit Lord Buchanan en laissant Charbon glisser sur le plancher. Madame Kerr, j'ai un cadeau pour vous.

Il se pencha derrière son bureau et retira un paquet mystérieux enveloppé dans un linge qu'il plaça dans ses bras.

Elisabeth sut tout de suite qu'il s'agissait de tissu. L'enveloppe extérieure était de la mousseline bon marché, retenue avec de la ficelle. Mais en l'ouvrant, elle découvrit une merveilleuse étoffe de qualité d'un noir riche et profond. Assez pour faire deux robes.

Elle la regarda, éberluée.

— C'est pour moi?

— Et pour votre belle-mère, répondit-il. Aucune veuve ne devrait être obligée de porter la même robe de deuil une année entière. Ces longs mois sont déjà suffisamment difficiles.

Il passa les doigts sur le bord de l'étoffe.

— J'ai chargé Hyslop de me procurer le tissu de la plus haute qualité. J'espère que cela conviendra.

Elisabeth déglutit.

— Vous êtes trop bon, dit-elle.

— Non, je suis égoïste, insista-t-il, car je désire voir les gens de mon entourage bien habillés.

Elle ne se laissa pas tromper par ses protestations et fut touchée par sa générosité. Encore une fois.

— Je les confectionnerai à la maison le soir, dit-elle. Nos deux fenêtres sont orientées vers l'ouest, alors j'aurai assez de lumière pour voir à la tombée du jour.

Il sembla horrifié.

— Vos *deux* fenêtres?

— Oui, dit Elisabeth, passant son doigt sur la ficelle, soudainement consciente de sa grande pauvreté aux yeux d'un gentilhomme aussi riche.

Quand le chat miaula pour avoir de l'attention, Elisabeth se pencha pour lui gratter la tête.

— C'est *toi* l'aventurier parmi nous, Charbon, dit-elle, avec ton pedigree chinois et ton nom français.

Elle regarda Lord Buchanan, espérant dissiper tout inconfort entre eux.

— Je crois que madame Pringle a dit que votre mère était Française.

— Elle a dit cela? dit-il, puis il fit un pas en arrière; un voile semblait être tombé sur son visage. Et qu'a-t-elle dit d'autre?

Elisabeth se redressa, rendue un peu nerveuse par la froideur de sa voix.

— Et que votre père était Écossais.

— Rien de plus?

— N... non... c'est tout, bégaya-t-elle.

— Très bien, parce qu'il n'y a rien à ajouter.

Il se tourna brusquement vers son bureau, lui donnant visiblement congé.

Tenant l'étoffe contre son cœur, Elisabeth fit une révérence, puis s'enfuit par la porte, tout en souhaitant qu'il fût possible de retirer ses paroles imprudentes.

Dans les jours qui suivirent, Elisabeth vit peu Lord Jack Buchanan. Soit il chevauchait avec Dickson, soit il travaillait seul dans son bureau, soit il fréquentait la noblesse de la région — en particulier les Murray. Peu importe le rôle de premier plan que jouait Sir John dans la politique de Selkirk, sa fille Rosalind était la cause la plus probable des visites répétées de l'amiral à Philiphaugh.

Quant à Elisabeth, elle était ensevelie sous son tissu.

Les heures d'ensoleillement s'étiraient maintenant de trois heures le matin jusqu'à vingt et une heures. Que ce fût à la maison ou à Bell Hill, Elisabeth se sentait tenue de consacrer chaque minute à coudre, même si ses doigts commençaient à être engourdis, son cou ankylosé, et qu'elle éprouvait un mal de tête tenace. Marjory avait insisté pour acheter un autre dé à coudre et avait aussi veillé à faire affûter ses aiguilles, et les deux mesures furent profitables. Mais rien ne pouvait faire passer les heures plus rapidement ni accélérer le rythme auquel elle pouvait faire ses points.

Charbon lui tenait compagnie dans la salle de travail, un rappel de son maître qu'elle avait, semble-t-il, offensé d'une manière ou d'une autre. Elle avait dit la vérité : madame Pringle ne lui avait rien révélé de plus au sujet de ses parents. Pourtant, il devait y avoir autre chose à ajouter, sinon Son Excellence n'aurait pas réagi comme il l'avait fait.

Elle leva les yeux vers Sally, qui entrait dans la pièce portant son plateau de déjeuner.

— Bonne journée à vous, m'dame Kerr.

— Et à vous, répondit Elisabeth en déposant son ouvrage, espérant avoir une courte conversation.

Sally en savait peut-être un peu plus au sujet de l'enfance de l'amiral.

Mais la jeune fille disparut aussi vite qu'elle était entrée.

— J'reprendrai vot' plateau plus tard, m'dame Kerr, dit-elle en partant.

Encore une fois, Elisabeth semblait assise entre deux chaises. Elle n'était pas une servante, pourtant elle ne jouissait d'aucune autorité. Elle ne résidait pas non plus à Bell Hill. Elle était plutôt comme l'un des jardiniers, qui allaient et venaient tous les jours dans la propriété, mais sans faire partie de la maisonnée.

Les gens étaient polis et gentils. Et chaque robe rapportait sa guinée, pour laquelle elle était reconnaissante. Pourtant, Elisabeth aurait voulu avoir une véritable amie à Bell Hill. Et un endroit où qu'elle aurait pu appeler son foyer.

Chapitre 36

*Il y a certaines occasions où un homme doit dire
la moitié de son secret afin de pouvoir dissimuler le reste.*
— Philip Stanhope, duc de Chesterfield

Charbon s'étirait sur un coin ensoleillé du tapis, la queue
entortillée, pendant que Jack buvait sa tasse de thé et
laissait son regard errer par la fenêtre de son bureau. *Il est
presque huit heures, madame Kerr. Ne vous verrai-je pas ce matin ?*

Il avait volontairement gardé ses distances pendant une
semaine entière —, l'évitant dans la maison, sur les pelouses,
partout où ils auraient pu se croiser — se convainquant qu'il
faisait la meilleure chose. *Votre mère était Française. Votre père
était Écossais.* Des commentaires innocents, rien de plus. De
quoi avait-il peur ? Qu'elle se mît à croire que ses origines
étaient douteuses ?

*Sois honnête envers toi-même. Tu crains qu'elle ne pense du mal
de toi.*

Quand Elisabeth apparut dans les jardins ensoleillés un
moment plus tard, Jack l'observa qui se penchait vers
un massif de roses en fleur, puis sourit, respirant peut-être
leur douce fragrance.

Puis, elle leva la tête, et son regard rencontra le sien. Et
elle ne le détourna pas.

Cours, jeune homme.

En un clin d'œil, il était à mi-chemin dans le corridor, puis
il se précipita dans l'étroit escalier de la tourelle, faisant sursauter une servante.

— Veuillez m'excuser, murmura-t-il.

La jeune fille bouclée s'écarta pour lui livrer passage et
faillit échapper sa brassée de linge quand Charbon l'effleura
en se faufilant près d'elle. Jack franchit le couloir du

personnel, hochant la tête vers les domestiques qui s'empressaient de s'incliner dès qu'ils le voyaient.

Il suivit son chat, pensant que Charbon le conduirait directement jusqu'à Elisabeth. Quand il se trouva dans une salle de travail vacante près de la porte arrière, Jack n'eut aucun doute qu'il s'agissait de son domaine. Des pièces de tissus pliées et des croquis étaient soigneusement empilés près d'un panier à couture, un rappel qu'elle était une artisane, et non une dame comme Rosalind Murray.

Quand il entendit des pas légers approcher, Jack se retourna vivement pour l'accueillir. Il se trouva plutôt en face d'une servante à la chevelure brun roux portant une bougie et qui entrait précipitamment dans la pièce.

Les yeux de la jeune fille s'agrandirent.

— Milord! dit-elle en faisant une révérence, prenant soin de ne pas renverser sa bougie. J'croyais pas vous trouver ici c'matin.

— Je suis désolé de vous avoir effrayé. Vous êtes Sally, n'est-ce pas?

Elle rougit, puis hocha la tête de bas en haut.

— Oui.

Il fit un pas de côté accompagné d'un ample geste du bras.

— Venez, allumez le feu de madame Kerr, car il fait plus froid ici qu'à l'extérieur.

Il jeta un regard circulaire et se demanda quelle température il ferait dans la petite pièce à plafond bas au cœur de l'hiver, éclairée quelques heures à peine par la froide lumière se déversant de l'unique fenêtre haute.

— Bonjour, Lord Buchanan.

Il se ressaisit au son de la voix d'Elisabeth.

— Bonjour à vous aussi, madame Kerr.

Il s'inclina pendant que Sally faisait une sortie discrète, puis dit à Elisabeth :

— Pas de nouvelle robe de deuil?

— Pas encore, dit-elle. Mais j'ai achevé celle de ma belle-mère hier soir. Elle avait si hâte de la porter qu'elle s'est levée avec moi à quatre heures du matin, juste pour que je puisse l'habiller. Vous nous avez comblées au-delà de ce que vous pouvez imaginer.

Comme cela était typique d'elle, se dit Jack, de coudre la robe de sa belle-mère d'abord.

— Alors, vous commencerez la vôtre dès ce soir ?

— Dans quelques jours, répondit-elle en tisonnant le feu paresseux. Mes mains sont endolories d'avoir tant travaillé. Je passerai une soirée ou deux à lire, plutôt qu'à manier les ciseaux ; cela devrait les soulager.

— Puis-je vous offrir quelques livres de ma bibliothèque ? demanda-t-il, et en voyant les sourcils d'Elisabeth se lever, il sut qu'il avait touché juste. Sentez-vous libre d'entrer dans mon bureau et de choisir tout ce qui vous plaira.

— Si cela ne vous dérange pas, répondit Elisabeth.

— Pas du tout, dit-il, et il inspira profondément.

Il avait maintenant toute son attention et pouvait passer à des choses plus importantes.

— Madame Kerr, reprit-il, je dois m'excuser d'avoir mis abruptement fin à notre conversation lundi dernier. Et ensuite d'avoir évité votre compagnie.

Elle tourna la tête et posa les yeux sur son chat, perché sur une chaise. Ou préférait-elle simplement éviter son regard ?

— Alors, c'était intentionnel, dit-elle. C'est ce que je craignais.

— Il est de notoriété publique que ma mère était Française et que j'ai passé mon enfance en France. Vous n'avez commis aucun impair.

Il fut soulagé quand elle se tourna vers lui de nouveau.

— Lord Buchanan, dit-elle, notre relation est d'une nature inhabituelle. C'est un engagement temporaire, et non une situation. Nous fréquentons également des milieux sociaux très différents. Je ne veux préjuger de rien ni parler plus librement que je le devrais.

— Votre candeur vous honore. Pourtant…

Il soupira, incertain, car il naviguait maintenant dans des eaux inconnues.

— Ne pourrions-nous pas être des amis, madame, à Bell Hill, tout au moins ?

Il s'empara de deux chaises de bois, qui semblaient abominablement inconfortables, et les plaça près du foyer.

— Venez, madame Kerr, l'invita-t-il, vous avez sûrement quelques minutes de libres avant de commencer à coudre.

Elle s'assit sans précipitation.

— Je suis à vos ordres, milord.

— Si nous devons être amis, vous devez m'appeler Lord Jack.

Il s'assit à son tour et approcha sa chaise de la sienne.

— Seulement en privé, cela va de soi.

— Il me faudra un certain temps pour m'y habituer, admit-elle. Est-ce que votre vrai nom est John ?

— Mon vrai nom est Jacques, dit-il, puis il s'arrêta, comprenant que c'était la première fois depuis plusieurs années qu'il se livrait autant.

Puis, il haussa les épaules, comme pour en minimiser l'importance.

— Mais Jack, reprit-il, me semblait plus approprié pour un officier de la marine de Sa Majesté.

Il s'appuya contre le dossier droit et constata qu'il était encore plus inconfortable que le siège. S'ils devaient se voir ici régulièrement, il lui faudra faire quelque chose au sujet de ces chaises.

— Madame Kerr, il n'est que juste que vous en sachiez un peu plus sur mon histoire.

Jack posa ses mains sur ses genoux, rassemblant ses pensées, se préparant à dépeindre pour elle un tableau de sa vie.

Certains détails seraient omis, mais il y en aurait assez pour former une esquisse, sinon un portrait, de son passé.

— Je suis né au Havre. Ma mère Française m'a élevé, tandis que mon père Écossais voguait sur les mers pour la marine de Sa Majesté. J'ai rapidement suivi ses pas.

— Ses bottes étaient-elles de la même pointure que les vôtres ? demanda-t-elle d'un ton taquin en baissant le regard vers celles-ci.

— Plus grandes, dit-il, car je suis certain que je n'aurais pu les chausser. J'ai commencé ma vie en mer à quatorze ans, comme enseigne de vaisseau.

Elisabeth eut un hoquet, comme il s'y attendait.

— Certains garçons étaient encore plus jeunes, admit-il. L'armée demande habituellement à ses officiers en formation d'acheter leur brevet. Mais dans la marine, un premier poste s'obtient habituellement par les relations familiales.

Elle releva la tête.

— Et vous avez été en mer pendant...

— Vingt-six ans, répondit-il.

Il exprimait rarement le chiffre à haute voix, le trouvant un peu démoralisant, comme s'il avait gaspillé la plus belle période de sa vie en mer. Mais il n'avait pas le choix. Lorsque sa mère avait succombé de la fièvre, il avait dû s'engager dans la marine.

— J'avais trente-cinq ans, continua-t-il, quand j'ai joint l'amiral Anson à bord du *Centurion*, le vaisseau amiral d'une flotte de six navires de guerre. Quatre années plus tard, nous sommes rentrés à Londres, rapportant dans nos soutes un trésor évalué à huit cent mille livres anglaises.

Il laissa le montant faire son œuvre — non pas pour l'impressionner, mais simplement pour l'aider à comprendre sa situation.

— Les officiers eurent la part du lion et certains furent promus dans l'amirauté. Mais nous avions perdu plus de la moitié de nos marins et tous nos navires à l'exception d'un seul. Une mauvaise affaire, selon moi.

— En effet, acquiesça-t-elle.

Après un moment de silence, elle posa la question qui le hantait lui-même depuis deux ans :

— Quels sont vos plans, maintenant ?

Jack soupira.

— J'en ai eu assez de la vie en mer, dit-il.

Il se retint d'ajouter le reste : qu'il était fatigué d'être seul, de n'avoir ni femme ni enfant.

— Dans deux semaines, confia-t-il, je prendrai officiellement ma retraite de la marine...

— *Votre retraite ?* dit-elle en le regardant, stupéfaite. Et renoncer à votre pension ?

Il haussa les épaules, presque honteux de ce qu'il allait dire.

— Je n'en ai nul besoin, madame Kerr.

— Oh, je vois !

Lorsque Charbon bondit sur le plancher, Elisabeth se leva. Lassée de la conversation, sans doute, ou atterrée à la pensée que l'on puisse dédaigner une généreuse pension alors qu'elle avait si peu d'argent.

— Veuillez m'excuser, mais je dois travailler, dit Elisabeth.

Il se leva immédiatement et s'en voulut de ne pas l'avoir fait en même temps qu'elle. Avait-il perdu toutes ses bonnes manières ?

— Madame Kerr, assisterez-vous à la Chevauchée de la commune vendredi ?

Elle hocha la tête.

— Il semble que cet événement attire tout Selkirk. Et vous ?

— À titre de propriétaire terrien, j'inspecterai les marches.

Il avait tenté de paraître blasé, mais en vérité, la perspective de chevaucher les collines avec Janvier lui souriait.

— Voulez-vous venir déjeuner avec nous, à midi? demanda Elisabeth. Notre maison est à un jet de pierre de la croix du marché, où les festivités prennent fin.

Il savait où elle habitait. Ce n'était pas le genre d'endroit qu'un gentilhomme de haut rang fréquentait normalement, mais il accordait peu d'importance aux conventions sociales.

— Je ne peux être certain de ce que l'on attendra de moi cette journée-là, dit-il prudemment, mais je vous chercherai dans la foule vendredi. Et je me joindrai à vous si je le peux.

Chapitre 37

Ce n'est ni les coursiers ni la vitesse,
C'est quelque chose qui vient du cœur ;
Les coutumes, les mots, les gestes amicaux,
C'est cela qui fait la Chevauchée de la commune.
— Robert Hunter

— As-tu déjà vu une telle animation ?
Marjory aurait voulu applaudir ou faire une pirouette, ou encore lancer ses bras dans les airs. Mais une femme d'âge mûr n'agissait pas de la sorte, bien sûr. Mais elle pouvait en *éprouver* l'envie, et personne ne le saurait.

Elle avait une bonne raison d'être d'humeur joyeuse : l'amiral Lord Jack Buchanan déjeunait dans leur modeste logis, ce jour-là. Elle arrivait difficilement à croire à sa bonne fortune. Bien que cela leur eût coûté du temps et de l'argent qu'elles n'avaient pas les moyens de gaspiller, leurs efforts seraient récompensés par la présence à leur table de l'homme le plus influent de Selkirk. Elisabeth avait répété qu'elle ne voulait qu'exprimer sa gratitude à l'amiral, mais Marjory avait de plus grandes visées. Une entrée[18] dans la société pour les femmes du clan Kerr. Une chance de recommencer à neuf.

Le cœur léger, elle observa la place du marché animée. Les gens avaient commencé à se réunir juste après l'aube du solstice d'été, vêtus de leurs plus beaux atours, réservés pour les mariages et les fêtes. Des rubans colorés se déroulaient des chapeaux et les larges cocardes portées sur les manteaux annonçaient l'appartenance de son porteur à l'une des corporations d'artisans. Anne et Elisabeth étaient à ses côtés, toutes deux heureuses d'être libérées de leurs aiguilles et de leurs

---

18. N.d.T. : En français dans le texte original.

épingles pour l'occasion. Seuls les aubergistes et les vendeurs
de bière étaient fort affairés cette journée-là. Le reste de
Selkirk avait oublié ses tracas, se préparant à observer la
Chevauchée de la commune.

Bien que l'air fût frais, le soleil de juin les réchaufferait
bien assez vite. Ainsi que tous ces corps pressés les uns contre
les autres. Marjory tendit la main vers le petit bouquet de
roses enfoui dans son corsage et huma leur frais parfum —
des présents du jardin de Lord Buchanan, offerts à chaque
femme de la famille Kerr. Quel homme généreux! Et dire
qu'elle avait déjà redouté de déménager à Selkirk! À midi, il
déjeunerait à leur table. Elle avait tout laissé à mijoter, à cuire,
à bouillir et devait donc rentrer à la maison bientôt. Pendant
quelques minutes au moins, elle pourrait jouir de la journée.

— Regardez, c'est Molly Easton, dit Elisabeth, hochant la
tête en direction d'une jeune fille vêtue d'une robe jaune soleil.
Elle m'a dit un jour que juin était son mois favori en raison de
la Chevauchée.

— Le mien aussi, admit Marjory. Et c'est bien dommage
qu'elle n'ait pas trouvé de travail à Bell Hill.

— Withmuir Hall avait besoin d'une hôtesse, alors elle a
trouvé une belle situation, dit Elisabeth, dont l'attention
se tournait maintenant vers la venelle de l'Église. Quand
verrons-nous les cavaliers? demanda-t-elle.

— Bientôt, promit Anne.

Marjory entendit les tambours s'impatienter et les violonistes accorder leurs instruments. Ce ne serait plus long
maintenant. Ce qui avait commencé des siècles auparavant
par une promenade à cheval des bourgeois de la ville dans les
marches — afin de s'assurer que les frontières des propriétés
étaient respectées et que les terres communales n'étaient pas
empiétées — était devenu un rituel estival annuel, agrémenté
de drapeaux, de bannières, de parades et de musique.

— Voilà le révérend, dit Anne, hochant la tête vers l'inter-section de la venelle de l'Église et du passage de la Croix.

Marjory suivit son regard, et comprit pourquoi Anne avait attiré l'attention sur le ministre : Gibson marchait sur ses talons. Bien qu'il ne fût pas aussi grand que son employeur, Gibson avait un maintien plus élégant et l'expression de son visage était aussi plus agréable. Quand le révérend regarda ailleurs, Gibson les salua d'un geste discret de la main.

Vous avez toute mon affection, et bien plus. Marjory eut un léger frisson, car elle se rappelait ses paroles, sans être tout à fait certaine du sens qu'elle devait leur prêter. Il n'était plus son domestique, mais sa condition était toujours la même.

Et toi, Marjory Kerr, qui es-tu ? Elle connaissait la réponse : une cuisinière inexpérimentée travaillant sans salaire. Qu'un homme brave et honnête comme Neil Gibson pût éprouver un peu d'affection pour elle n'était rien de moins qu'une bénédiction.

— C'est l'amiral ! s'écria Elisabeth, s'élevant sur la pointe des pieds.

Des douzaines de têtes se tournèrent dans la même direc-tion, y compris celle de Marjory. Et de Gibson aussi, remarqua-t-elle.

Descendant la venelle de l'Église sur un beau pur-sang gris, l'amiral Lord Jack Buchanan était un spectacle à voir. Son élégante perruque poudrée marquait son rang élevé et son tricorne lui allait comme une couronne royale. Le man-teau bleu foncé flottait sur ses genoux et ne le cédait qu'à son gilet d'une riche couleur écarlate en dessous. Anne était sans doute captivée par la dentelle vaporeuse s'échappant du col et des manches, mais c'étaient les soutaches qui coupèrent le souffle de Marjory. Chaque poche, chaque boutonnière et chaque ourlet étaient dissimulés par une épaisse bordure dorée.

Quelqu'un avait crié dans la foule, rendant le cheval de l'amiral nerveux, forçant Son Excellence à calmer sa monture. Distrait, il trotta sans jeter ne fût-ce qu'un regard dans la direction de Marjory, qui en parut vexée. L'amiral n'aurait-il pas pu au moins *regarder* vers la ruelle Halliwell ?

— Et voici les marteleurs qui donneront le signal de départ de la parade, dit Anne.

L'irritation de Marjory se dissipa rapidement quand elle observa les bourgeois et les propriétaires terriens s'avancer à cheval, tandis que les hommes libres, les journaliers et les apprentis des guildes d'artisans suivaient dans un ordre préétabli, le sabre levé, leur fanion respectif flottant fièrement au vent. Puisque chaque guilde avait son propre hymne, la musique était assourdissante, avec ses tambours, ses cornemuses, ses trompettes, ses flûtes et une armée de violonistes.

Les hommes qui travaillaient avec des masses et des marteaux — les maçons, les forgerons, les tonneliers et les charpentiers — marchaient devant. Puis venait la gloire de Selkirk — les *souters* — une compagnie bruyante et braillarde de cordonniers. Lorsque les tisserands défilèrent, le plaid drapé autour de l'épaule et enroulé en kilt à la taille, Elisabeth soupira.

— Comme mon père aurait aimé voir ceci, dit-elle.

Parmi les tailleurs, Michael et Peter Dalgliesh étaient faciles à distinguer avec leurs tignasses rouges et leurs joyeux sourires. Anne fit sursauter tous ceux qui l'entouraient en criant soudainement le nom de Peter, qui salua en retour avec enthousiasme, tant du regard que du geste. Enfin vinrent les bouchers, avec les outils affûtés propres à leur profession et faisant signe à tous de les suivre.

— Allez, vous deux, rejoignez la parade pendant que je m'occupe de la cuisine, dit Marjory alors que la foule se mettait en mouvement : des centaines de citadins riant, criant, saluant et chantant, tout en escortant les cavaliers hors de la ville.

Marjory ajouta sa voix à celle de la cohue, des larmes remplissant ses yeux, alors que lui revenaient les souvenirs de ces années où elle, son mari et ses fils occupaient la place d'honneur sous la croix du marché.

Je suis ici, chers garçons. Je suis à la maison.

Chapitre 38

Oyez ! Les trompettes stridentes sonnent les chevaux ! Allez !
— Colley Cibber

Où êtes-vous, jeune femme ?

Jack savait qu'Elisabeth Kerr était sur la place du marché. Il pouvait le ressentir physiquement, avait presque senti son regard se poser sur lui alors qu'il chevauchait dans la ville, mais il n'avait pu apercevoir son charmant visage.

Par nécessité, il regardait vers l'avant sur sa selle, tenant Janvier d'une main ferme, ayant eu quelques difficultés un peu plus tôt. L'environnement non familier, les spectateurs agités, les coups de trompette, tout cela avait énervé le cheval.

— Doucement, garçon, lui dit Jack, et sa prise sur les rênes était souple mais ferme.

S'il cédait à la tentation de regarder derrière, Janvier pourrait l'imiter et interrompre la parade qui remontait la Water Row.

Sir John Murray chevauchait à sa droite.

— Puis-je me joindre à vous, amiral ?

Leurs chevaux accordèrent leur pas alors que les deux hommes élevaient la voix au-dessus du brouhaha, discutant de la route à suivre. C'était seulement maintenant que Jack comprenait à quel point les terres communes étaient profitables au bourg. Si lui-même n'avait pas besoin de tourbe comme combustible ou de gazon pour la construction, les habitants des chaumières de Selkirk, eux, appréciaient d'en avoir à leur disposition.

— Nous chevaucherons les marches de la commune du nord ce matin, expliqua Sir John.

Jack hocha la tête, ayant étudié une carte grossière pour savoir où les propriétés voisines étaient situées. Quelques propriétaires étaient assez âgés pour se rappeler son grand-père Buchanan, et ils lui avaient donc réservé un accueil chaleureux.

Quand les cavaliers franchirent la porte de l'Est, ils laissèrent derrière les habitants de la ville, au milieu de bruyantes acclamations et de bons souhaits. Pour le groupe de cavaliers, la légère brise et le soleil généreux promettaient une merveilleuse excursion. Fort d'une trentaine de membres, le groupe descendit vers la rivière Ettrick qu'il traversa à gué, ignorant un pont tout à fait adéquat.

Quand Jack, perplexe, fronça les sourcils, Sir John lui dit rapidement.

— La tradition, milord. Vous entendrez ce mot souvent aujourd'hui, monsieur.

Ils allèrent au petit galop jusqu'à Linglie Glen, où les hommes firent une pause pour vérifier la sangle de leur cheval et se désaltérer d'une gorgée d'eau ou de whisky, ou des deux — le premier arrêt parmi plusieurs, comme allait bientôt le découvrir Jack. L'ancienne route du nord couvrait quatorze milles et ne comportait qu'une série d'accidents de terrain naturels pour indiquer le périmètre de la commune du nord. Des crêtes de collines, des rangées de haies, des massifs boisés, des ruisseaux sinueux, même des arbres solitaires, jouaient ce rôle, ainsi que quelques grosses pierres dispersées dans les marches, au milieu de la vaste campagne sauvage. Parmi tant d'autres cavaliers, Jack n'avait qu'à suivre le rythme du groupe tout en s'imprégnant du splendide panorama que son père lui avait autrefois décrit.

Ils grimpaient maintenant pour se rendre jusqu'à un sommet où d'immenses cairns montaient la garde sur le Borderland.

— Les Trois Frères, lui dit Sir John. La tradition veut que l'on ajoute une pierre sur chaque pile.

De son poste d'observation, Jack pouvait voir à des milles dans chaque direction. Les collines Eildon, un groupe de trois sommets, dominaient la vallée du Tweed, avec les Moorfoots au nord et les Lammermuirs au nord-est. Lorsque son père, qui n'avait jamais perdu son accent écossais un peu traînant, prononçait ses noms à voix haute, ils roulaient sur sa langue comme de la musique.

— Voilà Philiphaugh, dit Sir John en indiquant un point au sud. De l'autre côté se trouve la colline Harehead.

Jack hocha positivement la tête, car il avait déjà foulé le domaine des Murray à quelques reprises. Lors de sa première visite, Lady Murray avait insisté auprès de lui : « Vous *devez* entendre Rosalind jouer du piano. »

Puis, à sa seconde visite, la jeune femme conversa avec lui en français, en allemand et en italien, trois langues qu'elle maîtrisait très bien. Dès leur troisième rencontre, Sir John avait fait miroiter une dot substantielle, « mais réservée à un gentilhomme digne d'elle », avait-il précisé.

Jack n'avait pas vécu quarante ans sans avoir glané çà et là quelques notions du monde. Ils voulaient son titre, son argent, et que leur fille partage son lit nuptial.

Ses propres attentes étaient plus modestes : il voulait une femme et des enfants. Certes, Rosalind ferait une charmante épouse, et sa mère avait porté six enfants, ce qui était de bon augure pour la fille.

Sir John s'était tourné vers lui, affichant un large sourire, et son regard brillait d'une lueur plus cupide qu'affectueuse.

— Rosalind espère que vous viendrez déjeuner avec nous après la Chevauchée.

Jack ne dit rien, se rappelant une autre invitation. *Voulez-vous venir déjeuner avec nous, à midi ?* Il n'avait pas fait de promesse à Elisabeth Kerr, et ils n'avaient pas eu l'occasion d'en parler pendant toute la semaine. Personne ne lui reprocherait de préférer un festin à la table d'un homme riche.

Mais lorsque tu donnes un festin, invite des pauvres. Ce n'était pas seulement sa conscience, mais les paroles mêmes de Dieu qui l'interpellaient.

Jack dit finalement :

— Il se pourrait que j'aie… d'autres projets, Sir John.

Le shérif fronça les sourcils.

— Lady Murray sera extrêmement contrariée si je ne vous ramène pas à la maison avec moi.

— Je serai fixé quand nous serons de retour sur la place du marché, lui dit Jack, afin de gagner du temps, alors qu'il entamait la descente à la suite des autres.

Le soleil étant maintenant très haut dans le ciel, Jack aurait aimé porter un manteau plus léger. Et se débarrasser de son chapeau. Et de sa perruque. Mais puisque ses compagnons étaient eux aussi en costume d'apparat, il avait la consolation de ne pas souffrir seul.

À Dunsdale, un peu au nord de la ville, le groupe de la Chevauchée fut rejoint par de jeunes cavaliers désireux de prouver la valeur de leurs coursiers. Il y avait également une foule de spectateurs qui ne demandaient pas mieux que d'assister à la compétition. Jack laissa son cheval brouter dans le riche pâturage tandis qu'il regardait des hommes ayant la moitié de son âge se mesurer à la course pour un seul baiser d'une demoiselle rougissante. Pourquoi ne s'était-il pas marié quand il était un jeune lieutenant, alors que la vie était bien moins compliquée et la main d'une jeune fille si facilement gagnée?

Une heure plus tard, quand la ferveur de la compétition se fut un peu apaisée, tant chez les coureurs que chez les spectateurs, marcheurs et cavaliers se dirigèrent vers la croix du marché pour le « déploiement des couleurs ».

— C'est le clou de la journée, l'assura Sir John alors que les citadins accueillaient le groupe de cavaliers à la porte de l'Est.

Des garçons d'écurie attendant à l'entrée de la ville se chargèrent des chevaux, afin que les cavaliers puissent se rendre au cœur de l'action, où une grande plateforme avait été érigée. La foule retenait son souffle alors qu'à tour de rôle, les membres des guildes d'artisans montaient sur scène avec leurs grands drapeaux emblématiques. Le porteur le faisait ensuite tournoyer à la hauteur de la taille en formant la figure huit.

Sir John expliqua à voix basse.

— Cette tradition remonte à deux siècles. Selkirk avait envoyé un contingent de quatre-vingts hommes d'armes à la bataille de Flodden Field. Un seul survivant revint, portant une bannière anglaise capturée à l'ennemi. Rendu muet par le chagrin, il ne pouvait que balancer son drapeau autour de lui comme une faux. C'était sa façon d'indiquer à ses concitoyens que leurs fils avaient été fauchés.

Sir John fit un mouvement de la tête en direction d'un tisserand qui effectuait le même mouvement.

Attristé par ce récit, Jack se recueillit pendant qu'un chant commémoratif s'élevait dans la foule, que des larmes étaient essuyées et que les têtes s'inclinaient. Au milieu du silence, il jeta un coup d'œil vers la ruelle Halliwell et vit Elisabeth debout près de sa cousine et du tailleur aux cheveux roux.

Jack attendit que la dernière note se soit évanouie, puis fit des adieux rapides à Sir John.

— Toutes mes excuses à Lady Murray, mais je dois honorer une promesse faite précédemment, dit-il, certain qu'il commettait là un impardonnable impair.

Les gens de la ville s'écartèrent sur son passage et plus personne ne pouvait croire à une rencontre fortuite. Elisabeth le regarda parcourir la vingtaine d'*ells*[19] qui les séparaient. Lorsqu'il fut à sa hauteur, un petit cercle s'était formé autour d'eux. Leurs regards se croisèrent brièvement, puis il s'inclina et Elisabeth esquissa une révérence. Il fit un autre pas en avant, hochant la tête en direction des témoins, dans l'espoir qu'ils retournent à la fête et le laissent avoir un entretien privé avec elle.

---

19. N.d.T. : Un *ell* équivaut à environ un mètre.

Il y avait peu de chances que cela se produise. Tous les yeux et toutes les oreilles étaient rivés sur la scène qui se jouait à ce moment-là.

L'amiral au long cours. La couturière de la ville.

Si quelqu'un avait eu l'idée de vendre des billets pour le spectacle, il aurait empoché un beau bénéfice.

— Bon départ et bon retour, dit-elle pour l'accueillir. C'est ce que les villageois ont crié quand les cavaliers sont sortis du bourg.

Jack leva les sourcils.

— C'est ce que j'ai cru entendre, en effet.

— Maintenant, les festivités commencent, intervint la cousine d'Elisabeth. Chaque guilde organise sa propre fête. Le conseil de ville distribue aussi des victuailles et des rafraîchissements pour tous, et il y aura de la musique et des danses jusqu'aux petites heures du matin.

Les yeux bleu pâle d'Anne se levèrent vers lui.

— Mais vous partagerez notre déjeuner, n'est-ce pas, milord ?

Chapitre 39

Sans le sou au milieu de l'opulence.
— Horace

— Oui, dit Jack, souriant à Elisabeth, certain qu'il avait fait le bon choix. Un repas chez les Kerr me conviendrait tout à fait.

— Le révérend Brown a accepté de se joindre à nous, dit Elisabeth, ainsi que monsieur Dalgliesh et son fils. Vous vous souvenez du jeune Peter ?

Jack baissa le regard vers le garçonnet qui ne chercha pas refuge derrière son père, comme le font la plupart des enfants. Comme il aurait aimé avoir un fils semblable !

— Le Tout-Puissant a été généreux envers vous, monsieur Dalgliesh.

Le tailleur répondit par un grand sourire en posant la main sur la tête de Peter.

— Je lui en suis reconnaissant, amiral.

— Venez, m'sieur, s'écria Peter en tirant sur le pan du manteau de Jack.

— Notre maison est modeste, mais hospitalière, dit Elisabeth en le guidant à travers la ruelle ombragée, tous les autres suivant derrière, et dont les voix animées se réverbéraient sur les murs de pierres humides.

Jack observait son environnement, troublé à la pensée qu'Elisabeth affrontait cette vue lugubre chaque jour de sa vie. Ce n'est que lorsqu'ils atteignirent la porte qu'il pensa à Janvier.

— J'ai confié mon cheval à l'un des garçons d'écurie de Bell Hill. Il doit se demander où je suis passé.

Monsieur Dalgliesh eut un petit rire.

— Est-ce un garçon de Selkirk ? demanda-t-il, et à la suite de la réponse affirmative de Jack, le tailleur ajouta : Alors vous n'avez aucune raison d'vous inquiéter. Il sera assis à l'ombre d'un arbre avec d'autres garçons, veillant sur vot' monture tout en buvant du punch. Il sait qu'vous viendrez la chercher quand vous serez prêt.

Elisabeth étudia Jack plus attentivement.

— Préférez-vous que nous envoyions quelqu'un l'informer de votre retard ?

— Non, dit-il, faisant confiance à l'opinion du tailleur. Après notre bref échange sur la place du marché, madame Kerr, une centaine de personnes peuvent lui dire où je suis allé. Et maintenant, si quelqu'un voulait bien ouvrir cette porte, dit-il en se tenant à l'écart.

De petits rires se propagèrent dans le groupe.

— C'est une porte extérieure qui n'a pas de serrure, expliqua Elisabeth en la poussant pour l'ouvrir.

Une odeur de moisi s'en échappa.

— Ce n'est pas Londres, milord, dit-elle. Nous n'avons besoin ni de serrure ni de clé ici.

Il en comprit vite la raison. Il n'y avait rien à voler.

Jack avait visité plusieurs appartements au cours de sa vie, mais il n'en avait jamais vu d'aussi petits ni meublés aussi sommairement. Il ne compta qu'un seul lit et deux fauteuils très abîmés recouverts de tissu. Et la table ovale pouvait à peine recevoir quatre personnes, et sûrement pas huit. Pourtant, ils étaient tous là, lui et ses agréables compagnons, à l'aise d'être ensemble dans un logis qui n'était pas beaucoup plus grand que la salle de travail d'Elisabeth.

— Désirez-vous vous asseoir près de la fenêtre ? lui demanda Elisabeth en tapotant le haut dossier de l'un des fauteuils rembourrés. Le déjeuner sera bientôt prêt. Il ne nous manque que les assiettes, les serviettes et les ustensiles, mais tout arrivera bientôt.

S'activant près du foyer, madame Kerr portait une nouvelle robe noire. Elisabeth, hélas, était toujours vêtue de sa triste robe défraîchie. N'avait-elle pas commencé à s'en confectionner une nouvelle ? À moins qu'Hyslop n'ait pas acheté suffisamment de tissu. Jack n'osa pas le demander de peur de l'embarrasser. Il ne pouvait davantage faire l'éloge de la robe de deuil de l'aînée des Kerr sans attirer l'attention sur la robe abîmée de sa belle-fille. Parfois les bonnes manières étaient un inconvénient quand on voulait avoir l'heure juste sur un sujet.

Le révérend Brown et son domestique, Gibson, frappèrent à la porte peu après, les bras chargés d'assiettes d'étain, de serviettes de papier, de fourchettes et de cuillères d'argent.

— Nous voilà, mesdames, dit le ministre en déposant son apport sur la table. Ma défunte épouse serait heureuse de voir que ces objets trouvent finalement un usage.

Avec l'aide de Gibson, Anne dressa rapidement la table pour quatre, puis empila le reste des ustensiles près du foyer. Jack ne pouvait imaginer comment le déjeuner serait servi. Feraient-ils la chaise musicale ? Devraient-ils manger debout ? Ou partager les mêmes assiettes ?

Sa conscience le ramena à l'ordre. *Ils t'ont donné la meilleure place et t'offriront bientôt à manger. Soit reconnaissant. Sois humble. Sois discret.*

Ayant fait taire la voix ironique en lui, Jack se contenta de rester assis et d'observer les préparatifs. Quoiqu'Elisabeth fût constamment prête à intervenir, sa belle-mère avait évidemment les choses bien en main. L'air était rempli d'arômes alléchants. Jack pensa à sa mère, qui avait deux cuisiniers, mais qui insistait pourtant pour cuire son propre pain.

Pendant qu'Anne distrayait Peter avec un petit livre d'enfants, le révérend Brown vint s'asseoir auprès de Jack pour engager la conversation.

— Pour un homme qui a navigué autour du monde, chevaucher les marches de notre commune du nord a dû sembler
un périple bien ennuyeux.

— Pas du tout, révérend, dit Jack, qui relata en détail ses
expériences de ce matin-là.

Son regard errait occasionnellement vers les poutres qui
s'affaissaient, sur le plancher nu ou les vieilles malles près du
lit clos.

Une demi-heure plus tard, Elisabeth l'accompagna à table.

— Si vous voulez bien prendre la chaise du bout, milord,
dit-elle.

Elle installa aussi le révérend Brown, monsieur Dalgliesh
et sa belle-mère.

Madame Kerr regardait ses plats avec inquiétude.

— J'espère que tout sera assaisonné à votre goût, milord.

Aussi exiguë que fût la table, Jack ne pouvait nier que la
nourriture avait un aspect très prometteur.

— Rassurez-vous madame, je mangerai tout, l'assura-t-il.

La question de la place des autres convives fut bientôt
résolue. Anne et Elisabeth occupaient les fauteuils, tenant
adroitement leur assiette en équilibre entre leurs mains,
tandis que Gibson et Peter faisaient office de valets, apportant
chaque plat à la table.

— Nous avons déjà déjeuné, déclara Peter, et la farine sur
son nez prouvait qu'il avait bien mangé un ou deux petits
pains.

À l'étonnement de Jack, madame Kerr avait préparé non
seulement les plats obligatoires de poisson, de viande et de
volaille, mais aussi les plats de légumes. Une anguille au
beurre fondu fut suivie d'une savoureuse tourte au veau, puis
par un ragoût de poulet avec du macis. Des petits pains, au
fort arôme de levure, furent ensuite servis, puis des bette-
raves marinées et des asperges au beurre. Des fraises et du
fromage doux firent leur apparition au dessert.

Jack se garderait bien de le dire à madame Tudhope, mais il venait de lui trouver son égale.

La conversation reprit quand leurs fourchettes furent déposées. Michael Dalgliesh, décida Jack, était un conteur talentueux qui se faisait passer pour un tailleur, et qui régalait les invités et la famille d'histoires amusantes. L'aînée des veuves Kerr parla peu, mais par son discours et ses manières, il était clair qu'elle était une dame. Il tâcherait d'apprendre son histoire ainsi que celle d'Elisabeth.

Quand ce fut son tour, Jack relata ses aventures à bord du *Centurion*, même ses visites de ports de mer exotique au Brésil, en Argentine, en Chine et aux Philippines. Elisabeth et Anne débarrassèrent rapidement la table, puis rapprochèrent leurs chaises. Peter, les yeux écarquillés, s'assit aux pieds de son père, jusqu'à ce que celui-ci l'assoie sur ses genoux pour qu'il puisse mieux entendre.

Jack éprouvait rarement de la jalousie vis-à-vis d'un autre homme, mais, un court instant, la lame affûtée de l'envie fit sentir sa morsure. Aussi palpitantes qu'avaient été ses années en mer, elles lui avaient coûté un fils comme Peter.

Quand les convives se levèrent enfin, rassasiés tant de nourriture que de mots, la cloche de l'église sonna l'heure.

— Il ne peut être dix-huit heures, dit Jack en consultant sa montre, stupéfait de voir que le temps avait filé si vite. Je dois trouver mon palefrenier avant qu'il ne vende Janvier et qu'il ne vogue vers le continent.

— Venez avec moi jusqu'au presbytère d'abord, dit le révérend Brown. J'ai demandé à Gibson de rester ici et d'aider à tout remettre en ordre.

— Fort bien, monsieur, dit Jack en jetant un dernier regard circulaire dans le logis, qui n'avait pas perdu ses allures de taudis.

Mais ces femmes mangeaient certainement très bien. Peut-être préféraient-elles dépenser leur argent pour de la nourriture plutôt que pour des meubles.

Jack trouva son chapeau, exprima ses sincères remerciements, puis prit congé et suivit le ministre dans l'escalier et jusque sur la place du marché, où les fêtards continuaient de faire des rondes endiablées, leurs pieds volant littéralement au-dessus des pavés. Il raccompagna le ministre jusque chez lui, sans chercher à engager la conversation en passant près des musiciens enthousiastes.

Quelques minutes plus tard, les deux hommes se tenaient dans le salon du ministre, protégé du bruit des réjouissances à l'extérieur par la lourde porte d'entrée.

— Lord Buchanan, commença le ministre, croyez-vous que les dames Kerr s'offrent souvent un repas aussi somptueux?

La question le prit au dépourvu.

— Je... ne saurais le dire, monsieur.

— Moi, je le peux, dit-il d'un ton bourru. Demain matin, elles rompront leur jeûne en mangeant du porridge dans des bols de bois. Le déjeuner consistera en un seul plat provenant d'un seul chaudron commun. Pour dîner, il n'y aura que du fromage, du pain et ce qu'elles pourront cueillir dans le jardin de madame Thorburn.

Jack sentit son copieux repas s'agiter dans son estomac.

— Alors, comment ont-elles pu...

— La jeune veuve Kerr a dépensé son salaire d'une quinzaine pour ce repas. Anne, qui ne gagne qu'une maigre pitance à enseigner la dentellerie, a dû frotter son petit logement de fond en comble. Et l'aînée, madame Kerr, a passé la semaine entière à imaginer et à préparer chaque mets.

Jack le regarda, interdit.

— Pour un seul repas?

— Non, dit le révérend sèchement. Pour un seul homme.

— Certainement..., commença Jack, qui se reprit. Elles n'ont certainement pas fait tout cela pour *moi*?

Le ministre fronça les sourcils.

— Selon Gibson, qui l'a entendu de la bouche de Marjory Kerr, qui connaît sa belle-fille mieux que quiconque, Elisabeth Kerr désirait vous exprimer sa gratitude pour tout ce que vous avez fait pour elle.

— Je vois, dit Jack, et son esprit fonctionnait à toute allure.

Quelque chose lui avait-il échappé lors du repas ? L'avait-elle dit sans qu'il l'entendît ?

— Et vous vous êtes assis à leur table, avez festoyé comme un prince, puis n'avez offert en retour rien de plus que ce qu'une couturière reçoit pour ses efforts à votre service.

Frappé par l'accusation, Jack protesta.

— Mais je lui ai fourni des étoffes pour leurs nouvelles robes...

— Oui, gronda le révérend Brown, afin qu'Elisabeth ne choque plus votre regard dans votre manoir. Entretemps, elle marche quatre milles par jour, travaille de l'aube au crépuscule, et ne possède aucune assurance d'avoir encore une place au lendemain de la Saint-André.

Jack n'avait jamais été semoncé aussi vertement depuis ses jours comme enseigne de vaisseau novice. Il ne l'avait pas apprécié, alors. Et il l'appréciait encore moins maintenant. Mais il apprenait quelque chose par l'admonestation du ministre : la vérité.

— Et quel conseil me donnez-vous, monsieur ?

Le révérend Brown répondit sans hésiter :

— Celui de traiter les veuves Kerr en égales.

Jack le regarda fixement, confus.

— Mais monsieur, elles sont... pauvres.

— Aujourd'hui, oui, mais cela n'a pas toujours été le cas. Lord John Kerr de Tweedsford était jadis un citoyen riche et respecté de Selkirk. Son fils, feu Lord Donald, a hérité de la fortune, du titre et des terres de son père. Ne vous méprenez pas, les Kerr sont des dames dans toute l'acception du mot.

Jack se laissa choir sur la chaise la plus proche, le souffle coupé par ce qu'il venait d'entendre.

— La jeune veuve Kerr ne m'avait rien dit de tout cela.

— Je ne peux lui en vouloir d'avoir dissimulé la folie de son mari, car s'il a hérité de la fortune de son père, il n'a pas reçu son bon sens. Lord Donald Kerr a gâché sa vie en embrassant la cause jacobite, condamnant sa mère et sa femme à vivre pour toujours dans la pauvreté.

Jack comprenait enfin la situation.

— Quand son mari est mort à Falkirk, dit-il, il combattait pour le prince Charlie, et non pour le roi George.

L'expression du ministre se radoucit.

— Maintenant, vous savez ce qui en est. Le général Lord Mark Kerr lui-même a rédigé la lettre qui scellait le sort de la famille. Déchus pour cause de trahison, ils ont tout perdu.

Trahison. Jack frémit à ce seul mot. Il avait connu plus d'un marin qui avait payé de sa vie sa déloyauté.

— Et les dames Kerr… ont-elles embrassé aussi la cause du prince Charlie?

La tête grise du révérend Brown hocha de haut en bas.

— À leur grande honte, elles l'ont fait. Mais avant tout, elles soutenaient les hommes qu'elles aimaient, ce que l'on ne peut retenir contre elles. Maintenant, vous les trouverez honorant le roi, ne serait-ce que parce qu'il est prudent de le faire. De leur foi dans le Tout-Puissant, par contre, il ne peut subsister aucun doute. Dans ce royaume-là, nous sommes tous pairs.

Jack se releva, car il avait besoin de marcher.

— Pourquoi n'ai-je pas entendu parler de cette trahison avant aujourd'hui?

— Personne ne voulait vous en parler, milord, car cela aurait pu coûter sa place à madame Kerr. Elle aurait pu rentrer chez elle dans les Highlands, mais elle a plutôt choisi de rester avec sa belle-mère afin d'en prendre soin. C'est un sacrifice que peu de gens feraient, milord.

Jack fixa la pile de livres sur la table de la bibliothèque, essayant de se concentrer.

— Je me dois de vous reposer la question, révérend, que devrais-je faire, à votre avis?

La réponse du ministre fut rapide.

— Assistez-les matériellement. Par des moyens qui ne les humilieront pas et pour lesquels elles ne se sentiront pas tenues de vous offrir quelque chose en retour.

— Ce festin d'aujourd'hui, vous voulez dire, grommela-t-il.

— Précisément.

Jack hocha la tête, une idée prenant forme dans sa tête et dans son cœur.

— L'argent est un présent froid, facile à mesurer. Mais j'ai d'autres moyens de pourvoir à leurs besoins.

Il consulta sa montre de poche de nouveau, puis regarda la porte.

— Je dois partir, monsieur. Vos remontrances ont été bien reçues.

— Je le vois, dit le révérend Brown, qui fit un vaillant effort pour sourire, ce qu'il ne faisait que rarement. «Tu dois ouvrir ta main à ton frère, rappela-t-il à Jack, à celui qui est humilié et pauvre dans ton pays.»

— Oui, monsieur, dit Jack, puis il porta la main à son chapeau et sortit.

Il se dirigea vers les confins de la ville où un garçon d'écurie et un pur-sang reposé attendaient leur maître.

Moins d'une heure après, il parcourait les corridors de Bell Hill à la recherche de Roberts et de madame Pringle. Sa maison lui sembla plus vaste que d'habitude, ses serviteurs étant en congé en raison de la Chevauchée. Cela voulait aussi dire qu'il y avait moins d'oreilles indiscrètes dans les corridors — une bénédiction, considérant ce qu'il avait en tête.

Quand la gouvernante et le majordome apparurent à la porte de son bureau, Jack les invita du geste à entrer.

— Qu'est-ce qui vous préoccupe, milord? s'enquit Roberts, car je vois que vous paraissez anxieux.

— *Déterminé* serait plus précis, répondit Jack.

Il s'était placé debout devant son bureau plutôt que de s'asseoir derrière. Il valait mieux s'assurer leur complicité. Et leur silence.

Les deux domestiques attendaient, les mains croisées dans le dos, tout yeux tout oreilles.

— D'abord, dit Jack d'un ton plutôt sévère, l'un de vous, sinon les deux, me doit une explication. Saviez-vous que madame Elisabeth Kerr avait été mariée à un jacobite, tombé à Falkirk et ensuite déchu pour cause de trahison ?

Roberts parut choqué de l'apprendre.

— Bien sûr que non, milord !

Madame Pringle se pinça les lèvres.

— Moi oui, Lord Buchanan, admit-elle. J'étais parfaitement au courant. Madame Kerr me l'a dit dans l'heure qui a suivi son arrivée ici.

— Et vous l'avez néanmoins accueillie dans cette maison, dit Jack d'un ton qu'il s'efforçait de garder égal. Vous l'avez nourrie. Vous m'avez laissée l'habiller. Vous vous êtes assurée que je la prenne à mon service.

Madame Pringle répondit sans chercher de faux-fuyant.

— J'ai fait tout cela, monsieur.

Il hocha la tête, cachant à peine son plaisir.

— Et je vous en félicite.

— Monsieur ? s'exclama Roberts.

Jack plaqua une main sur l'épaule de son majordome.

— Nous sommes chargés de veiller sur les veuves de notre paroisse, et madame Pringle l'a sagement compris. Mais il y a plus à faire. Promettez-moi tous les deux que vous ne révélerez pas mes intentions en dehors de cette pièce.

Quand il eut obtenu leur promesse verbale, accompagnée de regards sincères le convainquant de leur loyauté, Jack se frotta les mains comme un charpentier de marine se préparant en empoigner sa hache.

— Maintenant, voici ce que j'ai en tête.

Chapitre 40

Le chemin qui monte et celui qui descend
sont le même.
— Héraclite

Tenant un paquet de lin dans une main et son panier à couture dans l'autre, Elisabeth descendait le chemin pour rentrer à la maison, attirée par le tintement de la cloche de l'église flottant dans la brise du crépuscule.

Ses pieds connaissaient bien le chemin, à présent. En quatre semaines, elle avait achevé quatre robes, la dernière pour la mère de Sally, madame Craig, la première lavandière. Pour son propre plaisir, Elisabeth avait fait quelques modifications dans le dessin de chaque robe. Quelques plis supplémentaires ici, une boutonnière brodée là, une double patte un peu plus ample pour cacher les agrafes — rien que Lord Jack pût remarquer ou lui reprocher.

Elle l'avait à peine vu la semaine précédente, mais il avait fait déposer une note pleine d'égards sur son plateau de déjeuner du samedi, la remerciant de l'hospitalité de la famille Kerr. Après l'avoir lue à Anne et à Marjory, Elisabeth avait enfoui le pli dans la poche de son tablier. Plus tard, quand elle serait seule, elle le lirait une autre fois, passant son pouce sur la signature de Lord Jack.

Mais ce sont les paroles qu'il avait prononcées qu'elle gardait dans son cœur. *Ne pourrions-nous pas être des amis, madame, à Bell Hill, tout au moins ?* Qu'est-ce que cela voulait dire ? Qu'il préférait ne pas être vu avec elle en public ? Ou qu'il se sentait seul et apprécierait sa compagnie pendant qu'elle travaillerait sous son toit ?

Elle était certaine de ceci : de petits présents avaient commencé à apparaître à la porte de sa salle de travail. Des carrés de caramel écossais, particulièrement appréciés d'Anne. Deux contenants de baies. Un panier de roses cueillies dans le jardin. Puis, de petits pains au blé frais du jour, une spécialité de la cuisinière. « Madame Tudhope a en fait plus qu'il en fallait pour le déjeuner », lui avait dit madame Pringle. Elle avait ensuite abandonné le paquet enveloppé dans un linge sur le manteau de la cheminée, hors de la portée de Charbon.

Elisabeth soupçonnait que Lord Buchanan était derrière ces largesses, déguisées en dons de denrées périssables destinées à être jetées. Peu importe la source, peu importe la raison, les dames Kerr étaient reconnaissantes.

Elle marchait en descendant la partie la plus abrupte de la colline quand le claquement de sabots sur le chemin attira son attention. Elisabeth ralentit le pas afin de laisser passer les cavaliers.

Ce sont plutôt les chevaux qui s'arrêtèrent à sa hauteur.

— Bon après-midi, madame.

Lorsqu'Elisabeth se retourna, elle vit Lord Jack qui baissait son regard vers elle, le visage encadré par le ciel bleu. Il était habillé d'une veste et d'une culotte de cheval noires, mais sans cravate ni gilet — un laisser-aller plutôt scandaleux pour un amiral. Elle haussa les sourcils.

— Vous n'allez pas à la ville, je vois.

— Non, madame. Je suis à la recherche de ruines anciennes. Voulez-vous vous joindre à moi ? demanda-t-il.

Il hocha la tête vers le cheval à côté de lui, monté par l'un des palefreniers de Bell Hill.

— Belda vous conviendra, dit-il. Elle est bien dressée et pourtant fringante.

Elisabeth regarda la jument isabelle, avec sa crinière de couleur crème et sa riche selle d'amazone de cuir.

— Elle *est* magnifique, admit Elisabeth, même si elle n'était pas montée à cheval depuis plusieurs saisons.

Oserait-elle essayer ?

— Davie rapportera vos affaires à la maison pour vous, offrit l'amiral en hochant la tête vers le garçon, qui tendit les rênes à son maître avant de venir soulager Elisabeth de son paquet et de son panier. Davie, reprit Jack, informe madame Kerr, de la ruelle Halliwell, que sa belle-fille arrivera à la maison au coucher du soleil, et qu'elle aurait déjà dîné.

— Très bien, m'sieur, dit le garçon, qui partit sur-le-champ.

Elisabeth le regarda.

— Lord Buchanan, je ne suis pas... certaine...

— Vous devez m'appeler Lord Jack, lui rappela-t-il, descendant de cheval d'un mouvement élégant.

— Cette excursion que vous suggérez...

Elle tourna la tête pour le regarder.

— Est-il convenable pour nous de faire une promenade sans escorte?

— Vous voulez dire, parce que je suis un vieux célibataire et vous, une jeune veuve?

Il s'éclaircit la voix avant de poursuivre.

— Madame, reprit-il, j'ai été étroitement surveillé dès le moment où j'ai posé le pied dans cette paroisse. Je soupçonne que vous l'avez été également. Une telle attention tend à garder les gens dans le droit chemin de l'honnêteté. Je n'ai aucune intention de m'en écarter. Et vous?

Elle éclata de rire.

— Moi non plus.

— Très bien, dit-il en lui offrant la main. Laissez-moi vous aider à la monter, car ce n'est pas chose aisée avec une robe.

Elle se tenait debout près de la jument, passant sa main gantée sur l'encolure fine et chaude du cheval.

— Sois gentille avec moi, jeune fille, murmura Elisabeth, respirant lentement et profondément pour calmer ses nerfs.

La dernière femme que j'ai vue monter en amazone fut Lady Margaret Murray de Broughton.

— Une jacobite, je crois, dit-il d'un ton neutre.

Elisabeth grimaça. Pourquoi avait-elle mentionné une telle chose ? La nervosité sans doute. Était-ce de monter la jument qui lui faisait peur ? Ou de chevaucher en compagnie de l'amiral ?

Sans cérémonie, Lord Buchanan plaqua ses mains sur sa taille et la souleva sur la selle avec facilité, puis baissa pudiquement le regard alors qu'elle passait le genou autour du pommeau et rectifiait ses jupes.

Bien assise, Elisabeth prit les rênes et expira la dernière de ses craintes.

— J'avais oublié combien le monde est merveilleux, vu du haut d'un cheval.

— Il l'est encore plus par là, dit-il en inclinant la tête, et il les entraîna vers le sommet de la colline, tournant le dos à la ville. Avez-vous déjà été à Lessudden ? demanda-t-il.

— Le plus loin à l'est où je suis allée est Bell Hill. Et vous ?

Il sourit.

— À Canton, en Chine.

Si l'amiral avait été son frère, elle l'aurait souffleté.

Plus ils s'élevaient, plus la vue était saisissante. Elisabeth retenait son souffle, s'efforçant de graver ces images dans son esprit, alors qu'ils continuaient le long de la crête élevée. Le paysage ondulait et plongeait de chaque côté des cavaliers, tandis que le ciel semblait assez près pour qu'ils puissent le toucher.

Lord Buchanan indiqua un point devant.

— Eildon Hills, dit-il. Ces collines sont extraordinaires, n'est-ce pas ?

Elisabeth regarda les trois sommets distincts. Plutôt que de présenter les habituelles pentes graduelles se développant dans le paysage, les collines Eildon émergeaient droit des terres cultivées, n'ayant que les fougères et la bruyère pour adoucir leurs flancs rudes et escarpés.

— Plus troublantes que magnifiques, avoua-t-elle.

Leur route les fit descendre une autre fois à travers de vastes champs et pâturages. Des moutons, fraîchement tondus, erraient en bordure de la piste étroite, bêlant à fendre l'âme comme s'ils pleuraient leur toison.

— Nous avons quitté le Selkirkshire, l'informa l'amiral. Tel que je vous l'ai promis, voici le village de Lessudden.

Elle trouva les maisonnettes aux toits couverts de chaume plutôt charmantes.

— Mais aucune n'est très vieille, le taquina-t-elle, et je ne vois pas de ruines.

— Patience, madame Kerr.

Sous sa direction, ils chevauchèrent vers le nord du village le long d'un sentier élevé et boisé. Le soleil brillait toujours, bas dans le ciel, mais plus profondément dans les bois, où la pénombre régnait déjà. Un épais tapis de feuilles sèches et d'aiguilles de pin adoucissait le pas des chevaux, et il lui sembla qu'ils avançaient sur la pointe des pieds.

Une petite éclaircie dans la forêt révéla leur destination : les ruines vénérables d'une abbaye. Silencieuses, belles, mystérieuses.

— Dites-moi, madame Kerr, dit l'amiral à voix basse. Le XIIe siècle est-il assez ancien à votre goût ?

Il mit pied à terre silencieusement et attacha son cheval, puis il l'aida à descendre, comme si elle ne pesait rien.

Pendant un court instant, Elisabeth pensa qu'il lui prendrait la main, puis se sentit un peu sotte quand il ne le fit pas. Elle marcha devant lui, afin qu'il ne vît pas ses joues rouges.

— Que savez-vous de cet endroit ?

— C'est la première abbaye de Dryburgh, édifiée par le roi David, lui dit l'amiral, mais au-delà de cela, je ne puis rien dire de plus. L'un de mes jardiniers m'a recommandé de visiter ce site. Maintenant, je comprends pourquoi.

— Moi aussi, soupira-t-elle.

Un mur ici, un mur là, rien qui ressemblât à un bâtiment complet, mais le lieu revêtait un caractère sacré. Les arches du transept de l'église se teintaient d'un éclat rosé dans la lumière déclinante, tandis que les hautes et étroites ouvertures des fenêtres étaient noires et sans vie. Des pierres tombales étaient disséminées alentour, quelques-unes étaient imposantes et sculptées, d'autres banales et près du sol, couvertes de mousse et de lichen. Elle jeta un regard à travers une pièce vide où un banc de pierre s'adossait contre chaque mur.

— Les moines se réunissaient ici, dit-elle, puis elle eut un sursaut quand l'écho de sa voix rebondit dans le vaste intérieur.

Lord Buchanan continua d'explorer les ruines de grès rose, suivi par Elisabeth à quelques pas derrière lui.

— Le Tweed, dit-il, indiquant le fleuve qui contournait l'abbaye. Nos chevaux seront heureux de s'y désaltérer.

Tandis que leurs montures buvaient tout leur content, puis paissaient l'herbe à leurs pieds, l'amiral et Elisabeth s'installèrent sur un muret de pierre, d'où ils voyaient s'écouler les eaux paisibles en contrebas.

— Vous avez dit que je rentrerais à la maison après avoir pris mon dîner, lui rappela-t-elle.

— C'est juste, dit-il, et il fut sur ses pieds immédiatement et défit la sangle d'une grande sacoche de cuir fixée à la selle de Janvier. Je n'ai apporté que du fromage, du pain et un flacon de cidre, dit-il sur un ton contrit, ainsi que quelques cerises mûres de la cerisaie. Un menu d'homme pauvre, je le crains.

— Alors, il me conviendra très bien.

Il se rassit près d'elle, le front creusé d'une ride.

— Madame Kerr, je n'avais pas l'intention d'insinuer que...

— Et vous ne l'avez pas fait, le rassura-t-elle en prenant le pain qu'il avait dans les mains.

Ils mangèrent peu et parlèrent encore moins, déchirant la mie afin d'en distribuer les miettes aux merles qui sautillaient à leurs pieds. Elle goûta à quelques cerises, mangea une bouchée de fromage, puis prit une longue gorgée de cidre du flacon avant de le rendre à l'amiral.

— Le reste est à vous, dit-elle.

Il le vida d'une seule lampée, puis remit le bouchon en place, la regardant d'une façon plutôt intense.

— Je vous ai amenée ici pour une raison précise, madame Kerr...

— Appelez-moi Bess, je vous en prie, l'interrompit-elle, espérant pouvoir les dispenser de telles formalités.

L'amiral hocha la tête lentement.

— Je dois confesser que cela vous va mieux.

Elle ne s'était jamais assise aussi près de lui auparavant. Son front comptait quelques rides superficielles, et son nez long avait des ailes planes. Ses pommettes étaient élevées et sa bouche ferme, presque sculpturale. Mais ce sont ses yeux qu'elle remarqua le plus. D'un brun chaud, comme ses cheveux, comme ses sourcils, comme le léger voile de barbe sous son menton.

Elisabeth se détourna, gênée de l'avoir examiné aussi attentivement.

— Vous avez dit m'avoir amenée ici pour une raison précise, milord.

— Oui, Bess. Je veux savoir quelles sont vos relations avec les jacobites ?

Elle se tourna vivement.

— Qui vous en a parlé ?

— Le révérend Brown, dit-il, et il grimaça. J'ai été bien léger de ne pas l'avoir compris de prime abord. Peut-être ne voulais-je pas le savoir et ainsi éviter la vérité. Je suis heureux de ne plus être un officier actif dans la marine, car j'aurais été dans l'obligation de vous signaler au roi.

Elisabeth fixa le sol, se sentant nauséeuse.

— Et vous ne ressentez plus... cette obligation... aujourd'hui ?

— Pas le moins du monde, répondit-il. Mais je veux connaître votre allégeance.

Elle leva la tête, déterminée à parler avec franchise.

— Ma famille des Highlands a toujours soutenu les Stuart dans leur prétention au trône d'Angleterre. Parce que je les aimais, j'ai soutenu le prince Charlie. Mais après avoir perdu mon frère... et puis mon mari..., la cause jacobite n'est plus la mienne.

— Alors, si le roi George devait m'interroger à ce sujet, que devrais-je lui répondre ?

— Que je suis loyale envers le Tout-Puissant, dit-elle simplement, et envers tous ceux qui s'inclinent devant lui.

Il hocha la tête lentement, comme s'il pesait sa réponse.

— Oui, cela devrait lui plaire.

Elisabeth faillit éclater de rire, tant l'expression de son visage était sérieuse.

— Avez-vous l'intention de parler de moi bientôt à Sa Majesté ?

— Peut-être, fut sa seule réponse, puis il se leva, levant les yeux vers le ciel qui s'assombrissait. Venez, Bess. J'ai promis à votre belle-mère que je vous ramènerais à la maison avant le coucher du soleil. Pouvez-vous chevaucher rapidement ?

Elle se leva, redressant les épaules.

— Je peux le faire.

Quelques minutes plus tard, ils galopaient vers l'ouest, sa jument déjà réceptive à ses directives. Quand la route devint droite, ils ralentirent la cadence.

— Très bien, Belda, dit-elle à sa monture, se détendant sur sa selle.

— Vous êtes une cavalière naturelle, la complimenta l'amiral. J'insiste pour que vous montiez Belda régulièrement, car elle a besoin d'exercice.

Elisabeth fit semblant d'être étonnée par une telle demande.

— Mais monsieur, je dois coudre pour vous.

— Cousez plus vite, dit-il, avant de repartir au galop.

Ils allaient côte à côte, inclinés sur leur selle, les yeux fixés sur les lumières de Bell Hill, quand l'amiral ralentit soudain et l'incita du geste à l'imiter.

— Les dragons, grommela-t-il.

Ils s'immobilisèrent tous deux, respirant bruyamment, la main de l'amiral tenant les rênes du cheval d'Elisabeth.

Folle d'inquiétude, Elisabeth regarda devant. Qu'est-ce que les dragons pouvaient bien faire à Bell Hill? Elle compta huit hommes en uniforme qui s'éloignaient de la maison. *Je vous en prie, mon Dieu. Faites qu'ils ne viennent pas par ici.* En compagnie de l'amiral, elle observa les dragons s'approcher du chemin. Quand les hommes tournèrent finalement à droite pour descendre vers Selkirk, Elisabeth faillit s'effondrer sur la crinière de Belda. *Merci, mon Dieu.*

Jack demeura silencieux un moment, la mâchoire contractée.

— Je ne sais pas ce qui les a amenés à ma porte ce soir, mais vous pouvez être assurée que je le découvrirai, dit-il. Entre-temps, Bess, il serait mieux que vous restiez à l'intérieur.

— Si vous pensez que c'est préférable...

— Oui, répondit-il. Si c'est moi qu'ils recherchent, alors qu'ils viennent me trouver. Si c'est à vous qu'ils en veulent, je ferai ce que ma mère fit autrefois quand deux espions britanniques apparurent à sa porte.

Il s'inclina si proche d'Elisabeth qu'elle put sentir le doux relent du cidre dans son haleine.

— Je vous cacherai sous mon toit et j'enverrai les hommes du roi dans les collines.

Chapitre 41

Les amis sont bien mieux mis à l'épreuve
dans la mauvaise fortune que dans la bonne.
— Aristote

Marjory allait et venait devant le foyer aux braises mourantes, les assiettes du dîner ayant déjà été frottées. La lueur d'une unique chandelle tremblotait sur la table de couture. La nuit était tombée, et toujours pas de signe d'Elisabeth.

Anne leva les yeux de son livre.

— Il n'y a aucune raison de vous inquiéter, cousine. Elle est en sécurité avec Lord Buchanan.

— Je sais, je sais, dit Marjory d'un air absent, se déplaçant vers la fenêtre.

Elle se pencha, laissant l'air frais de la nuit glisser sur son visage. La place du marché semblait déserte. À l'exception des sons habituels des chiens qui jappaient et du bétail qui meuglait, tout était silencieux.

Vraiment ?

Elle ferma les yeux, prêtant l'oreille. Oui, elle en était certaine à présent : des bruits de sabots provenant de l'est.

— Ils seront ici bientôt, dit-elle, puis elle poussa un soupir de soulagement.

Désireuse de paraître à son avantage pour Lord Buchanan, elle se lissa les cheveux, brossa la poussière de sa robe et se lava les mains avec du savon parfumé à la lavande, un cadeau d'Anne.

Marjory avait espéré que son anniversaire, le mardi précédent, passerait inaperçu, mais Anne avait insisté pour organiser une petite réception avec quelques amis. Elisabeth lui avait confectionné un nouveau jupon de lin, Michael et

Peter avaient trouvé une louche d'étain au marché, et Gibson avait sculpté un bel ensemble de quatre ustensiles de bois. À sa demande, personne d'autre dans le voisinage n'avait été informé. Quoique Marjory fût reconnaissante à Dieu pour chacune de ses quarante-neuf années, elle ne voyait pas la nécessité de proclamer son âge sous la croix du marché.

Lorsqu'elle entendit le claquements bruyant des sabots sur les pavés, elle retourna à la hâte à la fenêtre, s'attendant à voir Lord Buchanan et Elisabeth approcher. Mais elle aperçut plutôt plusieurs chevaux qui descendaient la venelle de l'Église. Elle plissa les yeux dans l'obscurité. Ce n'est que lorsque le premier cavalier fut à un jet de pierre de leur maison qu'elle distingua son manteau rouge.

— Annie ! cria-t-elle en refermant brusquement la fenêtre. Les dragons !

Sa cousine souffla la chandelle, puis se précipita à ses côtés.

— À Selkirk ? À pareille heure ? dit Anne, qui appuya son front contre la vitre, comptant à voix basse. Huit hommes, à mon avis, dit-elle. Ils semblent chercher quelque chose.

Marjory pouvait à peine respirer. *C'est nous qu'ils cherchent. Elisabeth et moi.* N'avait-elle pas toujours craint que le jour du châtiment arrivât ?

— Écoutez, dit Anne, qui ouvrit la fenêtre sans bruit, puis elle saisit la main de Marjory pour lui offrir un soutien silencieux.

Les hommes en bas discutaient entre eux, assez fort pour que les femmes puissent les entendre.

— Je dis que nous aurions dû rester là-bas, disait l'un d'eux. Jusqu'à ce que l'amiral revienne.

— Qui sait quand cela aurait été ?

— La gouvernante de Son Excellence ne nous a pas été très utile.

— Mieux vaut trouver une auberge et un dîner, garçons.

Le cœur battant toujours la chamade, Marjory observa les dragons qui dirigeaient leurs chevaux devant la rangée d'immeubles faisant face au marché. Elle pouvait presque sentir leur fatigue, leur colère, leur impatience. Alors qu'ils atteignaient le puits de la croix, elle perçut leurs commentaires étouffés et essaya de comprendre ce qu'ils disaient. L'auberge Forest était située plus bas, passée la porte de l'Ouest.

Quand les hommes disparurent derrière le coin, Marjory s'effondra dans un fauteuil.

— Annie, dit-elle, ils reviendront pour nous demain matin.

— Mais je n'ai pas entendu vos noms, protesta gentiment sa cousine. Ils avaient probablement affaire à Lord Buchanan. Vous pouvez être assurée qu'il ne leur montrera pas le chemin de votre porte.

Elle alluma une bougie près du foyer, lançant des ombres dans toute la pièce.

Frissonnante, Marjory passa le plaid d'Elisabeth autour de ses épaules. Le roi George ne serait satisfait, semblait-il, que lorsque le dernier jacobite aurait été tué. Quelques minutes plus tard, Marjory entendit de nouveau des chevaux dans la rue, mais elle ne bougea pas.

— Regardez, Annie, car je n'ai pas la force de me lever.

Sa cousine jeta un regard par la fenêtre, puis effleura l'épaule de sa cousine.

— C'est Bess et Son Excellence.

Marjory s'adossa à son fauteuil. *Enfin !*

Elisabeth et Lord Buchanan furent bientôt à la porte.

— Oh, Marjory ! dit Elisabeth.

Elle traversa rapidement la pièce pour venir s'agenouiller auprès de sa belle-mère, sa coiffure réduite à un nid de boucles ébouriffées, les yeux agrandis par la peur.

— Les dragons...

— Je sais, l'interrompit Marjory. Nous les avons vus sur la place du marché. Ils s'y sont arrêtés assez longtemps pour que nous puissions surprendre quelques bribes de conversation.

Lord Buchanan s'avança dans la pièce et s'inclina.

— Est-ce que ces hommes ont dit ce qui les amenait à Selkirk ?

— Non, répliqua Anne, mais ils ont mentionné qu'ils s'étaient arrêtés à Bell Hill. Apparemment, votre gouvernante n'aurait pas été très hospitalière à leur endroit.

— Madame Pringle n'est pas du genre à se laisser intimider, acquiesça-t-il. Puisque les dragons n'étaient pas attendus, elle n'avait pas à les accueillir avec égards. S'ils avaient été marins, peut-être, mais pas ces soldats. Quoi qu'il en soit, j'aurai sans doute droit à une seconde visite de leur part demain matin.

Il jeta un regard sur Elisabeth.

— Raison de plus pour que vous restiez à la maison.

Elle hocha la tête affirmativement.

— Au moins, j'ai mon panier à couture et je pourrai achever ma robe.

— Et j'ai bien hâte de vous voir la porter, dit-il. Mesdames, je vous prie de m'excuser, mais j'ai deux chevaux qui veulent leur avoine et un bon pansage. Je vous tiendrai au fait des événements.

Il salua et sortit, refermant la porte derrière lui.

Marjory ne pouvait interpréter l'expression du visage de sa belle-fille qui observait l'amiral prendre congé. Elisabeth commençait-elle à éprouver de l'affection pour cet homme ? Si c'était le cas, il était bien trop tôt. Donald n'aurait pas souhaité qu'Elisabeth portât le deuil toute sa vie, mais il méritait sûrement douze mois.

Mon fils t'aimait, Elisabeth. Et je sais que tu l'aimais aussi.

Marjory se tourna et se retourna dans son lit toute la nuit, hantée par les rêves de son mari, de ses fils, de Tweedsford.

Intentionnellement, elle ne s'était pas rendue à son ancienne propriété depuis leur retour à Selkirk. Elle essayait de ne pas y penser, de ne pas faire le tour des pièces en imagination, de ne pas se torturer par des souvenirs inutiles.

Quand la lumière grise du matin commença à filtrer à travers les rideaux, Marjory se leva, le temps d'ajouter du charbon dans l'âtre. Tentée de retourner se blottir dans son lit, elle regarda par la fenêtre et découvrit une averse de pluie légère et continue, qui pouvait fort bien durer des heures. Un temps idéal pour somnoler à défaut d'autre chose.

Elle regarda sa belle-fille, bien endormie dans son fauteuil, la tête enfouie dans l'angle où l'aile et le dossier se rejoignaient. *Tu mérites un véritable lit, jeune femme.* Marjory ressentait de la culpabilité pour ne pas avoir pris la place de sa belle-fille. Pourtant, son dos douloureux ne lui aurait jamais permis de dormir assise.

Au moins, Elisabeth n'aurait pas à gravir la colline Bell en ce jour lugubre et pluvieux.

Marjory se glissa dans le lit gigogne et s'enveloppa dans les draps de lin. Fermant les yeux, elle attendit que le sommeil vînt se déposer sur elle comme une douce couverture de laine. *Viens. Viens.*

— Marjory !

Elisabeth était penchée sur elle, la secoua doucement.

— Lord Buchanan nous a apporté une nouvelle. Une nouvelle terrible, a-t-il dit.

Marjory essaya de s'asseoir, agrippant les couvertures autour de son cou.

— Est-il… ici ?

— Son Excellence est dans l'escalier, attendant que nous nous habillions, dit Elisabeth en tirant pratiquement Marjory hors du lit. J'ai brossé votre robe, dit-elle, et une tasse de thé vous attend sur la table.

Marjory s'habilla à la hâte, se sentant désorientée. Était-ce encore le matin? *Oui.* Pleuvait-il toujours? *Oui.* Avait-elle dormi longtemps? *Trop longtemps.* Quand elle ferma sa dernière agrafe, elle hocha la tête vers Anne, qui fit entrer Lord Buchanan.

— Mille excuses, milord, murmura Anne avant de faire une révérence.

— Je vous en prie, dit-il.

Il s'inclina devant les trois femmes à tour de rôle avant de partager avec elles une nouvelle qu'aucune ne voulait entendre.

— Les dragons, reprit-il, m'ont rendu visite ce matin. C'est le nouveau propriétaire de Tweedsford qui les avait envoyés pour annoncer son arrivée.

— Non! s'écria Marjory doucement. C'est fait, alors.

Elle s'effondra sur une chaise près de la table et contempla fixement son thé déjà froid.

Elisabeth prit la parole.

— Je ne comprends pas, milord. Qu'est-ce que ce nouveau propriétaire peut bien vous vouloir?

— Il assume qu'à titre de pair du royaume ayant sa résidence ici, je dois forcément connaître les ennemis du roi qui pourraient vivre à Selkirk. Des dissidents, des rebelles...

— Des jacobites, compléta Elisabeth pour lui.

Il hocha la tête d'un air grave.

— Il semble croire qu'il est le seul à pouvoir écraser les derniers vestiges de la rébellion. Mais rappelez-vous, vous avez des défenseurs ici, dont le révérend Brown, au premier rang. Et je me porterai garant de votre loyauté envers le roi. Au plus haut niveau, si nécessaire.

Marjory leva la tête. *Il veut dire devant le roi lui-même.*

— Et qui est ce nouveau propriétaire?

Lord Buchanan s'assit sur le siège à côté d'elle, ses yeux exprimant de la compassion.

— Quelqu'un que vous connaissez bien, j'en ai peur, de vos jours à Édimbourg. Le général Lord Mark Kerr.

Chapitre 42

Bien qu'il soit honnête de le faire,
il n'est jamais bon d'apporter de mauvaises nouvelles.
— William Shakespeare

— Non, dit Marjory en le regardant fixement. Ce ne peut
être Lord Mark. Pas ma maison. C'est impossible!

Elle se frotta le front, comme si elle essayait d'effacer les
mots qui s'y étaient imprimés. *Vous et vos fils aviez été dûment*
avertis, madame. Des mots effrayants, des mots horribles. *Je*
regrette de devoir vous informer des conséquences de leur trahison
et de la vôtre. Ces mots écrits autrefois par le général Lord
Mark Kerr, qui allait désormais vivre dans la maison où elle
avait élevé ses fils. Ses fils chéris.

— Non! s'écria Marjory en fermant les poings, qu'elle
abattit bruyamment sur la table. Il ne peut vivre là-bas! Il ne
le peut pas!

— Marjory, ma chère, je vous en prie, dit Elisabeth qui se
pencha sur elle, déposant ses mains calmes sur ses poings
crispés. Votre maison est ici avec ceux qui vous aiment.

— Je ne peux l'accepter, Bess.

Ses mains se dénouèrent tandis qu'elle s'effondrait vers
l'avant.

— Il m'a tout pris, murmura-t-elle.

Elisabeth était penchée au-dessus d'elle, passant doucement la main sur ses cheveux.

— Quand Lord Mark est-il attendu à Selkirk, milord?

— Ses hommes ne m'ont pas donné de date ni d'heure
précise, mais ils m'ont assuré que ce serait bientôt, répondit
Lord Buchanan d'une voix basse.

Bientôt. Marjory s'agita.

— Emmenez-moi là-bas, dit-elle, et ses yeux étaient remplis de larmes. Je vous en prie, milord. Laissez-moi voir Tweedsford avant qu'elle ne soit fermée pour moi à jamais.

Elle craignit qu'il refusât ou essayât de la raisonner. Il ne fit ni l'un ni l'autre.

— À l'instant, madame Kerr, dit l'amiral, qui se leva et l'aida à se remettre sur pied. Si votre belle-fille veut bien apporter une couverture chaude et du thé bouillant, vous aurez besoin des deux par ce matin maussade.

Anne toucha le bras de Marjory.

— Cousine, puis-je venir aussi ?

— Oui, oui, dit Marjory en regardant autour d'elle, essayant de rassembler ses esprits. S'il y a assez de place pour nous dans la voiture. Oh, et Gibson ! Bess, nous devons l'amener avec nous. Il m'a servie à Tweedsford pendant toutes ces années.

Elle se tourna vers l'amiral, osant faire cette requête supplémentaire.

— Le révérend Brown ne s'opposera pas à libérer Gibson de son service ce matin, dit-elle, si c'est *vous* qui le lui demandez, milord.

— À votre service, madame, répondit l'amiral. Il vaut mieux se dépêcher, car je ne voudrais pas croiser la route de Lord Mark, dans votre intérêt.

Marjory respira profondément.

— Naturellement, dit-elle. Annie, apportez le thé, s'il vous plaît.

Les secousses de la calèche et la nausée que Marjory ressentait déjà se conjuguèrent pour rendre l'heure suivante particulièrement pénible. Mais elle était assise entre Elisabeth et Gibson, les personnes qui comptaient le plus à ses yeux, et qui lui étaient le plus attachées, alors elle la supporta sans se plaindre.

La route du nord à partir de Selkirk, qui courrait parallèlement à la rivière Ettrick, était un chemin vallonné qui serrait de près son rivage. Puis il s'en écartait brusquement pour aller rejoindre le fleuve Tweed et la propriété qui longeait ses berges. *Tweedsford*. Bientôt, elle passerait sous le portail en fer forgé, toujours ouvert en signe d'hospitalité. Ou serait-il verrouillé, ce matin ?

— Dites-moi ce que vous savez de Roger Laidlaw, dit Lord Buchanan. Il ne s'opposera pas à ce que nous visitions la propriété ?

En regardant Anne, Marjory leva les sourcils, formulant des questions muettes. *Monsieur Laidlaw le voudra-t-il ? Et toi, voudras-tu le voir ?*

Anne hocha légèrement la tête.

— Il est difficile de dire quelle sorte de réception nous attend.

Lord Buchanan regarda la campagne détrempée.

— Nous le saurons bientôt.

Un moment plus tard, ils franchirent les portes dans un bruit d'attelage et s'engagèrent dans l'allée de gravier.

— J'aurais aimé que vous visitiez Tweedsford sous un meilleur jour, milord, confia Marjory à Lord Buchanan.

Il descendit de voiture, puis se tourna pour lui offrir sa main.

— Un marin ne refuse pas la mer qu'il affronte, madame.

Les Kerr formaient un petit groupe serré et trempé, au moment où Gibson leva le heurtoir d'étain pour l'abattre sur l'imposante porte d'entrée.

Après quelques minutes qui parurent une éternité, un jeune valet de pied répondit. Sa livrée était impeccable, son visage inconnu. Quand Gibson annonça Marjory et les autres noms, le garçon recula d'un pas.

— Lady Kerr ?

— Oui, dit-elle, franchissant lentement le seuil, puis elle s'efforça d'ajouter : Ceci était ma maison autrefois.

Il s'inclina plutôt maladroitement.

— Je… je sais qui vous êtes, m'dame.

Marjory essaya de tout embrasser d'un seul regard circulaire. Les planchers de bois polis brillaient, même en ce matin lugubre. La soie bleu métallique qu'elle avait choisie alors qu'elle était une jeune épouse couvrait encore les murs. L'imposant escalier de deux étages dominait le hall d'entrée, comme il l'avait toujours fait.

Rien n'avait changé. Pourtant, rien n'était plus pareil.

Elle s'éclaircit la voix.

— Puis-je parler à monsieur Laidlaw ?

— Oui… oui, répondit le garçon, qui s'enfuit pratiquement en courant vers l'arrière de la maison.

Marjory avait de la difficulté à respirer, tant elle était familière avec les odeurs de l'endroit. Non seulement le bois, le plâtre, la soie et le satin, mais aussi la rive boueuse et les roses ployant sous la rosée dehors, la pluie elle-même — tout imprégnait la maison d'une fragrance douce et terreuse qu'elle ne pouvait décrire précisément ni oublier. *Sa maison.*

Avec un doux gémissement, elle inclina la tête, les souvenirs pesant sur elle, l'écrasant.

Elisabeth lui toucha légèrement l'épaule.

— Je suis ici, Marjory. Nous sommes tous ici.

Des bruits de pas approchèrent.

— Lady Kerr, fit une voix, qui était celle de Roger Laidlaw. J'vous attendais pas.

Marjory leva la tête.

— Je suis désolée de cette arrivée… à l'improviste… nous…

Quand sa voix s'éteignit peu à peu, Elisabeth prit la relève.

— Nous avons appris seulement ce matin que le général Lord Mark Kerr sera le nouveau propriétaire de Tweedsford.

— Oui, m'dame, répondit monsieur Laidlaw en hochant sa tête brune, et ses yeux trop rapprochés clignaient rapidement. On m'a dit d'l'attendre à midi.

Bientôt. Un frisson parcourut l'échine de Marjory.

— Alors, notre visite sera brève, dit Lord Buchanan au régisseur. Vous comprenez certainement le désir de madame Kerr de voir sa maison une dernière fois.

Roger Laidlaw l'étudia attentivement avant de répondre.

— Quelques-uns des p'tits meubles ont été emportés à Édimbourg et vendus aux enchères... afin... de payer les amendes, v'savez. Mais oui, vous pouvez j'ter un coup d'œil.

Un peu craintive, Marjory s'avança, pénétrant dans le salon au plafond élevé avec ses hautes fenêtres et ses épaisses tentures de velours. Son cœur s'alourdissait à chaque pas. S'ils n'avaient pas quitté Selkirk pour Édimbourg, ce serait toujours sa maison. Ses fils seraient vivants. Elle pourrait avoir des petits-enfants aujourd'hui, qui courraient dans les couloirs de Tweedsford.

Marjory se tenait debout au centre de la pièce, voyant à peine le foyer de marbre, le plafond peint, les corniches ornementales. Elle ne voyait que ce qui manquait. Pas les meubles. Sa famille.

Elle ferma les yeux et se mit à pleurer. *Pardonnez-moi. Pardonnez-moi.*

Les mains d'Elisabeth serrèrent les siennes.

Gibson s'approcha aussi et lui offrit un mouchoir de lin propre.

— C'est ma faute, dit Marjory en se tamponnant les yeux, mais les larmes ne voulaient pas s'arrêter. Nous n'aurions jamais dû venir.

Anne la contourna pour venir se placer devant elle, et ses yeux aussi étaient brillants de larmes.

— Ce n'est qu'une maison, maintenant, chère cousine, dit-elle. Une coquille vide. Ne vous torturez pas ainsi.

Marjory se moucha doucement puis murmura.

— Comment ne pas le faire ?

Après un long moment de silence, le régisseur s'avança.

— M'dame, j'ai trouvé quelques objets à vous. Je les avais mis de côté en attendant de vous les apporter. Voulez-vous les prendre maintenant?

— Oui, dit-elle en ravalant un sanglot. S'il vous plaît.

Gibson la conduisit jusqu'à une petite table entourée de chaises, où la noblesse du comté de Selkirk avait autrefois passé tant d'heures joyeuses à jouer au whist. Elle venait tout juste de s'y asseoir quand monsieur Laidlaw réapparut avec une boîte de bois entre les mains.

Quand elle regarda à l'intérieur, Marjory réprima un gémissement. *Les livres d'enfant de Donald. Les jouets d'Andrew.*

Gibson prit la boîte immédiatement.

— Et si je l'apportais dans la voiture...

Marjory ne pouvait regarder l'amiral. Que devait-il penser d'elle?

— Lord Buchanan, je suis... si désolée...

Il s'agenouilla près d'elle.

— Madame Kerr, vous avez été courageuse de venir. Mais à moins de tenir absolument à voir la maison, je pense qu'il serait préférable de partir sans délai. Je ne voudrais pas que Lord Mark vous trouve ici.

— Bien sûr, dit-elle. Le général est peut-être un cousin distant de mon défunt mari, mais ce n'est pas mon ami.

— Ni le mien, dit Elisabeth fermement.

Dès que Marjory fut debout, monsieur Laidlaw s'approcha.

— M'dame, dit-il poliment, j'me demandais si j'pourrais vous toucher un mot ou deux. En privé, si ça n'vous fait rien.

Anne voulut protester, mais Marjory vit quelque chose dans les yeux du régisseur qu'elle ne put ignorer.

— Vous devrez faire vite, lui dit-elle en le suivant dans le hall d'entrée désert, laissant les autres derrière.

Ils s'arrêtèrent devant un grand miroir à bordure dorée. Tout d'abord, Roger Laidlaw ne dit rien, se contentant de regarder ses chaussures.

— Que vouliez-vous me dire ? demanda Marjory, sans essayer de cacher son irritation.

— J'vous retiendrai pas longtemps, dit-il d'une voix éteinte. Mais j'dois vous demander pardon.

Marjory le regarda fixement.

— *Me* demander pardon ?

C'était la dernière chose à laquelle elle s'attendait de lui. Il demeura silencieux un long moment. Quand il leva la tête, la douleur dans ses yeux était palpable.

— Dans le passé, j'avais la réputation d'être un coureur de jupons. La plupart étaient consentantes, mais...

— Ma cousine avait raison, alors, dit Marjory. Vous *êtes* un dépravé.

Il baissa la tête.

— Tout ce qu'elle a pu dire est vrai...

Marjory regarda vers la porte du salon et pensa un moment appeler l'amiral. Il saurait quoi faire. Devrait-on convoquer le shérif ? À moins qu'une comparution devant le conseil de l'Église lui inflige une punition suffisante.

Mais l'attitude contrite de monsieur Laidlaw la fit réfléchir. Il n'avait rien d'un homme se vantant de ses conquêtes.

— Vous avez dit « dans le passé », monsieur Laidlaw. Cela veut-il dire que vous avez changé ?

Il leva immédiatement les yeux.

— J'*ai* changé, en effet. Vous devez m'croire, Lady..., je veux dire, m'dame Kerr.

Marjory aurait voulu être en colère contre lui, aurait souhaité que justice soit rendue. Mais quand un homme demandait pardon pour ses fautes, il méritait d'être entendu.

— Poursuivez, monsieur.

— Je fréquente maintenant une veuve de Galashiels. Son nom est Jessie Briggs. Elle m'a fait voir... quelle sorte d'homme j'étais. Et celui que j'pourrais être.

Marjory fronça les sourcils.

— Est-ce que cette Jessie sait tout ce que vous avez fait ?

— Oui, dans les moindres détails. J'ai visité des chaumières par toute la campagne, pour essayer de faire amende honorable…

— Auprès de Tibbie Cranshaw également ? le pressa Marjory.

Il secoua la tête.

— Elle a pas voulu m'laisser franchir le seuil d'sa porte, répondit. Je n'saurais blâmer la jeune femme.

Ni moi non plus.

— Je n'aurais jamais dû renvoyer Tibbie, admit Marjory, ni la juger aussi sévèrement.

— Alors… peut-être pouvez-vous me pardonner ? demanda Roger Laidlaw, qui se balançait gauchement devant elle. C'était une maladie, m'dame. J'suis enfin guéri, dit-il en sortant un mouchoir fripé pour se moucher. J'arrive pas à y croire, mais il y a une femme si bonne qui m'aime. Oui, et l'bon Dieu m'aime, bien que j'le mérite pas.

La colère de Marjory était partie, évaporée comme la fumée d'un feu éteint.

— Personne ne mérite vraiment son amour ni sa miséricorde, dit-elle. *Moi*, la première, je n'en suis pas digne.

Il chercha son regard dans le hall d'entrée silencieux.

— J'vous en prie, m'dame. Je n'puis dire combien j'suis désolé.

— Monsieur Laidlaw, vous n'avez pas besoin…

— Mais j'*insiste*, dit-il en retirant son bonnet, qu'il serra entre ses mains. Quand un homme a agi comme j'l'ai fait, y a pas le droit de poursuivre son chemin comme si de rien n'était.

Quelque chose dans sa confession touchait son âme d'une manière qu'elle n'aurait su décrire. Roger Laidlaw avait dit la vérité : sa passion effrénée pour les femmes était une maladie, que Dieu seul pouvait guérir.

— Si Dieu vous a pardonné, monsieur Laidlaw, je dois faire de même.

Il fut silencieux un moment, puis hocha la tête.

— J'vous remercie, m'dame.

Marjory regarda en direction du salon.

— Mais c'est Anne Kerr que vous avez blessée. Lui avez-vous demandé pardon ?

— Je voulais le faire le jour où j'me suis rendu sur la ruelle Halliwell, mais…

Son regard suivit le sien vers le hall.

— Peut-être pourriez-vous m'aider ?

Chapitre 43

La clémence, pour celui qui en démontre,
est la règle.
— William Cowper

Elisabeth se tourna vers la porte au moment où sa belle-mère invitait Roger Laidlaw dans le salon. Les yeux de Marjory étaient maintenant secs et son attitude étonnamment calme.

— Messieurs, si vous pouviez nous accorder un moment, dit-elle en inclinant la tête vers le hall d'entrée. Monsieur Laidlaw a quelque chose à dire à notre cousine.

— Nous ne pouvons nous attarder longtemps, lui rappela lors Jack, puis il s'en alla avec Gibson, refermant la porte derrière eux.

La pièce tomba dans le silence, à l'exception de la pluie qui fouettait les vitres.

— S'il vous plaît, Bess, murmura Anne, se cachant presque derrière elle. Je ne veux pas lui parler.

Elisabeth regarda l'homme entre deux âges, les yeux baissés, le bonnet dans les mains, et elle vit qu'il n'y avait rien à craindre. Mais elle n'était pas dans la peau d'Anne.

— Marjory et moi resterons près de vous, lui promit-elle, puis elle glissa un bras autour de la taille d'Anne et l'attira vers Roger Laidlaw, sentant toute la tension dans le corps de sa cousine.

Marjory parla la première.

— Monsieur Laidlaw m'a confié qu'il était un homme transformé.

Le visage d'Anne exprima de l'incrédulité.

— Et vous le croyez?

— Oui, dit Marjory. Quand nous aurons plus de temps, je vous raconterai toute son histoire. D'ici là, cousine, je vous demande de l'écouter.

Elle hocha la tête en direction du régisseur, qui s'approcha d'un pas, le regard fixé sur Anne.

— Mam'zelle Kerr…

Il passa une main tremblante sur sa bouche.

— Quand Lord John est mort, j'n'avais aucun droit d'vous parler comme j'l'ai fait. D'vous demander…, enfin, d'suggérer que…

— Cela suffit, dit Anne, dont la voix était tendue à l'extrême. Je sais exactement ce que vous m'avez proposé, monsieur Laidlaw.

— J'sais qu'vous l'savez, m'dame, dit-il, et il agrippait son bonnet si fortement qu'Elisabeth craignit qu'il le déchirât. Ce n'est pas le même homme qui est debout devant vous. Le Seigneur a fait du bon travail avec moi.

— Vraiment ? dit Anne, qui ne pouvait cacher son mépris. Je suppose qu'il a fait de vous un homme brave et loyal.

— Oh ! Jamais j'n'oserais dire ça, répondit-il en baissant le regard. C'que j'ai fait était mal, mam'zelle Kerr, et j'en suis navré. Vous n'avez pas à m'pardonner parce que j'vous le demande. Mais j'vous l'demande maintenant.

Il regarda chaque femme à tour de rôle, attendant leur absolution.

Marjory hocha la tête de haut en bas, Anne fronça les sourcils.

Mais Elisabeth ne voyait pas monsieur Laidlaw aux cheveux noirs. Elle voyait le blond Donald Kerr. *Pardonnez-moi, jeune femme. Pour tout.* Est-ce que les hommes croyaient pouvoir toujours faire comme bon leur semblait, et implorer ensuite qu'on leur pardonnât ? N'y avait-il aucun homme honorable, fidèle ou loyal ?

Agacée, Elisabeth se dirigea vers la porte, entraînant Anne avec elle.

— Excuse-moi, cousine, mais nous devons y aller.

— En effet, nous n'avons plus rien à faire ici, dit Anne.

Elle leva ses jupes et tourna le dos au régisseur de Tweedsford.

Quand elles furent parvenues à la voiture, Elisabeth regretta leur départ précipité, laissant Marjory seule pour faire ses adieux au régisseur. Les excuses de monsieur Laidlaw semblaient sincères et son désir d'entreprendre une nouvelle vie, louable. Ne pouvait-elle pas surmonter le chagrin de son propre cœur brisé ? C'était Donald Kerr qui lui avait fait du mal, et non Roger Laidlaw.

Avec un profond soupir, Elisabeth s'assit sur le coussin de cuir de son siège dans la voiture, puis observa l'amiral aider Marjory à monter à sa suite, après avoir ordonné au cocher de se hâter. Lord Jack retira son chapeau avant de s'introduire, non sans efforts, dans la petite place qui restait à côté d'Elisabeth.

— Heureusement, la pluie a cessé, dit-il en s'installant près d'elle. Nous nous dirigerons vers le sud, dit-il, car, si Lord Mark est en route, il arrivera d'Édimbourg par le nord.

Il regarda Marjory assise en face de lui et engagea la conversation.

— Et votre propre voyage en diligence de la capitale jusqu'à Selkirk ? lui demanda-t-il. Comment s'est-il déroulé ?

Elisabeth l'écouta s'entretenir avec Marjory, puis avec Anne, et enfin avec Gibson, dissipant la tension dans l'air par ses questions réfléchies et ses commentaires aimables. Bien qu'elle eût aussi vu d'autres côtés de l'amiral — de rares sursauts d'impatience, quelques moments de colère —, ces brefs épisodes étaient éclipsés par son caractère généralement chaleureux et généreux.

Prends garde, Bess.

Elle baissa les yeux pour regarder ses mains. Quand une femme commençait à compter les qualités agréables d'un célibataire, des idées de mariage s'ensuivaient peu après. Mais elle était une veuve en deuil. Peu importe les infidélités de Donald, elle avait l'intention d'honorer sa mémoire pendant les douze mois que la société exigeait. Faire autrement briserait le cœur de sa belle-mère.

Ses joues s'échauffèrent. *Est-ce le cœur de Marjory qui t'importe. Ou le tien ?*

— Vous n'étiez plus avec nous, lui dit Lord Jack alors qu'Elisabeth levait la tête, espérant que ses joues ne fussent pas trop rouges.

— Je n'étais pas très loin, l'assura-t-elle, heureuse de voir qu'il ne semblait pas avoir deviné le cours de ses pensées.

Elle se trouvait d'ailleurs présomptueuse de croire que son maître regarderait dans sa direction, alors que Rosalind Murray lui était présentée comme un fruit aussi tentant. Quel gentilhomme ne choisirait pas une jeune fille riche de bonne famille, avant une veuve dépossédée, qui pourrait ne jamais lui donner d'enfant ?

La calèche commença bientôt la montée abrupte vers la porte de l'Est. Puisqu'elle faisait face à l'arrière du véhicule, Elisabeth dut appuyer fortement ses pieds sur le plancher afin de ne pas être projetée sur les genoux d'Anne.

Mais la gravité contrecarrait ses efforts. Au moment même où elle allait glisser de son siège, Lord Jack la maintint contre le dossier en appuyant son bras musclé sur ses côtes. Affreusement embarrassée, elle détourna la tête.

— Nous sommes parvenus à éviter les généraux et les dragons ce matin, dit l'amiral d'un ton léger. Maintenant, si nous arrivons à rester tous assis dans nos sièges, je vous reconduirai sains et saufs à la maison.

Dès que la voiture eut atteint le sommet de la côte, Elisabeth s'adossa confortablement.

— Merci, dit-elle doucement.

— Je vous en prie, répondit-il encore plus doucement.

Elle regarda par la fenêtre, et les cottages des paysans lui semblèrent la vue la plus intéressante qu'elle ait jamais eue de sa vie. *Prends garde à ton cœur, Bess.*

Chapitre 44

Que dites-vous d'un tel dîner
avec une telle femme?
— George Gordon, Lord Byron

Jack ne pouvait se rappeler quand il s'était assis la dernière fois. Lors de sa promenade à cheval matinale, peut-être. Même son petit-déjeuner avait été pris chemin faisant. Il avait savouré une poire d'été en inspectant ses vergers. Puis, il avait avalé une tasse de thé en discutant de quelques détails de dernière minute avec Roberts. Pour finir, il avait mordu dans un petit pain à la levure en vérifiant le menu de madame Tudhope.

Il n'avait simplement pas le temps de flâner. Le premier dîner offert à Bell Hill aurait lieu dans sept heures à peine, et Jack voulait que tout soit parfait.

— Votre Excellence? demanda madame Pringle qui apparut à la porte de son bureau. Prendrez-vous votre déjeuner à quatorze heures, comme d'habitude?

— Déjeuner? répondit-il, plus sèchement qu'il ne l'aurait voulu. Je vous demande pardon, madame Pringle, se reprit-il. En ce moment, je crains de n'avoir aucun appétit et encore moins de patience.

— Je comprends très bien, dit-elle gentiment. La maison est sens dessus dessous; les servantes et les domestiques se bousculent et trébuchent les uns contre les autres, dans leur hâte de tout finir à temps.

Jack soupira.

— Mes plans étaient peut-être trop ambitieux.

— Non, milord, dit madame Pringle, qui fit un pas de plus dans la pièce. Nous sommes fiers d'en faire partie. D'être rassemblés à la même table et de partager le repas de notre maître, comme s'il était notre ami...

Elle détourna le regard un moment.

— J'espère seulement que nous serons à la hauteur de vos attentes, reprit-elle. Roberts et moi avons fait de notre mieux pour enseigner à tous les bonnes manières à table. Aucun de nous ne vous fera honte ce soir.

— Quel dommage ! dit Jack, espérant la mettre à l'aise par une boutade. Je comptais sur au moins deux assiettes brisées, quelques coupes fracassées et un combat de petits pains autour de la table.

Madame Pringle le gratifia de son plus charmant sourire.

— Je verrais ce que nous pourrons faire, milord.

L'heure du dîner approchait quand Roberts vint le trouver.

— Votre... euh, personnel pour ce soir vient d'arriver. Dois-je les faire entrer, monsieur ?

Jack alla se placer debout devant son bureau pour les accueillir.

— Mais bien sûr.

Jamais il n'aurait demandé aux cinq visiteurs de le servir d'une façon ou d'une autre, encore moins d'apporter des plats chargés de nourriture et des coupes de vin rouge. Mais lorsqu'il avait mentionné à l'église, lors du sabbat précédent, qu'il avait besoin d'aide pour servir son dîner, ils s'étaient tous portés volontaires.

« Je serai honorée de vous aider, avait dit Marjory Kerr. C'est le moins que je puisse faire, après tout ce que vous avez fait pour ma famille. »

« J'suis majordome de métier, avait renchéri Gibson, et plutôt doué, j'pense. »

Anne Kerr avait accepté de se joindre aux autres, puis avait recruté Michael et Peter Dalgliesh. Devant tant d'insistance, il ne lui restait qu'à s'incliner. « Nous serons à la hauteur de la tâche », avait promis Anne.

Jack avait protesté pour la forme, bien sûr, et offert de bien les rémunérer pour leurs efforts. L'aînée des Kerr, en particulier, avait été offensée de la proposition. « On ne peut m'acheter, milord, avait-elle dit. Vous devrez accepter mes services comme l'expression de ma gratitude. Je crois parler au nom de tous. »

Maintenant, ils étaient là, occupant son bureau, fidèles à leur promesse.

Marjory et Anne portaient des tabliers fraîchement amidonnés et des bonnets blancs dégageant les oreilles. Gibson portait sa livrée habituelle et Michael avait cousu deux gilets noirs pour l'occasion, dont l'un était fait sur mesure pour un garçonnet de sept ans.

— Quel groupe beau à voir, les complimenta Jack. Gibson servira comme il se doit de maître d'hôtel et dirigera les allées et venues de tous. Si vous voulez bien vous rendre auprès de madame Tudhope, je suis certain qu'elle sera très soulagée de vous voir.

Il ne put résister à l'envie de demander au jeune Peter :

— Et quelles seront *tes* fonctions lors du repas, jeune homme ?

Le garçon tendit les mains et fit semblant de tenir un plat.

— J'apporterai la nourriture, dit-il en s'étirant de toute sa taille, mais sans faire ceci.

Il renversa les mains, envoyant ses légumes imaginaires choir au plancher.

— Que feras-tu si cela arrive ? voulut savoir Jack.

Peter s'éleva sur la pointe des pieds, demanda à Jack de s'approcher afin de lui murmurer quelque chose à l'oreille.

— Je pleurerai, dit-il doucement. Puis Annie aura pitié de moi et m'aidera à tout nettoyer.

— Un très bon plan, l'assura Jack.

Il les remercia ensuite l'un après l'autre, avant de les envoyer à la cuisine. De tels amis étaient plus précieux que des rubis.

Ils venaient à peine de sortir quand madame Pringle entra à son tour dans son bureau, passablement agitée.

— Vous avez un visiteur, monsieur. Le général Lord Mark Kerr, de Tweedsford.

Une pensée domina toutes les autres. *Bess.*

Jack était à mi-chemin en direction de la porte quand il lui dit :

— Conduisez mon invité au salon et servez-lui du thé. Je le rejoins tout de suite.

Puis il se dirigea vers le hall et descendit l'escalier. Il avait évité le général pendant plus d'une semaine. Pourquoi avait-il précisément décidé de venir aujourd'hui ?

Dès qu'il eut franchi le seuil de la salle de travail d'Elisabeth, Jack s'exclama :

— Lord Mark est ici.

Elle mit de côté son ouvrage.

— Lui avez-vous déjà parlé ?

— Non, dit Jack qui se mit à arpenter la pièce, les poings fermés. Comment puis-je prendre le thé avec un homme qui a causé autant de torts à votre famille ?

— Avec politesse, milord, dit Elisabeth en se levant, les mains croisées derrière le dos.

Ce ne fut qu'à ce moment-là qu'il remarqua qu'elle portait sa nouvelle robe noire.

— Vous êtes magnifique. Je veux dire, votre robe…

— Je suis heureuse qu'elle vous plaise, dit-elle en faisant un pas vers lui. Je l'avais gardée pour votre dîner.

Elisabeth toucha le bras de l'amiral, si délicatement qu'il crut l'avoir imaginé.

— Ne laissez pas Lord Mark ruiner les heures à venir.

— Bien sûr que non, l'assura-t-il. J'ai l'intention de découvrir ce qu'il est venu faire ici, de ne rien lui dire et de l'inviter à partir.

Peu après, Jack entrait d'un pas décidé dans le salon, sans se soucier de boutonner son manteau, le fourreau de son épée claquant contre sa botte.

— Général, dit-il en hochant la tête.

— Amiral, répondit-il en inclinant légèrement la tête.

Le gouverneur, un homme dans la soixantaine, était grand, sans être imposant, et vêtu impeccablement.

— Veuillez me pardonner si ma visite tombe mal.

— Je le crains, en effet, dit Jack, qui vint le rejoindre à une vaste table ronde où un service de thé élaboré avait été déposé, avec suffisamment de gâteaux et de canapés pour sustenter dix officiers.

Il pouvait toujours compter sur madame Pringle pour s'assurer que les choses sont bien faites.

— Notre entretien devra être bref, dit Jack à cet hôte inopportun. Ce soir, je reçois une trentaine d'invités à ma table.

Lord Mark faillit s'étouffer avec son thé.

— Trente personnes de qualité? Vous devez les avoir fait venir exprès pour l'occasion, monsieur. Vous ne trouverez pas plus d'une demi-douzaine de pairs dans tout le Selkirkshire.

Jack tint sa langue, se rappelant sa promesse. *Ne rien lui dire.*

— Qu'est-ce qui vous amène à Bell Hill, monsieur?

— Je voulais simplement faire votre connaissance. Comme vous le savez, on m'a attribué Tweedsford en raison de mon rôle dans la défaite des jacobites.

L'arrogance du personnage était intolérable.

— J'ignorais que vous aviez, à vous seul, mis en déroute le prince Charlie et ses hommes, répondit Jack d'un ton neutre.

Lord Mark se raidit.

— Je suppose qu'un marin ne peut comprendre les dangers d'un combat rapproché.

— Oh! répondit l'amiral. J'ai tâté assez d'acier espagnol pour m'en faire une idée précise.

Lord Mark lissa sa fine moustache.

— Dois-je aussi comprendre, reprit-il, que vous n'aurez aucune pitié pour les rebelles jacobites qui pourraient croiser votre chemin? Vous constaterez que ce sont des lâches, faciles à mettre en déroute.

Jack se leva brusquement, désireux de mettre un terme à l'entretien avant de perdre tout à fait son sang-froid.

— Je vous prie de m'excuser, mais nous devrons reprendre cette discussion une autre fois. Roberts vous reconduira. Veuillez l'informer de la date qui vous conviendra le mieux.

Lord Mark imita son hôte.

— Je n'ai aucune intention de demeurer à Selkirk après cette semaine, répondit-il froidement. La maison est balayée de courants d'air et à peine meublée, de plus, les jardins sont à l'abandon. Malgré tout le respect que je dois à Sa Majesté, Tweedsford est une bien pauvre récompense pour mes efforts. Je possède d'autres propriétés, et la résidence du gouverneur, au château d'Édimbourg, a été construite il y a à peine quatre ans. Je n'ai pas vraiment besoin d'une autre résidence.

— Alors, Tweedsford demeurera inoccupée?

— Je compte y revenir de temps à autre, dit Lord Mark en haussant les épaules. La maison est restée inhabitée pendant une décennie. Dix autres années n'y changeront pas grand-chose.

Les hommes se quittèrent sans duel à l'épée — un miracle, étant donné l'état d'esprit dans lequel se trouvait Jack. S'il ne devait jamais plus parler au général Lord Mark Kerr, il ne le regretterait pas.

Jack entra dans la salle à manger à vingt heures précises. Il trouva le personnel de sa maison debout en silence autour de la table, sur laquelle les chandelles flambaient doucement en se miroitant dans les assiettes d'argent. Trente visages bien frottés se tournèrent d'un même mouvement pour l'accueillir : trente âmes, confiées à sa charge, qui le servaient tous les jours avec joie.

Jack sentit sa gorge se serrer et dut avaler avant de parler.

— C'est un honneur de vous recevoir à ma table. Que la grâce et la paix soient avec vous.

Il inclina la tête, bénit brièvement le repas, puis invita les convives à s'asseoir, ce qu'ils firent à la hâte, les yeux aussi ronds que les soucoupes de porcelaine sous leurs tasses.

Elisabeth Kerr était assise à l'extrémité de la table, aussi charmante qu'à l'accoutumée. La lueur de la bougie faisait ressortir les mèches d'un roux doré de ses cheveux et briller ses yeux comme des étoiles.

Jack s'inclina vers madame Pringle à sa gauche et demanda à voix basse.

— Pourquoi madame Kerr est-elle assise si loin ?

La gouvernante expliqua immédiatement :

— Parce qu'elle est à Bell Hill en vertu d'une position créée pour elle, milord, dit-elle. Ce n'est donc pas une domestique. J'ai pensé qu'il était plus approprié de l'asseoir au bout de la table, qui est habituellement réservé à la dame de la maison.

— Vous avez bien fait, dit-il.

Lord Jack regarda au-delà de la longue rangée de chandelles. *Vous n'êtes pas mienne, Bess. Mais vous n'en êtes pas moins une dame.*

Roberts, assis à sa droite, et madame Pringle, en face de lui, regardèrent de leur côté respectif de la table, puis ils levèrent leur serviette de toile et la déposèrent sur leurs genoux, avec des mouvements lents et méthodiques. Plusieurs petits

coups de coude et des murmures s'échangèrent, jusqu'à ce
que tous les domestiques aient fait de même.

Entretemps, Gibson était posté près de l'entrée, dans l'attente du signal. Quand Jack hocha la tête vers lui, son personnel de volontaires entra en action. Des soupières fumantes
franchirent la porte entre les mains de personnes qui n'avaient
jamais servi à table de leur vie. Pourtant, pas une goutte ne
fut perdue, ni une cuillère oubliée. Jack était si enthousiasmé
par le spectacle qu'il en oublia de commencer le savoureux
bouillon de madame Tudhope. La gouvernante lui lança un
regard sévère, et il s'exécuta immédiatement.

Le second service, un saumon richement assaisonné, vint
et s'évanouit aussi rapidement, tout comme le troisième, un
ragoût aux asperges, suivi par du porc en gelée. Les rires
étaient un peu fort et les sujets de conversations plutôt communs, mais Jack était heureux de voir tous ses invités se
divertir. Son personnel improvisé s'amusait autant que les
autres. Marjory Kerr rayonnait, comme si elle avait été une
hôtesse recevant dans un grand salon de Paris. Pas étonnant
que Gibson ne pût détacher ses yeux d'elle. Les hommes du
clan Dalgliesh se déplaçaient lentement autour de la table,
mais c'était parce qu'ils s'employaient à égayer la compagnie.
Jack n'avait jamais vu Anne Kerr aussi jolie, ni aussi heureuse,
ne quittant jamais du regard le jeune Peter. Et son père.

Jack prit un peu de tout afin de pouvoir complimenter la
cuisinière en toute sincérité. Mais son attention était constamment attirée vers le bout opposé de la table. Elisabeth Kerr
était trop loin. Le dessert allait être servi bientôt. Comment
lui demander de venir plus près de lui?

Ah! Il se sourit à lui-même. *Il s'agissait d'y penser...*

Chapitre 45

Un bon repas aiguise l'esprit,
tandis qu'il adoucit le cœur.
— John Doran

Sous le regard d'Elisabeth, Lord Buchanan se leva de sa chaise sans dire un mot, pourtant tous les yeux étaient dirigés vers lui. Ses invités déposèrent immédiatement leurs fourchettes pour se tourner dans sa direction. Voyait-il l'admiration exprimée par tous ces visages, l'affection réelle qu'ils éprouvaient pour lui ?

— J'espère que vous appréciez votre soirée, commença Son Excellence. Tandis que vos assiettes sont retirées par nos remarquables volontaires, je voudrais inviter notre couturière, madame Kerr, à se joindre à moi à ce bout-ci de la table.

Une salve d'applaudissements incita Elisabeth à se lever. Incertaine des intentions de l'amiral, Elisabeth passa derrière la longue rangée de convives, tout en échangeant des regards avec madame Pringle. Savait-elle ce que son maître avait en tête ? Apparemment non, car la gouvernante hocha la tête de gauche à droite. Elisabeth se tourna vers Marjory et Anne, dans l'espoir que sa famille sût ce qui se préparait, mais elles avaient les mains pleines d'assiettes et d'ustensiles, et leurs yeux écarquillés ne lui offraient aucune réponse.

Quand Elisabeth fut auprès de l'amiral, il leva son verre de vin rouge et invita toute l'assemblée à faire de même. Elle appuya ses mains sur taille, ne fût-ce que pour empêcher son estomac de gronder. *Mais où voulez-vous en venir, milord ?*

Tenant toujours bien haut son verre, le gentilhomme expliqua :

— Dans les cercles que je fréquentais autrefois à Londres, quand un gentilhomme apparaissait vêtu d'un nouveau costume, il devait se lever devant ses amis et lancer « Voyez comme mes vêtements me vont bien ». Vous connaissez sûrement ce passage de *La tempête*[20] ?

Les domestiques s'entreregardèrent, la confusion se lisant sur leurs visages.

Elisabeth le regarda en clignant des yeux.

— Assurément, milord, vous ne me demandez pas de faire de même. De louer mon propre travail ?

— Oh ! dit-il en déposant son verre. Je suppose que cela manquerait de modestie.

Il fit une pause, comme s'il cherchait une issue.

— Dois-je comprendre, reprit-il, que les dames n'ont pas de tradition comparable, quand elles apparaissent avec une nouvelle robe ?

— Non, milord, dit-elle tandis que les servantes dissimulaient leurs rires derrière leurs mains. Je suis heureuse que vous l'ayez remarquée. Je crois que nous avions tous assez vu ma vieille robe.

— Écoutez, écoutez, dit Roberts, qui se leva en portant son gobelet bien haut. À madame Kerr et à sa robe magnifique !

Les chaises raclèrent le plancher alors que tous l'imitaient.

— À madame Kerr !

Elisabeth était maintenant certaine que la couleur de ses joues s'accordait avec celle de son verre de bordeaux — de la ligne des cheveux à la base du cou —, mais elle ne pouvait détourner le regard et risquer de les blesser. Elle choisit plutôt de sourire pendant qu'ils prenaient une gorgée de leur vin, jetaient un dernier regard admiratif sur sa nouvelle robe et se rassoyaient.

---

20. N.d.T. : *La tempête*, William Shakespeare, acte 2, scène 1.

Mais avant qu'elle puisse retourner à sa place, Lord Buchanan la saisit légèrement par le poignet.

— Venez, assoyez-vous près de moi, madame. Madame Pringle sera heureuse de prendre votre place à l'extrémité de la table.

La gouvernante libéra sa chaise immédiatement, ne laissant à Elisabeth d'autre choix que de s'asseoir à sa gauche, alors qu'il tenait toujours sa main.

— Vous devez savourer l'une des tartes à l'orange de madame Tudhope, dit-il en s'inclinant vers elle, son pouce frottant l'intérieur de son poignet. Elle ne l'avouera jamais, mais il lui faut plus d'une quinzaine pour les faire. Et sa croûte feuilletée est la meilleure que j'aie jamais goûtée.

Il y avait si longtemps qu'Elisabeth n'avait pas senti un contact masculin que l'innocente caresse de Son Excellence lui fit légèrement tourner la tête.

— Dîniez-vous souvent ainsi à bord du *Centurion*? parvint-elle à demander.

Il éclata de rire, et sa voix était riche et chaude.

— Notre alimentation, expliqua-t-il, se composait généralement de porc salé et de bœuf salé. Les jeudis et les vendredis, c'était du poisson salé.

Son Excellence libéra lentement sa main alors qu'Anne déposait une pointe de tarte à la croûte floconneuse devant chacun des convives.

— Je me suis promis, ajouta-t-il, que lorsque je me retirerais de la marine, je mangerais bien et copieusement.

— Et vous tenez parole, dit Elisabeth.

Elle regarda son assiette, ce qui lui donna une occasion de poser son regard ailleurs un moment. Anne se pencha et lui murmura à l'oreille :

— J'exige un compte-rendu détaillé sur le chemin du retour à la maison, Bess.

Tandis que les violonistes accordaient leurs instruments, Lord Jack dévora sa pointe en trois ou quatre bouchées, comme le firent la plupart des convives autour de la table. Elisabeth toucha à peine à la sienne, pensant toujours au contact de la main de l'amiral sur son poignet. Était-il comme Donald, et séduire le cœur des femmes n'était-il qu'un jeu pour lui ? Ou l'amiral était-il conscient de la portée de ses gestes ?

Sans préambule, les violonistes entamèrent un air tendre, leurs deux instruments fondant leurs mélodies en une parfaite harmonie. La gorge d'Elisabeth se serra tandis que l'air familier des Highlands la transportait à Castleton-de-Braemar. Elle imagina son père devant son métier à tisser. Sa mère près du foyer. Simon, avec sa pierre à aiguiser, affûtant son poignard. Et, au coin du feu, un voisin avec un violon ou une flûte jouant l'air que tous aimaient : *Mon tendre amour, quand elle me sourit.*

Au moment où Elisabeth pensa que toute résistance allait l'abandonner, elle sentit la main d'une femme sur son épaule. *Marjory.* Elle seule comprendrait pourquoi cette musique la touchait tant. À la fin du morceau, Elisabeth remarqua que plusieurs utilisaient leur serviette de table en guise de mouchoir. Les violonistes jouaient une valse lente, tout aussi émouvante.

Quand une complainte en mode mineur suivit, menaçant de noyer la salle à manger sous un torrent de larmes, Elisabeth attira l'attention de Jack.

— Pourquoi ne pas leur demander de jouer une gigue ou un quadrille écossais ? Enfin, quelque chose d'un peu plus gai.

— C'est Michael Dalgliesh qui a déniché ces garçons pour moi, dut admettre l'amiral à voix basse. Apparemment, il s'agit d'anciens condisciples. Ils ne jouent qu'aux funérailles.

— Oh ! fit Elisabeth en s'adossant à sa chaise, s'efforçant de ne pas rire, ou de ne pas pleurer.

La grande horloge comtoise dans le bureau de Lord Buchanan carillonnait vingt-deux heures quand les musiciens firent leur dernier salut. Peu importe que leurs airs aient été d'une extrême mélancolie, leur jeu fut superbe et les applaudissements de la maisonnée furent enthousiastes.

— Votre premier dîner fut un grand succès, milord, l'assura Elisabeth.

Il paraissait ravi en souhaitant bonne nuit à ses serviteurs, les renvoyant dans leurs quartiers du rez-de-chaussée. Les femmes résidaient dans la partie est du manoir, les hommes à l'ouest, séparés par la cuisine et la blanchisserie. Mesdames Tudhope et Craig restaient constamment à l'affût d'amourettes de minuit.

Seulement une des servantes engagées le lundi de Whitsuntide avait été renvoyée. Il s'agissait de Tibbie Cranshaw, qui avait fleureté de manière scandaleuse avec le premier valet et parlé trop librement à plusieurs occasions. Elisabeth avait rarement croisé le chemin de Tibbie, pourtant elle n'était pas désolée de la voir partir.

Lorsque la salle à manger fut vide, Marjory et les autres eurent tôt fait de laver les dernières assiettes à dessert. Au moment où Elisabeth se joignit à eux, apportant l'argenterie, une ride creusa le front de Lord Buchanan.

— Ce n'est pas une tâche indigne de moi, dit Elisabeth gentiment. Pas si ma belle-mère est disposée à faire un tel travail.

— À titre gracieux, lui rappela gaiement Marjory, apparaissant avec une assiette vide dans chaque main.

Avec un soupir un peu forcé, l'amiral s'empara de deux gobelets à vin et suivit les autres par la grande salle et descendit l'escalier, puis confia les verres à une jeune servante étonnée. Pendant que le reste de la maisonnée s'endormirait, les filles d'arrière-cuisine frotteraient la vaisselle de la soirée, avec la promesse qu'elles pourraient dormir tard le lendemain.

Lord Jack raccompagna ses invités par le corridor des domestiques éclairé à la bougie. Ils sortirent par la porte arrière, puis s'engagèrent sur la pelouse, leurs pas éclairés par la lanterne de l'amiral.

— Milord? demanda Elisabeth, qui devait se hâter alors qu'il avançait à grands pas, les autres suivant non loin derrière. Ne croyez-vous pas qu'il faudrait aller dans l'autre direction? Ce n'est pas le chemin de la maison.

— Non, mais c'*est* celui des écuries. Il est trop tard pour rentrer à pied. Le dernier quartier de la lune est insuffisant pour éclairer votre route. Je vais demander à Hyslop de vous reconduire en voiture.

— Allons! lança Michael Dalgliesh. Mais c'n'est qu'à deux milles en descendant. Nous serons bien vite à la maison.

— Il a raison, renchérit Gibson. Nous prendrons bien soin des dames. N'est-ce pas, Peter?

— Oui, dit le garçon en se frottant les yeux, car son heure d'aller au lit était passée depuis longtemps.

Mais l'amiral ne voulait pas se laisser dissuader.

— Je n'ai pas entendu les dames protester. Vous avez tous travaillé fort aujourd'hui et vous méritez un peu de confort.

Quand ils atteignirent les écuries, ils trouvèrent les chevaux déjà harnachés, et Timothy Hyslop et un valet qui les attendaient. Le groupe fatigué s'installa sur les sièges avant qu'une autre protestation, si minime fût-elle, pût être prononcée.

Elisabeth fut la dernière à monter en voiture. Quand elle se pencha par la fenêtre pour remercier leur hôte, elle l'aperçut dans le cône de lumière de sa lanterne. Pour qui ne l'aurait pas connu, sa taille et sa force, son teint foncé et ses traits accusés auraient pu être un peu intimidants, voire inquiétants. Mais Lord Jack ne lui faisait pas peur du tout.

— Je vous verrai demain, milord.

— J'y compte bien, dit-il en la regardant dans les yeux.

Puis, il fit un pas en arrière et fit signe au cocher.

Chapitre 46

Les bienfaits de la grâce divine s'écoulent
sur les cœurs modestes et les âmes humbles.
— John Worthington

Marjory ne revit pas Lord Buchanan avant le sabbat suivant. En dépit du temps humide et pluvieux, l'amiral avait revêtu un manteau et un gilet rouge bordeaux. Il y avait à peine quelques traces de boue sur ses bottes. Il salua chaque femme de la famille Kerr à tour de rôle avant de s'asseoir près d'Elisabeth.

Marjory pouvait difficilement s'y opposer dans un endroit aussi public et aussi sacré. Pas plus qu'elle ne pouvait reprocher à sa belle-fille de rayonner quand Son Excellence apparaissait. Son propre cœur ne s'égayait-il pas à chacune de leur rencontre ?

Elle était sur le point de s'adresser à Anne quand sa cousine se leva soudain.

— Venez vous asseoir avec nous, Gibson.

— Oui, je vous en prie, dit Marjory en tapotant le bois près d'elle. Ma cousine vous laissera volontiers un peu de place.

Gibson s'inclina avec toute l'élégance d'un gentilhomme.

— L'révérend Brown m'a donné la permission d'm'asseoir avec vous, dit-il, avant d'ajouter d'un ton complice : j'crois que c'est à cause des biscuits au gingembre qu'vous lui avez envoyés jeudi dernier.

Marjory sourit. Son plan avait fonctionné.

Après qu'il se fut assis sur le banc à côté d'elle, Gibson posa un geste audacieux : il prit sa main, prudemment hors de la vue de tous, sous les replis de sa jupe. Comme elle ne la retirait pas, ses doigts forts, endurcis par des années de travail, se lièrent aux siens.

Oh, mon cher Gibson !

Marjory ne pouvait plus nier ses sentiments, du moins face à elle-même. *Je tombe amoureuse d'un domestique.* Et pas n'importe quel homme de cette condition, mais Gibson lui-même, cet ami si cher. Non, il était plus que cela. Sa chaleur, son odeur, son contact éveillaient en elle quelque chose qui allait bien au-delà de l'amitié.

Y avait-il quoi que ce soit de mal dans leur mutuelle affection ? Aux yeux de Dieu, au regard de Sa parole, était-ce mal ?

Elle connaissait la réponse, et cela la réconforta. Mais la société avait ses propres règles et elles n'étaient pas aussi souples. Seuls les gens très fortunés avaient le loisir de faire ce que bon leur semblait.

Marjory leva la tête, et son regard portait au-delà du toit qui fuyait et des poutres en train de pourrir. *Donne-moi la sagesse, mon Dieu. Et le courage.* Oui, surtout cela.

Entendant une légère agitation, elle regarda vers le bout du banc et vit Michael et Peter Dalgliesh prendre place près d'Annie. En retard, comme à l'accoutumée, se dit-elle, mais qui pouvait le reprocher à un homme qui devait habiller un enfant sans épouse ni valet pour l'assister ? Le visage d'Anne rayonnait comme un lampion, tandis que Peter faisait un grand sourire, exhibant sa dernière dent manquante.

Marjory se rappela le jeune Donald en pareille occasion, qui serrait les lèvres, espérant que personne ne vît l'écart entre ses dents. Andrew, tout à l'opposé, dévalait l'allée de bas en haut, implorant tout un chacun d'y jeter un coup d'œil !

Gibson regarda Peter, puis s'inclina légèrement vers Marjory.

— Pensez-vous à vos garçons ?

— Oui, admit-elle.

Gibson avait été là. Il se souvenait d'eux aussi.

Alors que le maître de chapelle chantait la première ligne du psaume de rassemblement, Gibson serra sa main une dernière fois avant de la libérer. Marjory fut à la fois attristée et soulagée. Elle ne pouvait courir le risque que le révérend Brown, baissant le regard du haut de la chaire, remarquât leurs mains jointes. Pas après avoir exprimé son opposition à leur affection grandissante.

Marjory s'était souvent répété ses paroles. *On pourrait croire que Neil Gibson nourrit des espoirs à votre sujet.* Elle regarda le ministre tout de noir vêtu, qui attendait de monter en chaire. *Et si c'était moi, révérend ?* Cette seule pensée la réchauffa des pieds à la tête.

Le sermon en ce triste et lugubre matin de sabbat était tiré de Zacharie. Parlant lentement, avec réflexion et conviction, le révérend Brown semblait particulièrement désireux que ses fidèles prêtent attention à ses paroles. « Rendez une justice vraie, récita-t-il de mémoire, et pratiquez bonté et compassion chacun envers son frère. » Son regard ardent parcourut son auditoire, atterrissant sur un paroissien, avant de passer au suivant. La personne visée se trémoussait sur son banc et regardait un peu partout dans le sanctuaire, mais le ministre ne fléchissait pas.

Quand il dit : « N'opprimez point la veuve et l'orphelin, l'étranger et le pauvre », Marjory était tout à fait certaine que ses yeux étaient dirigés vers le banc des Kerr, où les deux veuves étaient assises, deux femmes sans père et pauvres. Quand le sermon se termina enfin, Marjory se leva, pressée de se mettre en mouvement, afin d'échapper aux pensées conflictuelles qui s'agitaient en elle, comme des papillons de nuit emprisonnés dans un pot d'argile.

Gibson est un domestique, pourtant excellent. Et moi, je suis une dame, mais pauvre.

Lord Buchanan fit une annonce aux occupants du banc des Kerr.

— Madame Pringle m'a remis un panier de repas passablement volumineux. Puisque le temps ne se prête pas à un pique-nique, peut-être pourrions-nous trouver un endroit où la vue est agréable et déjeuner au sec dans ma voiture? À moins bien sûr que vous ayez d'autres plans?

Anne eut un petit rire.

— Milord, nous n'avons que du mouton froid et du pain sec à la maison. Tout ce qu'il y a dans votre panier sera le bienvenu.

Déçue que Gibson ne puisse se joindre à eux, Marjory lui souhaita au revoir.

— J'espère vous revoir bientôt, murmura-t-elle, puis elle le regarda se frayer un chemin dans la foule, pas très loin derrière l'amiral, qui était parti héler son cocher.

Marjory et Elisabeth descendaient l'allée, précédées d'Anne qui avait passé une main au creux du coude de Michael Dalgliesh, tandis que l'autre tenait fermement celle de Peter. À chaque pas, le trio se resserrait un peu plus, marchant d'un même pas et se souriant mutuellement.

— Étiez-vous au courant de cela? dit Marjory, faisant un geste vers la famille qui se formait.

— Annie a toujours eu de l'affection pour lui, admit Elisabeth. Michael est finalement libre de la lui rendre. Et Peter l'adore, comme vous voyez.

Marjory entendit quelque chose dans sa voix. Aucun regret, aucune amertume, aucune envie. Un désir, peut-être.

Quand ils atteignirent la venelle de l'Église, maintenant trempés par la pluie, Lord Buchanan les attendait avec sa voiture, comme promis. Tous les six furent rapidement à l'intérieur, au sec et douillettement installés.

— Hyslop m'a assuré que vous ne seriez pas déçus de la vue, leur dit Lord Buchanan alors que la voiture s'ébranlait. Viens, Peter, dit-il. Laisse-moi voir ce nouveau trou entre tes dents.

Le garçon, assis sur les genoux de son père, se tourna vers Son Excellence et ouvrit toute grande la bouche.

Le froncement de sourcil de l'amiral était exagéré, son hochement de tête encore plus.

— Comment comblerons-nous cet orifice ? Devrais-je demander à madame Pringle de sacrifier l'une de ses tasses de porcelaine. Monsieur Richardson devrait avoir les bons outils pour cela. À moins que ton père t'en couse une nouvelle ? En laine noire, cela produirait un bel effet.

Peter éclata de rire comme seul un garçon de sept ans peut le faire.

— Mon père dit qu'la nouvelle dent poussera tout' seule.

Lord Buchanan feignit d'être surpris.

— Sûrement pas le jour, quand les gens regardent.

— Non ! s'écria Peter. La nuit, quand j'dors.

Pendant tout leur échange enjoué, Marjory observa le regard d'Anne passer de Michael à Peter pour revenir à Michael. L'amour qui brillait dans ses yeux était évident. Il aurait fallu être bien distrait pour ne pas le voir. *Et toi, Marjory Kerr, tu n'avais rien vu.*

Anne lança une autre question.

— Lord Buchanan, aurez-vous besoin de nous pour le prochain dîner de votre personnel ?

— Non, madame, répondit l'amiral, car je ne peux vous demander de me rendre ce service une autre fois. J'ai demandé à une demi-douzaine de domestiques du domaine de Philiphaugh de venir le trente et un.

— Et pour les violonistes, milord ? demanda Michael.

L'amiral regarda Elisabeth.

— J'ai quelque chose de différent en tête pour le dîner de ce mois-ci. Après le dessert, expliqua-t-il, nous passerons au salon, où un orchestre nous attendra. Après avoir enlevé le mobilier, bien sûr.

— Pour danser ! s'exclama Elisabeth, le regard brillant. Excellente idée, milord !

Il accepta le compliment d'un léger hochement de tête.

— Je croyais que c'était *vous* qui réclamiez des quadrilles ou des gigues.

— Mais, étant veuve, je ne peux danser.

Le haussement d'épaules désinvolte d'Elisabeth démentait ses sentiments.

— Je n'aime pas beaucoup danser moi-même, confia Lord Buchanan.

Que ce fût la vérité ou un moyen de mettre Elisabeth à l'aise, Marjory ne put en décider. Elle passa un bras autour des épaules d'Elisabeth.

— Vos jours de danse sont loin d'être terminés, ma chérie. La moitié de l'année est déjà presque écoulée. Et l'automne est à nos portes, n'est-ce pas vrai, amiral?

Il posa le regard sur Elisabeth.

— Je compte les jours, madame.

Chapitre 47

Mon seigneur à la chasse est parti,
Mais n'avait avec lui ni chien ni faucon.
— Robert Burns

— Pour vous, milord, dit Roberts en lui remettant un mince pli.

Jack brisa le sceau, curieux d'en connaître le contenu.

— Savez-vous de qui il est?

Il n'avait reçu qu'une maigre correspondance au cours de ses quelques mois dans le comté de Selkirk. Marin à la retraite vivant à terre, il avait été vite oublié par ses camarades. Même le roi s'était montré silencieux récemment, mais il savait que ce géant endormi pouvait se réveiller à tout moment.

Roberts écarta davantage les rideaux, baignant le bureau de Jack dans la lumière de la fin de l'après-midi.

— De Sir John Murray de Philiphaugh, l'informa-t-il.

— Oui, c'est sa signature, dit Jack en lissant la feuille. Rappelez-moi qui dîne avec nous, ce soir.

— Les Chisholm de Broadmeadows, milord, avec leur fille, mademoiselle Susan Chisholm. Si vous désirez voir le menu...

— Je préfère la surprise, dit Jack, déjà plongé dans sa lecture. Mais je vous remercie, Roberts.

Tandis que le majordome sortait rapidement, Jack s'installait confortablement dans sa chaise avec la brève lettre de Sir John.

À l'amiral Lord Jack Buchanan
Bell Hill, Selkirkshire
Le 2 août 1746

Lord Jack,

Désirez-vous vous joindre à moi pour une expédition de chasse d'une quinzaine dans les Highlands ? Le mois d'août est idéal pour traquer le cerf et pour chasser les logopèdes d'Écosse à la carabine. Je peux vous promettre des landes de bruyère et des cascades, des aigles dorés et des faucons pèlerins, et, à notre table, du gibier, du saumon et du faisan.

Jack leva les sourcils. *Eh bien, monsieur, vous avez capté mon attention.* Il parcourut le reste de la lettre, notant les détails, qui lui plaisaient tous. Un pavillon de chasse confortable. Des panoramas magnifiques. Des heures de conversations plaisantes.

Ne s'était-il pas ennuyé à l'occasion ? Nostalgique de la mer, regrettant ses joyeux compagnons de Londres ? N'ayant jamais voyagé dans le nord au-delà d'Édimbourg, Jack sut immédiatement la réponse qu'il donnerait à la généreuse invitation de son hôte. Il rédigea en vitesse une réponse sur papier et la remit à son majordome un quart d'heure plus tard.

— Demandez à l'un des garçons d'écurie de livrer ceci pour moi, dit-il à Roberts.

Puis, il se dirigea vers l'escalier en colimaçon qui menait au corridor des domestiques, la lettre de Sir John à la main.

Jack fit un arrêt à mi-chemin dans les marches, agacé par une question. Pourquoi, chaque fois qu'il recevait des nouvelles, qu'elles fussent bonnes ou mauvaises, Elisabeth Kerr était-elle la première personne à qui il songeait ? La réponse lui sembla évidente : elle était la première personne qui lui venait à l'esprit lorsqu'il levait la tête de l'oreiller le matin, et l'objet de sa dernière pensée avant de s'endormir.

Quelques instants plus tard, Jack franchissait la porte de la salle de travail d'Elisabeth, agitant sa lettre comme un écolier enthousiaste à qui l'on propose sa première excursion.

— Je dois partir pour Braemar bientôt, lui dit-il. Avec un peu de chance, je rapporterai à la maison une paire de lagopèdes d'Écosse.

Elle leva les yeux, Charbon blotti à ses pieds.

— Vraiment, milord?

Jack vit immédiatement qu'elle était troublée, bien qu'il ignorât par quoi. Il saisit la chaise vide près d'elle et la plaça aussi près de la sienne qu'il en eut l'audace.

— Qu'y a-t-il, Bess?

— Sans doute l'avez-vous oublié, mais je suis originaire de Braemar.

Il fronça les sourcils

— Je croyais que c'était Castleton...

Bravo, Jack! Comme si l'Écosse ne comptait qu'une seule ville avec un château...

— Castleton-de-Braemar, dit-elle. Je me demandais si vous pourriez...

Elle fit une pause.

— Remettre une lettre de ma part à ma mère. Si cela ne vous dérange pas. Je lui écris chaque mois ou presque, et je sais que les frais de port doivent être un fardeau pour elle.

— Ce sera un plaisir pour moi, dit-il, heureux de toute occasion de lui rendre service.

— Je me demandais s'il était sage de voyager au nord, dit-elle, avec le duc de Cumberland qui continue de menacer le territoire des Highlands.

— Le fils du roi n'a aucune raison de me chercher querelle, l'assura Jack. Quoi qu'il en soit, j'aurai un révolver à la main et Dickson sera à mes côtés. Nous logerons avec Sir John et son domestique dans le domaine de Mar, qui appartient à un certain monsieur Duff.

— William Duff, soupira-t-elle pensivement. J'imagine que vous serez suffisamment en sûreté là-bas.

Toutes pensées concernant les lagopèdes d'Écosse et le saumon frais s'évanouirent quand il comprit qu'elle était préoccupée par sa sécurité. Enhardi, il lui prit la main.

— Vous pouvez être assurée que je reviendrai sain et sauf.

— On n'est jamais certain de telles choses, dit-elle. Je croyais que mon mari reviendrait de la guerre, et il ne l'a pas fait.

Lord Donald Kerr. Au cours de leurs nombreuses discussions, elle lui avait parlé de cet homme qui l'avait aimée, l'avait épousée, puis l'avait laissée veuve. L'aimait-elle encore? Le pleurait-elle toujours? *Y a-t-il de l'espoir pour moi?* C'était la question que Lord Buchanan aurait voulu poser, mais il n'osait pas.

— Que pouvez-vous me dire au sujet de Lord Donald? demanda-t-il enfin, lui laissant décider ce qu'elle voudrait révéler, ou taire, sur son mariage.

Elle ne retira pas sa main, mais son ton devint plus froid.

— Mon mari était un gentilhomme jusqu'au bout des ongles. Il était très instruit, avait beaucoup voyagé et avait reçu une excellente éducation. Mais il y avait aussi chez lui quelque chose qu'on ne devrait jamais voir chez un gentilhomme.

Jack attendit, le cœur martelant sa poitrine. *Qu'était-ce, Bess?* Il fit le tri des souvenirs de leurs conversations. Peut-être y avait-elle déjà fait allusion. Donald Kerr était-il un ivrogne? un parieur? un menteur? un lâche? Il voulut la mettre à aise.

— Peu importe sa faiblesse, l'assura-t-il, je n'aurais pas une moindre opinion de l'homme. Ni de vous pour l'avoir épousé.

Elle détourna la tête alors que sa main inerte glissait de la sienne.

— Mon époux a été infidèle. Souvent.

Jack la regarda, certain d'avoir mal compris.

— Vous ne voulez pas dire qu'il…

— Oui, c'est ce que je veux dire.

Il secoua la tête, essayant d'y voir clair.

— C'est impossible, dit-il enfin. Aucun gentilhomme à votre bras ne songerait à jeter un seul regard ailleurs.

— Quoi qu'il en soit, il l'a fait, dit Elisabeth qui se leva, délaissant son ouvrage. Il s'en est confessé de vive voix et dans une lettre. Et j'ai rencontré l'une de ses… maîtresses. Je vous assure que c'est tout à fait possible.

Elle se déplaça vers le foyer, lui tournant le dos, les épaules affaissées par le poids de son fardeau.

Va vers elle, Jack. Fais quelque chose, dis quelque chose.

Il était déjà sur ses pieds et marchait vers Elisabeth, avant même d'avoir pensé à ce qu'il dirait ou à ce qu'il ferait. Il aurait voulu tuer cet homme, mais Donald Kerr était déjà mort à la guerre. Il aurait voulu la prendre dans ses bras, bien que pour les mauvaises raisons. Il aurait voulu…

— Pardonnez-moi, milord, dit-elle en se tournant vers lui, au moment précis où il arrivait à sa hauteur.

Surprise, elle perdit l'équilibre et faillit tomber à la renverse vers le foyer.

— Bess! dit-il.

Il la saisit dans ses bras, ne songeant qu'à l'empêcher de se faire du mal. Il eut toutefois le temps de sentir son cœur battre contre sa poitrine et le souffle chaud de son haleine sur sa joue.

— Veuillez m'excuser, murmura-t-elle en se libérant rapidement. Je n'étais pas consciente que vous étiez si près de moi.

Jack regarda le plancher, ses bottes, Charbon. N'importe quoi pour penser à autre chose. Ce dont Elisabeth Kerr n'avait pas besoin à ce moment-là, c'était d'un gentilhomme lui faisant la cour, même si elle n'était pas intentionnelle.

— Le comportement de votre mari était inexcusable, dit-il d'une voix basse, luttant pour maîtriser ses émotions. Tous les hommes ne sont pas infidèles.

Après un long silence, elle répondit :

— Je sais que mon père a honoré ses vœux faits à ma mère.

Jack hocha la tête, sa colère et sa frustration commençant à s'apaiser.

— Je n'en aurais pas espéré moins de l'homme qui a été votre père.

Elle retourna à sa chaise et se remit à coudre, son aiguille reprenant son mouvement de va-et-vient dans l'étoffe. Le rythme régulier semblait la calmer. La quinzaine qu'il s'apprêtait à passer dans les Highlands serait peut-être un bienfait pour Elisabeth. Un répit qu'elle pourrait consacrer exclusivement à la couture, sans amiral à la retraite recherchant sa compagnie à tout propos.

Sans cesser de la regarder, Jack apprécia le travail déjà accompli. Neuf robes étaient terminées, il en restait autant à faire. *Et ensuite quoi, mon Dieu ? Devrais-je lui trouver d'autre travail à la Saint-André ? Ou bien lui dire adieu ?*

Il n'avait pas de décision à prendre maintenant. Il irait chasser à Braemar, et peut-être en apprendrait-il un peu plus sur sa famille.

— Je partirai dans deux jours, dit Jack, essayant de jauger sa réaction, et je reviendrai bien avant la fin du mois.

Les mains d'Elisabeth s'immobilisèrent.

— Alors vous ne serez pas là pour la foire de la Saint-Laurent[21] ?

— J'ai bien peur que non, répondit-il. Mais la place du marché étant tout juste sous votre fenêtre, vous et votre famille n'en manquerez pas un seul instant.

— Non, j'imagine, dit-elle, et son aiguille se remit en mouvement. Mais vous nous manquerez, milord.

21. N.d.T. : Saint Laurent de Rome est un martyre chrétien, dont on célèbre la fête le 10 août.

Chapitre 48

Venu pour l'amitié,
il emporta l'amour.
— Thomas Moore

Elisabeth regarda la foule d'étrangers qui affluait dans Selkirk et elle imagina huit jours de festins et de beuveries, de trocs et de négoces, de danses et de festivités. Lord Jack avait raison : ils pourraient difficilement rater la foire, avec ses couleurs brillantes, ses odeurs fortes et ses clameurs assourdissantes qui flotteraient au-dessus de la ville comme un banc de nuages orageux, chargeant l'air d'électricité.

Anne vint la rejoindre à la fenêtre, son épaule effleurant le bras d'Elisabeth.

— Le conseil de ville a ouvert les portes de la ville à l'aube et on ne les refermera pas avant lundi prochain.

— Mais comment arriverons-nous à dormir ? s'interrogea Elisabeth.

— Nous fermerons les fenêtres, répondit Marjory, et nous nous mettrons des bouchons de laine dans les oreilles.

Debout près du foyer, elle retourna adroitement un *bannock* d'orge, malgré la disproportion entre l'encombrante plaque et la mince pâte de la taille d'une assiette.

— Je ne me plaindrai pas de la laine, acquiesça Anne, mais il fait trop chaud pour fermer les fenêtres.

Elisabeth se rendit à la table de toilette, loin du feu. Elle suffoquait déjà, et la journée du mois d'août venait à peine de commencer. Elles ne portaient leurs robes que lorsque c'était absolument nécessaire — un avantage de vivre dans une maison où il n'y avait que des femmes. Des corsets, des chemises, des bas et des chaussures les couvraient suffisamment pour l'instant.

Alors qu'elle s'aspergeait le visage d'eau fraîche, Elisabeth pensa à Lord Jack qui devait faire de même dans quelque *burn*[22] des Highlands. Il n'était parti que depuis une semaine, mais il lui semblait que cela faisait bien plus longtemps. Bell Hill semblait désert sans sa présence. Comme à l'église la veille. Elisabeth essaya de ne pas parler de lui, de peur qu'on pût se méprendre sur ses motifs véritables. Ils n'étaient que des amis. De bons amis. De très bons amis.

Il en allait autrement de la relation entre sa cousine Anne et Michael Dalgliesh, chez qui l'amitié avait fait place à une cour assidue deux mois auparavant. Michael venait frapper à la porte presque chaque soir, accompagné de Peter apportant une gâterie achetée au marché pour agrémenter leur dîner. Une nouvelle épice. Du miel dans un pot d'argile. Un paquet de carottes. Cinq prunes juteuses. Marjory semblait heureuse d'avoir l'homme à sa table, et plus encore le garçonnet. Peter avait grandi d'au moins un pouce depuis leur arrivée à Selkirk et il fréquenterait dès l'automne l'école paroissiale, juste au bout de la ruelle où son père tenait sa boutique.

Elisabeth observa Anne prendre son nécessaire à dentelle. Elle ne put s'empêcher de constater combien ses petites mains et ses doigts agiles étaient adaptés à cet art. Depuis que Michael avait commencé à la fréquenter assidûment, il était rare qu'un sourire ne flottât pas sur les lèvres d'Anne. Michael souriait aussi à toute heure de la journée. Mais c'était son regard brûlant, quand il prenait la main d'Anne, qui faisait rougir Elisabeth au point de lui faire détourner la tête.

Mais qu'attendait-il pour se déclarer ouvertement ? Michael avait déjà du succès comme tailleur et Anne contribuerait encore davantage à la prospérité de sa boutique. Son fils l'adorait, et leur logement, au-dessus du commerce, pourrait facilement accueillir un autre occupant. Elisabeth ne pouvait imaginer aucun obstacle à leur union, sinon celui-ci : Michael pouvait craindre de perdre une seconde épouse et

---

22. N.d.T. : Petit ruisseau.

Peter, une seconde mère. Elisabeth ne pouvait reprocher à l'homme sa prudence. Mais elle pouvait néanmoins prier.

Qu'il place sa confiance en vous, mon Dieu. Qu'il fasse un acte de foi.

Elle sourit en regardant Anne de l'autre côté de la pièce, les imaginant ensemble, certaine qu'ils étaient faits l'un pour l'autre. Au fond de son cœur, Elisabeth ne ressentait que de la joie et pas la moindre parcelle d'envie. Enfin, peut-être un peu en ce qui concernait Peter. Quel charmant compagnon il eût fait à la fête! Si elle le demandait poliment, peut-être accepterait-il qu'elle lui prît la main de nouveau.

— Le petit-déjeuner! chantonna Marjory en versant trois tasses de thé.

Les femmes furent bientôt assises à table, savourant le *bannock* chaud tartiné avec le miel apporté par Michael, frais de la ruche.

— Quand sortirons-nous? interrogea Marjory.

— Le plus tôt sera le mieux, insista Anne. Lorsque la fête prend son essor et que le whisky coule à flots, il peut être dangereux pour une femme seule d'y circuler.

— Mais nous ne serons pas seules, lui rappela Elisabeth. Les Dalgliesh veilleront sur nous.

Anne lui lança un clin d'œil par-dessus sa tasse de thé.

— Dommage qu'un certain amiral soit au loin. Aucun homme dans le Selkirkshire, ni dans aucun comté alentour, n'oserait défier Lord Buchanan.

Elisabeth ne pouvait être plus d'accord et s'abstint de renchérir.

— Il est curieux, fit Marjory, que le shérif soit en train de chasser dans les Highlands pendant la foire de la Saint-Laurent. N'aurait-il pas dû rester ici pour assurer la paix?

— Ce n'est pas nécessaire, répliqua Anne en repliant son *bannock* avec soin, du miel coulant sur ses doigts.

Entre deux bouchées, elle expliqua les règles de la foire.

— Il n'y a pas de restrictions sur les marchandises échangées, dit-elle, et personne n'est arrêté, sauf pour un crime majeur, ce qui n'arrive presque jamais avec autant de témoins.

Elisabeth regarda vers la fenêtre, estimant la taille de la foule qui grossissait.

— Ce sont les seuls règlements ? demanda-t-elle.

Anne éclata de rire.

— C'est assez insouciant, en effet. La fête ne fut annulée qu'une seule fois quand une épidémie de peste s'était déclarée au mois de juin. Mais c'était il y a plus d'un siècle. Pendant toute mon existence, elle fut l'occasion idéale de faire connaissance avec les gens des comtés voisins. Notre foire est annoncée sous toutes les croix des marchés environnants : Hawick, Jedburgh, Kelso, Melrose, et aussi loin que Linlithgow. Pour ma part, je m'habille tout de suite, conclut-elle en avalant sa dernière gorgée de thé, avant de se lever.

Elisabeth et Marjory lui emboîtèrent le pas, heureuses que l'étoffe de leur robe fût aussi légère en cette journée qui s'annonçait suffocante. Le logement était rangé et la table frottée quand Michael vint frapper à la porte à dix heures.

— R'gardez ! cria Peter, tenant un moulinet de bois qu'il faisait tournoyer en courant ici et là, aussi vite que ses petites jambes le lui permettaient.

— Calme-toi, dit Michael, qui saisit son fils pour le tenir sous son bras. C'est fait pour jouer sur les collines, garçon. Pas dans les maisons.

Sans se laisser démonter, Peter montra son nouveau jouet, afin que les femmes de la famille Kerr puissent l'admirer.

— C'est du colporteur au coin d'la rue, dit-il avec fierté.

Elisabeth se fit un devoir de l'examiner attentivement, admirant la tige de bois, le minuscule pignon et les boucles de papier robuste qui le faisait tourner au vent.

— Si tu le tiens dans une main, Peter, dit-elle, alors je pourrais peut-être prendre l'autre ?

Ses petits traits se froncèrent.

— Mais Annie? demanda-t-il. Qui lui tiendra la main?

Michael le déposa sur ses pieds.

— Je pense que j'peux m'en charger, mon garçon.

Et il saisit la main d'Anne pour le prouver.

— Et je suppose qu'il n'y aura personne pour tenir la mienne, dit Marjory en affectant un air triste.

Elisabeth savait qu'il n'en était rien. En ce premier jour de foire, Gibson jouirait de sa matinée libre. S'il n'apparaissait pas sur le seuil avant leur départ, Marjory passerait par le presbytère pour le convaincre de sortir. Quelques minutes plus tard, alors que leur groupe arrivait au bout de la ruelle Halliwell, Elisabeth ne fut pas du tout surprise de trouver Gibson qui venait à leur rencontre.

— Chaque couple pour lui-même, déclara Anne alors qu'ils étaient entraînés dans la foule.

Elisabeth se pencha afin d'être sûre que Peter l'entendît clairement.

— Tu promets de ne pas me lâcher la main?

— C'est moi qui s'rai l'guide! dit-il avec autorité, puis il l'attira directement vers les étals du colporteur, pour regarder les jouets encore une fois.

Elisabeth avait d'abord cru que la foire de la Saint-Laurent serait une version plus grouillante d'un jour de marché. Mais c'était bien plus que cela. Des kiosques se déployaient dans chaque rue, incluant Back Row, avec leurs fanions brillants annonçant la marchandise qu'on y vendait. Il y avait des étoffes de laine et de lin, entassées en piles aussi hautes que Lord Jack lui-même, pour attirer les shillings d'argent d'Elisabeth. Mais elle ne s'en séparerait pas facilement aujourd'hui, avec trois bouches à nourrir et sa part du loyer à payer. Au mois de mai dernier, le jour de la Saint-André, son dernier jour à l'emploi de l'amiral, lui paraissait bien lointain. Mais plus aujourd'hui.

Les vendeurs de farine venaient ensuite, avec de l'avoine moulue, de l'orge et du blé. Elle avait prévu faire quelques achats, mais, malheureusement, elle avait oublié son panier. Elisabeth jongla avec l'idée d'aller porter chaque achat à la maison, mais elle comprit vite que ce n'était pas raisonnable. De l'endroit où elle se trouvait, elle ne distinguait pas l'entrée de la ruelle et il lui aurait fallu louvoyer dans la foule. Les achats iraient au lendemain. Aujourd'hui, Peter et elle s'amuseraient.

— Que veux-tu voir ensuite ? lui demanda-t-elle quand il se fut enfin lassé des étals aux si nombreuses tentations.

— Les épées ! s'exclama-t-il immédiatement, et il la tira le long du passage de la Croix, tenant son moulinet tel un porte-étendard marchant à la bataille.

Elisabeth le suivit, s'accrochant à sa main aussi fortement qu'elle le put sans écraser ses petits doigts. Une fois qu'ils furent parvenus à l'étal des armes, les yeux du garçonnet s'arrondirent devant les épées avec leur garde à panier, les targes cloutées et les poignards affûtés. Elle était heureuse que ses petites mains fussent occupées, car il aurait pu se blesser en essayant de saisir l'une ou l'autre de ces lames tranchantes.

— Que dirais-tu de voir les selles ? lui demanda-t-elle, convaincue que le cuir était décidément un choix plus sécuritaire que l'acier.

Son intérêt pour les selles et les harnais passa bien vite, mais elle lui rappela que ces objets servaient à faire de l'équitation.

— Et il y a aussi des chevaux en vente à la foire.

— Oh ! Et on peut voir ?

Ils parcoururent la Water Row, qu'on reconnaissait à peine avec tant de marchands qui y vendaient leurs articles. Dans la ruelle Shaw, les kiosques de bois firent place aux chevaux, au bétail et aux moutons, accompagnés de tous les hennissements, les beuglements et les bêlements qu'un garçonnet pouvait souhaiter.

— Fais attention où tu mets les pieds, le mit en garde Elisabeth, elle-même tenant ses jupes dans une main.

Peter toucha chaque animal qui voulait bien le laissait approcher. Il s'émerveilla de la douceur soyeuse des chevaux. Il fut fasciné par leurs grands yeux, qui continuèrent de le suivre en cillant, pendant qu'il examinait les vaches, puis flattait l'épaisse toison blanc cassé des moutons.

— Ceux-là donnent la laine cheviotte, très appréciée des tisserands, lui apprit Elisabeth, qui avait reconnu leur large face blanche.

Le marchand au torse puissant haussa les sourcils en signe d'approbation.

— Vous connaissez l'élevage des moutons, m'dame ?

— Mon père était tisserand, expliqua Elisabeth, et très pointilleux sur le choix de ses laines.

— La cheviotte est la meilleure pour les plaids, approuva-t-il, quoique les moutons des races Dartmoor et Leicester aient aussi beaucoup de qualités.

Alors qu'il se répandait sur les mérites comparés de chaque race, Elisabeth hochait la tête poliment, tout en cherchant une échappatoire. Quand elle se rendit compte que la main de Peter n'était plus dans la sienne, elle se détourna vivement.

— Peter ?

Quelques têtes se tournèrent, mais aucune n'appartenait au petit garçon roux qu'elle cherchait.

— Peter ? cria-t-elle plus fort cette fois-ci, essayant d'élever la voix au-dessus de la cohue. Peter Dalgliesh ?

Mais sa petite voix enjouée ne lui répondait toujours pas.

Le cœur martelant sa poitrine toujours plus fort, Elisabeth se dirigea vers la porte de l'Est, pensant qu'il aurait pu être attiré par les enclumes sonores ou les forges rougeoyantes plus loin sur la Water Row. Elle ignorait tous les adultes, ne s'intéressant qu'aux enfants. Mais il y en avait tant !

— Cheveux roux, cheveux roux, se répétait-elle pour elle-même, essayant de ne pas céder à la panique, de ne pas imaginer le pire.

Elle continuait de crier son nom en se frayant un chemin dans la foule. Quand elle atteignit enfin les forges brûlantes, Elisabeth était sûre qu'elle avait fait le mauvais choix. Il devait avoir rebroussé chemin vers la place du marché. Vers les bouchers avec leurs couteaux mortels. Vers les cordonniers et leurs alênes pointues. Vers les épées et les poignards qu'il voulait tant saisir.

— Peter !

Elle criait maintenant, sans se soucier de ce que l'on penserait d'elle. Elle ne préoccupait que du petit garçon qui avait échappé à sa surveillance.

— *Peter !*

Chapitre 49

Ne croyez pas que les délais divins
soient des dénis divins.
— Georges-Louis Leclerc, comte du Buffon

Je vous en prie, mon Dieu. Aidez-moi à le retrouver.

Elisabeth revint sur ses pas, cherchant à reprendre son souffle.

— Peter Dalgliesh! cria-t-elle, sachant que le garçon ne l'entendrait jamais, même si elle hurlait son nom à tue-tête.

La place du marché était trop bruyante, trop bondée. Dans cette mer de visages, elle ne voyait que des étrangers.

— Peter, où es-tu? gémit-elle, penchée, le regard dirigé à quelques pieds du sol, cherchant désespérément un garçon roux portant une chemise de mousseline et un gilet brun.

Elle n'était consciente que de la terreur qu'elle éprouvait à cet instant-là. *Oh, Peter! Je suis si désolée!*

Elle se sentait malade physiquement aussi, l'estomac douloureusement noué. Était-il retourné à l'enclos des moutons? Avait-il parcouru la ruelle Shaw, curieux de voir ce qu'il trouverait dans l'allée étroite? À moins qu'un étranger l'ait leurré pour l'entraîner avec lui?

Quand elle entendit un garçon pleurer, Elisabeth joua du coude à travers la foule grouillante, plus soucieuse d'aller vite que de se montrer polie.

— Peter? Peter, est-ce toi?

Un moment plus tard, elle rejoignit le garçonnet qui sanglotait. Il était du même âge et de la même taille que Peter, mais, hélas, ce n'était pas lui.

Sa mère, qui le tenait fermement par la main, leva le menton vers Elisabeth.

— Avez-vous perdu vot' p'tit?

— Il s'est enfui, confia Elisabeth. Peut-être l'avez-vous vu ? Des cheveux d'un roux ardent et des yeux bleus.

— Oh ! V'z'en verrez beaucoup comme ça ici.

— Vous avez raison, dit Elisabeth, combattant les larmes.

— Allons, jeune femme, ne pleurez pas, dit la femme, dont la compassion adoucissait les traits du visage. Y n'peut être allé bien loin. Et y vous cherche aussi. Un enfant r'trouve toujours sa mère.

Mais je ne suis pas sa mère. Jenny ne l'aurait jamais laissé s'échapper.

La mort dans l'âme, Elisabeth continua ses recherches en parcourant la Water Row dans les deux sens. Dès qu'elle reconnaissait un visage familier, elle se précipitait vers le voisin ou l'ami, et répétait, affolée, la même question.

— Avez-vous vu le petit Peter Dalgliesh ?

La réponse était toujours la même.

— Non, m'dame Kerr.

Éperdue, elle s'arrêta près d'un étalage de toisons et de peaux, et inclina la tête, implorant l'intervention divine. *Aidez-moi, mon Dieu. Je vous en prie.* Pas étonnant que le Tout-Puissant ne lui eût jamais confié d'enfant. Comment avait-elle pu être aussi négligente ? Comment avait-elle pu le laisser s'éloigner ?

Puis, semblant venir du ciel, une petite voix surexcitée s'écria :

— Je l'ai trouvée !

Elisabeth leva la tête, retrouvant espoir.

— Peter ?

Et il apparut, juché sur les épaules de son père, les jambes enroulées autour du cou du tailleur, ses petites mains agrippées aux grandes mains de Michael.

Elle se précipita vers eux, au comble du bonheur.

— Où étais-tu, mon garçon ?

— Où étiez-*vous* s'rait plus approprié, la réprimanda Michael en faisant joyeusement bondir son fils sur ses épaules.

Peter nous a trouvés, Annie et moi, dans la foule. Il s'est pré-cipité pour nous r'joindre, puis il s'est retourné, mais vous n'étiez plus là. Oh, il était atterré ! Il m'a demandé d'le porter sur mes épaules pour vous trouver. Et, enfin, nous avons réussi.

— Si je comprends bien, c'était *moi* qui étais perdue, dit Elisabeth en leva la main pour saisir la cuisse charnue du garçon. Je suis désolée de t'avoir effrayé, Peter.

— La prochaine fois, je n'vous laisserai pas vous éloigner, l'assura Peter.

Anne indiqua du doigt le chapeau de paille d'Elisabeth.

— Vous êtes si grande, Bess, il suffira d'ajouter une plume de paon à votre chapeau pour ne plus jamais vous perdre de vue.

— Excellente idée, acquiesça-t-elle, mi-figue mi-raisin.

Mais à la manière dont Annie et Michael se regardaient à ce moment précis, il était clair que les allées et venues d'Elisabeth étaient le cadet de leurs soucis.

— Et si Peter et moi reprenions notre promenade, offrit Elisabeth. Vous pourriez continuer à profiter de la foire à votre aise.

— Non, dit Anne abruptement en s'écartant de Michael d'un pas. J'aimerais me promener un peu avec vous, Bess, si vous le voulez bien.

Elle saisit le bras d'Elisabeth, et dit à Michael :

— Rejoins-nous à la croix du marché dans un quart d'heure.

— Très bien, Annie, répondit-il.

S'il était déçu, Michael n'en montra rien. Il s'éloigna tran-quillement avec Peter qui dominait la foule, toujours juché sur ses épaules.

Les femmes, pendant ce temps, se dirigèrent vers les étals des cordonniers. Elles y trouvèrent une panoplie de chaus-sures de toutes les tailles, dont les pieds droits et gauches avaient la même forme.

— Préférez-vous le cuir ou le brocart, cousine? lui demanda Elisabeth d'une voix enjouée.

Annie s'approcha d'Elisabeth afin d'éviter d'être séparée par la foule, car elle ne voulait pas que leur conversation fût interrompue.

— Vous savez ce que je désire par-dessus tout, dit-elle. C'est un avenir avec l'homme que j'aime.

Elisabeth vit qu'elle était sérieuse, et sa voix perdit son ton taquin.

— Michael a-t-il abordé le sujet?

Annie haussa les épaules.

— Il m'a dit qu'il m'aimait, répondit-elle. Mais le mot «mariage» n'a jamais franchi ses lèvres.

Elisabeth étudia les fines rides sur le front de sa cousine et la lueur de tristesse dans ses yeux.

— Craignez-vous qu'il se ne décide jamais à le faire?

Anne leva les yeux vers sa cousine.

— Oui, répondit dit-elle. Il semble satisfait de me fréquenter, mais nous avons tous les deux passé cet âge-là.

Alors qu'elle regardait Peter et son père disparaître au loin, Anne se heurta un orteil contre un pavé. Elle semblait troublée.

— Je suis certaine d'une chose, reprit-elle : Peter a besoin d'une mère. Et si j'espère porter un enfant qui soit le mien, je ne peux attendre bien plus longtemps. Avant la fin de l'année, j'aurai trente-sept ans.

Elisabeth dit sans hésitation.

— Alors, vous devez faire vous-même la demande à Michael.

— Bess! répondit Annie, rougissant jusqu'aux oreilles. Je ne pourrais jamais faire une chose pareille!

— Si, vous le pouvez, répondit-elle, et elle fit un pas vers Annie afin que personne ne puisse les entendre. Il vous aime, Annie. Une petite secousse, et l'homme tombera dans votre main comme une pomme mûre.

— C'est très audacieux, dit sa cousine, un peu ébranlée.

— Bien sûr, dit Elisabeth en hochant la tête. Mais pensez-vous sincèrement qu'il refusera?

— Non, fit Anne, qui parut se ressaisir. Je pense qu'il pourrait être...

— Soulagé, compléta Elisabeth, et elles éclatèrent de rire toutes les deux. Michael vous attend à la croix du marché. Un endroit idéal pour annoncer vos intentions. Sinon à toute la ville, du moins à votre amour.

D'un air décidé, Anne l'entraîna avec elle.

— Venez avec moi, dit Anne, pour que je ne perde pas courage.

Les deux femmes marchant vers leur but, elles contournèrent les vendeurs de pâtés, les poissonnières, les colporteurs et les rétameurs ambulants, le regard fixé sur la colonne dressée au centre de la place du marché. Michael était là, les attendant, scrutant la foule du regard. Alors que sa cousine accélérait le pas, il semblait à Elisabeth que son cœur faisait de même dans sa poitrine. *Dites oui, Michael. Dites oui!*

Dès que Michael eut déposé Peter au sol, le garçon courut dans les bras ouverts d'Anne.

— J't'ai vue venir de très loin! se targua-t-il.

— J'avais le regard fixé sur toi aussi, murmura Anne, soulevant le garçonnet dans ses bras, ses petites jambes enveloppant sa taille, ses bras enlacés autour de son cou.

Elisabeth leur sourit, et des larmes mouillaient ses yeux. *Cher, cher, Peter.*

— Alors, dit Michael, se croisant les bras sur la poitrine. Si vous me permettez de le demander, où étiez-vous, toutes les deux?

Anne appuya Peter sur sa hanche, puis regarda Michael, les yeux clairs, et toute sa personne était comme un livre ouvert.

— Monsieur, quels sont vos projets pour le dernier jour du mois d'août?

— Le *quoi*? demanda-t-il, son visage exprimant une exaspération bien inoffensive qui les fit tous rire. Croyez-vous que j'porte un calendrier sur moi, jeune femme?

— C'est dans trois semaines, lui dit-elle. Cela nous donne assez de temps pour faire lire les bans à chaque sabbat et organiser un *p'tit* mariage à l'église.

Le visage rougeaud du tailleur devint écarlate.

— Et qui doit se marier?

Elle déposa Peter sur le sol.

— Un couple qui mérite bien un peu de bonheur.

Il lui demanda à voix basse :

— Que dis-tu, Annie?

— Je dis que je t'aime, Michael Dalgliesh.

Elle leva son visage vers le sien, les mains posées sur les épaules de Peter.

— Et que je veux être ta femme.

Elisabeth savait qu'elle aurait dû détourner son attention vers la croix du marché, le ciel bleu estival, la foule animée — n'importe où, afin d'accorder au couple un moment d'intimité. Mais elle ne pouvait détacher son regard de la scène tendre qui se jouait devant elle, alors qu'elle voyait s'épanouir un large sourire sur le visage parsemé de taches de rousseur de Michael.

— Alors, j'ferais mieux de t'épouser, dit-il, car tu sais bien qu'je t'aime, Annie Kerr.

Il s'inclina et l'embrassa sur la place du marché tandis que Peter, debout entre les deux, levait des yeux remplis d'émerveillement.

— Est-ce qu'Annie sera ma mère? demanda le garçon en tirant sur la manche de son père.

— Oui, elle le sera, affirma Michael, et il embrassa Annie de nouveau. Et tu ne l'appelleras plus Annie désormais.

Anne passa une main tremblante dans les cheveux de Peter.

— Es-tu certain de vouloir cela ?

Michael hocha la tête de haut en bas.

— C'est ce qu'aurait voulu Jenny. Et c'est mon souhait.

Anne glissa un regard vers Elisabeth avant de demander à Michael :

— Tu n'es pas offusqué ? Que ce soit moi qui l'ai demandé ?

— Non, jeune femme, répondit Michael, qui passa un bras autour de ses épaules pour l'attirer contre lui. Honoré, serait le mot juste, et il regarda Elisabeth. Je soupçonne qu'c'est ta cousine qui t'a donné l'audace d'le faire.

— Peut-être, acquiesça Anne, mais c'est *moi* qui ai prononcé les mots.

— En effet, jeune femme, acquiesça-t-il, puis il déposa un baiser sur son front en faisant un clin d'œil à Elisabeth. C'est bien toi.

Chapitre 50

Qui aurait pu croire que mon cœur desséché
Aurait pu recouvrer sa verdeur ?
— George Herbert

Marjory s'attarda près de la porte d'Annie dans la fraîche ruelle Halliwell et elle savoura cet instant, à l'abri de la chaleur du jour. Mais ce qui la rendait encore plus heureuse, c'était la main chaude de Gibson prenant la sienne, discrètement dissimulée à la vue. Après quelques heures, elle en avait eu assez de la foire, mais elle ne se lassait jamais d'avoir Gibson à ses côtés.

— Vous joindrez-vous à nous pour le dîner ? demanda-t-elle.

— Non, répondit Gibson d'un ton léger, car une aut' veuve m'attend avec impatience ce soir.

Elle arqua le sourcil et fit semblant d'être dupe de son espièglerie.

— Et qui cela pourrait-il être ?

— M'dame Scott, répondit-il, et seule la lueur dans ses yeux le trahit. Mais j'trouve que ses dents sont un peu longues.

Marjory éclata de rire, car elle savait qu'Isobel Scott avait quatre-vingt-cinq ans bien sonnés.

— C'est une bonne amie, lui rappela-t-elle, et assez âgée pour être votre mère.

Il lui serra la main.

— C'est pourquoi j'choisirai une femme assez jeune pour être ma...

— Taisez-vous, dit-elle, interrompant le flot de paroles du bout de son doigt ganté. Moins d'une douzaine d'années nous séparent, Gibson. Cela ne vaut même pas la peine d'en parler.

Gibson baissa le regard vers elle.

— Si vous l'dites, m'dame Kerr.

Appelez-moi Marjory. Elle détourna le regard, embarrassée. Où avait-elle la tête ? Neil Gibson ne l'avait jamais appelée par son prénom durant les trente années qu'ils avaient passées ensemble.

— Cousine ? lança Anne, qui venait d'apparaître à l'entrée de la ruelle, tenant la main de Michael Dalgliesh. Nous vous avons cherchée partout !

Le couple se précipita vers elle, entraînant Elisabeth et Peter dans leur sillage.

— Et nous voilà.

Marjory libéra rapidement la main de Gibson après l'avoir pressée une dernière fois.

Le visage radieux, Anne poussa la porte pour l'ouvrir.

— Entrez, dit-elle, car nous avons beaucoup de choses à vous annoncer.

Quelques minutes plus tard, tous les six étaient assis dans le petit logement, les clameurs de la foire assourdies par les fenêtres et les portes soigneusement fermées.

Anne dévoila la nouvelle, qui ne demandait qu'à se découvrir d'elle-même.

— Michael et moi allons nous marier le dernier jour d'août.

Marjory ne put dissimuler sa surprise.

— Si vite ?

Anne éclata de rire, glissant la main dans le creux du coude de Michael.

— Nous nous connaissons depuis que nous avons l'âge de Peter. Je ne vois aucune raison d'attendre dès lors que...

Elle leva le regard vers lui, les yeux brillants de confiance.

— Dès lors que nous sommes décidés.

Marjory regardait le couple fiancé, faisant le tri de ses émotions. Elle était heureuse pour eux, bien sûr. Anne serait une épouse idéale pour le tailleur. Mais elle s'ennuierait beaucoup de sa blonde cousine, en l'absence d'Elisabeth surtout, qui passait chaque jour à Bell Hill, de l'aube au crépuscule. Et comment elle et Elisabeth arriveraient-elles payer le loyer, sans compter le logement qu'il faudrait remeubler quand Anne aurait repris ce qui lui appartenait ?

Sa conscience vint la piquer, aussi pointue qu'une épingle. *Tu es égoïste, Marjory. Et pas tout à fait honnête.*

Marjory regarda Gibson, assis dans la chaise de bois abîmée, et elle osa s'avouer la vérité. *Je suis jalouse, chère cousine Anne. Car tu es libre de te marier avec celui que tu as choisi.*

— Qu'y a-t-il, Marjory ? demanda Anne, qui vint s'asseoir à côté d'elle, les sourcils froncés par l'inquiétude. Est-ce que cela vous contrarie ?

Marjory saisit la petite main de sa cousine, se jurant de ne penser qu'au bonheur d'Anne.

— Je ne saurais être plus heureuse, l'assura-t-elle, espérant que ses mots respiraient la sincérité. Dites-moi : quels sont vos projets pour le mariage ?

— Eh bien...

Anne regarda Michael.

— Nous pensons nous marier à l'église dans trois sabbats. Je possède une robe bleue qui conviendra, et Michael veillera à son propre costume de marié.

— Vraiment ? dit-il, visiblement amusé. Et pourrai-je choisir le tissu ?

— Pourvu que ce soit de la laine bleu foncé, répondit Anne d'un ton qui n'admettait aucune discussion.

La nouvelle du mariage d'Anne se propagea rapidement sur toute la Water Row, autour de la Back Row et jusqu'à la venelle de l'Église. En peu de temps, le couple n'arriva plus à s'aventurer dehors sans être abordé par quelque voisin ou voisine qui venait, littéralement, frotter son épaule contre celle de

Michael ou d'Anne afin de capturer une partie de leur bonheur. C'est du moins ce que disaient les vieilles femmes. Des amis vinrent frapper à la porte, apportant de petits présents, du linge de cuisine ou des ustensiles de bois. En ce qui concerne les étudiantes d'Anne, elles étaient trop excitées pour travailler à leur dentelle chaque après-midi, préférant parler de fleurs, de voiles et de magnifiques robes de mariées.

Elisabeth souriait à tout cela, et son attitude demeurait sereine même si, de temps à autre, Marjory voyait poindre une lueur de tristesse dans ses yeux. Y avait-il quelque chose au sujet du mariage imminent d'Anne qui pesait sur le cœur d'Elisabeth? Le vendredi après-midi, la curiosité l'emporta sur Marjory. Elle suivit sa belle-fille dehors, puis l'attrapa par le coude avant qu'elle n'atteignît la place du marché.

— Bess, nous n'avons pas été seules un seul moment de la semaine. Est-ce que tout va bien?

Elisabeth se retourna, les yeux brillant dans la sombre ruelle.

— Je crains d'avoir très mal dissimulé mes émotions.

Marjory passa un bras autour de la taille d'Elisabeth.

— Vous n'avez pas besoin de me les cacher, ma chère fille. Pas après ce que nous avons vécu ensemble, dit Marjory, qui fit un pas en avant, entraînant Elisabeth avec elle. Puisque vous devez vous rendre à Bell Hill ce matin, que diriez-vous que je vous accompagne jusqu'à la porte Foul Bridge? Nous pourrions parler un peu.

Des étrangers arrivaient déjà à Selkirk pour la cinquième journée de la foire comme les deux femmes remontaient la venelle de l'Église, bras dessus bras dessous, à contre-courant du flot de piétons.

— Je serai heureuse quand ce sera fini, grommela Marjory, bien que je sois certaine que tous les aubergistes de la ville apprécient cette affluence.

Elisabeth hocha la tête, mais ses pensées étaient manifestement ailleurs.

Ne voulant pas perdre une seconde, Marjory laissa tomber les préambules et alla droit au but.

— Je sens que vous n'êtes pas entièrement heureuse pour Anne. Ressentez-vous... quelque chose pour monsieur Dalgliesh?

— Non! protesta Elisabeth. C'est un ami et un ancien patron, rien de plus. Je leur souhaite à tous les deux tout le bonheur possible.

Marjory ne pouvait pas douter de ce qu'elle entendait, tant le regard d'Elisabeth était droit et franc.

— Êtes-vous mécontente de moi, alors?

À cause de Gibson? Marjory n'osa pas le dire à voix haute. Cette seule pensée rendait ses mains moites et son cœur sauta un battement. Et si Elisabeth désapprouvait cette relation?

En atteignant le sommet de la butte, sa belle-fille ralentit le pas et dit en lui souriant :

— Si vous ~~vous~~ parlez de votre passion naissante, je vous souhaite aussi, à vous et à Gibson, un avenir radieux.

Étonnée, Marjory bégaya :

— Mais... que voulez-vous dire?

— L'homme vous adore. Et je crois que c'est réciproque.

Marjory pouvait difficilement nier la vérité.

— Mais c'est un domestique, Bess, et je suis une pauvre dame. Quel avenir pourrions-nous avoir?

— Un futur brillant, si Dieu le veut, dit Elisabeth, qui se dirigea vers la porte de la ville, l'entraînant avec elle. Vous m'avez déjà dit que la foi était ce qui plaisait au Tout-Puissant.

— Oui, soupira-t-elle. Je l'ai dit.

Si je dois épouser Neil Gibson, mon Dieu, toi seul peux en décider. Marjory envoya ses pensées vers le ciel, au-dessus des pavés crasseux et des toits de chaume de Selkirk, puis elle respira longuement et profondément.

— Vous ne m'avez toujours pas dit ce qui vous préoccupait, Bess, dit-elle enfin.

Elisabeth hausse légèrement les épaules.

— Rien d'important.

Marjory la regarda.

— Maintenant, c'est à moi de dire la vérité. Lord Buchanan vous manque.

— Ah... bien..., dit Elisabeth, dont les joues se coloraient visiblement. Bell Hill n'est plus le même sans son propriétaire.

— Et vous n'êtes pas la même sans votre maître.

Marjory lui tapota la main, n'arrivant pas à trouver les mots qu'il fallait. Elle ne pouvait, en toute conscience, encourager leur amitié naissante et risquer de déshonorer la mémoire de Donald. Pas plus qu'elle ne pouvait nier les qualités remarquables de l'amiral. Plus que remarquables, en fait. Exceptionnelles.

Un dilemme, assurément.

Elles atteignirent la porte de la ville, ouverte à tous ceux qui approchaient par le sud-est. Elisabeth la libéra, mais pas avant de lui avoir baisé la joue.

— C'était gentil à vous de me tenir compagnie.

Marjory lui confia :

— Tout ce qu'il me reste à vous offrir, ce sont des repas chauds et une oreille attentive.

— C'est beaucoup.

Avec un sourire discret, Elisabeth se retourna et leva la main pour lui dire au revoir.

Chapitre 51

Qui aime
croit à l'impossible.
— Elizabeth Barrett Browning

Tandis que sa belle-fille franchissait la petite passerelle pour aller vers l'est, Marjory rebroussait chemin, occultant toutes pensées concernant les hommes et le mariage, en faveur de sujets plus pressants : le petit-déjeuner, le déjeuner et le dîner. Elle toucha sa poche afin de s'assurer qu'elle avait une pièce ou deux, puis dressa une liste mentale de ce qu'elle avait besoin au marché : *du fromage, du beurre, des œufs et du lait.* Oui, elle pouvait se le permettre.

Louvoyant entre les charrettes à bras et les piétons qui descendaient la venelle de l'Église, Marjory ralentit le pas en approchant du presbytère, espérant apercevoir Gibson par la fenêtre. Elle se sentait comme une adolescente transie d'amour, ne pouvant s'empêcher de jeter un coup d'œil dans la maison, épiant les rideaux ouverts, la bougie unique et les signes de vie à l'intérieur.

Certaine d'avoir aperçu sa livrée noire, Marjory s'arrêta à la fenêtre et sourit, le nez touchant presque la vitre. *Bonne journée, cher Gibson !*

Mais c'était le révérend Brown, habillé en noir, qui se retourna et croisa son regard.

Étonnée, elle fit un pas en arrière. Qu'est-ce que le révérend doit penser d'elle, l'ayant surprise à regarder à sa fenêtre ?

L'instant d'après, il était debout sur le seuil de sa porte, l'invitant du geste à entrer.

— Venez, madame Kerr, dit-il. Je voulais justement vous parler.

Marjory se glissa près de lui en entrant dans le presbytère, se sentant embarrassée et honteuse. Gibson, hélas, n'était
nulle part en vue. Elle prit le siège offert près de la fenêtre,
douloureusement consciente du ridicule de la position dans
laquelle elle avait été surprise, le nez collé contre la vitre.

— Excusez mon intrusion, commença-t-elle, ne sachant
pas trop comment s'expliquer.

— Vous n'avez pas à vous excuser, dit-il d'un ton bourru,
prenant la chaise opposée à la sienne. Si vous cherchiez
Gibson, je l'ai envoyé faire une course, car je ne m'aventurerai
jamais dehors pendant la foire.

Il se pencha, les yeux étaient rivés sur elle.

— Entretemps, continua-t-il, j'ai des nouvelles de Lord
Buchanan, qui devraient vous intéresser.

Les pensées de Marjory volèrent immédiatement vers
Elisabeth.

— Oh?

— En vérité, reprit le révérend, Son Excellence n'est peut-
être pas au courant de ce que je m'apprête à vous révéler,
quoique je me promette de l'en informer à la première
occasion.

Marjory s'avança légèrement sur sa chaise, sa curiosité
aiguisée.

— De quoi s'agit-il?

— L'amiral Lord Jack Buchanan est un parent éloigné de
Lord John Kerr.

Marjory déglutit.

— De... mon défunt mari?

— Oui, dit-il. En repassant quelques vieux registres de la
paroisse à la demande du conseil de l'Église, je suis tombé sur
les noms de Buchanan et de Kerr dans un acte de mariage,
datant de la fin du XVIe siècle. Prétendre que Son Excellence
est votre cousin éloigné serait audacieux, mais cet ancêtre à
vous l'était sûrement.

— Une nouvelle étonnante, assurément, dit-elle, essayant de retrouver son calme, de comprendre ce que de tels liens pouvaient signifier pour sa famille.

— Madame, je n'ai guère besoin de mentionner la détresse de votre situation actuelle. Lorsqu'il sera informé de votre ancêtre commun, Lord Buchanan pourrait se sentir tenu de… eh bien, de vous soutenir matériellement, vous et votre belle-fille.

— Je vois, dit Marjory, qui feignit de retirer une poussière de sa jupe noire, pendant qu'elle fouillait sa conscience.

C'était un homme généreux, Lord Buchanan, et il ferait certainement ce qu'il devrait. Mais il y avait plus en jeu que de l'argent ou de l'or. *Oh, Bess ! Un tel soutien te plairait-il ? Ou te placerait-il dans une position embarrassante ?* Marjory connaissait la réponse.

Elle leva la tête.

— Je me demandais, révérend Brown, si vous pouviez attendre un peu avant de révéler votre découverte à Son Excellence.

Il fronça les sourcils.

— Mais vous seriez la première à en bénéficier. Pouvez-vous réellement vous permettre d'attendre ?

— Oui, dit Marjory, au moins quelques mois.

Elisabeth avait un emploi assuré à Bell Hill jusqu'au jour de la Saint-André. Si elles pouvaient tenir jusque-là, ni Lord Buchanan ni Elisabeth ne seraient plongés dans une situation difficile. Et qui sait où leur amitié les conduirait un jour ?

— Il vaut mieux ne rien dire, lui dit Marjory.

Le ministre leva les mains pour montrer qu'il abdiquait.

— Comme vous voulez, madame. Si vous deviez changer d'avis, je me ferai un devoir d'informer Son Excellence de ses… obligations.

Ce dernier mot renforça sa décision. L'amitié et l'obligation ne faisaient pas un heureux mariage.

Comme elle se préparait à partir, le révérend toussota.

— Madame, vous et moi avons discuté d'un sujet qui revêtait une certaine importance vers la fin mai. Peut-être cela vous rappelle-t-il quelque chose ?

Gibson.

— Mais bien sûr, monsieur.

— Aurais-je l'audace de vous demander où en sont vos rapports avec mon domestique ?

Elle humecta ses lèvres sèches.

— Nos... rapports ?

— Je crois que j'avais présenté mes objections clairement. Et pourtant, j'entends votre nom s'échapper des lèvres de Gibson, je vous vois assis ensemble lors des services, et je vous vois épier à ma fenêtre, essayant d'apercevoir l'homme qui a été à votre service pendant trente ans. Quel est le propos de tout cela, madame Kerr ?

À chaque phrase, sa voix était devenue un peu plus stridente. Quand il prononça son nom, Marjory était sur ses pieds. Tremblante, mais debout. Elle essaya de parler du ton le plus égal possible, se contenant pour ne pas hausser la voix comme il l'avait fait.

— Dois-je vous rappeler que je suis une femme indépendante ? Possédant des moyens limités, certes, mais qui ne dépend d'aucun homme. Vous ne trouverez pas le nom de Kerr sur le registre des pauvres de la paroisse ni un insigne de mendiante épinglée à ma robe.

— Allons, allons, madame Kerr, dit le révérend en hochant sa tête grise. Je suis simplement préoccupé de vous voir perdre votre place dans la société...

— Ma place ? s'écria-t-elle en levant les mains en signe de frustration. Révérend Brown, je n'ai plus de place. Ce que j'ai, ce sont des amis chers, qui m'acceptent telle que je suis.

La vérité de ses paroles résonnait en elle, claire et forte.

— Vous me demandez quels sont mes rapports avec Neil Gibson, dit-elle pour conclure. Je vous réponds qu'ils sont excellents, monsieur. Je vous remercie de l'intérêt que vous daignez m'accorder.

Marjory voulut traverser rapidement la pièce en faisant claquer ses jupes sur ses chevilles, mais une scène ne servirait à rien. De plus, le révérend Brown était l'employeur de Gibson et le ministre de la paroisse et, à ce double titre, méritait son respect.

Aide-moi, mon Dieu. Aide-moi à faire ce que je dois faire.

Baissant la tête, elle fit une révérence, un peu plus profonde que nécessaire, et ne se releva que lorsque la paix régna de nouveau dans son cœur.

Quand elle leva la tête et que leurs regards se rencontrèrent, elle trouva les mots qu'elle voulait dire.

— Révérend Brown, dit-elle, vous m'avez un jour promis de me montrer la clémence divine, et c'est ce que vous avez fait. Maintenant, je vous demande seulement de m'accorder une petite dose de bonheur, plus pas grosse que le quart de penny d'une veuve.

Le ministre plaça ses mains flétries sur les épaules de Marjory.

— Madame Kerr, je vois que vous avez fait votre choix. Comment vous et monsieur Gibson naviguerez dans ces eaux, je ne puis le dire. Mais ce que Dieu a uni, je ne le séparerai pas. Allez, maintenant, car je vous ai retenue assez longtemps.

— Soyez béni, murmura-t-elle, et elle se dirigea vers la porte, ne pensant qu'à Gibson.

Elle était impatiente de le trouver. Fébrile de lui faire part de cette conversation. *Tout va bien. Dieu est avec nous.*

Un moment plus tard, Marjory se trouva dans la venelle de l'Église, toujours vacillante à la suite de la bénédiction inattendue du ministre. Il semblait prêt à admettre que le Tout-Puissant les avait rapprochés. *Cela pourrait-il être vrai, mon Dieu ? Est-ce ta main à l'œuvre ? Veux-tu que cet homme bon soit le mien ?*

Quand elle leva les yeux et vit Neil Gibson qui marchait vers elle, elle eut la réponse à toutes ses questions. *Oui, oui et oui.* Marjory tendit les mains, l'invitant à venir à elle.

Il s'inclina en gentilhomme, puis prit ses mains entre les siennes.

— Étiez-vous à ma recherche, Lady Kerr?

— J'ai beaucoup à vous dire, commença-t-elle, mais nous ne pouvons nous rendre au logis d'Anne, avec Peter qui viendra faire sa visite matinale.

— On n'peut parler au presbytère, dit Gibson. Et on n'peut rester sur la place du marché, avec tout' la ville qui regarde.

— À l'église, alors, dit Marjory qui commençait déjà à gravir la côte. Un vendredi, elle sera certainement déserte.

Ils se glissèrent dans l'étroit passage et traversèrent la cour herbeuse de l'église, puis ouvrirent la porte, grimaçant aux protestations bruyantes des gonds rouillés. Délaissant le soleil de la matinée, ils entrèrent dans l'intérieur ombragé, frais et calme.

— Un peu sombre, murmura Gibson, mais au moins, nous serons seuls.

Avec Marjory à son bras, il avança le long de l'allée. En arrivant au banc des Kerr, il l'épousseta d'abord, et tous deux y prirent place, comme des bourgeois de la campagne venus se reposer à l'église.

Marjory attendit qu'il fût assis, le cœur battant si fort contre son corset qu'elle avait peine à respirer, et elle se demanda si elle pourrait parler. Quand elle se tourna vers lui, leurs genoux faillirent se toucher. Et quand il prit ses mains dégantées dans les siennes, elle pensa s'évanouir.

— Gibson, je...

— Neil, dit-il doucement, sans détourner les yeux des siens. Cette fois, vous m'appellerez par mon prénom.

Neil, mon cher Neil. Pourrait-elle le dire à voix haute sans rougir?

— Neil, dit-elle, parvenant enfin à le répéter. Et vous pouvez m'appeler Marjory.

Il sourit.

— J'ai commencé à vous appeler Marjory dans mon cœur dès que j'ai posé les yeux sur vous en mai. Quand vous avez appuyé vot' tête sur mon cou et qu'vous m'avez dit : « Vous êtes arrivé à la maison ! » J'peux pas vous dire c'que ça signifiait pour moi.

Submergée de joie, elle inclina la tête et murmura :

— Et pour moi.

Il lui souleva gentiment le menton.

— Ne vous cachez pas de moi, jeune femme.

— *Jeune femme* ? Je ne suis plus si jeune...

— Allons ! dit-il en riant tout bas. Vous êtes une jeune femme pour moi.

Il lui embrassa légèrement le dos de la main et demanda :

— Alors, qu'aviez-vous de si important à m'dire ?

Elle décrivit son entretien avec le révérend Brown, évitant de faire mention de Lord Buchanan pour l'instant, et remarqua l'expression du visage de Gibson changer avec chaque révélation.

— Alors, c'est juste une tout' p'tite dose de bonheur qu'vous voulez ? la taquina Gibson. Qui vaut pas plus cher qu'un quart de penny ?

— Vous me connaissez très bien, lui rappela-t-elle. Suis-je une femme qui se contente de si peu ?

— J'vous ai jamais vu le faire, acquiesça-t-il, paraissant plus sérieux. C'est pourquoi j'dois vous demander si vous êtes sûre... si vous êtes vraiment sûre...

— Que vous me rendrez heureuse ?

Quand il hocha la tête, elle le regarda dans les yeux pour ne pas perdre courage.

— Neil Gibson, lui dit-elle sans broncher, je ne peux imaginer un avenir sans vous au centre.

— Oh, Marjory!

Il inclina la tête, tenant ses mains serrées dans les siennes comme s'il ne devait plus les relâcher.

— Vous savez que j'n'ai rien à vous offrir. Ni foyer, ni cheval, ni bourse pleine de guinées. Et j'oserai pas demander vot' main avant d'avoir tout ça.

— Mon cher Gibson...

Elle se ressaisit.

— Neil... je n'ai pas de telles attentes.

Il leva la tête.

— Mais moi, oui, dit-il, ses yeux brillant comme des bougies dans le sanctuaire obscur. Vous v'rappelez à Édimbourg c'que j'vous ai dit : « Vous s'rez toujours une grande dame pour moi » ?

— Je m'en souviens très bien. *Si bien.*

— Une dame comme vous mérite le meilleur de ce que l'monde peut offrir. J'voudrais pas qu'vous en soyez privée à cause de moi.

Quand il fit mine de vouloir la libérer, Marjory l'attira plus près d'elle.

— Écoutez-moi, Neil Gibson. Les possessions ne signifient plus rien pour moi, aujourd'hui. Nul doute que vous, entre tous, devez comprendre cela.

— Oui, mais...

— La Bible nous dit que seuls la foi, l'espoir et la charité importent.

Elle leva les mains de Gibson, fortes et calleuses, sans cesser de prier.

— J'ai retrouvé la foi, l'assura-t-elle, lui embrassant doucement une main. J'ai repris espoir, continua-t-elle en baisant l'autre. Et mon estime pour vous est inébranlable.

Dans son sourire, elle vit le garçonnet charmant de dix ans qu'il avait dû être. Et le garçon vigoureux de vingt ans, qui devait sûrement ravir le cœur de toutes les jeunes filles. Et l'homme séduisant de quarante ans, qui l'avait servie à

Tweedsford. Mais aucun d'eux ne pouvait rivaliser avec l'homme mûr assis près d'elle maintenant, avec ses yeux remplis d'amour et ce sourire se dessinant sur la courbe de ses lèvres.

— J'vois pas comment démêler tout ça, lui confia-t-il, mais si le Tout-Puissant veut qu'on soit ensemble, alors c'est c'qui arrivera.

Il lui embrassa chaque main, comme elle avait embrassé les siennes auparavant, puis il se leva et l'attira doucement sur ses pieds.

— Cette fois, j'vous raccompagne à la maison, dit-il.

Elle s'avança dans l'allée avec lui, sans aucune hâte de quitter leur paisible sanctuaire.

— Je ne peux qu'imaginer ce que le révérend dira quand vous rentrerez.

Au bout d'un moment, Neil dit :

— C't'un homme bon, qui veille sur son troupeau. Au fait, le révérend et moi avons une surprise pour vous, mais il faudra attendre jusqu'à Michaelmas.

— Ah! dit-elle en souriant. Beaucoup de choses nous attendent à l'automne. L'union d'Anne et de Michael, évidemment, ainsi que le retour de Lord Buchanan des Highlands. J'espère qu'il n'aura pas de contretemps. Ce serait dommage pour lui de manquer le mariage d'Annie.

Chapitre 52

Mon cœur est dans les Highlands, mon cœur n'est pas ici ;
Mon cœur est dans les Highlands, chassant le cerf.
— Robert Burns

Jack regarda le petit cottage des Highlands avec son toit de chaume, sa cheminée inclinée et ses fenêtres dépourvues de vitres. Les volets en bois abîmés, destinés à protéger les habitants des éléments, pendaient sur leurs gonds. Quelques poules picoraient dans le jardin et un pot de violettes mortes reposait près de la porte.

— Vous êtes certain que c'était la maison d'Elisabeth Kerr ?

Rose MacKindlay leva vers lui des yeux aussi verts que l'herbe des collines.

— C'était une Ferguson alors. Mais oui, c'est ici que Bess vivait et où sa mère habite maintenant.

Madame MacKindlay, une dame âgée, balançait son poids d'une jambe à l'autre en grimaçant.

— Son mari est sorti pour l'instant, dit-elle, mais j'sais qu'Fiona est à la maison. Elle s'ra heureuse d'avoir une lettre de Bess.

Jack était venu dans la paroisse de Braemar seulement pour chasser le lagopède d'Écosse, du moins c'était son intention. Mais dès qu'il était arrivé dans le domaine de Mar, ses pensées s'étaient tournées vers Castleton, le hameau où Bess avait passé ses dix-huit premières années. Consistant en un château en ruines et un amas de maisonnettes de pierres à l'abri d'un massif rocheux isolé, Castleton-de-Braemar était aussi loin de la société d'Édimbourg que la Perse de Paris. Pourquoi Bess était-elle partie, et par quel moyen ? Et qui était cette femme qui l'avait vue grandir ?

Il était curieux, il ne pouvait le nier. La lettre dans sa poche allait lui ouvrir une porte qu'il avait bien hâte de franchir.

Le temps radieux et printanier l'avait gardé sur les landes de bruyère en compagnie de Sir John une semaine entière — assez de chasse pour contenter Jack pendant plusieurs saisons.

— Les lagopèdes mâles sont de tempérament volage, les informa le guide, et ont plusieurs partenaires. Et ils ne s'intéressent guère à leurs petits.

Cela suffisait à Jack pour qu'il chassât ce gibier particulier avec une application toute meurtrière.

Mais en ce samedi frais et pluvieux, Sir John était heureux de siroter son whisky auprès du feu tandis que Jack explorait la paroisse. Il s'était rendu directement à Castleton, à la recherche d'un visage amical, et s'était trouvé en compagnie de madame MacKindlay, la sage-femme de la paroisse.

— Si vous aviez l'amabilité de faire les présentations, je serais honoré de rencontrer madame Cromar.

Il attacha Janvier à un abreuvoir, où le cheval pourrait se désaltérer, puis il rejoignit madame MacKindlay sur le seuil boueux de la porte.

— Fiona! cria-t-elle. V'z'avez un visiteur. Et beau garçon, en plus.

Jack avait déjà entendu cette phrase avant, populaire auprès de ses servantes, mais elle était en général réservée à des hommes bien plus jeunes.

On ouvrit la porte. Une femme dans la quarantaine aux cheveux noirs se tenait devant lui. Pas aussi grande que Bess, ni aussi jolie, mais sa mère, sans l'ombre d'un doute. Elle le regarda attentivement.

— Qui est cet homme qu't'as conduit à ma porte, Rose?

— Lord Jack Buchanan, répondit madame MacKindlay en mettant l'accent sur son titre. Il connaît Bess. Il a même apporté une lettre de la jeune femme.

Elle plissa les yeux.

— Est-ce vrai ?

— Oui, madame.

Il retira son chapeau et s'inclina, puis présenta la missive scellée.

— Votre fille est employée comme couturière dans mon domaine du Borderland.

— Vous devez entrer, alors, dit-elle en faisant un pas en arrière, tenant la lettre contre son cœur.

Alors que la sage-femme se retirait, Fiona Cromar se hâta vers le *inglenook*, le coin de la maison réservé au foyer, où un feu de tourbe brûlait et dégageait une odeur âcre.

— V'prendrez sûrement une tasse de thé.

Pendant qu'elle s'affairait à ses préparatifs, Jack examinait l'intérieur éclairé à la chandelle. Des murs de pierres brutes avec de la glaise et de la paille en guise de mortier. D'épaisses poutres de bois, pas très hautes au-dessus de sa tête. Et un plancher de terre battue qui venait d'être balayé. Bien qu'humble, le cottage était bien tenu, avec un plaid de belle laine étendu sur le lit. Une poignée de livres, qui représentaient le trésor des lieux, étaient rangés sur une tablette au-dessus du foyer. Aucun doute, Bess avait dû lire chacun d'entre eux au moins une douzaine de fois.

Fiona le fit asseoir à une table de pin carrée, mal rabotée mais bien frottée. Le thé fut servi dans des tasses de terre cuite, accompagné d'une assiette de biscuits au sucre. Fiona se joignit à lui, tenant sa tasse presque aussi gracieusement qu'Elisabeth. Elle avait les lèvres charnues de sa fille et ses remarquables sourcils sombres. Mais les yeux de Fiona étaient ternes et la peau sous ses paupières paraissait flétrie, comme si elle n'avait pas dormi depuis longtemps.

— Je vous dois mes excuses, madame Cromar, pour cette visite inattendue.

— Pas du tout, insista-t-elle. Dans les Highlands, nous sommes heureux quand des étrangers nous apportent des nouvelles, tant qu'y z'ont rien à voir avec le roi George dans sa tour de Londres.

Elle déposa sa tasse et s'inclina vers son invité.

— Avant de lire la lettre, dit-elle, qu'avez-vous à me dire au sujet de ma Bess ? Car j'n'ai pas vu ma fille depuis si longtemps.

— Elle se porte bien, l'assura-t-il, et son moral est excellent, surtout en regard de ce qu'elle a vécu récemment. Vous savez déjà, j'en suis sûr, dans quelles circonstances elle est venue vivre dans le Borderland, après la défaite du prince Charlie... après Culloden...

Il s'arrêta quand elle détourna le regard, son désarroi étant évident ; il valait mieux ne pas s'étendre sur le sujet.

— Votre fille a accompagné sa belle-mère à Selkirk, où elle réside chez une cousine éloignée, Anne Kerr.

Quand Fiona le regarda de nouveau, ses yeux étaient remplis de douleur.

— J'savais pas où ma Bess s'en était allée. Car j'avais pas eu d'ses nouvelles depuis que j'me suis mariée, l'année dernière.

Jack la regarda, confus.

— Comment est-ce possible ? On m'a dit qu'elle vous écrivait régulièrement.

Elle secoua lentement la tête.

— J'n'ai pas reçu de lettres, répondit-elle, mais il faut dire que j'n'en attendais pas. Pas après c'que j'ai fait avec la dernière qu'elle m'a envoyée, la veille de mon mariage.

Fiona ne pouvait soutenir le regard de l'amiral.

— Elle m'a implorée de n'pas épouser Ben Cromar. Elle a dit qu'elle avait fui Castleton parce que... parce qu'il l'effrayait.

L'effrayait ? Un frisson parcourut sa nuque. *Était-ce des paroles qu'il a prononcées, Bess ? Ou bien quelque geste répugnant qu'il a commis ?* Jack baissa le regard sur la lettre près de la tasse de thé de Fiona.

— Lisez-la immédiatement si vous voulez, madame Cromar, afin d'avoir l'esprit en paix.

Jack réfléchissait à différentes pistes inquiétantes à vive allure. Un homme effrayant. Une jeune fille à peine en âge de se marier, fuyant la maison de sa mère. Des lettres postées, mais jamais reçues. Oui, quelque chose clochait. Jack n'avait aucune intention de quitter Castleton avant d'avoir découvert la vérité.

Sa mère, entretemps, était captivée ; ses lèvres remuaient alors qu'elle lisait silencieusement, les yeux noyés de larmes.

— Elle m'aime encore. Ma douce, douce Bess ! s'exclamat-elle en agrippant le papier entre ses doigts tremblants. En septembre dernier, dit-elle, quand j'n'ai pas aimé c'qu'elle m'a écrit au sujet de monsieur Cromar, j'ai jeté la lettre au feu. Mais j'aurais dû l'écouter, poursuivit-elle, et sa voix n'était plus qu'un murmure. J'aurais dû prêter attention à c'qu'elle disait. Mais j'ignorais tout ! J'ignorais tout…

Quand la porte du cottage s'ouvrit brusquement, Fiona bondit sur ses pieds, enfouissant la lettre dans la poche de son tablier.

— Ben ! V'nez, v'nez rencontrer notre invité de… de…

Ben Cromar franchit le seuil en maître de céans, puis claqua la porte derrière lui.

— Alors, m'sieur, lança-t-il d'un ton suffisant. On a l'habitude de visiter la dame des autres quand l'mari est sorti pour gagner durement sa vie ?

Jack se leva, refusant de prêter attention à l'insinuation grossière. Il fixa plutôt intensément le rustre qui se trouvait devant lui.

— Je suis Lord Jack Buchanan, de Bell Hill, dans le Borderland.

— V'm'en direz tant.

Monsieur Cromar s'avança, le bruit de ses pas étouffé par la terre du sol. N'ayant pas plus de quarante ans, il avait la charpente solide du forgeron, avec des bras vigoureux, des cuisses massives et les larges épaules requises pour manier un lourd marteau.

— Qu'est-ce que vous v'nez faire dans ma maison?

Jack évita de faire mention de la lettre qui se trouvait dans la poche de Fiona.

— Votre belle-fille est à mon emploi, dit Jack posément. Puisque je chassais le lagopède d'Écosse dans le domaine de Mar, une visite à sa mère me semblait appropriée.

— À votre… *emploi*? murmura Cromar. C'est de c'te façon qu'les gentilshommes parlent d'nos jours?

— Monsieur, vous vous méprenez, dit Jack en serrant les poings, luttant pour ne pas perdre son sang froid. Elisabeth est une femme vertueuse et une couturière de grand talent.

Fiona retrouva enfin la voix.

— Oui, elle a toujours été douée avec une aiguille à la main.

— En effet, dit Jack, qui resta campé sur sa position, attendant que Ben Cromar s'avançât ou fît un autre commentaire provocateur.

Aussi musclé fût-il, le forgeron était bien plus petit que lui. Un bon demi-pied, estima Jack. Quoiqu'il ne prît aucun plaisir à se battre, s'il devait en venir aux coups, Jack n'hésiterait pas à défendre l'honneur d'Elisabeth et à protéger Fiona de cette brute de mari.

Comme s'il avait senti la détermination de Jack, Ben Cromar s'écarta de lui.

— V'z'avez fini vos affaires ici, alors?

— Pas vraiment, dit Jack. *Très loin de là*. Madame Cromar me dit qu'elle n'a pas reçu de lettres de sa fille pendant toute la durée de votre mariage. Pourtant, elles ont bien été écrites et mises à la poste. Sauriez-vous quelque chose à ce sujet?

Le visage de l'homme devint cramoisi.

— J'ai jamais eu connaissance d'ces lettres-là.

Jack reconnaissait un mensonge quand il frappait ses oreilles. Il pouvait facilement imaginer Cromar interceptant la correspondance par simple cruauté. Mais sans preuve solide, il pouvait difficilement porter des accusations.

— Les lettres s'rendent pas toujours aux maisons jacobites, dit Fiona rapidement.

Exprimait-elle la vérité, ou protégeait-elle son mari? Jack n'aurait su le dire, alors il essaya une autre piste.

— Voudriez-vous que j'apporte une lettre à Elisabeth de votre part, madame Cromar?

— Oh, bien sûr!

L'instant d'après, elle était assise à la table de pin et sa plume grattait la mince feuille de papier. Elle était penchée très bas sur la lettre, comme si elle avait voulu cacher ce qu'elle écrivait.

Jack l'observait en tenant son mari à l'œil. *Dites la vérité, madame. Votre lettre est en sécurité avec moi.*

Quand elle eut fini, elle agita la feuille de papier pour faire sécher l'encre, puis la plia avant de la sceller soigneusement avec la cire d'une chandelle.

— J'espère qu'la cire n'vous froisse pas, dit-elle en remettant la missive à Jack. Vous m'semblez un homme digne de confiance.

— Vous avez bien fait de la cacheter, dit Jack.

Ses paroles étaient clairement dirigées vers Ben Cromar, qui était penché au-dessus de sa femme, les bras croisés sur la poitrine.

— Seule la personne à qui cette lettre est destinée devrait la lire, n'est-ce pas?

Comme un pêcheur laissant flottant l'appât à la surface de l'eau, Jack avait tendu un hameçon à Cromar. Il attendait de voir s'il allait y mordre.

Mais le forgeron se contenta de le regarder méchamment sous ses sourcils froncés.

Dans le silence glacial qui suivit, Fiona s'activa dans le cottage, versant du thé à son mari, replaçant un livre renversé, lissant son couvre-lit. De toute évidence, elle évitait Ben Cromar.

— Lord Buchanan, je me demandais si…, dit-elle finalement, ma fille avait toujours sa jolie bague en argent. La porte-t-elle encore ? Elle m'appartenait avant et m'avait été transmise par ma mère.

Jack ne pouvait se rappeler l'avoir vue et l'admit.

— Peut-être enlève-t-elle ses bagues pour coudre.

— C'est possible. Mais c'n'est pas important, continua Fiona tout bas, pourtant l'expression consternée de son visage lançait un tout autre message. Elle coud des vêtements pour vos domestiques, c'est ça ?

Il acquiesça d'un signe de tête.

— Des robes pour mes servantes. Et bientôt, ajouta-t-il, des livrées pour mes valets.

Il vit la consternation dans ses yeux.

— Ma jolie Bess ? Mesurant et confectionnant des habits d'hommes ?

— J'croyais qu'vous accordiez de l'importance à la vertu des dames, grommela Ben Cromar.

— Vous pouvez en être assuré, dit Jack en les regardant tous les deux.

Elisabeth avait déjà travaillé dans une boutique de tailleur. S'était-il trompé en supposant qu'elle pourrait mettre son aiguille à la disposition de Roberts et de son personnel masculin ? Il lui sembla que c'était ce que sa mère pensait.

— Je vais remédier à la situation dès que je serai de retour, lui promit-il. Il y a plusieurs tailleurs de talent à Selkirk, reprit-il. Il y en a un en particulier, qui me vient à l'esprit.

L'expression du visage de Fiona se détendit tout de suite.

— J'vous en remercie, milord.

— Ce n'sont qu'des paroles creuses, dit son mari sèchement. Rien de plus facile que d'faire des promesses.

Jack en avait assez de Ben Cromar. Il s'approcha de lui, ne serait-ce que pour le toiser de toute sa hauteur.

— À titre d'amiral à la retraite de la marine royale, ma parole est digne de foi.

La couleur se retira du visage de Ben Cromar.

— Alors, vous…

La voix de Fiona n'était plus qu'un murmure.

— Vous êtes un homme… du roi George ?

Avant que Jack ait pu répondre, monsieur Cromar fit un pas en arrière.

— C'est un piège, femme, s'écria-t-il. Y en a sûrement d'aut' dehors, qui n'attendent qu'un signe pour brûler not' maison, et nous à l'intérieur.

— Non, dit Jack en se dirigeant vers la porte. Je suis venu seul et pas au nom du roi.

Il chercha le regard de Fiona, cherchant à rétablir le lien de confiance entre eux.

— Le bien-être de votre fille est le seul motif de ma visite.

Fiona effleura la manche de son mari.

— Lord Buchanan ne nous f'ra pas d'mal, dit-elle. C't'un homme bon.

Jack reconnaissait clairement Elisabeth dans sa mère, maintenant. Les mots tendres, la touche délicate. Pourtant les deux femmes avaient épousé des hommes qui les maltraitaient. Il ne pouvait sauver Fiona au cours de cette brève visite matinale. Mais il pouvait veiller sur l'avenir de sa fille. Oui, il pouvait faire cela.

— Je vous remercie de votre hospitalité, dit Jack en s'inclinant légèrement, et je vous fais mes adieux à tous deux.

— Veillez sur ma douce Bess, l'implora Fiona. Elle est tout c'que j'ai.

— Comptez sur moi, répondit-il.

Il quitta le cottage et, l'instant d'après, il chevauchait Janvier, galopant rapidement vers le domaine de Mar, la pluie lui fouettant le visage, les dernières paroles de Fiona s'imprimant dans son cœur.

Il trouva Sir John où il l'avait laissé près du feu, les pieds posés sur un tabouret de cuir, un petit verre de whisky à la main.

— Venez me rejoindre, dit le shérif, levant son verre.

Jack secoua la tête, ayant déjà fait, par la pensée, la moitié du chemin jusqu'à Selkirk.

— Je me demandais si nous ne pourrions pas rentrer au sud un peu plus tôt que prévu.

Il ne pouvait pas plus expliquer son inconfort croissant que le réprimer.

Sir John parut mécontent.

— Jeudi prochain ne vous convient plus ?

Jack maugréa intérieurement. *Encore cinq jours.*

— J'avoue que j'ai suffisamment de logopèdes pour remplir dix poêles à frire de madame Tudhope. Vous opposeriez-vous à ce que nous partions lundi ?

Même cela était un sacrifice. Jack aurait voulu s'en aller sur-le-champ, la lettre dans sa poche ajoutant à son sentiment d'urgence.

Son hôte avala son whisky, puis soupira.

— Il semble que votre décision soit prise, Lord Jack. Vous devez sûrement vous ennuyer de Rosalind. Je peux vous assurer qu'elle souffre de votre absence. Dickson et Grahame seront aussi heureux de dormir dans leur propre lit, ajouta-t-il en faisant un geste en direction de leurs domestiques, qui jouaient aux cartes près de la fenêtre.

— Tout comme moi, renchérit Jack, réfrénant son impatience.

Rosalind Murray ? Il avait à peine pensé à la jeune fille depuis son départ de Selkirk. Non, une autre femme avait occupé son esprit de l'aube au crépuscule et jusque dans ses rêves.

Bientôt, Bess. Samedi prochain, si Dieu le veut.

Chapitre 53

Ô femme ! Tu sais l'heure à laquelle
l'homme de la maison rentrera.
— Washington Irving

Elisabeth venait tout juste de coudre la dernière agrafe de la robe d'une servante quand madame Pringle frappa à la porte de sa salle de travail.

— Une lettre pour vous, madame Kerr.

— Livrée ici ? Comme c'est étrange !

Elisabeth mit de côté sa robe achevée, puis étudia le cachet avec une certaine trépidation. *Édimbourg.* Qui, dans la capitale, savait qu'elle travaillait à Bell Hill ?

Dès qu'elle vit la signature, ses peurs se dissipèrent.

— C'est de l'amiral, dit-elle, souriant à la vue de son écriture franche.

À madame Elisabeth Kerr
Bell Hill, Selkirkshire
Le 20 août 1746

Chère madame Kerr,

Elle s'arrêta au mot « chère », se demandant ce qu'il signifiait. Elle continua sa lecture, essayant de se convaincre qu'il ne s'agissait que d'une marque de courtoisie, et rien d'autre. Son Excellence aurait tout aussi bien pu écrire « Chère madame Pringle ».

Vos Highlands sont aussi magnifiques que dans le tableau que vous m'aviez dépeint. Le contour de prime abord rugueux du paysage est adouci par les massifs de pins

écossais, disséminés ici et là. Le temps a été exceptionnellement clément, à l'exception d'une ou deux journées de
pluie, et notre hôte nous a accueillis chaleureusement.
Néanmoins, notre groupe de chasseurs rentrera à Selkirk
plus tôt que prévu, à ma demande.

Elisabeth retint son souffle. *Êtes-vous souffrant, milord ? Ou
simplement impatient de rentrer ?* Elle se garda bien de croire
qu'il s'ennuyait d'elle, même si, de son côté, elle avait certainement très envie de le voir.

Espérez notre arrivée en fin d'après-midi, le samedi vingt-
trois, si tout se déroule comme prévu. Je poste cette lettre
d'Édimbourg, espérant qu'elle nous précède, car je ne tiens
pas à surprendre ma maisonnée.

— Il arrivera dans quelques heures, dit Elisabeth, essayant
de ne pas laisser voir sa joie.

Madame Pringle se hâta vers la porte et lança par-dessus
son épaule.

— Je dois prévenir Roberts et madame Tudhope
immédiatement.

Laissée seule, Elisabeth traça le contour de la signature
du bout de son doigt. Elle avait trois fois la hauteur des autres
lignes et elle était fortement inclinée vers l'avant. De plus,
chaque lettre était soigneusement formée, et non simplement
jetée sur la page. C'était un homme qui n'avait rien à cacher.

En dessous, un bref post-scriptum ne fit qu'accroître son
impatience de le voir arriver.

J'ai remis votre lettre à votre mère, comme vous me l'aviez
demandé. Elle m'en a aussi confié une pour vous. J'en aurai
plus long à vous dire lorsque nous nous reverrons.

Ce qu'il avait découvert à Braemar, elle le saurait avant la fin de la journée. Cette idée avait de quoi la réconforter.

Elisabeth lut la lettre de nouveau, la plaça sous son panier à couture, puis baissa les yeux vers Charbon, blotti à ses pieds.

— Ton maître arrivera bientôt, dit-elle au chat.

Elle le gratta distraitement derrière les oreilles en regardant vers la fenêtre, laissée ouverte pour laisser entrer l'air frais du matin.

Rentrez vite, milord.

Une heure passa, puis deux, puis quatre. Son plateau de déjeuner fut apporté et ramassé, intouché. Elle décida plutôt de se concentrer sur son travail. Elle prit les mensurations de Kate, préposée au service de table, heureuse de la présence de la charmante jeune fille pour la distraire.

— J'ai jamais eu d'robe neuve, admit Kate, qui s'efforçait de rester droite, tandis que son regard était attiré par le chat endormi, le tapis de laine, les nouvelles chaises. C't'une chose ingénieuse, dit-elle en hochant la tête vers le guéridon porte-luminaire. On vous a aménagé un p'tit coin confortable, madame Kerr. Y semble que Son Excellence vous aime bien.

Elisabeth fit semblant de ne pas l'avoir entendue. Elle tendit son ruban à mesurer de la taille à l'ourlet, puis inscrivit la mesure sur l'ardoise avec sa craie. Quand Kate passa à un autre sujet — tous les garçons avec lesquels elle avait dansé à la foire de la Saint-Laurent —, Elisabeth acheva son travail sans l'interroger davantage. Est-ce que toute la maisonnée en était venue à la même conclusion en ce qui concernait Lord Buchanan ?

Quand Sally apparut avec son thé de l'après-midi, toute sa personne rayonnait.

— Son Excellence est rentrée !

Elle déposa le plateau avec un petit claquement, puis sortit, suivie de près par Kate.

Elisabeth les regarda s'en aller, incertaine de ce qu'on attendait d'elle. Est-ce que toute la maisonnée formerait une haie à la porte pour l'accueillir, comme lors de son dernier retour de voyage? Et, si oui, devrait-elle s'y joindre?

— Mieux vaut y aller, dit-elle à Charbon.

Elle se rafraîchit le visage, se lava les mains et se coiffa rapidement, puis sortit à toute vitesse, précédée du chat gris qui filait devant.

Admets-le, Bess. Tu es impatiente de le voir.

À cette pensée, son cœur battit plus vite, et elle accéléra le pas.

Comme elle l'avait supposé, le personnel de Bell Hill était aligné de chaque côté de la porte d'entrée, Dickson ayant chevauché devant pour annoncer l'arrivée de son maître. Tous avaient les joues et le front en sueur sous le chaud soleil d'août, alors que Lord Buchanan mettait pied à terre et passait les rênes au garçon d'écurie.

— Que le Seigneur soit avec vous, lança-t-il, comme c'était son habitude.

— Et avec vous! répondit toute sa maisonnée avec enthousiasme.

Elisabeth l'observa s'adresser à chacun par son nom et recevoir un bref hochement de tête ou une révérence en retour. Pendant un moment, elle crut qu'il avait regardé dans sa direction, mais peut-être l'avait-elle simplement souhaité. Il atteignit en temps voulu la porte d'entrée, où elle attendait avec madame Pringle.

— Votre chambre est prête et vous attend, milord, et votre bain chaud aussi, l'assura la femme plus âgée, puis elle renvoya tout le monde à ses tâches.

— On ne saurait trouver une meilleure gouvernante. Ou une couturière plus douée, ajouta-t-il en hochant la tête vers les servantes qui passaient devant lui, dont plus de la moitié portaient maintenant les créations d'Elisabeth. Je vois que vous avez été très occupée pendant que j'étais parti, madame Kerr.

Elisabeth sentit la chaleur de son regard.

— Oui, milord.

Les commissures de ses lèvres se soulevèrent légèrement.

— Peut-être devrais-je m'absenter de mon domaine à la campagne plus souvent, dit-il, comme le font certains grands propriétaires. Passer six mois à Londres. Faire un grand voyage.

— Son Excellence a déjà fait le tour du monde, lui rappela Elisabeth. Et il me semble que les voyages au long cours sont faits pour... eh bien...

— Les jeunes gentilshommes ayant la moitié de mon âge, compléta l'amiral pour elle. Je suppose que vous avez raison. Si vous aviez la gentillesse de m'apporter ma canne, je tituberais jusqu'à mon bureau où je pourrais retirer mon dentier à mon aise.

Elisabeth sourit.

— Vous parliez d'un gentilhomme ayant la moitié de votre âge, milord. Vous n'êtes ni vieux ni infirme.

— Je suis heureux que vous le pensiez, madame.

Ils étaient seuls sur le seuil de la porte, à l'exception de Charbon qui restait là, entortillant sa longue queue autour de leurs chevilles.

Quand Lord Jack s'approcha, l'odeur terreuse de cheval et de cavalier emplit les narines d'Elisabeth. Toute espièglerie disparut de l'attitude de Lord Jack, qui devint soudain très sérieux.

— J'ai une lettre de votre mère, dit-il, et il la sortit de son gilet pour la lui remettre. Venez me voir dans mon bureau à dix-sept heures, et je vous en dirai plus sur ce que j'ai trouvé à Castleton.

Elisabeth avait brisé le sceau et déplié la lettre avant même d'avoir atteint sa salle de travail. Les dernières nouvelles qu'elle avait reçues lui avaient été délivrées par son frère, au mois de septembre dernier. *Mon cher Simon.*

Sa gorge se serra quand elle vit l'écriture familière, les quelques mots griffonnés en gaélique, comme s'ils avaient été écrits à la hâte.

Le 16 août 1746

Ma Bess adorée,

Tu avais raison, et moi j'avais tort, tellement tort. S'il te plaît, excuse-moi. Lord Buchanan t'expliquera ce que je ne peux écrire ici.

Je t'aimerai toujours.

Ta mère

Les mots se mirent à nager devant ses yeux. *Qu'est-il arrivé, mère ?* Elle toucha au papier, tout en s'efforçant de ne pas laisser tomber de larmes, qui auraient brouillé l'écriture de Fiona.

Lord Buchanan t'expliquera. Elisabeth regarda la lumière du soleil entrer par la fenêtre, essayant d'estimer l'heure par l'angle de ses rayons. Pouvait-il déjà être dix-sept heures ? Elle prit une gorgée du thé tiède que Sally avait laissé pour elle plus tôt, puis essaya de marquer le tissu pour la robe de Kate, mais son esprit était ailleurs. Finalement, Elisabeth abandonna sa craie et gravit l'escalier des domestiques, incapable d'attendre plus longtemps.

Lord Jack était assis à son bureau quand elle arriva. Il lui fit signe d'entrer immédiatement et envoya le valet faire une course.

— Laissez la porte ouverte, dit-il au jeune homme.

— Oui, milord, répondit-il en sortant.

Elisabeth s'assit en face de l'amiral en croisant les mains sur ses genoux, le cœur dans la gorge.

— Qu'avez-vous trouvé à Castleton, milord?

Elle ne l'avait jamais vu aussi sérieux.

— Votre mère a peur, et pour cause.

— Ben Cromar, murmura-t-elle.

Oh, ma chère mère! Quand Lord Jack relata leur discussion, Elisabeth crut entendre la voix de sa mère. *J'aurais dû l'écouter. J'aurais dû prêter attention à c'qu'elle disait. J'ignorais tout.*

— Peut-on faire quelque chose? demanda-t-elle.

— Avec votre permission, je parlerai à Sir John. Comme shérif, il a un sûrement un collègue dans l'Aberdeenshire en mesure d'intervenir. Quoique sous son propre toit..., commença Lord Jack en secouant la tête. La loi est du côté du mari en pareil cas.

Elisabeth savait que le ministre de la paroisse de Braemar ne lui offrirait aucune aide. Sa mère avait gardé ses distances vis-à-vis de l'Église, préférant vénérer la lune.

— Qu'a-t-elle dit d'autre?

— Elle a dit qu'elle vous était très reconnaissante pour votre lettre, l'assura Jack. C'était la première qu'elle recevait depuis son mariage avec monsieur Cromar.

— Mais...

— Je sais bien. Vous lui avez écrit chaque mois. Mais vos lettres ont été interceptées par le gouvernement...

— Ou ouvertes par Ben Cromar, dit Elisabeth, qui fixa le plancher, dégoûtée à l'idée de le voir en train de lire ses messages. Comment peut-on être aussi cruel?

L'amiral se leva, marcha vers la fenêtre, et jeta un regard sur les jardins ensoleillés.

— Certains hommes n'ont plus aucune bonté en eux.

Elle leva la tête.

— Et d'autres en ont en abondance.

Après un long silence, il se retourna et aborda un autre sujet.

— Votre mère s'est fortement opposée à ce que vous fassiez les livrées de mes valets, alors je lui ai promis d'engager un tailleur.

— Mais..., fit Elisabeth, qui était évidemment ennuyée par cette décision. Je n'aurai pas assez de travail pour m'occuper jusqu'à la Saint-André.

Il baissa les yeux vers elle.

— Bess, nous avons une entente que j'ai l'intention d'honorer. Même si cela veut dire que vous devrez converser avec Charbon pendant qu'un tailleur habille mes domestiques.

Quand elle voulut protester, il l'interrompit.

— Michael Dalgliesh, dit-il. Je pense qu'il est l'homme pour ce travail.

— C'est un excellent tailleur, acquiesça Elisabeth, et il sera heureux d'accepter ce travail. Mais monsieur Dalgliesh est... très pris en ce moment.

— Pris?

— Promis, si on veut. Fiancé à ma cousine Anne. Ils ont l'intention de se marier à la fin du mois d'août.

Il haussa les sourcils.

— Vraiment? Alors, vous avez tout à fait raison. Michael peut difficilement travailler pour moi pendant qu'il prépare sa nouvelle vie avec mademoiselle Kerr.

Il reprit sa chaise, puis avala sa tasse de thé maintenant tiède.

— Je chercherai une solution lundi. Il doit bien y avoir d'autres tailleurs disponibles à Selkirk.

— Il y en a, dit-elle en se gardant bien de mentionner monsieur Smail, à l'esprit borné.

— À propos de mariage, continua Jack, votre mère m'a interrogé au sujet d'une certaine bague en argent. Transmise par votre grand-mère, a-t-elle précisé.

— Et mon arrière-grand-mère Nessa avant elle, dit Elisabeth en regardant sa main droite, où elle avait porté l'anneau pendant tant d'années.

Mesure la lune, encercle l'argent. Un symbole sacré des rituels païens qu'elle avait autrefois embrassés, mais auxquels elle avait renoncé pour un autre Amour, plus vrai.

— Je ne l'ai plus, avoua-t-elle, se rappelant le jour où elle l'avait déposé, en même temps que son alliance, dans la main tendue de monsieur Dewar, afin de payer sa place dans la diligence du sud. J'espère que ma mère me le pardonnera, dit-elle simplement.

Son regard franc croisa le sien.

— Une bague peut être remplacée, Bess. Mais pas une fille.

Chapitre 54

Nous offrons souvent à nos ennemis
les moyens de nous détruire.
— Ésope

Jack traversa les couloirs silencieux de Bell Hill, heureux d'être à la maison. De ne pas être en train de voguer sur une mer lointaine, ni d'accoster dans des ports étrangers, ni d'escalader les monts escarpés des Highlands. *La maison.*

Même la pluie de cet après-midi de sabbat ne pouvait entacher son moral. Ils avaient été nombreux, ce matin-là, à lui souhaiter la bienvenue à l'église, et il avait frotté son épaule contre celle de Michael Dalgliesh, afin de partager sa bonne fortune en amour. Une tradition un peu insolite, mais inoffensive.

Il s'était assis près d'Elisabeth, presque épaule contre épaule, tant le banc était bondé. Madame Kerr et Gibson avaient fait peu d'efforts pour cacher leur affection mutuelle, mais ils s'étaient abstenus de se tenir la main pendant le service. Un couple insolite, pensa Jack, mais qui pouvait se targuer de connaître les voies de l'amour ? Quant à Elisabeth, elle avait souri aimablement à tous ceux qu'elle croisait, ce qui lui plaisait et l'irritait à la fois. N'aurait-elle pas pu lui accorder un peu plus d'attention qu'aux autres ?

Égoïste, Jack. Et sans égard pour elle. C'est une veuve en deuil, l'aurais-tu oublié ?

Jack fit une pause à la porte de sa salle à manger, avec ses longues fenêtres faisant face au jardin, puis il plissa les yeux essayant de voir à travers la pluie. Quelqu'un approchait-il de la maison ? Jack pouvait à peine distinguer la silhouette d'un homme vêtu de noir, la tête penchée vers l'avant pour se protéger des bourrasques de la tempête. L'individu boitait, constata Jack. Il se dirigea vers la porte d'entrée dans l'intention de l'accueillir. L'homme était peut-être blessé? Ou simplement à la recherche d'un refuge contre les éléments?

En atteignant le hall d'entrée, Jack tira le cordon de la clochette, afin d'avertir Roberts, qui devait être dans sa chambre. Son majordome apparut peu après, rajustant son manteau.

— Désolé, milord. Je faisais ma petite sieste du dimanche...

— C'est sans importance. Un étranger s'apprête à frapper à notre porte, lui dit Jack. Occupez-vous de lui. Des vêtements secs, de la nourriture chaude et un fauteuil auprès du feu.

— Très bien, monsieur, dit Roberts, qui ouvrit la grande porte de chêne, à la surprise du visiteur.

— Lord Buchanan? demanda-t-il en regardant par-dessus l'épaule du majordome.

— C'est bien moi, monsieur, dit Jack, qui fit un pas vers l'avant pour évaluer son visiteur.

Âgé d'environ trente ans, l'homme aux cheveux et aux yeux noirs n'était ni aussi grand ni aussi large d'épaules que lui, mais il était tout de même imposant. Son pied bot était l'explication de sa claudication. Le paquet qu'il tenait sous le bras restait un mystère.

— Entrez, entrez, dit Jack au visiteur, l'invitant du geste à l'intérieur. Il ne faut pas rester dehors par un temps pareil.

L'inconnu fit quelques pas sur le plancher de marbre, essayant en vain de dissimuler son infirmité. Jack sympathisait avec lui. N'aurait-il pas fait de même?

— J'vous remercie de vot' hospitalité, commença l'étranger.

Pour un homme aussi massif, sa voix était étonnement douce, quoique l'intonation particulière des Highlands fût facile à détecter.

— J'suis envoyé ici par Fiona Ferguson..., j'veux dire, Fiona Cromar.

— Madame Cromar? répéta Jack en fixant son regard sur lui. De Castleton-de-Braemar?

— Oui, milord. Celle-là même.

Il déboutonna sa cape de laine dégoulinante, enroulée autour de son large cou, puis il la retira d'un geste élégant.

— Puis-je la suspendre près du feu une minute? ajouta-t-il.

Roberts s'empara du vêtement sans attendre, puis il conduisit les deux hommes au salon, où un feu de bois crépitant dans l'âtre déchargeait l'air de son humidité.

Madame Pringle, qui avait été prévenue, était debout dans l'embrasure de la porte, attendant des directives.

— Voulez-vous du thé chaud? demanda Jack à son invité. Ou préférez-vous un doigt de whisky?

— Du thé, dit l'homme d'un ton résolu, bien qu'il lorgnât un moment la carafe, dont le contenu ambre miroitait à la lueur du feu de foyer.

Jack hocha la tête en direction de sa gouvernante, puis dirigea son invité vers un fauteuil de cuir, plus approprié pour ses vêtements mouillés.

— Vous dites que c'est madame Cromar qui vous envoie?

— Si on veut, dit-il en défaisant son ballot, enveloppé dans du cuir de veau, puis il exhiba une carte de visite d'une boutique de tailleur d'Édimbourg.

— V'là où j'ai travaillé, expliqua-t-il, et ça, c'sont quelques échantillons faits de ma main.

Jack regarda à peine la pile de vêtements soigneusement pliés.

— Dois-je comprendre que vous êtes… tailleur?

— Oui, milord, dit-il en souriant, sans que cela adoucisse ses traits. Madame Cromar m'a dit qu'vous auriez p't-être besoin d'mes services.

Jack secoua la tête, incrédule.

— Mais je n'ai besoin que de quelques livrées pour mes valets, répondit-il. Un mois de travail tout au plus. Vous ne pouvez déménager de Braemar pour un emploi aussi éphémère.

— Un mois de travail, ça m'va, dit le plus jeune des deux hommes. En fait, Londres est ma destination finale, et j'ai pensé que j'pourrais gagner un peu d'argent ch'min faisant.

Hochant toujours la tête, Jack commença à examiner les vêtements qui lui avaient été remis. Il vit tout de suite que l'homme était très doué avec une aiguille et le lui dit sans ambages.

— Mon père m'a tout appris, dit-il fièrement. Bien sûr, y est mort aujourd'hui, et ma mère aussi.

Jack étudia la carte provenant d'une boutique de la grand-rue d'Édimbourg. Elle semblait émaner d'un établissement respectable.

— Vous pourriez loger ici, à Bell Hill, dit Jack, réfléchissant à voix haute, avant de reprendre votre route après Michaelmas.

— Ça me convient, milord.

Jack était tenté, car cela signifiait que ses valets auraient leur nouvelle livrée à temps pour son dîner du mois prochain. Et la mère d'Elisabeth faisait sûrement confiance à ce jeune homme, sinon elle ne l'aurait jamais recommandé.

— Monsieur, cette coïncidence est… providentielle, lui dit Jack.

En vérité, il avait pitié de ce jeune homme sans travail et dont les deux parents étaient morts. Elisabeth apprécierait la présence d'un compatriote des Highlands dans la maison, un ami de sa mère par surcroît.

— Je peux vous offrir une guinée pour chaque habit, lui dit Jack. Si nous sommes d'accord, vous pourrez commencer demain. Nous avons une salle de travail libre dans la partie des hommes de l'aile des domestiques qui devrait faire l'affaire.

Le sourire triste revint dans la figure de l'homme.

— Oui, ça m'ira.

Jack consulta la carte une autre fois.

— Votre nom est MacPherson.

— Oui, milord, répondit le visiteur en regardant le thé fumant que madame Pringle venait de lui verser. Robert est mon prénom, mais tous mes amis m'appellent Rob.

— J'espère que vous aurez bientôt des amis chez nous aussi, dit Jack en lui serrant la main, et il fut surpris par la vigueur de sa poigne. Rob MacPherson, bienvenue à Bell Hill.

Chapitre 55

Il est aisé de dire combien nous aimons nos nouveaux amis...
mais les mots ne peuvent jamais décrire tous les liens
qui nous rattachent aux anciens.
— George Eliot

Elisabeth traversa en vitesse la cour des écuries, le regard fixé sur l'entrée des domestiques. L'horloge du salon avait-elle déjà sonné huit heures ? Elle avait dormi plus longtemps qu'elle en avait l'intention, puis avait renversé du thé sur sa chemise de lin blanche. Après avoir trempé le tissu dans l'eau chaude, elle avait frotté la tache avec du citron et du sel. « Je la ferai sécher au soleil pour toi », avait promis Anne en envoyant Elisabeth travailler.

Un bien pauvre usage des précieux citrons, mais elle n'avait pas le choix.

Elisabeth se glissa dans sa salle de travail de Bell Hill sans être remarquée, puis s'arrêta à la fenêtre, laissant son cœur s'apaiser. Kate devait venir pour sa séance d'essayage plus tard ce matin-là. Mais Elisabeth devait d'abord finir de marquer le tissu à la craie, sans parler des coupes à faire et des épingles à poser. Si elle commençait tout de suite, elle pourrait être prête à l'arrivée de la jeune fille à onze heures, si toutefois on ne l'interrompait pas.

— Madame Kerr ?

Quand elle se retourna pour trouver madame Pringle qui franchissait la porte, sa montre à la main, Elisabeth s'excusa immédiatement.

— Veuillez excuser mon arrivée tardive.

La gouvernante sourit.

— Je ne suis pas ici pour vous chapitrer, mais pour vous chercher, expliqua-t-elle. Son Excellence a engagé le tailleur qui doit confectionner les livrées des domestiques, et il a cru que vous voudriez faire sa connaissance.

— Mais…, commença Elisabeth, essayant de comprendre comment Lord Jack avait pu trouver un homme si vite. Son Excellence n'en a pas fait mention à l'église hier matin.

Madame Pringle s'avança un peu dans la pièce.

— Selon Roberts, l'artisan est arrivé hier après-midi, trempé de la tête aux pieds et il a été engagé sur-le-champ. Venez, dit-elle par-dessus son épaule en sortant. Son Excellence vous attend. Cet homme est originaire des Highlands, ajouta-t-elle plus bas.

Elisabeth la suivit le long du corridor des domestiques, nageant dans la confusion. Un tailleur des Highlands, alors que des artisans doués pouvaient être trouvés à Selkirk ? Elle se hâta de gravir l'escalier jusqu'au bureau de Lord Jack, où elle s'arrêta un moment devant la porte, attendant d'être annoncée par le valet.

Se tenant debout derrière son bureau, l'amiral lui fit signe d'entrer dans la pièce.

— Entrez, madame Kerr, dit-il, je voudrais vous présenter quelqu'un.

Elle entra prudemment en regardant, non pas son employeur, mais plutôt l'homme assis sur une chaise de bois, qui tournait le dos à la porte. Même vu de cet angle, il lui sembla familier. Ses cheveux noirs étaient touffus et frisés comme de la laine. Son manteau d'un vert sombre était le travail d'un maître tailleur. Ses épaules étaient larges, pourtant il était assis un peu bizarrement, avec un pied replié vers le côté.

Lorsqu'il se leva, son cœur se mit à battre à tout rompre. *C'est impossible. Non, ce ne peut être lui.*

Il se retourna pendant que Lord Jack annonçait :

— Madame Kerr, laissez-moi vous présenter…

— Rob MacPherson, dit Elisabeth en regardant fixement l'homme qu'elle connaissait depuis son enfance. Je croyais que vous étiez...

Je croyais que vous étiez mort. Cherchant quelque chose à dire, elle lança :

— Comment avez-vous trouvé le chemin jusqu'à Bell Hill ?

Ses yeux noirs se vrillèrent dans les siens.

— Votre mère m'a envoyé ici, répondit-il. Pour chercher du travail.

Ou pour venir me retrouver ?

— C'est... un plaisir de vous revoir, dit-elle en déglutissant.

— Vous n'avez pas du tout changé, lui dit-il, et sa voix était plus basse encore que dans son souvenir.

Elle se tourna vers l'amiral, sachant qu'il méritait une explication.

— Monsieur MacPherson et moi avons grandi ensemble.

Elle hésita ensuite, car elle ignorait ce que Rob lui avait déjà dit.

— Je n'avais pas vu monsieur MacPherson depuis la mort de son père. Vous pouvez vous imaginer à quel point je suis... étonnée de le revoir. Et ici, par surcroît.

— Bien sûr, dit Lord Jack d'un ton égal. J'imagine que vous aurez l'occasion de renouer vos anciens liens d'amitié dans les semaines à venir.

— Sûrement, répondit Rob, qui lui lança un regard oblique, et ses yeux noirs s'allumèrent. C'est c'que nous ferons.

Non, Rob. En aucun cas.

La tension dans la pièce était au-delà de ce qu'Elisabeth pouvait tolérer.

— Je dois retourner à ma couture, dit-elle, et elle battit en retraite vers la porte. Si vous voulez bien m'excuser, messieurs.

Elle fit une révérence, puis s'enfuit dans l'escalier, désolée d'avoir quitté Lord Jack en plein désarroi. Quand elle atteignit sa salle de travail, elle était tendue comme une corde de violon. *Que fais-tu ici, Rob ? Que me veux-tu ?*

Sally l'attendait, les yeux écarquillés.

— Avez-vous rencontré notre nouveau tailleur ?

— En fait, je le connaissais déjà, dit Elisabeth.

Elle lui expliqua brièvement leur relation, s'imaginant le nombre de fois que les mots qui sortaient de sa bouche seraient répétés quand la nouvelle de l'arrivée de monsieur MacPherson se répandrait dans la maison et à la ville.

Rob viendrait à sa recherche dans peu de temps. Jusque-là, elle s'absorberait dans son travail et s'accrocherait aux paroles prononcées lors de leur séparation à Édimbourg. *Je n'ai jamais été vôtre. J'appartiens à Dieu.*

Quand un visiteur masculin se présenta dans l'embrasure de sa porte cet après-midi-là, ce n'était pas un tailleur, mais un amiral.

— Madame Kerr, puis-je avoir une minute de votre temps ?

Elle perçut la froideur dans sa voix, le ton officiel de la demande, et se promit de le rassurer.

— Lord Jack, dit-elle cordialement en déposant la manche non terminée de la robe de Kate sur ses genoux, je suis heureuse que vous soyez venu.

Elle hocha la tête vers le fauteuil près d'elle, avec son siège rembourré et ses larges accoudoirs. Ces fauteuils sont bien plus confortables que les précédents, fit-elle observer. Une amélioration qui tombe à point nommé, milord.

Il se contenta de hocher la tête, mais elle vit que ses mots lui avaient plu.

Il s'assit près d'elle et dit d'un ton détaché :

— Parlez-moi de monsieur MacPherson.

Elisabeth étudia l'expression calme de son visage, l'arc subtil de ses sourcils, la mince ligne de sa bouche. Malgré son calme de façade, elle voyait au-delà des apparences. Comme Charbon lorsqu'il ne dormait que d'un œil, pourtant attentif à tout, Lord Jack l'observait attentivement.

— C'est un excellent tailleur, commença-t-elle. Son père, que Dieu ait son âme, a déclaré qu'il n'y avait pas une main plus adroite avec une aiguille dans tout Édimbourg.

— Je ne doute pas de ses talents, fit l'amiral en grimaçant. Ce sont les motifs de sa venue à Bell Hill qui me préoccupent.

— Ah! fit-elle prudemment, voulant être équitable envers les deux hommes. Il a sûrement besoin de cette place et il travaillera avec diligence pour vos guinées. Pour combien de temps l'avez-vous engagé?

— Jusqu'à Michaelmas, répondit-il, et cette perspective ne semblait pas le réjouir. Cet homme est un jacobite, je présume?

— Il l'est, dit Elisabeth, mais je sais que vous ne le livrerez pas au roi.

— Et pourquoi donc?

— Parce que vous ne m'avez pas trahie.

Il baissa le regard.

— Je ne vous trahirai jamais, Bess, répondit-il. Mais je veux connaître la nature de votre relation avec monsieur MacPherson.

— Nous sommes amis. Il n'y a rien d'autre.

Il releva les yeux.

— Comme vous et moi, en somme?

— Non, ce n'est pas la même chose, dit-elle rapidement. Quoique je connaisse Rob depuis toujours, je crois que mon amitié pour vous est...

Plus profonde. Non, elle n'était pas prête à faire un tel aveu, si vrai fût-il.

— Est... quoi ? insista-t-il.

— Plus agréable aux yeux du Tout-Puissant, dit-elle enfin.

Une réponse convenable et honnête, mais peut-être pas celle que Lord Jack souhaitait entendre. Néanmoins, il hocha la tête et se leva, puis fit un pas vers la porte avant de s'arrêter pour dire :

— J'en suis heureux, Bess.

Elle aurait voulu lui demander pourquoi, connaître ses vrais sentiments. Mais en protégeant son propre cœur, elle avait contraint l'amiral à lui fermer le sien aussi.

— Tout comme moi, dit-elle doucement alors qu'il se tournait pour sortir.

Marjory travaillait au corsage de la robe de Kate quand un second visiteur apparut à sa porte. Ses coups frappés sur le chambranle étaient hésitants, mais pas son entrée.

— J'sais pas comment vous appeler, admit Rob, se laissant choir dans le fauteuil près d'elle, mais ce n'sera pas madame Kerr.

Elle continua à coudre, dissimulant ses joues qui rougissaient. Lord Jack s'était assis dans le même fauteuil à peine une heure auparavant. Maintenant, c'était Rob MacPherson qui venait mettre sa vie sens dessus dessous.

— À Bell Hill, on m'appelle madame Kerr, expliquat-elle. Et à la ville également.

Il toussota dédaigneusement.

— Vous n'êtes ici que depuis quelques mois, dit-il, mais moi j'vous ai connu toute ma vie. Et j'vous ai aimé la majeure partie du temps.

Mortifiée, elle déposa rapidement son aiguille.

— Rob, vous ne devez pas dire de telles choses.

Il s'adossa à son fauteuil en croisant ses bras musclés sur sa poitrine.

— Pourquoi pas, si c'est la vérité ?

Elisabeth n'hésita qu'un court moment.

— Je suis très heureuse de vous voir sain et sauf, mais vous savez que l'affection que vous me portez n'est pas réciproque.

Elle avait horreur de parler aussi crûment, mais Rob MacPherson n'était pas un homme qui maîtrisait les subtilités de langage.

— Selkirk est une petite ville qui compte sa part de commères, continua-t-elle. Dans ma condition de veuve en deuil, je ne peux voir mon nom lié à celui d'un autre homme.

Il plissa les yeux.

— Pas même à celui de Son Excellence ?

— Pas même à celui-là.

Rob soupira bruyamment.

— J'pensais trouver un accueil plus chaleureux, Bess.

La déception dans sa voix chagrina sincèrement Elisabeth.

— Monsieur MacPherson... Rob... vous devez comprendre. J'ai commencé une nouvelle vie.

— Ne puis-je faire de même ? demanda-t-il d'une voix qu'il gardait basse, tout en observant attentivement la porte ouverte. Je m'suis fait discret ces derniers mois, pour échapper aux hommes du roi George. Vous ne pouvez vous imaginer ce qui se passe maintenant dans les Highlands, poursuivit-il, puis il secoua la tête. Un endroit terrible. Plein d'morts.

Elle pensa à sa mère.

— Cela m'attriste de l'entendre, dit-elle.

Un moment passa, puis il ajouta :

— Et moi, j'suis désolé qu'vous n'soyez pas venue vous recueillir sur la tombe de mon père.

La culpabilité accabla la jeune femme.

— Oh, Rob ! C'est moi qui suis navrée. Notre propriétaire à Édimbourg ne nous a remis votre lettre qu'au bout de plusieurs jours. J'étais atterrée quand j'ai su que j'avais manqué les funérailles d'Angus. Et la dernière chance de vous dire adieu.

— Alors, c'est ça qui est arrivé, dit-il en secouant la tête, d'une voix enrouée par l'émotion. J'suis resté seul à Greyfriars et j'vous ai attendue. Mais vous n'êtes pas venue.

— Pardonnez-moi, dit-elle.

Elle toucha doucement son bras et sentit la rude laine sous le bout de ses doigts.

— J'aurais été à vos côtés, l'assura-t-elle, si seulement j'avais su.

Quand elle entendit des voix dans le corridor, Elisabeth se redressa rapidement et reprit son ouvrage. Il n'aurait pas été convenable que Rob fût trouvé seul avec elle.

— Vous devez partir, murmura-t-elle.

Il se leva avec une réticence évidente.

— Je doute qu'vous ayez trouvé beaucoup d'jacobites à Selkirk.

— Pas avec les dragons qui battent les collines, dit-elle, et sa voix n'était plus qu'un murmure. On saura que vous êtes originaire des Highlands dès que vous ouvrirez la bouche. Vous ne serez pas en sécurité ici bien longtemps.

— Jusqu'à Michaelmas, pas davantage. Quand j'aurai en poche les guinées de Son Excellence, j'ai d'autres projets en tête.

Rob baissa les yeux et fixa son regard sur elle.

— Et vous, Bess, êtes au cœur de mes plans.

Chapitre 56

Une journée d'inquiétudes est plus épuisante
qu'une journée de labeur.
— John Lubbock, Lord Avebury

Marjory s'éveilla avec un sourd mal de tête, comme cela s'était produit chaque matin de la semaine. Elle marcha péniblement jusqu'au foyer, où elle prépara machinalement le petit-déjeuner, assaillie par la clameur d'un autre vendredi de marché.

Anne était encore endormie après une nuit à se tourner dans son lit clos. Surexcitée à la pensée de son mariage prochain, pensa Marjory. La robe bleu foncé d'Anne était suspendue aux rideaux de son lit, à une bonne distance du foyer. La robe avait de l'âge, mais elle avait été bien aérée et repassée, et la bordure délicate de dentelle autour de l'encolure carrée était de la main d'Anne elle-même.

L'aiguille de Michael avait été occupée également. La veille au soir, Anne avait fait irruption dans le logis, d'humeur radieuse.

— Oh, mes cousines ! Attendez de voir le magnifique manteau bleu de Michael, s'était-elle écriée en entrant en trombe dans le logis. Et il a aussi confectionné un gilet assorti pour Peter.

Anne s'effondra ensuite dans un fauteuil avec un soupir heureux.

— Le jour du sabbat, les deux hommes que j'aime m'accueilleront sous leur toit.

Et l'homme que j'aime ne le fera pas.

Marjory écarta cette pensée égoïste, se rappelant qu'Anne avait attendu longtemps avant de se marier. Ne pourrait-elle

pas attendre, elle aussi, soit la volonté de Dieu, soit le bon
vouloir de Neil Gibson ?

*Mieux vaut une portion de légumes avec l'affection qu'un bœuf
gras avec la haine.*

Marjory gardait le proverbe dans son cœur, ayant bien
l'intention de le partager avec Gibson au bon moment. Ils
pouvaient attendre, oui, mais pas indéfiniment.

Elle regarda vers la cloison et entendit des bruits provenant du lit. Peu après, sa cousine apparut, promenant dans la
pièce des yeux encore lourds de sommeil.

— Où est Bess ? demanda-t-elle.

— Elle est partie avant l'aube, lui dit Marjory. Elle a dit
qu'il lui restait une robe à terminer avant le dîner mensuel de
l'amiral, qui aura lieu demain.

— Je suppose que Lord Buchanan s'est déjà procuré de
l'aide pour le service, dit Anne d'un ton taquin. Je ne me rappelle pas m'être autant amusée que lors de ce premier dîner
en juin.

— Une occasion mémorable, approuva Marjory. Comme
le sera votre prochain mariage.

Anne étudia Marjory plus attentivement.

— Est-ce cela qui vous préoccupe depuis quelque temps ?
Mon mariage avec Michael ?

— Non, l'assura Marjory, prenant garde de ne pas mentionner Gibson. C'est Rob MacPherson, dit-elle. C'est un
homme dangereux.

— Dangereux ? dit-elle d'un ton poliment dédaigneux.
Avez-vous oublié que Lord Buchanan est rentré chez lui ? Un
gentilhomme qui a eu des centaines de marins sous son commandement peut sûrement venir à bout d'un homme des
Highlands.

— Oh ! Monsieur MacPherson ne veut pas faire de mal à
Bess, répondit rapidement Marjory. Bien au contraire. Il était
entiché d'elle à Édimbourg.

Les yeux d'Anne s'agrandirent.

— Est-ce pour cela qu'il est à Selkirk ?

— Je le crains, bien que Bess n'ait rien dit à ce sujet.

Alors que Marjory versait le porridge fumant dans les plats, une idée lui vint à l'esprit.

— Et si nous faisions une visite à Bell Hill ce matin, afin de voir ce que nous pourrions apprendre ? Si la promenade ne soulage pas mon mal de tête, elle apaisera mon cœur.

Une légère brise soufflait sur les collines de Selkirk alors que les deux femmes marchaient vers l'est, sous le chaud soleil d'août qui réchauffait leurs épaules. Bien que Marjory fût à bout de souffle en atteignant le sommet de la colline Bell, la vue en valait l'effort. Même après plusieurs jours de temps sec, l'herbe était vert émeraude. Des baies rouge vif couvraient la paire de sorbiers de part et d'autre de la barrière à l'entrée, et la bruyère en fleur badigeonnait les flancs distants des collines de pourpre.

Accueillies à la porte par un jeune valet blond, Marjory et Anne furent vite introduites dans la petite salle de travail d'Elisabeth sous l'escalier.

— Mais regardez qui vient me voir à Bell Hill ! dit Elisabeth en les apercevant. Monsieur MacPherson, vous vous souvenez de ma belle-mère ?

— Très bien, dit le tailleur avec un profond salut. C'est bon d'vous revoir, m'dame Kerr.

— C'est un plaisir partagé, dit Marjory.

Elle fit un effort pour se rappeler les nombreux services que Rob MacPherson avait rendus à sa famille à Édimbourg, tout en se gardant bien d'oublier sa dernière visite au square Milne, où il avait accusé Donald d'avoir été infidèle à Elisabeth. *Votre fils l'a humiliée bien davantage.* Bien que ses accusations fussent fondées, Rob n'avait aucun droit de dire du mal de son défunt fils.

Marjory regarda sa belle-fille, qui avait raccompagné Rob à la porte ce soir-là, sans chercher à dissimuler sa colère. *Je t'en prie, Bess. Refais-le maintenant. Pour notre bien à tous.*

— Monsieur MacPherson a fini de coudre sa première livrée, dit Elisabeth. Il a emmené Roberts pour me montrer le résultat de son travail.

Le majordome était debout près du foyer, se tenant bien droit, le torse bombé, dans son manteau et son pantalon faits sur mesure, avec une chemise de batiste d'un blanc éclatant et une cravate assortie.

— Un très bel habit, le complimenta Marjory à contrecœur.

— J'ai encore beaucoup d'travail à faire à Bell Hill, dit Rob, mais j'suis pas pressé d'me séparer d'ma jolie Bess.

— De madame Kerr, s'empressa de le corriger Marjory.

— Elle sera toujours Bess pour moi, dit-il en haussant les épaules.

Quand le majordome prit congé, Marjory fit une prière pour qu'il entraîne Rob avec lui. Mais ce dernier resta dans la pièce, bien trop proche d'Elisabeth à son goût.

— J'ai entendu dire qu'y aurait un mariage dans la famille, dit-il en regardant Anne. Pourrait-il être le vôt', jeune femme ?

Des présentations tardives furent faites, puis Rob se dirigea enfin vers la porte.

— Vous savez où j'travaille, Bess, si vous avez besoin d'moi.

Marjory le regarda partir, furieuse du sans-gêne de ses manières.

— Vient-il ici souvent vous rendre visite ?

— Une fois par jour, admit Elisabeth. Parfois deux. Sa salle de travail est opposée à la mienne, de l'autre côté de la cuisine, dans l'aile des hommes.

— Où il devrait rester, dit Marjory, toutes pensées charitables au sujet de Rob maintenant envolées. Vous m'excuserez, Bess, mais je ne lui fais pas confiance.

— Pas plus que moi, répondit Elisabeth, surprenant sa belle-mère. Ce n'est plus l'homme que nous connaissions à Édimbourg. La défaite du prince à Culloden l'a changé et pas pour le mieux, j'en ai peur.

Et elle ajouta avec un soupir :

— Je serai soulagée quand son séjour à Bell Hill prendra fin.

— Pourquoi ne pas le dire à Lord Buchanan ? demanda Anne d'une voix dont Bess perçut l'impatience. Il le renverrait sur-le-champ. Vraiment, Bess, rien ne vous oblige à subir la présence de monsieur MacPherson un autre mois.

Elisabeth se pencha sur son fauteuil, caressant d'un air absent le chat blotti à ses pieds.

— Je ne peux traiter un vieil ami aussi durement, Annie. Son arrogance n'est que de façade, car c'est un homme brisé qui n'a ni foyer, ni famille, ni argent. Vous l'avez dit, Rob sera parti après Michaelmas. Et vous, ma chère cousine, vous serez bientôt une femme mariée.

— Bien sûr, dit Anne, dont la bonne humeur était revenue.

Marjory détourna le regard. *Mais moi je ne le serai pas.*

Chapitre 57

Je peux faire d'un homme un lord,
mais seul Dieu tout-puissant
peut en faire un gentilhomme.
— Jacques VI d'Écosse

Lord Buchanan embrassa d'un seul regard la table de sa salle à manger accueillant de nombreux convives. Ce n'était pas la première fois qu'il se reprochait de ne pas avoir demandé l'avis d'Elisabeth avant d'embaucher Rob MacPherson. Pourquoi avait-il agi avec une telle précipitation? Il pouvait renvoyer le tailleur, bien sûr, mais la justice exigerait un motif, et il n'en avait aucun. Enfin, aucun qui fût honorable.

Je n'aime pas l'individu. Non, là n'était pas la question.

Je n'aime pas la manière dont il regarde Bess. Un peu plus proche de la vérité.

Rob MacPherson était tout simplement indigne de cette femme. Pas en raison de sa condition, mais à cause de son caractère. Ce que Jack avait d'abord perçu comme de la douceur ou de l'humilité, il le voyait maintenant comme une ruse subtile pour parvenir à ses fins. Et peu importe le prétexte qu'il avait inventé pour expliquer son apparition, la raison de sa présence à Bell Hill sautait aux yeux : être proche d'Elisabeth Kerr. Afin de conquérir son cœur, peut-être aussi sa main, dès que son deuil serait terminé.

Jack devait admettre que Rob était un tailleur très doué. Il aurait seulement voulu qu'il travaille plus vite, bien plus vite, afin de le voir finir en deux semaines. Mais ils avaient scellé leur entente par une poignée de main. Jack était forcé de la respecter, peu importe combien sa présence lui pesait.

Pour le dîner de son personnel ce soir-là, il s'était assuré que Rob MacPherson occupe l'autre extrémité de la table. Elisabeth était à la place qui lui revenait de droit : auprès de lui.

Jack lui sourit.

— Vous vous êtes coiffée différemment ce soir, dit-il en effleurant une fine boucle qui lui tombait sur la nuque ; ce cou long et gracieux qui le charmait tant. Je crois que le soleil a aussi ajouté un peu de couleur à vos joues.

D'autres couleurs apparurent, d'une teinte rosée.

— Je vous demande pardon, dit-il en retirant immédiatement sa main.

— Il n'y a aucune raison de vous excuser, murmura-t-elle. Je rougis très facilement.

Quand elle prit une gorgée de vin rouge, Jack étudia son profil. La bouche généreuse, le nez aristocratique, les grands yeux lumineux. S'il pouvait être sûr des véritables sentiments de Bess pour monsieur MacPherson, le mois à venir serait bien plus facile à vivre. Elle l'avait convaincu qu'il n'y avait aucun attachement sentimental. « Il n'y a rien de mon côté », avait-elle dit, et Jack l'avait crue. Mais les deux personnes originaires des Highlands avaient un long passé commun. Des expériences partagées faisaient souvent pencher la balance.

Alors, prends l'initiative Jack, et fais-la pencher du bon côté.

Aiguillonné par sa conscience, Jack savait ce qu'il devait faire. Il lui faudrait piétiner son amour-propre, mais ce sacrifice n'en valait-il pas la peine, si cela lui valait toute l'attention d'Elisabeth ? Il ne pourrait mettre les choses en branle ce soir-là. Mais il le ferait dès lundi.

Les chandelles étaient maintenant presque consumées et les assiettes du dessert avaient été desservies quand Jack se leva, attirant tous les regards dans sa direction.

— Vous êtes tous invités au salon, annonça-t-il. Nos musiciens nous attendent pour une soirée dansante.

Avec un même cri joyeux, tout le personnel de la maison se leva d'un bond pour se précipiter vers le corridor, toute étiquette oubliée. Des serviettes de lin jonchaient le plancher et les chaises étaient abandonnées pêle-mêle dans la pièce. Le général Lord Mark Kerr aurait sans doute désapprouvé, mais Jack trouvait leur enthousiasme rafraîchissant.

— Madame Kerr? dit-il en offrant son bras.

Il remarqua, avec une satisfaction perverse, que Rob MacPherson lui lançait un regard noir de l'embrasure de la porte.

— Puis-je vous accompagner au salon?

Elisabeth déposa une main dans le creux de son coude. Elle traversa avec lui les portes ornées de dorures et ils franchirent le corridor pour se rendre au salon éclairé à la chandelle. Là, le tapis avait été roulé et un petit groupe de musiciens, formant un cercle, les attendaient en accordant leurs instruments. Au milieu des rires et des visages qui rougissaient, les invités se trouvèrent des partenaires et formèrent des lignes dans l'attente de la première note.

— J'adorerais danser, dit Elisabeth avec un soupir. Mais peut-être vaut-il mieux que je ne le puisse pas encore, car je crois savoir que vous n'aimez pas danser. Ai-je raison, milord?

— Vous avez raison, madame.

Il n'aimait pas danser? Il détestait cela. Trop d'années passées en mer sans raison particulière d'acquérir cette habileté sociale l'avaient laissé ignorant des pas élémentaires. Il ne croyait plus pouvoir les apprendre aujourd'hui. On engageait rarement un maître de danse à quarante ans. À moins, bien sûr, de vouloir valser avec une certaine jeune femme.

Quand un quadrille écossais animé emplit l'air, le plancher de bois poli sembla disparaître sous les jupes tourbillonnantes et les chaussures des danseurs. Elisabeth se leva et se mit à battre discrètement la mesure du pied, ses épaules esquissant les mouvements en avant, en arrière ou tournant, pour marquer les transitions de cette danse folklorique.

Jack observait leurs pieds, découragé à la seule pensée d'essayer de les suivre. Est-ce un pas à droite, puis un tour? Ou un tour à droite et un pas devant? Sa seule consolation était que Rob MacPherson ne dansait pas non plus, bien que le tailleur eût une raison légitime pour cela.

Se tenant aussi près d'elle que les convenances le permettaient, Jack resta avec Elisabeth toute la soirée. Elle lui décrivait chaque danse comme si elle devinait son désir de les comprendre, applaudissait les musiciens à point nommé, et souriait dès que l'occasion se présentait. Elisabeth était, en vérité, la compagne idéale.

Même si elle était autrefois une rebelle jacobite?

Oui, même dans ce cas.

Mais Jack était conscient que toute marque d'affection devrait attendre. Après Michaelmas[23] et Hallowmas[24], passé Martinmas[25] et Yule[26], jusqu'au 17 janvier. À ce moment-là, la société, et Marjory Kerr en particulier, accepterait l'expression normale de ses sentiments sincères à l'égard d'Elisabeth.

Cinq mois, c'était très long, même pour un homme très patient.

Et Jack n'était pas un homme patient. Ni Rob MacPherson, le craignait-il.

— Elle fera une jeune mariée magnifique, milord, dit Roberts, hochant en direction d'Anne Kerr, qui attendait à l'extérieur de la porte de l'église le signal d'entrer.

---

23. N.d.T. : La Saint-Michel, célébrée le 29 septembre.

24. N.d.T. : La Toussaint, célébrée le 1er novembre.

25. N.d.T. : La Saint-Martin, célébrée le 11 novembre.

26. N.d.T. : La Noël, célébrée le 25 décembre.

— J'en suis persuadé, acquiesça Jack, sans jamais cesser de regarder Elisabeth.

L'église était presque pleine, seuls quelques paroissiens étaient partis après le service du matin, les Murray de Philiphaugh parmi eux. Jack avait parlé brièvement à Rosalind et à sa famille auparavant, par courtoisie surtout, puis avait été soulagé de les voir partir rapidement. Les mariages célébrés le jour du sabbat étaient plus discrets que la majorité, car l'Église n'appréciait guère les manifestations d'exubérance. Mais la curiosité avait suffi pour garder la plupart des gens rivés à leur banc, désireux de voir deux voisins unir leur vie.

Lorsqu'un violoniste, sur le parvis de l'église, fit entendre les accords d'un air familier, Anne franchit la porte, un bouquet de pâquerettes de Michaelmas à la main. Jack dut admettre qu'elle faisait une jolie mariée, avec ses cheveux blonds réunis en boucles sur le sommet de sa tête.

L'accompagnant le long de l'allée, Peter Dalgliesh, habillé avec élégance pour un si jeune garçon, souriait à la foule.

— C'est ma nouvelle mère! annonça-t-il fièrement en amenant Anne auprès de son père.

Le fiancé paraissait étonnamment calme, pensa Jack, et décidément heureux, se tenant debout devant l'assemblée, ses cheveux roux clair formant un contraste frappant avec les murs gris de l'église. Dès que le violoniste acheva son morceau sur un trémolo, le révérend Brown entra en scène à son tour.

L'expression du ministre était sévère, le ton de sa voix encore plus.

— Nous sommes ici pour unir Annie Kerr, de la ruelle Halliwell, et Michael Dalgliesh, de la venelle de l'École, par les liens sacrés du mariage. Que tous se lèvent pour une lecture du *Livre de liturgie commune*[27].

L'assistance se leva pour entendre les mots familiers, suivis par une longue prière et la question indispensable.

---

27. N.d.T. : Le titre original de l'œuvre est *The Book of Common Order* (John Knox).

— Y a-t-il quelque empêchement à ce mariage ? demanda le révérend Brown à la foule de témoins. Une raison pour laquelle ces deux personnes ne pourraient être unies comme mari et femme ?

Comme aucune objection ne fut offerte, le ministre procéda à l'échange des vœux.

Mais ce n'était pas la voix du révérend Brown que Jack entendait. Non, c'était celle du roi George qui résonnait dans sa tête. *Amiral Buchanan, vous ne pouvez courtiser une traîtresse. Quelle affinité peut-il y avoir entre la fidélité et la trahison ? Et quelle communion entre la lumière et les ténèbres ? Rejetez-la, Buchanan, et épousez une femme loyale à son souverain.*

Tandis que la cérémonie suivait son cours, Jack poursuivait sa conversation imaginaire avec le roi. *Ne voyez-vous pas que Bess est une femme respectable, Votre Majesté ? Ne pouvez-vous pas voir au-delà de son passé de rebelle des Highlands ?* Il ne serait pas facile de dire au roi George que l'un de ses amiraux avait l'intention d'épouser la veuve d'un jacobite déchu. Mais il le ferait le moment venu. Non parce que le roi l'exigerait, mais parce que la bénédiction du souverain serait pour elle un gage permanent de sécurité.

— Je le prends devant Dieu et en présence de son peuple, dit Anne d'une voix claire.

Baissant les yeux vers Elisabeth, Jack l'imaginait prononçant les mêmes paroles. Il se voyait avec elle les mains jointes, entendait la bénédiction, imaginait le baiser qui scellerait leurs vœux. Comme si elle avait deviné ses pensées, elle se tourna vers lui pour croiser son regard et lui sourit.

— N'est-ce pas un mariage charmant ? dit-elle tout bas.

— Oui, murmura-t-il à son tour, assurément.

Chapitre 58

Je vis le vieil Automne dans le matin brumeux
Debout sans ombre comme le silence, écoutant
Le silence.
— Thomas Hood

Elisabeth ne pouvait se rappeler un 1er septembre aussi radieux. L'air du matin était doux, la brume se levait, et la rosée humectait chaque fleur du jardin de Lord Jack. Ayant quelques minutes de libres avant le début de sa journée de travail, elle s'approcha des bosquets de roses qui s'épanouissaient en une profusion de couleurs, curieuse de les voir de plus près.

— Des roses de Damas d'automne ? demanda-t-elle à l'assistant du jardinier, qui fit un pas en arrière, hochant la tête de haut en bas.

Elle s'inclina vers les fleurs rose pâle et huma leur doux parfum.

— Trop délicates pour le jardin de ma mère dans les Highlands, j'en ai peur, dit-elle, mais elles s'adaptent très bien ici dans le Borderland.

— Oui, m'dame, dit le jeune garçon, qui lui tendit une paire de cisailles de jardinier. Son Excellence ne dira rien si vous en coupez quelques-unes.

— En êtes-vous sûr ? demanda-t-elle en regardant l'instrument.

Une autre main passa tout près d'elle et le lui saisit.

— Bien sûr qu'y dira rien, fit une voix masculine.

Rob MacPherson coupa une fleur fraîche d'un coup de ciseau négligent, laissant la tige trop courte pour n'importe quel vase.

Lorsqu'il lui tendit la fleur, elle plongea le nez dans ses pétales veloutés, se promettant de trouver une petite coupe pour l'accueillir, plutôt que de laisser cette merveilleuse rose se faner.

— Une fleur est tout ce qu'il me faut.

Elle reprit les cisailles des mains de Rob pour les rendre à leur propriétaire légitime.

— Remerciez monsieur Richardson pour moi, dit-elle au garçon, qui retourna vaquer à ses tâches.

— Qui est-ce? marmonna Rob.

Quand elle lui expliqua que Gil Richardson était le premier jardinier et qu'il était heureusement marié, le front plissé de Rob se détendit.

Es-tu jaloux de lui aussi? Elisabeth tint sa langue, continuant sa promenade matinale dans le jardin. Elle éprouvait de la peine pour Rob, tant il était l'esclave de son adoration pour elle — non, de son obsession. Au cours de sa première semaine à Bell Hill, il avait trouvé quantité de prétextes pour lui rendre visite à sa salle de travail, jetant des regards noirs à tous les hommes qui lui parlaient. Il ne manquait jamais de lui rappeler tout ce qu'il avait fait pour elle, à quel point il l'aimait et combien il avait besoin d'elle.

À cet instant même, il marchait sur ses talons, projetant son ombre imposante sur son chemin, alors qu'elle s'arrêtait pour lever les yeux vers le bureau de Lord Jack. Elle aurait souhaité l'apercevoir à sa fenêtre, où il se postait certains matins. Pas celui-là, semblait-il.

Rob lui effleura le bas du dos.

— Y n'vous aime pas autant que moi.

Elle ferma les yeux, se sentant presque dégoûtée.

— Monsieur MacPherson, je vous en prie…

Alors qu'elle se dirigeait vers la porte, il la rattrapa rapidement, puis la saisit par le coude, cette fois-ci.

— Bess, que dois-je faire pour vous gagner?

Elle se libéra de sa prise, puis lui dit en gaélique, afin de ne pas être entendue.

— Je ne suis pas un enjeu que l'on peut perdre ou gagner, monsieur.

Après une longue pause, Rob répondit dans le même langage d'une voix douce et basse.

— J'ai craint qu'vous n'ayez oublié notre langue.

Elisabeth baissa les yeux vers sa rose de Damas, la gorge serrée.

— Jamais, murmura-t-elle.

Elle n'avait pas entendu sa langue des Highlands depuis des mois et ne l'avait employée qu'une fois pour réciter un proverbe à Marjory.

Rob fit un pas vers elle.

— Pardonnez-moi, Bess. Je n'voulais pas vous offenser.

Comment pouvait-elle congédier brutalement un tel homme ? Et pourtant, elle devait lui dire la vérité.

— C'est moi qui dois vous demander pardon, dit-elle. Car je ne vous aime pas, ni ne le puis.

Elle s'efforça de soutenir son regard, sachant quelle douleur elle trouverait réfléchie dans ses profondeurs noires.

— Je me souviens avec bonheur de l'amitié de notre enfance, reprit-elle. Mais nous sommes devenues deux personnes très différentes.

La ride de son front s'accusa alors qu'il revenait à l'anglais.

— Est-ce donc de l'argent que vous désirez ? Un mari riche, et non un simple tailleur ?

— Non, dit-elle en secouant la tête, certaine de sa réponse. Je veux seulement honorer le vœu que j'ai fait à ma belle-mère et à Dieu. Si le Tout-Puissant choisit un époux pour moi, je me remarierai un jour. Mais ce ne sera pas bientôt.

— C'est c'que vous dites, grommela-t-il, puis il quitta le jardin d'un air mécontent.

Elisabeth parvint à éviter Rob le reste de la journée en s'enfermant dans sa salle de travail. Il lui restait à coudre quelques robes : deux pour les servantes des étages supérieurs, trois pour celles des étages inférieurs, qui avaient toutes hâte d'être aussi bien mises que leurs consœurs. Elisabeth passa la journée avec son ruban à mesurer à prendre leurs mensurations, afin d'accélérer le processus et de jouir de leur compagnie par la même occasion.

Madame Pringle avait bien formé son personnel. Chaque jeune femme était polie et discrète, propre et d'apparence soignée. Une servante filiforme nommée Biddy fut reconnaissante à Elisabeth d'allonger ses manchettes, faisant paraître ses bras moins grêles. Elsie, qui était plus ronde que les autres, lui avait demandé : « Pourriez-vous ajouter un petit liséré autour de mon cou, afin que les gens regardent mon visage plutôt que ma silhouette ? » Elisabeth l'avait assurée que cela pouvait être arrangé facilement.

Ada, avec son teint ivoire et ses cheveux couleur de blé, fut heureuse de trouver un rang de boutons de nacre sur sa robe, accentuant le contraste entre le gris anthracite et sa peau pâle. Nessie, qui était la plus jeune et la plus menue, eut droit à une délicate collerette carrée. Et Muriel, qui ne semblait posséder que quatre mots dans son vocabulaire — « oui », « non » et « merci, m'dame » — fut ravie d'apprendre qu'une rangée de plis dans le corsage pouvait arrondir sa silhouette.

Quand Sally entra dans la pièce avec son plateau de thé tard dans l'après-midi, Elisabeth était entourée d'ardoises remplies de chiffres et de notes. Sally déposa sa collation sur la table, puis passa ses mains sur sa robe.

— La mienne est la plus jolie, affirma-t-elle. Ma propr' mère l'a dit.

Elisabeth sourit pendant que la domestique lui servait son thé.

— Je suis heureuse qu'elle te plaise. Quelques robes encore, et j'aurai fini.

— Mais m'dame Kerr, vous ne pouvez nous quitter! lança la jeune fille, qui faillit faire déborder la tasse qu'elle remplissait. V'z'appartenez à Bell Hill.

— Son Excellence en décidera, dit Elisabeth, qui saisit sa tasse juste à temps et prit une gorgée en essayant de ne pas se brûler les lèvres. S'il y a de la couture à faire, je serai heureuse de rester.

Sally leva les yeux au ciel.

— Si v'pensez qu'Son Excellence vous veut pour vot' aiguille, v'n'êtes pas aussi éveillée que j'l'aurais cru.

Elisabeth essaya de ne pas sourire.

— Vous savez très bien que je ne peux même pas y penser, dit-elle, ni Lord Buchanan d'ailleurs.

La jeune fille agita sa chevelure brun roux, faisant osciller son bonnet.

— Dites c'que v'voulez, v's'rez mariée avant longtemps. Et pas avec l'homme des Highlands qui habille les garçons.

— Non, acquiesça Elisabeth, même si je suis curieuse de savoir pourquoi vous parlez ainsi.

— Lors de not' dîner, samedi dernier, répondit Sally, dont la voix s'éleva d'un ton, les yeux du tailleur n'ont jamais cessé d'vous suivre. Mais vous n'l'avez pas r'gardé une seule fois.

Elisabeth ne pouvait contester une observation si juste.

— Est-ce la raison pour laquelle vous v'êtes enfermée dans vot' salle de travail toute la journée? demanda Sally.

Et comme Elisabeth hocha affirmativement la tête, la jolie servante ajouta :

— Si j'vois m'sieur MacPherson dans l'corridor, j'lui dirai que vous êtes occupée. Ça vous va?

Elle fit un clin d'œil, puis quitta la pièce d'un pas leste, laissant Elisabeth avec ses ardoises marquées à la craie et ses pensées plus confuses que jamais.

Ce n'est que lorsque la cloche distante se mit à sonner dix-huit heures que Sally réapparut, portant à la main un billet. Elle affichait un air désolé.

— M'sieur MacPherson m'a dit d'vous r'mettre ceci, alors je n'pouvais pas refuser.

— Naturellement, dit Elisabeth, qui l'enfouit dans sa poche pour la lire en rentrant à la maison. Bonsoir, Sally.

La servante jeta un coup d'œil à l'endroit où Elisabeth avait remisé le pli.

— Et à vous aussi, m'dame.

Elisabeth n'ouvrit pas la lettre avant d'être rendue à mi-chemin dans la côte de la colline Bell, s'assurant qu'il n'y avait personne en vue, Rob en particulier. Sally avait raison, Elisabeth sentait ses yeux posés sur elle à tout moment, guettant ses moindres faits et gestes.

Elle s'arrêta sur la route et brisa le sceau de cire. La lettre était brève, le papier bon marché, mais les mots en langue gaélique la troublèrent.

Le 1er septembre 1746

Madame,

Vous dites que vous ne m'aimez pas, mais je vous connais mieux que vous ne vous connaissez vous-même.

Elisabeth éprouva un moment d'abattement. *Oh, Rob !* Il ne la connaissait pas du tout. Pas plus qu'il ne l'écoutait, d'ailleurs. *Je ne puis vous aimer.* Elle n'avait rien dit d'autre.

Quand je vous ai parlé dans notre langue des Highlands ce matin, vos yeux se sont levés vers les miens, et j'ai vu la vérité.

Quelle vérité, Rob ? Il ne voyait que ce qu'il voulait voir.

Comme toi-même autrefois, Bess, avec Donald ? Elle grimaça, transpercée par cette douloureuse prise de conscience. Oui, elle s'était menti à elle-même, avait nié la vérité sur les aventures de son mari, s'était convaincue qu'il avait changé, quand c'était faux. Elle savait ce que c'était que de regarder dans les yeux de l'être aimé, et de s'imaginer le reste.

Aucun homme des Lowlands ne vous rendra jamais heureuse, Bess. Mais moi je le peux.

Elle secoua la tête, attristée par la profonde conviction de Rob. N'accepterait-il jamais son refus ?

Quand viendra Michaelmas, je voguerai vers l'Amérique. Mon père m'a laissé un petit héritage, assez pour payer notre voyage. Venez avec moi, Bess. Nous pouvons construire un avenir ensemble.

Non, Rob. Nous n'avons pas d'avenir. Pas ensemble.
Elle plia la lettre, avec l'intention de la jeter discrètement dans le foyer dès qu'elle arriverait à la maison. Il valait mieux que personne ne fût au courant des illusions de Rob. Elle ferait face à la situation elle-même et épargnerait ainsi à son vieil ami une humiliation inutile.

Elisabeth regarda le ciel à l'ouest, où le soleil s'était maintenant couché, laissant derrière lui une faible lueur orange au-delà des collines. Si incertains que fussent les jours à venir, elle savait que Dieu ne l'avait pas oubliée. Anne croyait qu'elle était destinée à rester vieille fille, pourtant Michael lui avait donné son cœur. Marjory avait abandonné tout espoir de gagner l'amour d'un autre homme, pourtant Gibson s'était avancé sous la houlette de Dieu et la bénédiction du ministre.

Tous deux n'avaient pas encore de plans arrêtés, mais leur amour réciproque brillait dans leur visage.

Dieu avait-il un avenir en réserve pour elle aussi ? Elisabeth l'espérait. Non, elle priait pour cela. Elle continua à descendre, accélérant le pas, maintenant que la nuit tombait. Un nom résonnait en elle, la réchauffant des pieds à la tête, la portant jusqu'à la maison.

Chapitre 59

Notre patience accomplira
plus que notre force.
— Edmund Burke

Jack fit une pause devant la porte ouverte de la salle de travail de Rob MacPherson et il observa l'artisan qui cousait un pantalon. Ses mouvements étaient rapides et efficaces, l'expression de son visage était concentrée, le produit final impeccable. N'eût été l'attention excessive portée par l'homme des Highlands à Elisabeth, Rob aurait été une addition de grade valeur au personnel de Bell Hill.

Jack frappa juste avant d'entrer.

— Bonjour, monsieur MacPherson.

L'homme se tourna vers la porte, mais l'expression de son visage demeura inchangée.

— Milord.

Un frisson courut le long de l'épine dorsale de Jack. Ici, l'air était frais et l'ameublement minimal ; rien à voir avec la chaleur et le confort douillet de la salle de travail d'Elisabeth. Mais c'était plus que cela. Rob MacPherson était comme un bloc de glace taillé dans un loch du nord au cœur de l'hiver. Froid, dur, impénétrable. Jack prit une chaise, déterminé à trouver un moyen de percer son armure.

— Vous travaillez à une autre livrée, je vois, commença Jack. Pour l'un des valets ?

Rob hocha la tête, faisant osciller son épaisse tignasse.

— Un grand garçon, nommé Gregor, dit Rob, et il leva le pantalon dont le tissu se déroula jusque sur les dalles du plancher. Il aura son nouveau costume vendredi.

— Très bien, dit Jack en changeant de position sur sa chaise.

Il entendit le léger cliquetis des guinées qu'il avait apportées dans la poche de son gilet. Il était prêt à congédier monsieur MacPherson si les choses en arrivaient là. Le payer pour le travail qui restait à faire et le renvoyer d'où il venait. On ne pouvait rien reprocher au maître qui payait les sommes dues.

Mais l'idée ne plaisait guère à Jack. Il entendrait Rob MacPherson jusqu'au bout avant de décider de son avenir à Bell Hill.

— J'ai été peiné de ne pas vous voir à l'église dimanche matin, dit Jack d'un ton léger.

Rob haussa les épaules.

— J'savais pas si j'serais le bienvenu.

— Nous aurions été heureux de vous y voir, dit Jack.

Il s'apprêtait à appuyer une main sur son épaule en signe d'amitié, puis se ravisa.

— Je vous réserverai une place dans l'allée des Kerr au prochain sabbat, promit-il, proposition à laquelle Rob ne réagit pas.

L'homme était-il sans dieu? Ou païen? Jack ne savait presque rien de l'histoire de Rob. Seulement qu'il était né et avait été élevé dans la paroisse de Braemar. *Comme Bess.*

— Vous êtes-vous établi à Castleton après avoir quitté Édimbourg? demanda-t-il.

Une question inoffensive, pensa-t-il.

Rob plissa les yeux.

— Pourquoi l'endroit où j'vivais vous intéresse-t-il?

— En fait, c'est à madame Cromar que je pensais, expliqua Jack. Si vous avez passé l'été à Castleton, vous devez l'avoir vue à plusieurs reprises. Madame Kerr est inquiète pour le bien-être de sa mère. Je le suis également après avoir rencontré son mari.

Rob se leva abruptement, déposant son ouvrage et son aiguille.

— Vous n'avez aucun droit d'dire du mal de Ben Cromar.

— C'est donc un ami à vous ? demanda Jack, qui se leva à son tour pour le regarder en face.

Il n'était pas du tout intimidé par son interlocuteur, en dépit de son attitude hostile.

— Cromar est un ami, oui, admit enfin Rob.

— Diriez-vous qu'il est un bon mari ?

Rob fronça les sourcils.

— Qu'entendez-vous par « bon mari » ?

— La protège-t-il, pourvoit-il à ses besoins, lui démontre-t-il de l'affection ? dit Jack, dont la voix s'élevait et qui sentait sa colère faire de même. Madame Cromar est-elle en sécurité à ses côtés ?

— Bien sûr, qu'elle est en sécurité, dit-il avec un sourire méchant. Puisque c'est son mari.

Jack grinça des dents, sa patience manifestement à bout.

— Laissez-moi vous poser la question sans détour. Avez-vous déjà vu Cromar la frapper ?

— Non, dit Rob fermement.

— Avez-vous remarqué des marques sur elle ? Des ecchymoses ? Des entailles ?

La réponse vint plus lentement.

— Elle m'a déjà dit qu'sa peau bleuissait facilement.

Avant que Rob ait pu détourner le regard, Jack avait vu la vérité dans ses yeux.

Il pivota sur ses talons et commença à arpenter la pièce, pesant ses options, qui étaient peu nombreuses. Sir John Murray l'avait déjà informé que le shérif d'Aberdeen n'interviendrait sans doute pas. « Pas pour quelques ecchymoses », avait dit Sir John. Attendrait-il que la femme fût battue et ensanglantée avant de venir à son secours ? Ou seule la mort attirerait-elle la loi à la porte de son cottage ?

Rob prit la parole.

— Si vous en avez fini ici, milord. J'ai du travail à faire.

— Du travail, dites-vous ?

Il se retourna vivement et sentit l'argent qu'il avait apporté se mouvoir dans sa poche de gilet.

— Est-ce le travail qui vous a amené à Bell Hill ? demanda-t-il sans détour. Ou n'est-ce pas plutôt Elisabeth Kerr ?

Comme Rob ne répondait pas assez vite à son goût, Jack fit un pas vers lui.

— En tant qu'employeur, j'ai le droit de savoir.

Il estimait en tout cas qu'il l'avait.

— Je vous ai dit pourquoi je suis venu, répondit Rob en s'assoyant pour reprendre son ouvrage, hérissé d'une multitude d'épingles. Madame Cromar savait que vous aviez besoin d'un tailleur. Elle voulait aussi un homme en qui elle avait confiance auprès de sa fille.

Jack le regarda fixement. *Mais est-ce que sa fille vous fait confiance ?* Seule Elisabeth pouvait répondre à cette question.

— Nous terminerons cette discussion une autre fois, monsieur MacPherson.

Irrité, Jack se dirigea vers la salle de travail du côté opposé du rez-de-chaussée, espérant que sa colère aurait le temps de s'apaiser en traversant les corridors de l'aile des domestiques. Il n'avait pas parlé à Elisabeth lundi et avait souffert de son absence. Peut-être pourraient-ils faire une promenade à cheval dans l'après-midi si le temps se maintenait.

Jack tourna le coin et la trouva une craie à la main.

— Madame Kerr, dit-il, et il se sentit mieux dès qu'il la vit. Puis-je vous parler un moment ?

— Bien sûr, dit-elle, plus calme que d'habitude, mais heureuse, semblait-il, de sa visite. Vous venez ici dans un but précis, dit-elle avec sa perspicacité coutumière.

Ce ne fut qu'à ce moment-là qu'il remarqua les ardoises qui jonchaient le plancher.

— Qu'est-ce que c'est que cela ? demanda-t-il.

— Les mensurations pour les robes qu'il me reste à faire. *Si peu.* Une douleur le saisit à la poitrine.

— Êtes-vous si pressée de quitter Bell Hill ?

Les yeux bleus d'Elisabeth s'agrandirent.

— Pas du tout, milord. Les jeunes filles ont bien hâte d'avoir leur robe, et j'ai passé la majeure partie de la journée d'hier avec mon ruban à mesurer à la main.

Jack lui dit ce qu'il croyait être la vérité, afin de voir le tour que prendrait la conversation.

— N'est-ce pas pour éviter Rob MacPherson ?

— Oui, cela aussi, dit-elle en pressant ses lèvres ensemble, comme si elle était réticente à en dire plus sur le sujet.

Il prit un siège.

— Je viens à l'instant de parler à monsieur MacPherson. Nous avons discuté de votre mère.

Les mains de la jeune femme s'immobilisèrent.

— Et ?

Jack relata leur conversation, sans rien omettre, même si cela le peinait de voir le visage d'Elisabeth pâlir et ses yeux se remplir de larmes.

— Ce n'est pas la fin de l'histoire, lui promit-il. Je ne peux légalement faire retirer une femme de la maison de son mari. Mais je peux envoyer un homme de confiance dans le nord afin de veiller sur elle.

— Le feriez-vous ?

L'amiral hocha la tête, et il aurait souhaité pouvoir lui prendre la main ou effleurer sa joue. N'importe quel geste pour la réconforter.

— À quoi bon la richesse, si on ne le peut l'employer pour une cause juste ?

— Mais vous donnez si généreusement, dit-elle, hochant la tête comme si elle était embarrassée.

— Je ne veux pas que vous pensiez que je suis généreux, Bess, dit-il en s'inclinant, déterminé à être bien compris. Comme je l'ai dit le jour où nous nous sommes rencontrés, tout ce que vous recevez de moi est une bénédiction de Dieu, et non de moi.

Elle n'était toujours pas satisfaite.

— Elle passe néanmoins par vos mains.

— Alors, je n'ai qu'à les laisser ouvertes afin que le Tout-Puissant fasse ce que bon lui semble.

Jack tendit les mains, les paumes tournées vers le haut, afin d'illustrer ce qu'il voulait dire.

Mais Elisabeth déposa lentement ses mains dans les siennes.

Il n'osa ni bouger, ni respirer, ni parler, de peur de l'effrayer.

Quand elle pencha la tête vers l'avant, il fit de même, fermant les yeux, se délectant de son doux contact.

— Dieu tout-puissant, murmura-t-elle, protégez ceux que j'aime et prenez-en soin. Peu importe ce qui doit advenir, Seigneur, je sais que c'est par vous que cela arrivera.

Jack aurait voulu l'attirer plus près, afin de la tenir dans ses bras. Il leva plutôt la tête et honora Celui qui l'avait amenée dans sa vie.

— Faites-lui confiance, Bess.

— Toujours, promit-elle, ses mains reposant toujours dans les siennes.

Chapitre 60

Ses pensées sont mornes comme la nuit,
et son cœur si sombre…
Ne faisons pas confiance à un tel homme.
— William Shakespeare

Elisabeth s'éveilla mercredi matin à l'aube, après un mauvais sommeil. Pendant toute la nuit, elle avait remué dans son fauteuil, cherchant une position plus confortable, essayant d'échapper à ses rêves troublants. Rob MacPherson apparaissait dans la plupart d'entre eux : une silhouette lugubre portant une tenue informe et exsudant sa colère.

— Est-il toujours convaincu qu'il vous épousera un jour ? s'était informée Marjory au-dessus de leurs bols de porridge. Il est peut-être plus jeune que l'amiral d'une douzaine d'années, mais je ne vois rien d'autre qui parle en sa faveur.

Elisabeth grimaça devant ce jugement impitoyable porté par sa belle-mère.

— Monsieur MacPherson était l'un de nos bons amis à Édimbourg.

— Michael Dalgliesh s'est aussi lié à la famille Kerr, dit Marjory, mais ce n'est pas pour cette raison qu'Anne l'épouse aujourd'hui.

Après avoir pris sa dernière cuillerée de porridge, Elisabeth avala son thé, consciente de l'heure qui avançait. Le soleil se levait un peu plus tard chaque jour, pourtant elle était toujours attendue à huit heures.

— Anne vient dîner avec nous, n'est-ce pas ? demanda-t-elle. Je devrais rentrer plus tôt qu'à l'accoutumée, puisque Lord Buchanan a des invités à sa table, et je doute qu'il me retienne. Sir John et Lady Murray emmènent leurs filles.

Marjory fit une légère grimace.

— J'imagine que le shérif espère que Lord Buchanan demandera la main de Rosalind, même si elle a à peine la moitié de son âge.

— Vous aviez dix-huit ans quand *vous* vous êtes mariée, lui rappela Elisabeth délicatement. Et Lord John avait au moins vingt ans de plus que vous.

Elle se pencha au-dessus de la table et serra la main de Marjory.

— Bien sûr, Gibson est bien plus jeune que cela, ajouta-t-elle d'un ton conciliant. Et c'est un bel homme aussi, si cela ne vous gêne pas que je le dise.

Un sourire se dessina peu à peu sur le visage de Marjory.

— Il *a* belle apparence, en effet, dit-elle. Et il est gentil. Et prévenant.

Elisabeth aurait espéré pouvoir également parler de l'homme qui avait capturé son cœur. Mais Lord Jack n'était pas un domestique ; c'était un pair du royaume, qui méritait une épouse comme Rosalind Murray. Même s'il en avait peu parlé, Elisabeth avait observé la campagne incessante de Lady Murray pendant tout l'été. Quel gentilhomme résisterait à un tel joyau, à moins d'être aveugle ?

Après que la vaisselle du petit-déjeuner eut été débarrassée, Elisabeth partit pour Bell Hill et s'arrêta à la boutique de Walter Halliwell pour déposer un plateau de biscuits frais au gingembre.

— Madame Kerr en a fait une douzaine de plus, dit-elle au propriétaire, pensant que vous les aimeriez.

— Comme c'est aimable, dit le perruquier, avant de lancer un petit biscuit dans sa bouche.

Puis, sans cesser de mastiquer, il demanda :

— En route pour Bell Hill ? Auriez-vous la gentillesse de porter quelque chose pour moi à Son Excellence ?

Quand il lui tendit une perruque de gentilhomme enveloppée dans un sac de toile, Elisabeth n'eut d'autre choix que de la prendre. Ce n'était pas tant la course qui la mettait mal à l'aise que la nature personnelle de l'objet. Elle dit au revoir au perruquier, puis sortit de sa petite boutique pour s'engager dans la ruelle qui portait son nom. Elle se dit qu'elle pourrait toujours remettre le sac à Roberts ou à Dickson, évitant ainsi une situation embarrassante.

Mais ce n'est pas ce qui devait arriver.

Au moment où elle atteignait la barrière du manoir, Lord Jack apparut trottant sur Janvier. Faisant sa promenade matinale, semblait-il, sans manteau ni chapeau, les amples manches de sa chemise gonflées par la brise.

— Qu'avez-vous là? demanda-t-il, le regard posé sur son paquet bombé. Des balles de laine pour amuser mon chat?

— Non, c'est pour vous, dit-elle en le levant à la hauteur de ses yeux. De monsieur Halliwell.

— Oh! dit-il en se saisissant immédiatement du sac. Honte à Walter de transformer ma couturière de talent en garçon de courses.

Tandis que Janvier frappait le sol de ses sabots, impatient de se remettre en marche, Son Excellence la surprit avec une proposition.

— Voulez-vous vous joindre à moi pour le déjeuner à quatorze heures?

— Si cela vous fait plaisir, dit-elle.

Et elle pensa à quelqu'un d'autre à qui cela ne ferait pas plaisir du tout.

Même sans montre, comme celle que gardait madame Pringle dans la poche de son tablier, Elisabeth savait que l'heure du déjeuner approchait. La cuisine à côté était en effervescence, avec madame Tudhope au cœur de toute cette activité.

Il est temps, Bess. Elle se lava les mains, pria pour se calmer, et entreprit l'ascension de l'escalier, saluant tout le monde au passage, espérant étouffer les rumeurs.

Ce n'était pas un péché de partager le repas de son employeur, se dit-elle. Des valets et des servantes entreraient et sortiraient de la salle à manger entre chaque service. Ils ne seraient jamais seuls tous les deux. Et quand l'heure du déjeuner serait terminée, elle pourrait retourner à son travail, ne regrettant peut-être qu'un estomac trop lourd.

— Bess ?

Un murmure, rien de plus. Elle se retourna au pied de l'escalier et vit Rob qui avançait vers elle.

— Qu'y a-t-il ? demanda-t-elle, certaine qu'il voulait parler de sa lettre, de ses projets de départ pour l'Amérique.

Sa voix était basse, pourtant le ton était acerbe, strident.

— V'savez pas c'qu'on dit, Bess ? D'un bout à l'aut' d'la maison ?

— Monsieur MacPherson, je vous en prie…

— On vous appelle sa « dame ». Savez-vous c'que ça veut dire ?

Sa maîtresse. Elle déglutit.

— Je comprends, mais ce n'est pas vrai.

Il fit un pas de plus vers elle.

— Pouvez-vous affirmer qu'il n'y a rien entre vous ? Aucun amour d'aucune sorte ? insista-t-il.

Elisabeth se redressa, affrontant son regard sans broncher.

— Peu importe ce qu'il y a dans nos cœurs, vous pouvez être sûrs que nos comportements ont été chastes. Lord Buchanan honore Dieu à tout moment, et j'espère le faire moi aussi.

Elle saisit sa jupe dans sa main déjà à mi-chemin de l'escalier en colimaçon.

— Vous devez m'excuser, mais Son Excellence m'attend à l'instant même…

— On r'parlera de ça, Bess, dit-il d'un ton qui ressemblait plus à un avertissement qu'à une invitation.

Elle s'enfuit en gravissant les marches, priant afin d'être honnête avec elle-même et envers le Tout-Puissant. *Mes pensées sont honorables, mon Dieu, pourtant j'éprouve de l'affection pour Lord Jack. Beaucoup d'affection.*

Quand Elisabeth atteignit la salle à manger, elle était essoufflée, non pas en raison de l'effort, mais de l'excitation qu'elle éprouvait.

— Milord, dit-elle.

Elle fit une profonde révérence, qui avait surtout pour but de lui donner le temps de se calmer. Elle fut bientôt assise face à la fenêtre qui donnait sur les jardins de Bell Hill, puis on lui apporta un verre de vin rouge, qu'elle refusa poliment.

— Ni pour moi, dit Lord Jack au valet, puis il prit place dans son fauteuil au bout de la table, dont le haut dossier formait un arc au-dessus de sa tête à la manière d'un trône. Nous sommes au cœur de la journée, et je tiens à conserver toute ma lucidité.

— Moi de même, approuva-t-elle.

Ils se sourirent de part et d'autre de la table tandis que les plats allaient et venaient à un rythme régulier. Il lui raconta des histoires de ses années à bord du *Centurion*. De mers tumultueuses et de tempêtes déchaînées. De mats arrachés et de typhons meurtriers.

— Avez-vous déjà eu peur, amiral ?

Il se tut, son verre d'eau à mi-chemin entre la table et ses lèvres.

— Si je dis que je n'avais pas peur, vous direz que je suis orgueilleux. Si je réponds oui, alors je serai un lâche à vos yeux.

Lord Jack prit une longue gorgée, puis il admit :

— Oui, il y a eu un moment où j'ai cru que notre navire allait s'abîmer sur les bancs de sable près de Tinion. Mais Dieu entendit nos prières et vint à notre rescousse avec un vent vigoureux qui nous repoussa vers la mer.

Il déposa son verre vide, qui fut rapidement rempli par un valet silencieux.

— Qu'est-ce qui vous effraie, madame Kerr? demanda-t-il à son tour. Sûrement pas la pauvreté, il me semble. Ni le dur travail.

— Non, dit-elle en s'essuyant la bouche, incapable de prendre une autre bouchée. Comme l'enseigne la Bible, j'ai appris à être heureuse de ce que j'ai.

Il hocha la tête, une expression pensive sur le visage.

— Vous avez trop d'amis pour craindre la solitude, dit-il.

— Des amis, oui, répondit-elle doucement.

— Et qu'en est-il de monsieur MacPherson?

Sa question la prit au dépourvu.

— Milord?

— Est-ce un homme digne de confiance, ce tailleur des Highlands? Car je dois être franc, s'il y a un être ou une chose que vous semblez craindre ici, c'est lui.

Peur de Rob? Elle secoua la tête.

— Il ne me ferait jamais de mal. Pour ce qui est de la confiance qu'il m'inspire...

Elle hésita, ne voulant pas lui causer du tort injustement.

— Dans nos affaires à Édimbourg, il a toujours honoré toutes ses promesses.

Mais l'expression de son visage la trahit et Lord Jack ne se laissa pas abuser par ses mots prudents. Pourtant, il ne la pressa pas davantage.

— Avez-vous bien mangé? demanda-t-il, regardant l'assiette à dessert, où il ne subsistait plus qu'une trace de crème au citron.

Elle sourit.

— Je ne dînerai sans doute pas, si c'est ce que vous voulez dire.

— Je m'en passerais également, admit-il, mais il semble que j'aurai des invités à ma table ce soir.

Elisabeth attendit, espérant l'entendre parler de Rosalind Murray. Qu'il l'avait en horreur, ou qu'il l'adorait — n'importe quoi pour clore ce sujet. Mais à la réflexion, elle se dit qu'elle ne voulait *pas* en entendre parler. Non, elle ne le voulait pas.

Quand elle fit mine de se lever, l'amiral l'imita tout de suite.

— Un excellent déjeuner, milord, dit-elle.

Il s'inclina poliment.

— Et en excellente compagnie, répondit-il.

Ce n'est qu'à ce moment-là qu'elle vit par la fenêtre qu'un changement notable de température s'était produit. Des nuages lourds et gris obscurcissaient le ciel et de vives bourrasques projetaient les branches des arbres contre les murs de la maison.

— Nous aurons de la pluie avant la tombée de la nuit, dit-il en regardant par-dessus son épaule. Je vous ferai reconduire en voiture ce soir.

Elisabeth hésita, tentée par la générosité de son offre, mais elle ne voulait pas alimenter la rumeur circulant dans la maison.

— Non, dit-elle enfin, car c'est une promenade aisée, en descendant jusqu'au pied de la colline.

— Vous en êtes certaine, madame Kerr?

Elle jeta un autre regard à la fenêtre.

— Oui.

Chapitre 61

Ma journée est finie !
les ténèbres de la nuit sont arrivées !
— Joanna Baillie

La cloche de l'église s'apprêtait à sonner dix-huit heures quand Elisabeth sortit précipitamment par la porte de service, pressée de rentrer à la maison. Le ciel était noir de nuages et le soleil s'était presque complètement retiré derrière l'horizon. La température avait beaucoup chuté depuis son départ de la ruelle Halliwell ce matin-là, et une tempête, venant de l'ouest, approchait rapidement.

Pourquoi avait-elle refusé l'offre de Son Excellence de mettre une voiture à sa disposition ? Il était trop tard maintenant, car elle n'avait pas l'intention de l'importuner alors que les Murray étaient attendus à tout moment. La pluie n'était que de l'eau, se rappela-t-elle.

Elisabeth se hâta de traverser le parterre, agrippant son chapeau d'une main et tenant son panier à couture de l'autre. Elle avait promis de retoucher une robe d'Anne après le dîner ce soir-là, et elle ne la décevrait pas. Puis, elle baissa les yeux et s'aperçut que ses ciseaux ne se balançaient plus au bout de leur corde à son cou. *Non !*

Elle fit demi-tour, pensant retourner à sa salle de travail, puis elle se souvint des petits ciseaux de dentelière d'Anne. Oui, ils feraient l'affaire. Elisabeth reprit le chemin de la maison, courant presque maintenant, quand elle atteignit la route de l'ouest menant à la ville.

Noir, noir. Et dans le lointain un roulement de tonnerre.

Bien qu'elle n'eût pas de lanterne, les lumières de Selkirk l'attiraient vers son but. Elisabeth connaissait bien le sentier abrupt et étroit, pour l'avoir parcouru matin et soir pendant tout l'été. Elle descendit la colline, face au vent qui lui soufflait les cheveux au visage, marchant à pas prudents. Elle arrivait à voir ses mains tendues devant, mais pas au-delà. L'air rendait un son creux alors que le tonnerre s'amplifiait au-dessus de sa tête.

À la première grande courbe se trouvait un imposant rocher, à peu près de la taille de la voiture de Son Excellence. Elle était presque rendue de l'autre côté quand un homme de forte corpulence vint se placer en travers de son chemin.

— Oh! s'exclama-t-elle, se penchant vers l'avant comme si elle avait reçu un coup au ventre. Mon Dieu, Rob, comme vous m'avez fait peur!

Le tailleur lui prit le bras sans ménagement. Il l'entraîna de l'autre côté du rocher vers une petite plaque d'herbe entourée d'ajoncs épineux, où Rob avait déposé son baluchon de voyage.

— J'pouvais pas t'parler au manoir, dit-il, alors j'ai pensé l'faire ici.

— Ici? demanda-t-elle en regardant Rob dans les yeux, qui étaient plus sombres que le ciel. Mais la tempête…

— Assois-toi avec moi, dit-il, faisant comme s'il ne l'avait pas entendue.

Elisabeth n'avait pas peur, mais elle était confuse quand elle s'assit maladroitement sur le sol froid. Rob vint la rejoindre en grommelant. Que ce fût volontairement ou accidentellement, il s'assit sur sa robe, la clouant littéralement sur place.

Lorsqu'il parla de nouveau, il regardait droit devant lui, et sa voix était basse mais tendue.

— Où avais-tu la tête en déjeunant avec Son Excellence? *Est-ce la raison de tout cela?*

— Rob, ce n'était qu'un banal repas. Et nous étions entourés de domestiques…

— Je sais d'quelle manière y t'regarde. Je sais c'qu'y mijote.

— Tu te méprends à son sujet, insista-t-elle. Lord Buchanan est un homme bon, un homme juste…

— Alors, tu penses l'épouser.

— L'épouser ? As-tu oublié que je suis toujours en deuil ?

— Non, dit-il, et il se tourna vers elle. Mais *toi*, tu l'as oublié.

Sa main enserra son avant-bras et il l'attira plus près de lui.

— J't'ai attendu longtemps, Bess. J'te perdrai pas pour un aut'.

Quand elle vit la dureté de son visage, la noirceur de son regard, la peur commença à gagner son cœur aussi sûrement que le froid s'infiltrait à travers ses jupes. Pourtant, elle demeura ferme.

— Si je dois me remarier, c'est le Tout-Puissant qui choisira mon époux.

— Est-ce qu'y pourrait m'choisir ?

— Je ne t'ai pas vu à l'église, lui rappela-t-elle, alors que la main du tailleur se resserrait sur son bras. Pas un seul dimanche, pendant que nous vivions à Édimbourg.

Il poussa un grognement de mépris.

— C'est la jeune femme qui vénérait la lune qui m'le reproche ?

— Plus maintenant, répondit-elle avec conviction. J'appartiens à Dieu.

— Non, Bess, dit-il en l'attirant contre sa poitrine et l'y retenant. Tu m'appartiens.

Elle essaya de se dégager de sa brutale étreinte.

— Rob, je t'en prie...

Mais il était trop fort. Il la poussa sur le sol et appliqua son poids sur Elisabeth. Elle ne pouvait plus bouger ni respirer.

— Arrête, Rob ! s'écria-t-elle, d'une voix fluette, tendue l'extrême.

Il appliqua sa bouche sur ses lèvres, attendant une réponse.

Aidez-moi, mon Dieu ! S'il vous plaît. Au prix d'un suprême effort, elle parvint enfin à échapper au baiser brutal de Rob, mais sa joue fut éraflée par sa barbe de plusieurs jours.

Mais Rob ne céda pas. Soufflant dans son oreille, il exprima clairement ses intentions.

— Tu n'te refuseras pas à moi, Bess. J't'ai aimée trop long-temps et j'te connais trop bien.

Il l'embrassa dans la courbe de son cou, rudement, sans tendresse ni affection, puis il agrippa ses jupes.

— Non, Rob !

Elle s'arc-bouta contre lui, soulevant les épaules, essayant de le déséquilibrer.

— Tu… ne peux… vouloir cela.

— Oui, j'l'veux, gronda-t-il, l'immobilisant sous son corps massif. Si j'peux pas te marier, j't'aurai quand même.

— S'il te plaît, Rob, l'implora-t-elle, commençant à pleurer alors qu'il tentait de lui écarter les genoux. S'il te plaît… ne fais pas…

Il n'écoutait plus. Il était insensible à ses plaintes.

Mais Dieu écoutait et n'était pas indifférent.

— Père ! cria-t-elle. Père ! Ne le laissez pas me faire du mal !

Rob s'arrêta brusquement.

— Ton père est *mort*.

Elle haleta avant de répondre.

— Mais mon Père céleste ne l'est pas.

Aucun des deux ne bougea, même sous les hurlements du vent et les coups de tonnerre.

Puis, détournant la tête, Rob la libéra enfin. Il s'appuya sur ses genoux pour se lever, tandis qu'elle arrangeait sa robe à la hâte, les mains tremblantes.

Il lui tournait le dos, maintenant. Sa rage semblait s'être apaisée. Même dans l'obscurité, elle pouvait voir la courbe tombante de ses épaules.

Une fois debout, Elisabeth palpa son visage, son cou, certaine qu'elle découvrirait des ecchymoses le matin venu. Mais elle n'était pas gravement blessée. Elle n'avait pas été déshonorée. *Merci, Père.*

Soudain, ses genoux ployèrent et ses membres commencèrent à trembler. De nouvelles larmes glissèrent sur ses joues et elle s'éloigna lentement de Rob, un tourbillon d'émotions s'agitant en elle. La peur, le soulagement et la colère se bousculaient en elle.

Pendant un moment, elle pensa s'évanouir ou être malade. Mais plus que tout, elle voulait courir, mettre la plus grande distance qu'elle pourrait entre eux. Malheureusement, ses jambes refusaient de la porter. Et il y avait des choses qu'elle tenait à lui dire.

— Tu dois partir sur-le-champ, dit-elle, la voix rendue rauque par la douleur. Pas seulement de Bell Hill. Ni de Selkirk. Tu dois quitter l'Écosse et ne jamais revenir.

Elle n'entendait rien d'autre que le vent qui fouettait l'herbe à leurs pieds.

Puis, il s'exprima d'une voix basse, brisée, pleine de remords.

— J'ai pas voulu c'qui est arrivé, Bess. J'ai jamais voulu t'faire du mal.

Elle le crut. Mais cela ne changeait rien.

— Écoute-moi, Rob, dit-elle en levant la tête, se sentant un peu plus forte. Je n'en parlerai pas à Lord Buchanan avant que tu sois très loin. Mais je lui en parlerai. Et il te pourchassera, à moins que tu sois hors de sa portée.

Rob se tourna lentement, le visage hagard.

— Pourquoi, Bess ? Pourquoi m'épargnes-tu ?

— Au nom de notre amitié passée. Et parce que Dieu m'a pardonné quand j'en vénérais stupidement un autre.

La pluie s'abattit enfin. Quelques grosses gouttes, puis d'autres. Dans une minute, ils seraient trempés de la tête au pied.

— Va, le pressa-t-elle, élevant la voix au-dessus du vacarme grandissant de l'orage. Pars pour l'Amérique comme tu l'avais dit. Recommence une nouvelle vie là-bas.

Il secoua la tête, évitant son regard.

— J'peux pas vivre sans toi.

— Mais tu le dois.

Elle ramassa son chapeau et son panier, et toutes ses pensées étaient tournées vers la ruelle Halliwell, vers la maison.

— Tu ne seras pas seul. Dieu sera avec toi.

Il osa enfin à la regarder.

— Es-tu sûre, Bess?

— J'en suis sûre, dit-elle.

Elle leva le visage vers les cieux, laissant les gouttes de pluie laver ses larmes.

Chapitre 62

Accroche-toi à ton foyer ! Même la plus simple hutte,
Si elle t'offre un feu et un toit sur ta tête.
— Léonidas de Tarente

Marjory n'avait jamais aimé le tonnerre. Lord John le trouvait réconfortant, particulièrement la nuit quand le bas grondement se propageait sur les collines, l'aidant à se glisser dans le sommeil. Mais, ce soir, une pluie torrentielle avait suivi le tonnerre, et Elisabeth n'était pas encore rentrée.

Regardant par la fenêtre, Marjory s'inquiétait.

— Elle devrait quitter le manoir plus tôt, maintenant que septembre est arrivé.

— Et commencer plus tard le matin, approuva Anne, sans lever les yeux de l'ouvrage de dentelle qu'elle avait apporté.

Bien que Marjory n'eût pas de guéridon porte-luminaire à lui offrir, elle tentait d'en recréer l'effet en plaçant deux verres d'eau claire de part et d'autre d'une chandelle de suif. Cet arrangement permettait aux femmes de travailler dans la soirée. Les verres appartenaient à Jane Nicoll, qui habitait l'une des plus belles maisons de la Back Row. Jane en possédait plusieurs autres dans son buffet et elle avait assuré les Kerr que ceux-là ne lui manqueraient jamais.

Marjory avait accepté aussi élégamment qu'elle l'avait pu ; elle apprenait encore à recevoir plutôt qu'à donner. Au début, elle ressentait de l'amertume et même de la honte. Aujourd'hui, elle commençait à comprendre que ceux qui possédaient des biens en abondance éprouvaient de la joie à donner à ceux qui étaient dans le besoin. Et elle accueillait leur générosité, se rappelant que tous les présents venaient de Dieu. N'avait-elle pas demandé au Tout-Puissant de pourvoir aux besoins de tous ceux qu'elle aimait ? De les protéger et de veiller sur eux ? Eh bien, Anne venait tout juste d'épouser un tailleur prospère. Et Elisabeth, qui avait un œil sur un amiral fortuné. Sans s'oublier elle-même, qui aimait sereinement un homme bon.

Tous les jours, les Kerr avaient pris le petit-déjeuner, le déjeuner, le thé et le dîner, et elles n'avaient manqué de rien, grâce à la providence divine. Oui, elle pouvait accepter le présent de deux verres de Jane sans se sentir embarrassée. Si son orgueil avait disparu, n'était-ce pas aussi bien ?

Aux bruits de pas dans l'escalier, Marjory soupira, soulagée de savoir sa belle-fille à la maison. Elisabeth se déplaçait plus lentement que d'habitude, remarqua Marjory. Qui ne serait pas fourbu, après une promenade de deux milles sous la pluie ? Elle brassa sa soupe de navets une dernière fois, puis se dirigea vers l'entrée en saluant joyeusement à haute voix.

Mais lorsque la porte s'ouvrit en grinçant et qu'Elisabeth entra la tête baissée, Marjory comprit que quelque chose n'allait pas.

— Qu'y a-t-il, Bess ?

Quand Elisabeth leva les yeux et révéla son visage, Marjory faillit se trouver mal. L'une de ses joues était rouge et éraflée et ses lèvres étaient sévèrement enflées.

— Ma chère fille ! Êtes-vous tombée ?

Elisabeth secoua la tête et referma silencieusement la porte, puis elle retira le fichu de lin blanc noué autour de son cou.

— Bess ! s'exclama-t-elle doucement. Qui vous a fait cela ?

Des larmes coulèrent de ses yeux.

— R-rob, parvint-elle à dire.

Marjory eut un hoquet de surprise.

— Rob MacPherson ? fit-elle, et quand Elisabeth hocha la tête, les mains de Marjory se mirent à trembler. Je le savais, je le savais. N'avais-je pas dit qu'il était dangereux, Annie ?

Sa cousine hocha seulement la tête, car elle était trop en
état de choc pour parler.

— Il ne m'a pas violée, dit Elisabeth d'une voix éteinte.
Mais... il en avait l'intention.

— Ma pauvre, douce Bess !

Marjory déglutit fortement pour dominer sa nausée.

— C'est ma faute, dit-elle, j'aurais dû dire à Lord Buchanan
quelle sorte d'homme il avait embauché.

— Ne vous tourmentez pas, cousine, dit Anne gentiment,
aidant Elisabeth à enlever sa robe. Personne ici n'aurait pu
prévoir un tel comportement de sa part.

— Moi j'aurais pu, dit Marjory sombrement, j'aurais dû le
savoir.

Elle remplit rapidement la cuvette d'eau chaude et ajouta
son précieux pain de savon à la lavande.

Toujours vêtue de sa chemise, Elisabeth s'épongea avec
un linge humide, grimaçant dès qu'il touchait une partie de
son corps. Ses bras, sa poitrine, son cou, ses épaules.

— Demain, dit-elle d'une voix chevrotante, mes ecchymoses seront bien plus apparentes. J'espère que mes vêtements couvriront tout.

Marjory toucha prudemment sa joue.

— Et qu'est-il arrivé ici ?

Elisabeth détourna le regard.

— Sa barbe était... rugueuse.

— Oh, Bess...

Marjory ne put retenir ses larmes plus longtemps. Elle
s'effondra sur la chaise la plus proche, puis s'empara de la
main d'Elisabeth et la caressa encore et encore, son corps se
balançant d'avant en arrière.

— Je suis désolée... si désolée...

Anne renifla, tamponnant ses yeux humides et son nez
qui coulait.

— Venez, dit-elle enfin, laissez-moi vous préparer à aller
au lit.

Elle passa une chemise de nuit propre par-dessus la tête d'Elisabeth, puis drapa doucement un plaid sur ses épaules.

— Voulez-vous manger quelque chose?

Elisabeth secoua la tête.

— Du thé, peut-être, répondit-elle, puis elle s'assit près de Marjory à la table ovale. J'étais bien plus... forte... avant. Mais sur le chemin du retour...

— Bien sûr, dit Marjory. On peut être brave un certain temps, mais pas davantage. Quoi qu'il en soit, vous avez dû être très courageuse pour réussir à l'arrêter.

— C'est Dieu qui l'a fait, dit Elisabeth, pas moi.

En quelques phrases entrecoupées de silence, elle décrivit l'horrible rencontre, prenant de longues gorgées de thé dès que sa gorge s'asséchait.

Quand Elisabeth fut à court de mots, Anne se leva et prit sa cape de laine.

— Je rendrai visite au révérend Brown ce soir, déclara-t-elle. Il convoquera le shérif demain matin, qui en informera Lord Buchanan. Avant midi, Rob MacPherson sera derrière les barreaux...

— Non, dit Elisabeth d'un ton très ferme. J'ai dit à Rob de partir, de quitter l'Écosse et de ne plus jamais revenir.

Anne la regarda, horrifiée.

— Mais il mérite d'être puni!

— Oui, et il le sera, l'assura Elisabeth. Chaque fois qu'il pensera à moi. Chaque fois qu'il se rappellera ce qu'il a fait. Chaque fois qu'il aura la nostalgie de son foyer des Highlands. Chaque fois qu'il reverra mon visage meurtri. En ce qui concerne les autres châtiments, je laisse cela entre les mains du Tout-Puissant.

Anne ne décolérait pas.

— Mais Lord Buchanan...

— Il le tuerait, dit Elisabeth sans hésitation. Et je ne pourrais tolérer d'avoir cela sur la conscience. Ni de forcer Son Excellence à vivre avec un meurtre. Je resterai ici demain et je soignerai mes blessures. Cela donnera un jour à Rob avant que je doive expliquer à Lord Buchanan ce qu'il est advenu de son tailleur.

Marjory tordait les cordons de son tablier, incertaine de ses émotions. Fière d'elle, d'une part, et craignant pour sa sécurité, d'autre part.

— Comment savez-vous que Rob MacPherson ne reviendra pas vous voir un jour ou l'autre ? Cet homme ne peut vivre loin de vous, Elisabeth.

— Là où il se rend, le voyage de retour sera difficile, dit Elisabeth en se levant, son thé maintenant refroidi. Maintenant, je crois que le mieux pour moi est une nuit de sommeil.

Marjory fut sur pied à l'instant, secouant les couvertures de son lit gigogne. Elle les remit en place et tassa son mince oreiller de plumes.

— Prenez mon lit, ma chérie.

Quand Elisabeth s'étendit sur le petit lit, elle dut replier ses longues jambes sous son menton, tant elle y était à l'étroit. Marjory la couvrit d'abord d'un plaid, puis en plaça un second sur son corps couvert de meurtrissures, avant de la border comme une enfant. Et elle *était* une enfant à ce moment-là — son enfant —, qu'elle aimait de tout son cœur.

— Dormez bien, ma chère Bess.

— Bonne nuit, murmura-t-elle en fermant les yeux.

Marjory s'éloigna sur la pointe des pieds en faisant signe à Anne de la suivre. Leur dîner fut bref, leurs échanges se limitant à quelques murmures, puis elles se séparèrent plus tôt qu'elles avaient prévu le faire ce soir-là.

Debout près de la porte, Anne lui confia :

— Comme j'aimerais être présente quand Bess le dira à Son Excellence !

— Pas moi, répondit Marjory en haussant les épaules. Peu importe ce que Bess peut penser, Lord Buchanan ne connaîtra pas de repos tant que justice n'aura pas été rendue.

Chapitre 63

Celui qui ne veut pas être déçu
est souvent trompé quand il est le plus sur ses gardes.
— Plaute

Jack arpentait son salon, jetant au passage un coup d'œil au matin gris et pluvieux. La pluie était tombée toute la nuit et ne montrait aucun signe de répit. La veille, Elisabeth avait dit : « C'est une promenade aisée. » Mais maintenant, elle grimpait la colline sous la pluie battante. Même si elle était habituée à affronter toutes les intempéries, les désagréments qu'elle devait subir lui pesaient. Devait-il envoyer la voiture à sa rencontre ? Ou se moquerait-elle de lui, de s'être inquiété à ce point ?

Quand il entendit un coup bref à la porte, Jack se tourna, espérant trouver Elisabeth debout sur le seuil. Mais c'était Roberts qui était là.

— Lord Buchanan, j'ai une mauvaise nouvelle à vous apprendre.

Jack avait perçu la tension dans sa voix.

— Qu'y a-t-il, Roberts ?

— J'ai peur que notre tailleur n'ait quitté Bell Hill. Sans un mot d'explication.

— Monsieur MacPherson est... parti ? dit Jack, qui fronça les sourcils, ne sachant pas s'il devait être inquiet ou heureux de la nouvelle. J'espère qu'il n'a rien emporté avec lui.

— Seulement ses effets personnels, milord.

— Fort peu de choses, dit Jack.

Il se rappela l'arrivée de Rob MacPherson à sa porte moins d'une quinzaine auparavant, portant un maigre ballot.

— Il a laissé sa salle de travail en ordre et son lit est fait, l'informa Roberts. Le vêtement qu'il était en train de coudre est déposé sur le dossier d'une chaise.

Jack soupira, ignorant toujours ce qu'il devait en penser.

— Étrange affaire, n'est-ce pas ? J'imagine qu'il me faudra engager un autre tailleur. Quelqu'un de la ville.

Lorsque le beau temps reviendrait, il enverrait une lettre à Michael Dalgliesh afin d'obtenir une suggestion de sa part. Malgré son immense talent avec une aiguille, Rob MacPherson serait facilement remplacé.

Sa conscience vint le harceler. *Pourtant, tu dois l'admettre, Jack. Tu es heureux qu'il soit parti.* Si cela signifiait que MacPherson cesserait de faire des avances à Elisabeth, alors oui, il en était fort heureux !

Jack demanda qu'on lui serve son petit-déjeuner dans son bureau, puis il se dirigea vers le hall.

— Et prévenez-moi dès que madame Kerr sera arrivée.

Son petit-déjeuner fut servi, puis le plateau emporté. L'horloge du manteau de la cheminée carillonna huit, puis neuf, puis dix fois. Aucun signe d'Elisabeth. Jack mit de côté son grand livre, avec ses ennuyeuses colonnes de chiffres et traversa le hall, se disant qu'elle devait sûrement être arrivée, mais que Roberts aurait oublié de l'en avertir.

— Madame Pringle, l'appela-t-il quand il l'aperçut au bout du corridor. Auriez-vous la bonté de demander à madame Kerr de venir dans mon bureau ?

La gouvernante vint vers lui rapidement et son visage exprimait son malaise.

— Elle n'est pas ici, milord.

— Pas ici ? demanda-t-il, incapable de cacher sa déception. Croyez-vous que c'est le mauvais temps qui l'a retardée ?

— Je ne puis le dire, milord, bien que madame Kerr ait déjà accompli ce trajet dans les deux directions sous la pluie à maintes reprises.

— Vous m'avertirez à la minute — non, à la seconde — où elle apparaîtra?

Madame Pringle hocha nerveusement la tête avant de retourner à ses tâches.

Jack se replongea dans les comptes de la maison pour les abandonner peu après, désormais incapable de se concentrer. Rob MacPherson s'était d'abord volatilisé. Et maintenant, c'était au tour d'Elisabeth.

Il se posta à la fenêtre. Il aurait voulu la voir apparaître en courant dans l'allée avec ses excuses toutes prêtes, toutes inutiles. N'importe quoi pouvait être arrivé, s'efforçait-il de se persuader. Un incident sur la ruelle Halliwell. Un membre de la famille tombé malade. Un voisin ayant besoin d'assistance.

Il refusa d'envisager la possibilité qu'Elisabeth ait également quitté Bell Hill sans un mot d'adieu. Pourtant, à chaque minute qui passait, les faits semblaient indiquer un peu plus cette direction.

Bess, vous ne pouvez vous être enfuie avec cet homme.

Cette pensée lui glaça le sang dans les veines. Perdre Elisabeth serait un coup suffisamment dur pour lui. Mais il ne supporterait pas de l'avoir perdue aux mains de cet artisan ténébreux et mal éduqué.

Puis, une autre possibilité se présenta à son esprit, encore plus troublante que la première. Et si Elisabeth n'était pas partie de son plein gré? Si Rob MacPherson l'avait plutôt enlevée? Jadis, les hommes de clan kidnappaient leurs épouses contre leur gré. Qu'est-ce qui lui prouvait que cet homme des Highlands était incapable d'un tel acte barbare?

Cédant à un moment d'abattement, Jack appuya son front contre la vitre. *Arrivez maintenant, Bess, que je sache que vous êtes saine et sauve. Et loin de ce Rob MacPherson.*

Quand un homme derrière lui s'éclaircit la voix, Jack se retourna vivement, et il fut surpris de trouver Roberts dans l'embrasure de la porte avec Gibson.

Jack alla à leur rencontre en un temps record.

— Avez-vous des nouvelles à m'apporter ?

— Oui, milord, dit Gibson. J'vous prie de m'excuser de n'avoir pu me libérer avant. J'vous apporte un message d'la ruelle Halliwell. De m'dame Kerr.

Jack s'arma de courage, se préparant au pire.

— Madame Elisabeth Kerr ?

— Oui, milord. Elle s'porte pas bien c'matin. Elle vous d'mande de l'excuser de s'absenter d'son travail aujourd'hui.

Une vague de soulagement fondit sur lui comme la pluie qui arrosait ses jardins.

— Elle est à la maison, alors. Elle est… *En sécurité. Dieu soit loué !* Mais elle ne se porte pas bien, dites-vous ?

Jack n'aimait pas ce qu'il entendait.

— Devrais-je mander un médecin d'Édimbourg ?

— Non, non. Une journée d'repos et elle s'ra sur pied.

Jack étudia l'expression de son visage.

— Vous êtes certain de cela ?

— Tout à fait, milord. Attendez-la d'bonne heure d'main matin.

— Et êtes-vous au courant de ce qui s'est passé ici, à Bell Hill, Gibson ? dit Jack en jetant un coup d'œil sur Roberts, qui hocha négativement la tête. Nous avons perdu notre tailleur. Rob MacPherson est parti plutôt abruptement. Madame Kerr voudra sûrement en être informée.

— Oui, dit-il, et une lueur brilla dans les yeux de Gibson. Ça s'pourrait bien.

Dès sept heures le vendredi matin, Jack était réveillé, baigné et habillé, dans l'attente de la visite d'Elisabeth. Il avait renvoyé Gibson avec un assortiment de confitures et de thés de la réserve de madame Tudhope, accompagné d'une brève note : *Prompt rétablissement.* Ce n'était pas très élaboré, mais au moins c'était sincère.

Afin d'occuper son esprit, il s'attaqua à sa correspondance, apposant au bas de chaque lettre sa signature élégante. Quand il entendit la voix d'Elisabeth peu après huit heures, il laissa sa plume sur le buvard et se leva immédiatement.

— Madame Kerr, dit-il, venez et dites-moi comment vous allez aujourd'hui.

Il ne chercha pas à dissimuler sa joie de la revoir. Il *était* ravi.

Elisabeth se déplaçait aussi gracieusement qu'à l'accoutumée, mais elle garda la tête baissée en prenant place sur la chaise devant son bureau.

— Il faut que nous parlions, milord. En privé.

Il ferma la porte après avoir donné des ordres stricts à madame Pringle de ne pas en parler à personne.

— Je ne veux pas que l'on puisse dire du mal de madame Kerr.

— Comptez sur moi, milord.

Lorsque Jack retourna à son bureau, Elisabeth était assise, ses mains gantées posées sur ses genoux. Elle portait encore une légère cape de laine autour de ses épaules et un bonnet de coton qu'il n'avait jamais vu auparavant. Il ne s'en serait guère soucié, n'eût été le bord évasé, qui masquait presque complètement son joli visage.

Il pensa retourner dans son fauteuil, mais décida plutôt d'aller s'asseoir près d'Elisabeth. Peu importe ce qu'elle voulait lui confier, un grand bureau de bois entre eux ne lui faciliterait guère la tâche. Il avait une douzaine de questions en tête, la plupart futiles, mais il attendit simplement qu'elle parlât la première.

— Lord Jack, commença-t-elle, je suis la cause du départ de votre tailleur.

— Oh! fit-il, surpris. Et pourquoi cela, Bess?

Elle parla d'une voix basse, mais déterminée.

— Je lui ai demandé de quitter Bell Hill.

Un nœud commença à se former dans son estomac, le tordant comme un nœud de fouet.

— Quand avez-vous parlé à monsieur MacPherson pour la dernière fois?

— Mercredi soir, répondit-elle. Il m'attendait en bordure de la route, non loin d'ici sur la colline, derrière le gros rocher.

Le nœud se resserra.

— Avait-il l'intention de vous raccompagner à la maison?

— Ce n'était pas son intention.

Jack s'inclina vers elle, craignant de découvrir ce qu'il verrait sous sa cape, sous la bordure de son bonnet.

— Je vous en prie, Bess. Dites-moi qu'il ne vous a pas fait de mal.

Elle se tut un moment. Puis, elle tira sur le ruban qui retenait son bonnet et le laissa glisser sur ses genoux.

— Il n'avait pas l'intention de me faire du mal. Mais il l'a fait.

Jack fixa la marque rouge sur son visage, et la rage commença à monter en lui.

— Qu'est-ce... qui a causé...

— La repousse de sa barbe.

— *Non!*

Jack se leva d'un bond de sa chaise, les surprenant tous les deux.

— *Comment... a-t-il... osé!?*

Il avait proféré les mots, luttant pour garder la maîtrise de lui-même, sachant que c'était de compassion dont Elisabeth avait besoin à ce moment-là. Il se rassit par un effort de volonté, s'efforçant de respirer normalement, de ne se préoccuper que d'elle. S'il se mettait à penser à Rob MacPherson, il briserait tout ce qu'il toucherait.

— Bess, Bess...

Il prit ses mains dans les siennes, mais il ne pouvait la regarder.

— Pardonnez-moi.

— Vous n'êtes pas à blâmer, milord, dit-elle.

Sa voix était éteinte, ses mots entrecoupés.

— Je suis entièrement à blâmer, répliqua-t-il. Je n'aurais jamais dû l'engager. Je n'aurais pas dû lui permettre de rester ici...

— Vous ne pouviez prévoir ce qui allait arriver, dit-elle rapidement. En vérité, je ne l'avais jamais vu se comporter comme il l'a fait mercredi soir.

Jack déglutit avec difficulté.

— Les hommes peuvent faire des choses terribles quand ils n'obtiennent pas ce qu'ils désirent.

— Oui, dit-elle doucement.

Ses yeux brillaient de larmes, qu'elle s'efforçait de contenir. Jack lui en fut reconnaissant, sachant que de la voir pleurer déchaînerait sa colère.

— Pourquoi n'êtes-vous pas venue me voir immédiate-ment? demanda-t-il aussi doucement qu'il le pût. Vous n'aviez certainement pas honte?

Les yeux de la jeune femme retrouvèrent leur éclat et sa voix se fit plus forte.

— Non, Lord Jack. Je souffrais.

Il saisit ses mains, puis se rendit compte qu'il les serrait trop.

— Je ne vous suis d'aucune aide maintenant, dit-il, en colère contre lui-même; plus de vingt années passées en mer l'avaient mal préparé à réconforter une femme. C'était coura-geux de votre part, Bess, reprit-il, de lui demander de partir de Bell Hill.

— J'ai fait plus que cela, dit-elle. Je lui ai demandé de quitter l'Écosse.

Jack se redressa sur son fauteuil, sentant le nœud se res-serrer un peu plus.

— Y a-t-il quelque chose que vous ne m'avez pas dit?

— Oui, il y a autre chose.

Il ne put former les mots.

— A-t-il…

— Non, l'interrompit-elle, mais il a essayé.

Jack ferma les yeux ; il était submergé par les images qui se bousculaient dans son esprit, chacune plus terrible que la précédente. *Ma pauvre, Bess.*

— Ce que l'homme a fait n'en est pas moins un crime.

— Je sais, dit-elle en déglutissant. Alors je l'ai envoyé à un endroit où vous ne pourrez pas le retrouver.

Il la regarda, et son visage exprimait de la confusion.

— Pourquoi cela, Bess ?

— Parce que vous l'auriez tué.

Les mots le choquèrent. Non pas parce qu'elle avait osé les dire, mais parce qu'ils étaient vrais.

Elisabeth le rasséréna par son regard. Son regard clair, chaud et bleu.

— Ce n'était pas Rob MacPherson que je voulais épargner, milord. C'était vous.

Oh, ma douce Bess ! Il se pencha et embrassa ses mains gantées.

— Comment faites-vous pour me connaître si bien ?

— Je sais que vous êtes un amiral, dit-elle doucement, et par conséquent, habitué de transpercer le cœur de vos ennemis avec votre épée.

Elle le connaissait très bien, en effet. Quand il se leva, il était gonflé comme une voile du grand mât.

— Jamais plus un homme ne vous menacera, déclara-t-il. Je veillerai à votre sécurité à tout moment et à n'importe quel prix.

Elisabeth leva la tête.

— Mais comment…

— Belda est maintenant à votre disposition. Montez-la pour venir à Bell Hill et rentrer chez vous, ou aller où le cœur vous en dit. Je verrai à son entretien dans une écurie près de la ruelle Halliwell.

Pour la première fois de la journée, l'espoir brilla dans les yeux d'Elisabeth.

— Est-ce vrai, milord ?

— Tout à fait, répondit-il.

Cela lui faisait du bien de pouvoir lui offrir plus que de la sympathie, bien qu'elle méritât cela aussi.

— Tous les hommes à mon service devront jurer de vous protéger...

— Non seulement moi, mais aussi toutes les autres femmes de Bell Hill, insista-t-elle.

Comme cela vous ressemble, Bess, de penser ainsi aux autres.

— Oui, lui promit-il. Et un autre tailleur sera embauché, mais il n'habitera pas ici.

— Tous les tailleurs ne sont pas comme Rob MacPherson, dit Elisabeth gentiment. C'est son obsession, non sa profession, qui l'a rendu dangereux.

— En effet, dit Jack en expirant fortement, comme si ce souffle pouvait chasser la peur, la colère et la culpabilité qui restaient encore en lui. Hier soir, j'ai cru que vous vous étiez enfuie avec cet homme.

— Jamais, milord, murmura-t-elle. Mon cœur est ici, à Bell Hill.

Il leva les mains d'Elisabeth et les embrassa légèrement une autre fois.

— J'en suis heureux, Bess.

Plus que vous en êtes consciente. Plus que je ne puis l'exprimer.

Chapitre 64

Il y a un tiroir secret
dans le cœur de chaque femme.
— Victor Hugo

Les doigts d'Elisabeth tremblaient alors qu'elle essayait de fixer une autre manchette avec des épingles. *Mon cœur est ici, à Bell Hill.* Sans le vouloir, elle avait presque confessé ses tendres sentiments à l'égard de Son Excellence. Pas étonnant qu'il ait répondu comme il l'a fait. La tendresse dans sa voix, la chaleur de son contact, son regard attentif, ne laissaient planer aucun doute sur la réciprocité de leur affection.

Mais c'est trop tôt, milord. Bien trop tôt.

Elle s'était retirée immédiatement dans sa salle de travail, car elle avait besoin de temps pour faire le tri de ses émotions. *Plus que sur toute chose, veille sur ton cœur.* Oui, c'est ce qu'elle devait faire. Les deux seuls hommes à lui avoir témoigné ouvertement leur amour l'avaient blessée cruellement. Elle n'offrirait pas son cœur à un autre avant d'être sûre — *absolument* sûre — que celui-ci, si bon et loyal fût-il, était celui choisi par Dieu.

Elisabeth regarda vers la fenêtre, un rectangle de la lumière dorée pénétrant dans la pièce. *Est-ce que Lord Buchanan est cet homme, Père ?* Elle n'entendit que le silence, mais, au plus profond d'elle-même, elle connaissait la réponse : *Attends, ma fille. Attends.*

Elle reprit son ouvrage de couture, heureuse d'avoir un travail pour occuper ses mains, à défaut d'absorber son esprit. Au moins, dans sa salle de travail silencieuse, elle était libre d'abandonner son bonnet trop grand, prêté par madame Tait. Dans un jour ou deux, la marque disgracieuse sur sa joue aurait disparu. D'ici au sabbat, souhaita-t-elle, sinon elle serait forcée de le porter toute la journée.

— Oh! fit Sally.

Elle venait d'ouvrir la porte sans frapper, et elle avait les yeux et la bouche grands ouverts.

— Il vous a *fait* du mal! Le bandit!

Elisabeth se leva rapidement tandis que son cœur s'arrêtait. Si Sally le savait, alors toute la maisonnée était au courant.

— Son Excellence nous a convoqués dans la salle à manger, lança Sally, qui cherchait encore son souffle. Il a dit qu'vous aviez été accostée par un homme sur le chemin du retour à la maison, et qu'on devait surveiller les étrangers.

La servante s'approcha, étudiant les joues d'Elisabeth.

— Des feuilles de consoude, dit-elle. Monsieur Richardson peut v'z'en cueillir que'ques-unes.

— Ce remède serait le bienvenu, dit Elisabeth, qui se rassit, puis tira sur le tablier de Sally pour la faire asseoir sur la chaise près d'elle. Est-ce que Lord Buchanan a dit autre chose?

Elle hocha vigoureusement la tête de haut en bas.

— Il a dit qu'on devait v'traiter avec respect, répondit la jeune fille. Et d'veiller sur vous. C'que j'serai toujours heureuse de faire.

— Soyez bénie, murmura Elisabeth, soulagée; il n'avait pas parlé de Rob.

— Les hommes d'la maison étaient très en colère quand ils ont appris c'qui vous était arrivée, continua Sally. Tous les garçons ont juré d'vous protéger et d'veiller sur vous. Ah! soupira-t-elle, si seulement Johnnie Hume voulait faire la même chose pour moi!

Elisabeth se souvenait du jeune forgeron aux bras musclés de la Water Row, et de l'aisance avec laquelle il maniait sa lourde masse.

— Tes désirs se réaliseront peut-être un jour, jeune fille.

— Oh oui ! fit Sally en faisant un clin d'œil.

Puis elle se leva de sa chaise et sortit de la pièce aussi vite qu'elle y était entrée.

Elisabeth la regarda partir, puis revint à sa couture, tout en se demandant si d'autres visiteurs viendraient constater ses blessures. Autant Elisabeth était embarrassée que la maisonnée la vît dans cet état, autant elle était heureuse que tous fussent au courant de la situation. Il valait mieux en parler ouvertement que de laisser courir toutes les rumeurs.

Le couloir menant à sa salle de travail fut rapidement emprunté par de nombreux domestiques. Madame Pringle lui apporta un grand fer à repasser. «Une arme efficace, si ce bandit devait revenir», avait-elle dit. Monsieur Richardson trouva de la consoude poussant dans un coin à l'ombre, non loin des jardins, et il apporta une grande quantité de feuilles fraîches pour appliquer sur ses blessures. Madame Tudhope vint faire une brève visite de courtoisie, laissant derrière elle l'un des desserts favoris d'Elisabeth, une délicieuse tarte aux pommes. Et, vers la fin de l'après-midi, Hyslop passa pour l'assurer que Belda serait sellée et prête à dix-sept heures précises.

— À dix-sept heures ? s'étonna Elisabeth. Pas dix-huit ?

— Par ordre de Son Excellence, dit le cocher.

Quand l'heure vint, Lord Jack lui-même l'escorta vers les écuries. Il était frais rasé et vêtu de son habit d'équitation noir, qui moulait ses longues jambes et ses larges épaules. Fait sur mesure par un tailleur de Londres, présuma-t-elle. Ou de Paris. Comme il était facile d'oublier que Lord Jack avait fait le tour du monde !

— Vous serez à la maison bien avant le coucher du soleil, l'assura-t-il, la précédant sur la pelouse au nord de la maison.

Bien que l'air fût frais et sec, le sol sous leurs pieds était toujours spongieux après deux jours de pluie.

— J'ai pris les dispositions pour que la jument passe chaque nuit à l'écurie de monsieur Riddell, sur la ruelle de l'Église, dit-il.

— C'est si aimable à vous, répondit Elisabeth en levant les yeux vers son visage aux traits rudes, encadré par un ciel rose teinté d'orange. Le personnel de la maison s'est montré si... compréhensif.

Il ralentit le pas, et son regard se fixa sur celui d'Elisabeth.

— Vous ne m'en voulez pas d'en avoir parlé, alors ? Peut-être aurais-je dû vous demander la permission ?

— Il valait mieux qu'ils entendent la vérité par vous, lui dit-elle.

Elle aurait voulu ajouter autre chose. *Parce que vous êtes digne de confiance. Et parce que tous ceux qui vous connaissent vous respectent.*

À un jet de pierre des écuries, Lord Jack s'immobilisa, puis se tourna vers elle.

— Je pense que vous trouverez les hommes de Bell Hill désireux de vous protéger, Bess.

Elle avait déjà été témoin de leur loyauté en action.

— Je ne peux m'aventurer dans le corridor du personnel sans qu'un valet s'offre pour m'escorter, admit-elle en levant le visage vers lui, n'essayant plus de lui cacher ses blessures. Comment puis-je vous remercier, milord ?

— En rentrant chez vous sans délai, dit-il sans hésiter, puis il s'inclina vers elle et prit ses mains. Et en me laissant veiller sur vous, comme j'aurais dû le faire depuis le début.

Elisabeth fit une pause, sa peau s'échauffant sous son regard.

— Je me suis toujours sentie en sécurité ici, dit-elle finalement. Mais je ne suis pas une femme qui a constamment besoin d'être protégée. Vraiment, milord, je peux me défendre seule...

— Le pouvez-vous ? demanda-t-il d'une voix contenue, mais où elle perçut une pointe de frustration. Si j'avais insisté pour que vous rentriez à la maison dans ma voiture mercredi soir, vous ne porteriez pas aujourd'hui cet horrible bonnet.

Lord Jack lui libéra la main, le temps de défaire le ruban et de retirer son bonnet délicatement pour examiner sa joue. Le contact de son doigt ganté était exceptionnellement tendre.

— Comme je voudrais retirer cette marque, murmura-t-il, aussi facilement que je vous ai débarrassé de votre chapeau. Le temps et la main de Dieu feront ce qui n'est pas en mon pouvoir.

Oh, Lord Jack ! Il était si près ; son odeur propre et masculine la submergea.

— Venez, Bess, dit-il doucement, ou nous perdrons notre lumière.

Elle le suivit.

— Vous m'accompagnez jusque chez moi ? demanda-t-elle.

— Oui, dit-il simplement en faisant signe au garçon d'écurie qui tenait les rênes de Janvier.

Le suivant de près, Hyslop amenait Belda. Lord Jack souleva Elisabeth sur sa selle d'amazone sans difficulté, puis monta Janvier d'un seul élan vigoureux.

— Nous partons ? demanda-t-il.

Ils trottèrent côte à côte dans l'allée bordée d'arbres, et une chaude brise agitait les ramures, faisant bruisser les feuilles au-dessus de leurs têtes. Dans un mois, les ormes et les érables échangeraient leur parure verte pour une robe ocre, et celle des chênes serait d'un brun rougeâtre. L'été tirerait alors à sa fin. Mais pas encore.

En approchant de la route de Selkirk et de l'imposant rocher qui s'élevait devant eux, Bess s'agrippa au pommeau de sa selle, consciente du regard de Lord Jack. Sans un mot, il alla se placer devant elle, lui bloquant la vue, jusqu'à ce que la route redevînt droite et que le rocher, avec tous ses sinistres souvenirs, fût derrière eux.

Elle continuait d'avancer, sentant son cœur qui cessait de marteler sa poitrine et sa respiration qui redevenait normale. *Vous n'êtes pas seule, Bess. Le pire est passé.*

Jack attendit qu'elle fût de nouveau à côté de lui pour lui demander d'un ton aimable :

— Que pouvez-vous me dire au sujet de Michaelmas ? Car je dois dire que nous n'accordions pas beaucoup d'importance à ces fêtes à bord.

Elle sourit timidement, laissant aller ses dernières peurs.

— Michael est le saint patron de la mer et des chevaux aussi, expliqua-t-elle. Et vous ne lui avez jamais rendu hommage ?

— Non, madame. Quoique pour le salut de Janvier et de Belda, peut-être devrais-je faire un effort. À quels rituels dois-je me plier ?

— Je ne sais pas ce que les bonnes gens de Selkirk font, mais les femmes des Highlands cueillent des carottes le dimanche après-midi précédant Michaelmas.

— Elles travaillent le dimanche ? dit-il d'un ton pince-sans-rire. Est-ce que le révérend Brown se réjouirait d'apprendre cela ?

— Puisque la veille de Michaelmas tombe un dimanche cette année, les fourneaux aussi seront actifs, l'informa-t-elle. Tandis que les femmes font la cuisine jusqu'aux petites heures de la nuit, les hommes lèvent les chevaux de leurs voisins.

— *Lèvent* ? demanda Lord Jack en fronçant les sourcils. Voulez-vous dire qu'ils les portent sur leurs épaules ?

— Je veux dire qu'ils les volent, dit Elisabeth d'un ton égal. C'est un ancien privilège, mais qui ne dure que jusque dans l'après-midi de Michaelmas, alors que les chevaux sont remis indemnes à leurs propriétaires.

— Êtes-vous certaine de cela ?

— N'ayez aucune crainte, milord, l'assura-t-elle. Nous sommes dans le Borderland. Si les anciens rituels ont déjà existé ici, ils ont été oubliés depuis longtemps.

Une triste vérité, comprit-elle avec une vague de nostalgie. Est-ce que sa mère ferait le tour du cimetière à cheval, avec Ben Cromar la tenant contre sa poitrine entre ses gros bras ? S'échangeraient-ils des présents comme le voulait la coutume ? Et chanteraient-ils l'hymne de Michael ?

Alors qu'ils approchaient du pied de Bell Hill, Elisabeth récitait les mots qu'elle connaissait si bien.

— « Joyau de mon cœur, tu es le berger de Dieu. »

— Je vous demande pardon ? demanda Jack, la ramenant au moment présent.

— C'est une chanson de Michaelmas, s'empressa-t-elle d'expliquer. Entonnée alors quand les villageois font le tour du cimetière à cheval, en suivant la direction du soleil.

— Désirez-vous que nous fassions revivre les anciennes coutumes pour notre célébration de Michaelmas ?

— Pas toutes, milord, dit-elle, essayant très fort de ne pas rougir.

La nuit de Michaelmas était connue non seulement pour ses danses et ses chansons, mais aussi pour ses festivités et ses ébats amoureux. Elisabeth avait l'intention de garder ces détails un peu scandaleux pour elle-même.

— Je sais que vous n'aimez pas danser, amiral, mais j'espère que vous ne vous opposerez pas à une soirée musicale animée.

— Au contraire, répliqua Jack en affichant un grand sourire. J'y compte.

Chapitre 65

Ceux qui bougent le plus aisément
sont ceux qui ont appris à danser.
— Alexander Pope

— Évitez de compter à voix haute, milord.

Jack lança au maître de danse un regard assassin.

— Préférez-vous que j'écrase les orteils de ma partenaire ?

— Sûrement pas, acquiesça monsieur Fowles, bien que les femmes y soient plutôt habituées. Mais si vous comptez à voix haute, vous trahirez que vous êtes un débutant. Vous ne voulez pas donner cette impression, n'est-ce pas, milord ?

Jack marmonna quelque chose et compta mentalement par la suite. *Un et deux et trois. Quatre et cinq et six.* Il avait fait jurer au maître de danse de garder le secret. Seul Dickson était au courant de ses trois visites hebdomadaires à Galashiels, chez monsieur Fowles, un petit homme avec un grand nez comme un bec d'oiseau, pour ses cours privés de danse folklorique, que la plupart des Écossais apprenaient dès l'enfance.

En dépit de son âge, Jack était déterminé à maîtriser les pas à temps pour Michaelmas. Il lui restait une quinzaine de jours. Et pourtant, il comptait toujours. *Un et deux et trois.*

Un violoniste solitaire était posté dans un coin de la pièce meublée sommairement, dont le mince tapis était roulé sur le côté, révélant un plancher de bois non poli. Tandis que le violoniste s'exécutait, monsieur Fowles jouait le rôle de partenaire de Jack, reproduisant fidèlement chacun de ses pas. Il lui serait déjà assez difficile de ne pas rompre la ligne avec les autres hommes, mais l'idée de traverser du côté des dames, pour ensuite les contourner... eh bien, aborder un galion espagnol, un sabre à la main et un poignard entre les dents, était un jeu d'enfant comparativement à cela.

— Saluez, puis faites un pas en avant, entonna monsieur Fowles. Prenez la main de votre partenaire et contournez-la. C'est cela, milord. Maintenant, changez de main et allez dans l'autre direction.

Jack suivait ses directives, résistant à l'envie de sourire devant ses premiers succès. *L'orgueil précède la destruction*, se rappela-t-il silencieusement, tout en comptant dans sa tête. *Quatre et cinq et six.*

Monsieur Fowles continua.

— Prenez la place de votre partenaire, pendant que celle-ci vient occuper la vôtre, puis marchez derrière la femme qui se trouvait à côté d'elle.

La femme en question était une chaise de bois. Peut-être était-ce préférable ainsi.

— Venez retrouver votre partenaire au centre, dit le maître de danse, et faites-en le tour, mais sans lui prendre la main, cette fois.

— Mais que dois-je faire, alors ? demanda Jack.

— Rien, monsieur. Laissez pendre librement vos mains de chaque côté. Maintenant, faites un pas au centre, soulevez-vous sur la plante des pieds, puis revenez en arrière.

Pendant un moment, Jack dansa avec la partenaire d'un autre homme, faisant une révolution autour de la chaise à dossier droit. Puis il entraîna sa propre partenaire, le minuscule monsieur Fowles, alors qu'ils marchaient entre deux rangées imaginaires formées par les autres danseurs, qui devaient sûrement être morts de rire. Jack pouvait presque les entendre. Ou était-ce le violoniste ?

La clémence divine prévalut finalement et l'heure de la leçon arriva à son terme.

Monsieur Fowles était d'humeur généreuse.

— Vous vous améliorez, milord. Quelques leçons encore, et vous serez le point de mire du bal.

Jack maugréa.

— Je crains fort que vous n'ayez raison, dit-il en payant l'homme et en reprenant son chapeau. Nous disons donc, mercredi midi ?

Monsieur Fowles hocha la tête, une lueur dans le regard.

— J'aurai une surprise pour vous.

Jack n'aimait pas les surprises. Enfin, à l'exception de celles que lui-même faisait aux autres.

Le mercredi, lorsqu'il aperçut une demi-douzaine de servantes qui l'attendaient dans le salon de monsieur Fowles, il fut plus que surpris. Terrorisé serait plus précis. Jack attira le maître de danse à l'écart.

— Je ne suis pas prêt, insista-t-il. De plus, je pensais que nos leçons étaient secrètes.

Monsieur Fowles regarda le groupe de jeunes filles aux yeux écarquillés de l'autre côté de la pièce.

— On ne vous connaît pas dans cette paroisse, milord. Je leur ai dit que vous étiez un Français qui ne savait pas un mot d'anglais. Tant que vous vous abstiendrez de compter à voix haute, elles ne s'apercevront de rien.

Jack n'avait pas d'autre choix que de se joindre aux deux lignes qu'elles formaient déjà et d'attendre que la musique commençât. Après chaque faux pas, chaque tour dans la mauvaise direction, il pensait à Elisabeth et faisait un effort supplémentaire. Les servantes étaient gentilles avec lui, le guidant à travers les mouvements précis de chaque danse, jusqu'à ce qu'à la fin de l'heure, il sentit une vague de confiance monter en lui. Y arrivait-il enfin ?

Il parcourut rapidement les cinq milles jusqu'à la maison, savourant le temps magnifique de septembre. Si le jour de

Michaelmas était seulement à moitié aussi radieux que celui-ci, le bal serait un succès. *Lancerez-vous les conventions aux orties et danserez-vous avec moi, Bess ?* Il ne pouvait attendre de voir l'expression de son visage. Bien sûr, mais cela était vrai dans toutes les occasions.

À quinze heures, Jack trouva sa salle de travail vacante. Une robe achevée était suspendue au mur, mais il n'y avait aucun signe d'Elisabeth. Même Charbon n'était pas blotti près du foyer à sa place habituelle.

Jack parcourut toute la maison, regardant ici et là, sans s'inquiéter vraiment. Si Elisabeth était sur sa propriété, elle était en sécurité. N'avait-il pas clairement exprimé à toute sa maisonnée, et aux hommes en particulier, ce qu'il attendait d'eux ? « Étant veuve, originaire des Highlands de surcroît, madame Kerr est particulièrement vulnérable », leur avait-il dit, puis il avait donné un aperçu des mesures qu'il voulait leur voir prendre : garder un œil sur elle le jour ; verrouiller les portes extérieures la nuit ; questionner tout étranger errant sur la propriété ; remarquer ceux qui l'importunaient à l'église ou au marché ; se tenir à l'affût des rumeurs. « Elle ne doit pas se sentir en prison ici, avait-il précisé, mais je veux qu'elle se sente en sécurité. »

À ce moment-là, Jack voulait simplement la trouver.

Quand il entendit sa voix qui flottait dans l'escalier en provenance de l'étage, il escalada les marches quatre à quatre. Pas très discrètement, sembla-t-il, car elle regardait dans sa direction quand il émergea dans le couloir.

— Madame Kerr, dit-il en s'inclinant galamment. Et madame Pringle. J'imagine que vous êtes en train de tout préparer pour Michaelmas.

— En effet, milord, dit Elisabeth qui lui montra un croquis du salon. Avec autant d'invités, je crains qu'il faille déplacer votre mobilier. Je sais que vous n'êtes pas friand de danse, mais...

— Oh, mais il doit y avoir de la danse! protesta-t-il. N'est-ce pas la raison d'être du bal de Michaelmas?

Elisabeth sourit.

— Entre autres choses, milord.

La leçon de danse du vendredi fut une révélation: Jack oublia de compter et se souvenait tout de même de tous les pas. Le lundi suivant, il s'amusa presque. *Presque*. Et le mercredi suivant, monsieur Fowles applaudit spontanément son élève.

— Vous êtes prêt, milord. Et vous avez encore cinq jours devant vous.

Jack paya à l'homme son dû et lui dit adieu. Prêt ou non, le grand soir approchait.

Quand il rentra de Galashiels, il trouva Bell Hill sens dessus dessous. Le mobilier du salon était réduit à une longue rangée de sièges le long des murs, tandis que le plancher n'était plus qu'un vaste espace dénudé. La salle à manger comptait plus de chaises qu'il pût l'estimer d'un seul coup d'œil, et l'argenterie rutilante couvrait la longue table. Les servantes pourvues d'un plumeau, accompagnées des domestiques avec leur balai, passaient de pièce en pièce, nettoyant une maison qui était déjà impeccable.

— C'est leur façon de vous rendre hommage, expliqua madame Pringle, visiblement satisfaite. Et deux lettres sont arrivées en votre absence, milord.

Il n'eut qu'à jeter un coup d'œil à l'écriture pour connaître leur origine.

— Que madame Kerr me retrouve dans mon bureau dans un quart d'heure, dit-il.

— Très bien, monsieur, dit la gouvernante, qui souriait presque. N'êtes-vous pas heureux que je vous l'aie présentée en mai?

— Oui, madame Pringle. *Fort heureux.*

Il terminait une tasse de thé quand Elisabeth apparut. Elle regarda par-dessus son épaule, probablement pour s'assurer que la porte était entrouverte, puis elle s'assit devant son bureau, les mains posées sur les genoux.

— Qu'y a-t-il, Lord Jack ? Vous me semblez bien sérieux.

— J'ai des nouvelles qui vous intéresseront, lui confia-t-il, tendant la main pour prendre les deux lettres envoyées par des hommes bien payés pour agir en son nom. Vous avez ordonné à monsieur MacPherson de quitter l'Écosse, n'est-ce pas ? Vous serez heureuse d'apprendre qu'il l'a fait. Lundi, il s'est embarqué sur un navire en partance pour l'Amérique.

Comme le visage d'Elisabeth ne manifestait aucune surprise, Jack se demanda si Elisabeth était déjà au courant de la destination de Rob.

— Vous avait-il fait part de ses plans ?

— Il l'avait fait, répondit-elle.

— Et il voulait que vous partiez avec lui ?

Elle baissa le regard.

— Oui, dit-elle.

Jack aurait voulu se pencher au-dessus de son bureau afin de lui effleurer la joue, qui était maintenant guérie.

— Je remercie Dieu que vous ayez refusé, Bess. *Pour votre bien. Et le mien.*

— Je n'aurais pu faire autrement, dit-elle doucement en levant la tête. Est-ce que la deuxième lettre me concerne aussi ?

— Oui, dit-il en baissant les yeux vers les feuilles qu'il tenait entre les mains. Selon Archie Gordon, l'homme que j'ai envoyé en mission dans les Hautes-Terres, Ben Cromar n'aurait pas fait de mal à votre mère de manière apparente depuis mon séjour là-bas. De plus, le shérif d'Aberdeen a été alerté, et quelques-uns de vos anciens voisins, dont Madame MacKindlay, la sage-femme, ont été secrètement chargés de veiller sur elle et sur sa sécurité.

— Services pour lesquels ils ont été, je présume, généreusement rétribués.

— Bien sûr, dit Jack, qui la regarda un moment, incertain de ce qu'elle voulait dire. Est-ce que ma richesse vous offense, Bess ?

— Non, elle m'étonne, dit-elle.

L'expression de son visage était sincère, ses paroles encore davantage.

— Vous êtes le gentilhomme le plus généreux que j'aie jamais connu.

Alors, épousez-moi, Bess. Les mots étaient sur le bout de sa langue. *Dis-les, Jack. Ose.*

On trouvait facilement la jeunesse et la beauté parmi les filles du pays, mais où trouver la bonté et la charité ? La sagesse et la pureté ? La force et l'humilité ? Il attendrait volontiers pour avoir une telle femme. Mais la nouvelle année lui semblait si loin.

Jack contourna son bureau. Il regarda sa robe de deuil, pensant tâter le terrain.

— Quand viendra le 17 janvier et que vous serez libre de porter la couleur qui vous plaît, je suis curieux de savoir celle que vous choisirez.

Elle se leva, et le doux contour de son visage reflétait la lumière de l'après-midi.

— J'ai une préférence pour la lavande.

Il s'approcha d'elle aussi près qu'il l'osa.

— Le parfum et la couleur ?

Au moment où elle hochait la tête de haut en bas, il décida de retenir cette information pour plus tard.

— Une couleur féminine, signifiant le dévouement, reprit-il. Je rêve du jour où je vous verrai la porter.

Un sourire flotta sur les lèvres d'Elisabeth.

— Vraiment, milord ? dit-elle, puis elle s'écarta légèrement de lui quand elle entendit des bruits de pas dans le corridor. Alors, j'espère que vous êtes un homme patient.

— Oh, très patient ! l'assura-t-il, comptant mentalement le temps qui restait.

Trois mois et vingt-quatre jours, Bess. Et alors, si vous voulez de moi pour époux, si Dieu le veut, vous serez mienne.

Chapitre 66

Semez des carottes dans vos jardins,
et louez humblement Dieu à la récolte,
pour cette bénédiction singulière et merveilleuse.
— Richard Gardiner

Marjory regarda Elisabeth en clignant des yeux.
— Nous devrons cueillir des *carottes*? Le jour du sabbat?

Sa belle-fille éclata de rire, enfilant une paire de gants usés tout juste bons pour faire du jardinage.

— Si madame Thorburn le permet.

— Et si le révérend Brown ne le remarque pas, ajouta Marjory d'un ton plutôt sévère.

Quand Elisabeth l'eut convaincu que les traditions ancestrales de la veille de Michaelmas avaient été embrassées de tout temps par les ministres des Highlands et qu'elles ne déshonoraient pas Dieu, Marjory abdiqua.

— Mais n'auront-elles pas été toutes cueillies maintenant?

— Il reste en toujours une ou deux dissimulées sous les mauvaises herbes, attendant d'être tirées de leur cachette, dit Elisabeth en prenant la main de Marjory pour l'arracher à son fauteuil rembourré.

— Maintenant, c'est *moi* qui ai l'impression d'être une carotte, la taquina Marjory.

Puisqu'elles ne disposaient pas de bêches pour fouiller la terre, elle glissa une fourchette de bois dans la poche de son tablier. Elle descendit l'escalier la première, se sentant plutôt ridicule. Mais si cela faisait plaisir à Elisabeth, quel mal y avait-il?

Le ciel de l'après-midi était d'un gris pâle avec une mince couche de nuages s'étirant d'est en ouest. Marjory ne sentait pas la pluie dans l'air, même s'il lui semblait plus frais que lorsqu'elles étaient rentrées en vitesse de l'église ce matin-là. Elle avait lancé une cape sur ses épaules pour se protéger et elle était heureuse de son choix maintenant, alors qu'elles se dirigeaient vers le jardin de madame Thorburn.

— Il n'y a pas grand-chose ici, j'en ai peur, dit Marjory en marchant avec précaution autour des rangées de légumes, à la recherche du feuillage révélateur : une explosion de petites feuilles vertes.

— Ah! fit Elisabeth en s'agenouillant, puis elle commença à tirer sur une carotte oubliée, la saisissant à deux mains. C'est une coutume qui assure qu'une femme aura des enfants, dit-elle, puis elle sourit en déterrant une énorme racine. Voyez-vous? Potelée comme un nouveau-né.

Marjory regarda la récolte inusitée d'Elisabeth.

— Est-ce de bon ou de mauvais augure?

— De très bon augure, l'assura Elisabeth, bien que les enfants soient un don de Dieu et non du jardin.

Maintenant qu'elle comprenait l'objet de leur excursion, Marjory cessa de creuser.

— Bess, je suis bien trop vieille pour porter un enfant.

— Mais vous avez l'âge idéal pour aider à l'élever un jour, insista sa belle-fille. Allez, voyons ce que votre bout de feuillage cache.

Voulant se montrer agréable, Marjory creusa et tira, et creusa encore un peu plus. Soudain, elle déterra non pas une, mais deux carottes de bonne taille. Elles pourraient représenter Donald et Andrew, se dit-elle. Ou cela signifiait-il qu'elle tiendrait les enfants d'Elisabeth dans ses bras quand le temps viendrait?

Elle regarda sa belle-fille, qui débordait de santé et de vitalité. Oui, si Elisabeth devait se remarier, elle pourrait bien avoir un ou deux enfants, bien qu'elle soit restée inféconde pendant les années de son mariage avec Donald. Pourtant, Marjory n'en faisait pas porter la faute à Elisabeth. Pas après ce que la jeune femme avait fait pour elle en plus de pourvoir à ses besoins. Pas plus qu'elle ne pouvait blâmer le Tout-Puissant, qui connaissait mieux le pourquoi de ces choses — non, de toutes les choses.

Avec ses carottes de Michaelmas en main, incluant une autre pour Anne qui l'offrirait à Michael, Elisabeth planta dans le sol quelques pennies, qui seraient découverts par les enfants de madame Thorburn. Puis, elle ramena Marjory à la maison, chantant une petite chanson qui les fit rire toutes les deux.

> C'est moi qui ai la carotte.
> Qui s'ra celui,
> qui la gagnera ?

— Je crois que Lord Buchanan voudra remporter votre carotte, fit observer Marjory.

— À moins que Rosalind lui en offre une d'abord, dit Elisabeth en plaçant leur récolte sur la table de la cuisine, son sourire s'évanouissant. Les Murray sont sur la liste d'invités pour le bal de Michaelmas, demain soir. Je ne peux qu'imaginer la robe que Rosalind portera. Et ses bijoux. Et son parfum délicat.

Marjory sentit la résignation dans la voix de sa belle-fille et se hâta de la rassurer.

— Lord Buchanan n'est pas un gentilhomme que l'on peut éblouir par de jolies toilettes, dit-elle.

Elisabeth retira sa cape de ses épaules.

— Mais Rosalind est très intelligente et elle a parcouru le continent.

— Elisabeth Kerr, la tança Marjory, je n'ai jamais rencontré de jeune femme aussi intelligente que vous. Et si nous

nous occupions de la veille de Michaelmas et laissions le bal de demain entre les mains de Dieu ?

— Très bien, dit Elisabeth en nouant son tablier. À notre *bannock*, alors.

Elle humecta l'avoine moulue avec du lait de brebis, puis ajouta des baies, des graines et du miel sauvage, puis forma une pâte circulaire.

— Pour l'éternité, expliqua-t-elle avant de commencer à pétrir deux *bannocks* de plus petite taille. Ceux-là sont pour honorer les êtres aimés disparus depuis la dernière Michaelmas. Venez, Marjory, aidez-moi à les préparer pendant que nous récitons leurs noms.

Marjory plongea les mains dans le mélange farineux.

— Donald, murmura-t-elle, pétrissant la pâte en se rappelant le bébé qu'il était, le garçon, le jeune homme, le gentilhomme qu'elle avait presque aimé davantage que son propre mari.

Sa gorge se serra davantage quand elle prononça à voix haute le nom de son second fils.

— Andrew, dit-elle, pensant à son petit soldat marchant dans la salle de jeux, puis dans les jardins de Tweedsford, puis allant et venant dans les rues d'Édimbourg, pour finalement tomber sur le champ de bataille de Falkirk.

Elisabeth prononça leurs noms avec elle, travaillant à ses côtés, l'aidant à donner à chaque *bannock* sa forme unique.

— Je ne crois pas pouvoir les manger, avoua Marjory.

— Ne vous en faites pas, dit Elisabeth en frottant la farine de ses mains. Ils sont destinés aux pauvres de la paroisse qui n'ont pas de pain.

Tandis que les *bannocks* doraient sur le feu, Marjory prépara un riche bouillon de mouton pour le dîner, tout en jetant un regard sur leurs grosses carottes. Quand elle demanda à Elisabeth si ces légumes devaient être ajoutés à son chaudron, la réponse vint tout de suite.

— Non! dit Elisabeth, feignant d'être scandalisée. Car c'est un présent de Michaelmas pour l'être aimé.

Une carotte? Marjory cacha son sourire. *J'imagine que Gibson sera ravi!*

Sous l'œil vigilant d'Elisabeth, Marjory enroba les *bannocks* de Michaelmas d'un glaçage fait avec de la farine, de la crème, des œufs et du sucre.

— Trois fois, dit Elisabeth, pour le Fils, le Père et l'Esprit.

Après que les *bannocks* eurent été replacés sur le feu pour finir de cuire, Elisabeth se lava les mains, puis remit sa cape.

— Je vais aux écuries de monsieur Riddell pour m'assurer que Belda est en sécurité.

— En sécurité? répéta Marjory. Pourquoi t'inquiéterais-tu du sort d'une jument?

— C'est la veille de Michaelmas, lui rappela Elisabeth. Tout peut arriver, et cela s'applique aux chevaux en particulier.

Elle était partie avant que Marjory ait pu s'opposer. Non pas qu'elle tenait à la retenir. Les écuries n'étaient qu'à deux minutes de marche dans la venelle de l'Église. Si Elisabeth devait mieux dormir sachant que la jument de Lord Buchanan était bien gardée, Marjory était heureuse de la laisser y aller.

Mais le logis fut soudain très silencieux, et elle était laissée à elle-même et à ses pensées.

Marjory marcha d'une extrémité à l'autre du logement, comme lors de la nuit de leur arrivée. Elle avait mesuré le petit logis d'Anne et s'était demandé comment il serait possible d'y loger à trois. *Nous devrons toutes vivre dans une seule pièce.* Oui, elles l'avaient fait.

À compter de Michaelmas, quand tous les comptes seraient réglés, la responsabilité de payer le loyer de ce logis incomberait à Marjory. D'ici là, ce serait un refuge pour Elisabeth, un l'abri contre tous les Rob MacPherson de ce monde.

N'est-ce pas ce que Donald aurait voulu ?

Marjory s'assit lourdement dans le fauteuil rembourré, incertaine de ce que son fils aîné aurait attendu d'elle. En public, il avait joué le rôle de l'héritier modèle, tout en souillant le nom de la famille dans les venelles et les ruelles d'Édimbourg. Il avait aussi brisé le cœur de sa femme, multipliant les conquêtes douteuses qui ne lui arrivaient pas à la cheville. Pourtant, quand il avait quitté Édimbourg, Lord Donald avait fait un souhait très clair : *Puis-je compter sur vous pour veiller sur Elisabeth ?*

Marjory regarda le feu de charbon mourant dans l'âtre. *Que puis-je faire pour elle, mon Dieu ? Comment m'assurer de bien veiller sur elle ?*

La réponse s'éleva dans son cœur comme le soleil. *Laisse-la épouser Lord Buchanan.*

— Oui, murmura-t-elle dans la pièce silencieuse.

Quel avantage y avait-il à attendre jusqu'en janvier ? Poussées par la nécessité, les jeunes veuves se remariaient souvent quelques mois à peine après avoir perdu leurs maris. Une telle précipitation était souvent jugée avec sévérité par la société bourgeoise. Mais saint Paul lui-même n'avait-il pas dit, au sujet des veuves : « Laissez-les se marier » ?

— Alors, qu'ils se marient, dit Marjory à voix haute.

Il n'y avait aucun empêchement auquel elle pût songer. Lord Buchanan était riche et sûrement désireux de fonder une famille. Elisabeth était magnifique et elle avait besoin d'un mari.

La seule chose qui manquait était une demande en bonne et due forme. Étant un gentilhomme, Lord Buchanan ne voudrait pas abréger le deuil d'Elisabeth. Mais *elle* le pouvait.

Et couper l'herbe sous le pied à Rosalind Murray.

Marjory ne pouvait plus rester assise, tant elle avait hâte de parler de son plan. Elle se précipita vers la fenêtre, puis vers le foyer, enfin vers la porte. Devrait-elle aller à la rencontre de sa belle-fille au retour de l'écurie ? Non, ces détails ne devaient jamais être discutés dans la rue. Personne ne devait le savoir avant que tout fût accompli, car il était toujours possible que Lord Buchanan refuse d'épouser Elisabeth.

Marjory blêmit à cette idée. *Non, non, il l'aime.* Elle était certaine de cela.

Quelques instants plus tard, quand Elisabeth franchit le seuil, Marjory l'entraîna près de la table et la fit asseoir sans cérémonie.

— Maintenant, Bess, dit-elle en s'assoyant en face d'elle, il est temps pour vous d'avoir votre propre maison.

Elisabeth parcourut la pièce du regard.

— Mais c'est ici, notre maison.

— Plus qu'une maison, affirma Marjory. Un mari aussi.

Ses yeux s'agrandirent.

— Mais que voulez-vous dire ? Je ne peux envisager un mariage pendant que je suis encore en deuil…

— Écoutez-moi, Bess, dit Marjory en prenant les mains de sa belle-fille dans les siennes. Vous avez plus qu'honoré la mémoire de mon fils pendant tous ces mois.

— Oui, mais Marjory…

— Nous devons penser à votre avenir, maintenant. Dieu a sûrement mis Lord Buchanan dans votre vie pour une raison.

— Lord Buchanan ?

Elisabeth essaya de se lever, mais Marjory la retint.

— Mais chère Marjory, il n'a jamais demandé ma main…

— Seulement parce qu'il est respectueux des conventions.

Elisabeth secoua la tête.

— Je crois que c'est vous qu'il désire respecter.

— Fort bien, dit Marjory, qui s'adossa à sa chaise en la libérant. Si *je* suis le seul empêchement, alors vous avez ma permission de vous marier, aussi vite que les bans pourront être lus à l'église trois sabbats d'affilée.

Elisabeth secoua la tête, l'incrédulité inscrite sur ses traits.

— Comment dire à Lord Buchanan une telle chose sans paraître présomptueuse ? Il n'a même jamais prononcé le mot mariage.

Marjory ne put s'empêcher de sourire.

— C'est la raison pour laquelle c'est *vous* qui devrez aborder le sujet.

Chapitre 67

L'attente rend un bonheur plus précieux.
— Sir John Suckling

Elisabeth regardait fixement sa belle-mère, essayant de comprendre ce qu'elle suggérait.

— Êtes-vous en train de dire que je devrais *demander* Lord Buchanan en mariage?

— Le moins que vous puissiez faire, c'est de vous présenter à lui, dit Marjory, et ses yeux noisette brillaient. Faites-lui comprendre que c'est votre désir quand votre deuil prendra fin. Il ne bougera pas avant que vous ayez fait cette ouverture.

Va de l'avant. Elisabeth baissa les yeux sur sa simple robe noire. Était-elle prête à se draper de bleu et de vert, de rouge et de pourpre, annonçant au monde qu'elle ne pleurait plus l'homme qu'elle avait jadis aimé de tout son cœur?

Oh, mon Donald, si seulement je pouvais te le demander!

Mais son mari était parti. Son cœur seul détenait la réponse.

Le regard d'Elisabeth croisa celui de Marjory et elle pria pour trouver les mots justes.

— Vous devez savoir que je chéris chaque moment passé avec votre fils, lui dit-elle, souhaitant dissiper tout doute dans l'esprit de sa belle-mère.

Marjory lui toucha la joue.

— Je vous crois, Bess.

— Et pourtant, vous êtes disposée à me rendre ma liberté?

— Comment pourrais-je ne pas le faire? Vous avez été si loyale. Envers Donald et envers moi.

La lèvre inférieure de Marjory se mit à trembler.

— Je ne peux imaginer ce qu'aurait été la dernière année sans votre présence à mes côtés.

— Ni moi sans la vôtre, dit Elisabeth en s'inclinant vers l'avant pour prendre Marjory dans ses bras. Peu importe ce qui adviendra, je veillerai à ce qu'on s'occupe bien de vous, chère Marjory.

— Je sais, je sais...

Le reste de ses paroles moururent sur l'épaule d'Elisabeth. Après un moment silencieux et tendre, elles se séparèrent.

— Il y a une chose dont je ne vous ai pas parlé, confessa Marjory. Cela concerne Lord Buchanan.

Le cœur d'Elisabeth s'arrêta une fraction de seconde.

— Oh ?

— Selon le révérend Brown, Son Excellence serait un parent éloigné, du côté de Lord John.

Elisabeth laissa les mots la pénétrer.

— Lord Buchanan appartient à notre famille ?

— Pas par le sang, l'assura Marjory, mais certainement par alliance, malgré le temps écoulé. En raison de ce lien ténu, le révérend Brown pense que nous devrions nous prévaloir d'un modeste soutien matériel de Son Excellence. Mais j'espérais plus que de l'argent.

Elle se leva et s'approcha du foyer, avant de poursuivre.

— J'ai demandé au révérend de taire sa découverte pour l'instant, continua-t-elle. Même Lord Buchanan ignore sans doute ce fait.

Elisabeth la regarda compter des feuilles de thé, puis mettre de l'eau chaude dans un pot de faïence.

— Vous l'aviez à l'œil depuis le tout début, n'est-ce pas ?

Marjory sourit.

— Pas pour moi, bien sûr. Mon cœur est déjà pris depuis quelque temps. Mais pour vous, oui.

Elle la rejoignit à sa table ovale, portant un plateau de bois avec des tasses et des cuillères, du miel et du lait, et la théière fumante avec son infusion odorante.

— J'y ai réfléchi, Bess. Je pense que le meilleur moment pour approcher Son Excellence est demain soir, après le bal de Michaelmas à Bell Hill.

Ébranlée, Elisabeth s'appuya lourdement sur le dossier de sa chaise.

— Si tôt ?

— Souvenez-vous des mots de Shakespeare, la mit en garde Marjory. «Les délais n'apportent que des malheurs.»

Elle ajouta un peu de miel dans son thé, fronçant les sourcils.

— Et si Rob MacPherson s'était échappé du navire avant qu'il ait levé l'ancre et qu'il était en route pour Selkirk ? demanda Marjory. Et si Lord Buchanan décidait que Rosalind ferait une épouse idéale, sachant que la jeune fille est libre de l'épouser tout de suite ?

Elisabeth n'aima pas le son que ces possibilités rendaient, la seconde en particulier.

— Qu'avez-vous en tête, Marjory ?

La réponse de sa belle-mère fut rapide et ferme.

— Quand la fête touchera à sa fin, expliqua-t-elle, descendez discrètement à votre salle de travail, où vous ferez votre toilette de la tête aux pieds, en utilisant mon savon de lavande. Brossez-vous les cheveux jusqu'à ce qu'ils soient lustrés et utilisez le peigne d'Anne pour rehausser l'éclat de votre coiffure. Puis, mettez la robe lavande que mon fils vous a offerte...

Elisabeth eut un hoquet de surprise.

— Marjory, jamais je ne pourrais !

— Oui, vous le pouvez, insista-t-elle. Lord Buchanan ne vous a jamais vue porter autre chose que du noir. Cette fois, il verra une magnifique jeune femme qui pourrait être son épouse, et non cette pauvre veuve qui coud des vêtements pour ses servantes.

Elisabeth jeta un coup d'œil vers la malle de cuir, pensant à la robe pliée à l'intérieur.

— Elle a besoin d'être aérée et repassée…

— Ce qui sera fait en un tournemain, promit Marjory. Gibson et moi envelopperons la robe dans un drap, la déposerons dans une charrette et la ferons livrer dans votre salle de travail demain, de sorte que personne ne se doute de rien.

En dépit de ses appréhensions, Elisabeth sourit.

— Vous avez vraiment pensé à tout.

— Le moment choisi est de toute première importance, lui dit Marjory. Après un long dîner, quand Son Excellence sera rassasiée et que ses invités seront rentrés à la maison, vous devez lui parler seule à seul.

Les yeux d'Elisabeth s'écarquillèrent.

— Vous ne voulez pas dire dans sa chambre à coucher?

Marjory marqua une pause, comme si elle réfléchissait à cette possibilité.

— Non, ce ne serait pas convenable, concéda-t-elle enfin. Mais vous devrez le rencontrer dans un lieu retiré où vous ne risquez pas d'être dérangés.

Elisabeth connaissait l'endroit idéal.

— Son bureau, dit-elle. Sally m'a dit que Lord Buchanan termine souvent ses soirées assis auprès du feu.

Marjory but une gorgée de thé en silence.

— Oui, dit-elle finalement. Quand vous serez certaine qu'il est seul, entrez silencieusement dans la pièce et présentez-vous à lui. Une profonde révérence et votre charmante robe ne manqueront pas de produire leur effet. Quand il comprendra que vous n'êtes plus en deuil, il aura tôt fait de vous demander en mariage.

Cela pourrait-il être aussi simple? Elisabeth pressa sa main sur son estomac noué, imaginant ce qu'elle dirait, ce qu'il ferait, comment les choses se termineraient.

Est-ce cela que je veux? C'était la question la plus importante. Il valait mieux être une veuve en paix qu'une épouse au cœur brisé. Pourtant, Lord Jack était sûrement un homme très différent de Donald ou de Rob. Il n'avait jamais regardé d'autres femmes en sa présence, et encore moins essayé de les séduire. Elle ne l'avait jamais entendu s'emporter contre elle, l'imaginait encore moins portant la main sur elle.

S'il réagissait favorablement à sa proposition muette, ils seraient bientôt mariés. Mais que faire s'il se méprenait sur ses intentions, s'il la rejetait, s'il lui préférait Rosalind Murray, avec ses titres et sa richesse... ?

Le courage d'Elisabeth commença à l'abandonner.

— Oh, Marjory ! Êtes-vous certaine ?

— Tout à fait, répondit-elle sans hésitation. Avec Rosalind qui déploie tous ses charmes, nous ne pouvons attendre jusqu'en janvier.

Elisabeth hocha la tête, enfin convaincue, elle aussi.

— Je suivrai vos conseils à la lettre.

— Et que Dieu vous bénisse pour cela, dit Marjory qui regarda par la fenêtre, entendant les voix dans la rue en bas. D'ici là, pas un mot à quiconque, Bess.

Chapitre 68

Oh, vous êtes plus belle que l'air du soir !
Habillée dans la beauté de mille étoiles.
— Christopher Marlowe

Jack se tenait à la lisière de son jardin de roses, souriant au ciel du crépuscule, patientant.

Derrière lui, dans la salle à manger, madame Pringle donnait ses directives. Il pouvait entendre sa voix ferme et autoritaire flotter à travers les fenêtres ouvertes, mettant en place les personnes et les choses. Quand ses premiers invités feraient leur apparition dans le hall d'entrée, Bell Hill serait prête à les recevoir.

— Elle est ici, milord.

Jack la remercia d'un hochement de tête, puis devança son majordome, espérant avoir un moment seul avec Elisabeth dans le salon. Il ne l'avait pas vue depuis la veille à l'église, mais elle lui avait promis une surprise à l'occasion de Michaelmas. Bien sûr, sa propre surprise pour elle viendrait quand les musiciens attaqueraient la première note.

Jack franchit le seuil d'un pas fringant. *Un et deux et trois.*

Lorsqu'il entra dans le salon, Elisabeth se tourna vers lui avant qu'il ait pu prononcer son nom.

— Vous voilà, Lord Jack, dit-elle en souriant, tout en faisant une révérence, et elle lui vola son cœur en un clin d'œil. Les Dalgliesh seront ici dans un moment.

Même à ce moment-là, il n'avait pas Elisabeth pour lui seul. Marjory et Gibson se tenaient debout près d'elle, la dame vêtue sobrement de noir, Gibson portant un manteau et un gilet de circonstance. Emprunté de son employeur, probablement.

— Vous être très élégant, Gibson, lui dit Jack, mais ce fût Marjory qui rayonna surtout à ce compliment.

Elisabeth semblait dissimuler quelque chose dans son dos.

— Si vous voulez bien m'excuser, je dois parler brièvement avec madame Pringle, dit-elle, puis elle se retourna de sorte qu'il ne pût voir ce qu'elle avait dans les mains. Je n'en ai que pour un moment, milord.

Voilà qui est bien mystérieux. Il n'attachait pas d'ordinaire une grande importance aux surprises, mais celle-là semblait prometteuse.

— Tiendrez-vous votre dîner mensuel demain soir ? s'informa Marjory. Ou est-ce que votre bal de Michaelmas suffira pour septembre ?

— Madame Tudhope servira ma tête sur un plateau si je lui demande de préparer des festins deux jours d'affilée, admit-il, mais je compte bien me reprendre à Yule.

Quand Elisabeth revint, ses joues étaient toutes colorées.

— On vous demande dans le hall d'entrée, milord. Les Chisholm de Broadmeadows sont arrivés.

Jack lui offrit son bras, espérant qu'elle se joindrait à lui.

— Puisque Bell Hill n'a pas de maîtresse, je serais honoré si vous restiez à mes côtés pour accueillir les invités.

Elisabeth échangea des regards avec sa belle-mère, puis prit audacieusement son bras.

— Si vous voulez, milord. Après tout, ce soir *est* spécial.

Si des visiteurs furent choqués de voir Elisabeth à ses côtés, ils ont bien dissimulé leur désapprobation, souriant et hochant la tête, ou agitant leur éventail. Mais Jack se raidit quand les Murray de Philiphaugh franchirent le pas de sa porte.

La semaine précédente, Sir John lui avait rappelé la dot généreuse qui accompagnerait la main de Rosalind. « Même

vous, amiral, devez admettre qu'il s'agit d'une somme substantielle », avait-il dit. Jack avait acquiescé, puis avait rapidement changé de sujet. Son cœur n'était pas à vendre à
n'importe quel prix. Les Murray ne connaissaient-ils rien
d'autre que la richesse, les propriétés et l'avancement social ?

Ils se tenaient devant lui, maintenant, affublés comme des
paons, jusqu'aux plumes duveteuses dans la chevelure de
Rosalind.

— Amiral, dit-elle timidement, avant de faire une profonde révérence.

Pourtant, en dépit de leurs bonnes manières, aucun des
Murray ne salua Elisabeth. Et quand Charbon leur fit une
visite inattendue, Rosalind leva l'ourlet de robe avec un regard
furibond, puis donna au chat une poussée du pied en sifflant
entre ses dents :

— Va-t-en !

Jack sentit qu'Elisabeth s'était crispée, et lui-même avait
contracté la mâchoire, car il aurait voulu tenir le même langage à l'endroit de Rosalind Murray. *Allez-vous-en, mademoiselle.* Ce n'est qu'après qu'elle eut suivi ses parents dans le
salon que Jack se sentit assez maître de lui pour accueillir ses
prochains invités, les Currors de Whitmuir Hall. Non seulement ils adressèrent aimablement la parole à Elisabeth, mais
ils se penchèrent pour caresser Charbon un moment.

— Ils peuvent rester, murmura Jack, et le visage
d'Elisabeth s'illumina d'un sourire.

Toutes les femmes n'avaient pas besoin d'une dot pour se
rendre attrayantes.

Le ciel était d'encre et les chandelles brillaient quand l'heure
du dîner arriva. Jack escorta Elisabeth dans la salle à manger
avec quelque trois douzaines d'amis et voisins dans leur
sillage. Des rires et de la bonne humeur remplissaient l'air

alors qu'ils trouvaient leurs chaises le long de la table, chaque place étant indiquée par un carton de la main de madame Pringle.

Lorsqu'il trouva son siège, Jack baissa les yeux vers son assiette, puis regarda une autre fois. *Une carotte ?* Devant Gibson, il y en avait une grosse fourchue. Michael Dalgliesh avait également la sienne. Des rubans rouges étaient noués autour de chacune. Un rapide coup d'œil autour de la table ne lui apprit rien d'autre, car aucune autre assiette n'était ainsi décorée.

Très étrange.

Quoi qu'il en soit, la solution au mystère des carottes devrait attendre.

Jack se leva devant la tablée, les bras ouverts.

— Mesdames et messieurs, veuillez vous joindre à moi afin d'offrir une prière de remerciement pour ce repas.

Il pria sincèrement pour le succès des heures à venir, pour le repas, et pour la musique et la danse. Mais il le fit les yeux fermés, afin de ne pas regarder par inadvertance l'énorme carotte et pouffer de rire.

Dès qu'il reprit sa place, Elisabeth s'inclina vers la table,

— C'est un cadeau de Michaelmas, dit-elle doucement. Je l'ai cueillie pour vous dans le jardin de madame Tudhope.

Il regarda la racine, bien frottée mais non pelée.

— Suis-je censé la manger ?

— Vous devez la conserver, monsieur. En guise de porte-bonheur, dit-elle en rougissant, puis elle saisit rapidement sa serviette de table, mettant fin à la discussion.

Si c'était sa surprise, Jack n'allait pas la décevoir. Il déposa avec précaution la carotte près de son assiette, puis signala au valet le plus proche de commencer le premier service.

C'était un potage de carottes, incidemment. Assaisonné à la coriandre.

Le festin de la soirée fut un grand succès, avec une douzaine d'arômes envoûtants se disputant la préférence des convives — parmi eux, celui de la truite panée, de l'agneau en ragoût accompagné de champignons et de pommes cuites fourrées aux raisins de Corinthe. La dinde de Michaelmas fut placée au centre de la table, la place d'honneur, entourée d'autres volailles plus modestes, nécessaires pour nourrir toutes ces bouches.

— Connaissez-vous le dicton, milord ? lui demanda Elisabeth, quand la volaille fut servie. *Mangez de la dinde à Michaelmas ; vous ne manquerez pas d'argent le reste de l'année.*

— Est-ce vrai ? demanda-t-il, et il ne put s'empêcher de remarquer la petite portion dans l'assiette d'Elisabeth, et celle plus substantielle de Marjory. Vous ne croyez pas ces choses, n'est-ce pas ?

Elisabeth sourit.

— Bien sûr que non, milord. Tous les bienfaits viennent du Tout-Puissant. Comme les carottes, d'ailleurs.

Quand les parts d'un onctueux gâteau aux amandes eurent été servies, le festin de Michaelmas fut déclaré une réussite. Jack se leva, impatient de mettre la soirée en branle.

— Si vous voulez bien vous rendre au salon, annonça-t-il, vous trouverez nos musiciens qui nous attendent.

Alors que les invités se levaient et se dirigeaient vers la porte, Jack offrit son bras à Elisabeth.

— Milord, dit-elle en s'inclinant vers lui, peut-être préférez-vous vous retirer dans votre bureau, maintenant ?

Il arqua les sourcils.

— Et être privé du plaisir de danser ?

L'expression d'étonnement qu'il vit dans le visage d'Elisabeth valait amplement les coûteuses leçons de monsieur Fowles.

— *Vous,* milord ?

Jack sourit simplement alors qu'il l'escortait au salon, où deux lignes étaient déjà en train de se former. Puisqu'il n'était pas encore permis à la jeune veuve Kerr de danser, il devait obtenir la permission auprès de sa belle-mère. Il s'approcha donc de Marjory.

— Madame Kerr, dit-il respectueusement, j'aimerais vous demander une grande faveur. En l'honneur de Michaelmas, accorderiez-vous à votre belle-fille la permission, et seulement pour ce soir, de…

— Oui! répondit tout de suite Marjory avec un grand sourire.

La dame aurait-elle trop bu de vin rouge?

— Vous ne vous opposez donc pas à…

— Non! l'assura-t-elle du même ton, tout en se plaçant en face de Gibson, dans l'attente des premières notes.

Elisabeth le regarda, visiblement médusée.

— Dois-je comprendre que vous voulez *danser* avec moi?

— Seulement si vous le voulez, madame, dit-il en s'inclinant.

Elle gagna sa place immédiatement.

— Mais très volontiers, milord.

Chapitre 69

La nuit approchait et fermait son rideau
au-dessus du monde et en dessous de lui.
— Jean-Paul Friedrich Richter

Elisabeth se hâta de franchir le corridor désert des domestiques, la flamme de sa bougie vacillant fortement. Son cœur aussi faisait une ronde joyeuse, mais pas aussi endiablée que le brillant jeu de pieds démontré par Lord Buchanan plus tôt dans la soirée.

« J'ai engagé un maître de danse », avait-il dit, radieux alors qu'ils tournoyaient sur le plancher poli. Ses invités ne savaient pas qu'il s'agissait d'un nouveau talent, mais son personnel l'avait observé avec étonnement.

Et comme l'amiral rayonnait pendant qu'ils évoluaient en tandem ! Ses yeux brillaient, et sur sa bouche était imprimé un sourire permanent. Elisabeth l'avait entendu compter les pas de temps en temps, mais cela ne rendait ses efforts que plus touchants. Pas une seule fois ses pieds s'étaient emmêlés aux siens, et sa trajectoire n'avait pas intercepté celle d'un autre danseur. Pour un homme de sa stature, il était d'une grâce surprenante, comme un escrimeur d'expérience ou un bon cavalier. Mais Son Excellence possédait également ces deux talents.

— Je l'ai fait pour Michaelmas, insista-t-il.

Elisabeth savait qu'il y avait plus que cela. *Vous l'avez fait pour moi.* Elle ne tarit pas d'éloges et le remercia à la fin de chaque danse, l'incitant à choisir d'autres partenaires, ce qu'il ne fit jamais. Le regard de Rosalind Murray était chargé d'éclairs quand elle passait près d'elle. Elisabeth se sentait presque désolée pour la jeune fille. *Trouvez-en un autre,* aurait-elle voulu lui dire. *Celui-ci est à moi.*

Il était presque minuit et le silence était tombé sur Bell Hill. Lord Buchanan s'était réfugié dans son bureau après le départ de son dernier invité. Les paupières lourdes, mais le sourire toujours accroché au visage, il avait confié Elisabeth à Marjory et Gibson, puis avait murmuré au moment de leur séparation.

— Je vous reverrai demain matin, Bess.

— Bien sûr, milord, avait-elle répondu. *Et même avant.*

Sans perdre une seconde, elle se rendit directement dans sa salle de travail. Sa robe de satin était précisément là où elle l'avait laissée, suspendue derrière la porte, recouverte d'un drap protégeant l'étoffe délicate et chatoyante. Marjory avait promis de venir la rejoindre dans une demi-heure, mais, à ce moment-là, elle était dans le corridor des domestiques, gardant la porte pendant qu'Elisabeth se baignait et se brossait les cheveux. Et priait, bien sûr.

Elle referma la porte, puis alluma quelques bougies pour éclairer la pièce. De l'eau chaude frémissait sur le foyer — l'œuvre de Marjory. Elisabeth se déshabilla rapidement, plongea un chiffon de lin propre dans l'eau, puis se frotta avec le savon aromatique de sa belle-mère. Est-ce que Son Excellence en remarquerait le parfum ? Elle se lava à la hâte, heureuse d'être réchauffée par le feu du foyer, puis mit sa chemise et laça son corsage aussi étroitement qu'elle le pût. Les bas de soie de Marjory étaient comme du duvet sur sa peau et ses chaussures de brocart, teintes afin de s'harmoniser avec sa robe, glissèrent sur ses pieds comme si elle les avait portées tous les jours.

Restant près du feu pour ne pas frissonner, elle brossa sa coiffure avec de longs coups réguliers, attendant que Marjory frappe discrètement à la porte. *Mon Dieu, faites que je n'aie pas peur. Laissez-moi lui ouvrir mon cœur. Aidez-le à comprendre.* Un moment plus tard, Elisabeth fit entrer sa belle-mère dans la pièce, puis referma la porte derrière elle.

— Quelle est la situation là-haut ?

— Tout le monde s'est retiré pour la nuit, l'informa Marjory à voix basse, incluant madame Pringle et Roberts. J'ai entendu Dickson dire qu'il avait laissé Lord Buchanan penché sur un livre dans son bureau. Tout est prêt pour vous, dit Marjory, qui passa une main sur la chevelure d'Elisabeth. « Je vais mettre dans le désert un chemin. » C'est ce que le Tout-Puissant avait promis et il l'a fait pour vous ce soir.

— Êtes-vous certaine que c'est Sa volonté, et non la nôtre ? Marjory n'hésita pas.

— N'ai-je pas prié pour la connaître ? N'as-tu pas cherché dans les Écritures et dans ton cœur pour trouver une réponse ? Je n'ai aucun doute que Lord Buchanan est le mari que Dieu désire pour toi.

Portée par la foi de sa belle-mère, Elisabeth compléta sa coiffure en ramenant ses cheveux sur le sommet de sa tête, puis laissa Marjory placer le peigne d'argent où il serait le plus en valeur.

Et enfin, la robe. Quand le satin lavande se déposa sur ses épaules, Elisabeth savoura la sensation de fraîcheur que lui procurait l'étoffe contre sa peau. Elle toucha son corsage, avec ses petites paillettes dorées, et les manches bordées de dentelle de Belgique.

— Votre fils était très généreux avec moi, dit-elle doucement.

— Vous l'avez été bien plus pour lui, lui rappela Marjory, faisant passer le petit réticule de satin assorti à son poignet. Allez, maintenant, ma jolie Bess, dit-elle en l'embrassant sur le front. Gibson attend dans le hall d'entrée pour m'accompagner à pied jusqu'à la maison. Je sais que Son Excellence vous renverra à la ville en toute sécurité ou qu'il vous offrira une chambre à coucher, si l'heure est trop avancée. Mes prières vous accompagnent, ma chère fille.

Marchant sur la pointe des pieds pour ne pas faire entendre le claquement de ses talons sur les dalles, Elisabeth parcourut le long corridor des domestiques, puis grimpa l'escalier en colimaçon, tout en soulevant légèrement sa robe pour ne pas marcher sur l'ourlet. Jusqu'à maintenant, elle n'avait ni vu ni entendu personne. Plus important encore, on ne l'avait pas surprise. Le couloir du rez-de-chaussée était plongé dans l'obscurité, et une seule applique éclairait ses pas. En approchant du bureau de Lord Jack, elle fit une brève prière de remerciement. Pas de valet à l'entrée. Et la porte était entrouverte.

Accompagnez-moi, mon Dieu. Guidez mes pas. Choisissez mes mots. Que mes actions et mes pensées restent pures.

À court d'autres prières au Tout-Puissant, elle respira profondément pour calmer ses nerfs, puis approcha de la porte. Elle se préparait à frapper doucement quand, jetant un coup d'œil dans le bureau, elle aperçut Lord Jack profondément endormi. Assis dans son fauteuil favori près du foyer, il avait posé ses pieds sur un tabouret rembourré, et un plaid était jeté sur ses longues jambes. Elle attendit que ses yeux se soient accoutumés à la faible lueur du foyer, puis pénétra dans la pièce, heureuse de la présence d'une épaisse moquette pour assourdir le bruit de ses pas.

C'est alors qu'elle entendit un bruyant ronronnement. Charbon sauta du fauteuil de Lord Jack et courut vers elle, l'accueillant par un miaulement plaintif.

— Chut, murmura-t-elle.

Elisabeth lui caressa la tête, ce qui le fit ronronner encore plus fort. Elle se pencha et le prit dans ses bras, espérant qu'il ne trahisse pas sa présence avant qu'elle ait pu mettre à exécution le plan de Marjory. *Présentez-vous à lui.* Elle alla porter Charbon dans le corridor, tout en lui murmurant des excuses, avant de refermer la porte doucement.

Les rideaux étant fermés, aucune lumière, pas même celle de la lune décroissante, n'éclairait la scène, alors qu'elle se rendait auprès de l'amiral. Il entendrait sûrement les battements sourds de son cœur, ou respirerait une bouffée de son savon parfumé, ou percevrait la chaleur de sa présence, et il se réveillerait. Mais sa respiration était régulière et ses traits rudes détendus. Elle lui sourit, secrètement heureuse de l'avoir trouvé endormi. Même au repos, sa force était palpable.

Elisabeth s'assit sur le plancher, répandant autour d'elle sa robe élégante en un cercle de soie, puis appuya la tête sur le large tabouret. Elle attendrait qu'il se réveille. Ce ne serait sûrement plus très long. Peu importe l'heure, et sans égard aux conséquences, elle était décidée à lui dire la vérité.

Chapitre 70

La calme et majestueuse présence de la nuit,
comme celle de l'être aimé.
— Henry Wadsworth Longfellow

Jack entendit vaguement le premier carillon de l'horloge du manteau de la cheminée, comme dans le lointain. *Deux. Trois.* Ses membres étaient trop lourds pour les soulever et il demeura sur son fauteuil, immobile, comptant toujours. *Cinq. Six.* Était-ce ce qu'il lisait qui l'avait fait s'assoupir si rapidement ? *Huit. Neuf.* Son besoin de dormir avait peut-être plutôt à voir avec le copieux festin. Et la danse qui avait suivi. *Onze. Douze.*

Il était minuit, alors. Plus tard qu'il ne le croyait.

Dans le bureau sombre, il sentit le poids de quelque chose près de ses pieds. Charbon, sans doute, blotti sur son tabouret. Jack leva la tête pour voir le félin, avant de figer.

Une femme. À ses pieds. Immobile, silencieuse.

Son cœur se mit à marteler sa poitrine. Qui était-elle ? Pas Elisabeth, car la robe de cette femme était pâle, décolorée. Et Elisabeth ne portait jamais un parfum aussi fleuri.

— Qui êtes-vous ? demanda-t-il, d'une voix enrouée par le sommeil, ou par la peur.

— C'est Bess, milord.

Il se redressa brusquement, en poussant un soupir de soulagement.

— Madame ! Quelle est la plaisanterie derrière cette intrusion dans mon bureau en pleine nuit ?

Il avait cru un court moment qu'il s'agissait d'une jeune femme sans scrupules, parmi ses invitées de Michaelmas, venue le tenter à cette heure obscure.

C'était plutôt sa chère Elisabeth, recherchant sa compagnie.

— Excusez-moi de vous avoir surpris, dit-elle doucement. Je voulais vous parler. Seule à seul.

Lorsqu'elle se leva sur ses genoux, il put voir la robe plus clairement, alors que des éclats dorés miroitaient à la lueur du foyer. Une robe magnifique, que seule une personne fortunée pouvait acquérir.

Jack rejeta sa couverture et se leva, aidant Elisabeth à faire de même.

— Venez, laissez-moi vous regarder.

Il se tourna vers le foyer, puis alluma une chandelle qu'il leva bien haut. Sa couturière aux atours sobres avait disparu. Elle avait été remplacée par une divine apparition en lavande.

— Cette toilette exquise est-elle la vôtre ? demanda-t-il.

— Oui, dit-elle en baissant le regard, lissant les plis de ses jupes. Puisque je ne l'ai pas portée depuis douze mois, je crains qu'elle ne m'aille plus tout à fait.

Oh, elle vous va à ravir, jeune dame ! À la perfection. Il détourna le regard, afin de remettre ses idées vagabondes sur le droit chemin.

— Excusez-moi de vous poser la question, Bess, mais… qu'est-il advenu de vos vêtements de deuil ?

Elle leva le menton.

— J'ai cessé de pleurer mon défunt mari. C'est ce que j'étais venue vous dire.

Ce n'est qu'à ce moment-là qu'il remarqua que la porte de son bureau était fermée.

— Mais… et votre belle-mère ? demanda-t-il, ressentant un certain malaise. Est-elle au courant de cette… euh, de votre décision ?

Un sourire discret éclaira les traits d'Elisabeth.

— C'était son idée.

Il s'accorda le temps d'absorber cette surprenante révélation.

— Alors madame Kerr ne s'opposera pas au début d'une cour régulière... de ma part ?

— Non, elle ne s'y opposera pas, l'assura Bess. Le révérend Brown a récemment découvert que vous étiez un parent éloigné du défunt mari de Marjory. Ce qui signifie que vous êtes de notre famille.

Jack hocha la tête, la situation se précisant peu à peu dans son esprit.

— Le ministre pense certainement que je devrais vous soutenir matériellement, toutes les deux. C'est mon devoir. Et je le *ferai*. Avec joie.

Bess prit ses mains dans les siennes. La chaleur de sa peau le surprit.

— Je suis reconnaissante de tout ce que vous ferez pour Marjory, dit-elle. Mais ce n'est pas votre aide que je suis venue chercher, milord.

Il l'attira plus près de lui, désireux d'obtenir une réponse honnête.

— Ma chère Bess, que *désirez-vous* ?

— Un avenir, répondit-elle, ses yeux bleus ne dissimulant rien. Lord Buchanan, si vos sentiments pour moi ne sont qu'un pâle reflet de la profonde affection que j'éprouve pour vous, alors je crois que le Tout-Puissant veut que nous soyons unis.

Jack ne pouvait croire ce qu'il entendait.

— Vous voulez... m'épouser ?

Elle souleva ses mains et les embrassa doucement.

— C'est ce que je veux.

— Que Dieu vous bénisse, murmura-t-il, l'attirant doucement dans ses bras. Vous auriez pu choisir un homme plus jeune, Bess. Un homme plus riche...

— Non, il n'y a qu'un seul homme pour moi, dit Elisabeth, nichant sa tête dans le creux de son cou, comme si elle y était à sa place.

Et c'*était* sa place. Par la grâce de Dieu et de personne d'autre.

Il rassembla son courage, sachant qu'il n'y avait plus de retour en arrière.

— Vous dites que vous éprouvez une tendre affection pour moi, Bess ? Alors je serai encore plus audacieux et je vous avouerai que je vous adore. Et tout ce qui a un lien avec vous.

Il embrassa ses cheveux, qui étaient comme de la soie sous ses lèvres. Puis le doux plan de son front. Et la tendre courbe de son cou.

— Lord Jack…

— Jack, murmura-t-il. Dans cette pièce, les titres ne veulent rien dire.

Elle sourit dans la pénombre.

— Jack, alors.

Il la libéra de son étreinte, la fit asseoir dans le fauteuil et prit lui-même place sur le tabouret.

— Personne ne doit vous trouver ici, dit-il fermement, parlant à voix basse. Et on ne doit pas vous voir partir de Bell Hill.

Elle regarda la porte.

Il comprit. À ce moment même, quelqu'un pouvait être en train d'écouter par les fentes.

— Vous n'avez rien à craindre, l'assura-t-il. Je vous protégerai ainsi que votre réputation. On vous respecte beaucoup dans le Selkirkshire, Bess, ajouta-t-il en prenant ses mains, qu'il embrassa à tour de rôle. Et à Bell Hill, par-dessus tout.

Ils se tinrent silencieusement compagnie un moment, se touchant à peine, respirant paisiblement. Il y avait un millier de choses qu'il aurait voulu lui dire, mais une préoccupation troublait sa conscience à ce moment-là.

— Bess, nous devons parler d'un sujet qui ne sera pas plaisant pour vous, dit-il en s'inclinant vers elle, priant pour trouver les bons mots. Tout mariage débute par la question rituelle : « Y a-t-il un empêchement à ce mariage ? » Hélas, il y en a un pour nous.

Les yeux d'Elisabeth s'agrandirent.

— Quel est-il, milord ? Avez-vous déjà été marié ? Y a-t-il une autre femme qui pourrait… ?

— Non, il n'y a pas d'autre femme, dit-il fermement. Mais il y a quelqu'un qui pourrait détruire l'avenir que vous désirez. Un homme puissant, qui règne sur nous tous.

Chapitre 71

Fille de l'espoir, au-dessus de toi plane
L'ombre des ailes noires de la nuit,
Et au matin, tu voleras !
— Anne Home Hunter

Les mains d'Elisabeth se glacèrent.
— Le roi George.

— Oui, dit Jack sobrement. Parce que vous et votre belle-mère avez soutenu la rébellion jacobite, vous ne serez jamais en sécurité avant d'avoir obtenu le pardon du roi George.

Elle le regarda fixement, entendant les mots, incapable de les comprendre.

— Vous le saviez depuis le début.

Il rougit visiblement, même dans la pénombre de son bureau.

— Je le savais, Bess. Mais je ne pouvais rien dire jusqu'à ce que…

Il baissa les yeux, manifestement embarrassé.

— Jusqu'à maintenant, dit-il. Jusqu'à ce que la possibilité d'un mariage soit soulevée.

— La… possibilité ? dit Elisabeth, qui se sentit s'affaisser dans le fauteuil : ses épaules, son corps, son cœur. Le roi pourrait-il me refuser sa clémence ? demanda-t-elle.

— Il le pourrait, admit Jack, puis il leva les yeux pour croiser son regard. Mais il y a des mois que je travaille pour votre cause. Depuis la Chevauchée de la commune, quand le révérend Brown m'a informé de votre trahison.

— Je vois, dit Elisabeth, qui ne savait ni que dire ni que répondre.

— En tant qu'amiral à la retraite et pair du royaume, je suis... dans la position plutôt unique de devoir solliciter la clémence du roi pour ma fiancée.

Ma fiancée. Elisabeth ferma les yeux, bouleversée. En raison de sa proposition audacieuse, elle le forçait maintenant à la défendre.

— Jack, je n'aurai pas dû...

— Oui, vous avez bien fait, l'interrompit-il, puis il se pencha pour l'embrasser, posant sa bouche chaude sur la sienne.

Lorsqu'il retira lentement sa main, elle vit dans ses yeux la réponse à chaque question qui importait. Il l'aimait. Et il avait l'intention de la sauver.

Jack tenait toujours ses mains, plus fermement que jamais.

— Je n'aurai pas à me rendre plus loin qu'Édimbourg, expliqua-t-il, où je rencontrerai le représentant du roi au château.

Il fit une pause avant de continuer.

— Dickson et moi partirons dès midi.

Elisabeth n'hésita qu'un court moment.

— Il y a quelque chose que je dois faire avant que vous partiez, dit-elle.

Elle fit courir ses doigts le long de la bordure de sa robe, jusqu'à ce qu'elle trouve un rang de rosettes de soie cousues dans l'ourlet de son jupon.

— Avez-vous une paire de ciseaux, Jack ?

Il prit un coupe-papier sur la table près d'eux, dont la mince lame incurvée servait d'ordinaire à couper les plages pliées des livres neufs.

— Est-ce que cela conviendra ?

— Oui, dit-elle, puis elle saisit le manche d'ébène et, utilisant la pointe effilée du couteau, entreprit de défaire les points qui retenaient les roses en place. Si vous êtes prêt à vous présenter devant Dieu et le roi afin de demander mon pardon,

déclara-t-elle, le moment est venu pour moi de rompre défini-
tivement avec mon passé.

Elisabeth sentait son regard posé sur elle alors qu'elle retirait les roses, une à la fois. Elle ne ressentait aucun chagrin,
aucun regret, seulement du soulagement. Quand toutes les
fleurs furent dans sa main, elle les jeta dans le feu du foyer.
Les flammes embrasèrent rapidement la soie, ne laissant
aucune trace.

Après un moment de silence, Jack lui demanda :

— Aucune larme, Bess ?

Elle leva les yeux vers lui, afin qu'il vît que ses yeux étaient
secs et que son âme était en paix.

— Aucune, l'assura-t-elle, car une toute nouvelle vie
m'attend.

— Vous avez raison, dit Jack, qui se leva lentement,
l'aidant à se remettre debout. Pour l'instant, nous devons vous
ramener à la maison, avant que l'on vous voie ici et que les
rumeurs se mettent à courir.

Ils traversèrent la pièce ensemble, puis elle resta en retrait
pendant que Jack jetait un coup dans le corridor pour s'assurer qu'il était désert. Il entrouvrit à peine la porte avant de
la refermer aussitôt.

— Un valet, murmura-t-il.

Le cœur d'Elisabeth s'accéléra quand Jack la ramena à
l'abri dans son bureau.

Il lui expliqua dans un murmure :

— Roberts a laissé l'un de ses valets en faction au cas où
j'aurais besoin de lui cette nuit. Il est tombé endormi, j'en ai
peur, car son épaule est appuyée contre la porte. Nous n'avons
pas d'autre choix que d'attendre ici, jusqu'à ce qu'il se réveille
et regagne son lit.

Elle regarda la pièce.

— Voulez-vous dire que je devrai passer la nuit dans
cette pièce… avec vous ?

— Avez-vous une autre solution à proposer? demanda-
t-il.

En vérité, rien ne lui venait à l'esprit.

— Peut-être devrais-je dormir ici, dit-elle en regardant
un fauteuil près de la fenêtre.

— Je peux vous offrir mieux que ça, dit-il, et, joignant le
geste à la parole, il rassembla une douzaine de coussins
bourrés de duvet dans son bureau, puis il lui arrangea un nid
douillet près de son fauteuil de lecture. Est-ce que cela
conviendra?

Elle s'y laissa choir, sachant très bien qu'elle ne pourrait
pas dormir. Dans cette robe? À ses pieds? Pas une seule
minute.

— Très confortable, l'assura-t-elle.

Jack ajouta une nouvelle bûche au foyer, éteignit la seule
chandelle dans la pièce, puis s'installa dans son propre fauteuil avec son épais rembourrage. Un grand plaid, faisant
office de couverture, les enveloppa tous les deux.

— Peut-être devrions-nous dormir à tour de rôle, dit-il
doucement, afin de ne pas nous assoupir trop longtemps. Si
nous nous levons bien avant l'aube, nous pourrions être sur le
chemin de Selkirk avant que la maisonnée commence à se
réveiller.

Elisabeth déposa sa tête sur le tabouret, regardant la silhouette indistincte de l'amiral.

— Vous d'abord, milord.

— Jack, corrigea-t-il.

— Oui, acquiesça Elisabeth, souriant dans l'obscurité.
Jack.

Il se tourna, essayant de trouver une position confortable.
Une autre fois. Et puis encore une fois.

— C'est plus difficile que je le pensais, murmura-t-il.

— De dormir dans un fauteuil?

— De dormir avec de la compagnie, dit-il, et sa main chercha celle d'Elisabeth sous le plaid. Vous ai-je dit pourquoi je vous aimais, Bess ?

Elle serra sa main.

— Pas encore.

— Ah ! fit-il, et sa voix la caressait comme le feu du foyer. J'aime votre gentillesse, Bess. Votre nature généreuse. Votre courage. Oui, et votre sens de l'humour.

Elisabeth ferma les yeux, bouleversée par ses paroles. Elle n'aurait jamais cru possible qu'on l'aimât pour elle-même, et pas seulement pour son apparence. Mais elle ne put s'empêcher de le taquiner.

— Tout cela est très bien, dit-elle d'un ton léger, mais qu'en est-il de ma chevelure ? De mon visage ? De ma silhouette ? Je croyais que c'était tout ce que les hommes appréciaient chez une femme.

— Certains hommes, peut-être. Mais pas celui-ci, dit-il, et il attira sa main assez près pour y déposer ses lèvres. Bien que j'estime votre beauté. À toute heure du jour, puisque la vérité doit être dite.

— Je vois, dit-elle, et cela ne l'offusqua pas de l'entendre.

Jack changea de position une autre fois.

— Allez, Bess, nous devons dormir pendant que nous le pouvons.

— J'essaierai, promit-elle, les yeux grands ouverts.

L'horloge du manteau de la cheminée marqua chaque quart d'heure d'un coup de carillon sourd.

Elisabeth n'en manqua pas un seul.

Jack dormit par intermittence, et elle en fut heureuse. Un long voyage l'attendait ce jour-là, et il avait bien des choses à préparer. Peu importe qui le recevrait au nom du roi, Jack n'aurait pas la tâche facile à essayer de le convaincre que les Kerr étaient dignes de son pardon.

Pendant ces longues heures silencieuses, Elisabeth se remémora ce que Donald lui avait dit lors leur dernière nuit ensemble : il lui avait promis que c'est un autre homme qu'elle reverrait après la bataille. *Un mari différent franchira le seuil de votre porte. Un mari qui vous sera fidèle.* Donald n'était jamais rentré. Mais il avait dit la vérité, sans savoir comment Dieu l'accomplirait. Lord Buchanan n'était pas Donald Kerr. Et il était tout à fait fidèle.

À cinq heures trente, elle entendit les raclements d'une chaise à la porte et des bruits de pas dans le corridor. Comme il restait moins d'une heure avant l'aube, Elisabeth se leva rapidement et lissa les plis de sa robe. Jack était réveillé aussi et mettait ses bottes d'équitation.

— Avez-vous d'autres chaussures ? demanda-t-il en fronçant les sourcils, remarquant ses mules de brocart.

— Oui, avec ma robe à l'étage des domestiques.

Il hocha la tête, réfléchissant à la meilleure façon de procéder.

— Rendez-vous immédiatement au salon et sortez par la porte qui donne sur l'extérieur. Je passerai à votre salle de travail pour prendre vos vêtements et je vous retrouverai sous le grand chêne près des écuries. Savez-vous lequel ?

Elle hocha la tête, et son pouls s'accéléra.

— Et si on me voit ? Si on me pose des questions ?

— Priez pour que cela n'arrive pas, dit-il en s'inclinant pour l'embrasser de nouveau.

Un bref contact, mais si tendre, qui la réchauffa de la tête aux pieds.

Ils étaient presque rendus à la porte, quand il saisit son poignet.

— Donnez-moi votre réticule, Bess.

Elle le fit glisser sur sa main et le lui remit, sans l'interroger sur ses intentions. Il contenait un demi-penny et il pouvait le prendre s'il le désirait.

Jack ouvrit le tiroir de son bureau et en retira une poignée de billets de banque qu'il enfouit dans le réticule. Il le lui rendit si rebondi que les coutures semblaient sur le point de se défaire.

— Pour votre belle-mère, expliqua-t-il, puis il alla ouvrir la porte lentement et tendit le cou pour voir dans le corridor.

Elle retint son souffle jusqu'à ce que Jack lui fît signe de le suivre. *Soyez avec moi, mon Dieu. Couvrez-moi de vos ailes. Dissimulez-moi aux regards.*

Sans un mot, ils descendirent rapidement l'escalier en colimaçon avant de se séparer ; il se dirigea alors vers l'escalier des domestiques, et elle vers le salon. La maison était d'un noir d'encre et absolument silencieuse. Elle retira doucement ses chaussures et marcha à pas feutrés, mais elle se sentait comme une vache des Highlands piétinant dans les corridors, tant le froissement de sa robe de satin était bruyant.

Une minute plus tard, Elisabeth entra dans le salon et observa la porte du bureau privé de madame Pringle. Si quelqu'un était debout à cette heure, ce serait la loyale gouvernante de Bell Hill. Si Dieu le voulait, les domestiques seraient bientôt informés de leurs plans de mariage. Mais pas maintenant, pas de cette façon.

Les gonds bien huilés ne geignirent pas quand elle déverrouilla la porte et l'ouvrit. Une brise humide et fraîche souffla aussitôt sur sa peau nue, la faisant frissonner, et elle eut hâte de retrouver sa chaude cape de laine et ses robustes chaussures de cuir. Elisabeth ferma la porte, remerciant Dieu pour sa chance jusqu'à maintenant, puis elle traversa la pelouse à la hâte, guidée par les hennissements des chevaux dans l'écurie. Hyslop obéirait à son maître sans discuter, même si Jack réclamait Janvier et Belda à cette heure matinale.

Lorsqu'Elisabeth atteignit le chêne, elle s'appuya contre le tronc rugueux pour reprendre haleine et laisser son cœur se calmer. Au cours de ses vingt-cinq années d'existence, elle n'avait jamais connu une nuit pareille ni rencontré un homme comme Jack Buchanan. *Je vous adore.* Il avait dit ces mots avec une telle conviction, ne laissant aucune place au doute ni à la peur.

Et je vous aime, Jack. Plus que je le comprends vraiment. Plus que je ne l'aurais jamais cru possible.

Quand il arriva enfin auprès d'elle avec les deux chevaux, elle tremblait de tout son corps.

— Avez-vous froid ? demanda-t-il, passant la cape de laine sur ses épaules.

— Un peu, admit-elle en tirant sur ses gants.

Il la souleva sur Belda avec facilité, puis troqua ses mules pour ses chaussures de tous les jours, avant de mettre sa robe noire sur l'arrière de la selle.

— Vous aurez besoin d'autres vêtements, dit-il, puisque votre deuil est désormais terminé.

Elle n'avait pas pensé à cela. Ni à tant d'autres choses.

— J'aurai le loisir de me faire une nouvelle robe, puisque j'ai fini de coudre celles de vos domestiques.

— Vous avez fini, en effet, dit-il en s'élançant sur le dos de Janvier, puis il fit s'ébranler les deux bêtes d'un simple commandement.

Ils eurent bientôt traversé le parc et franchi l'allée qui les éloignait de la maison et les menait vers la ville, le soleil encore à une demi-heure sous l'horizon.

Jack l'observait sous le ciel de velours bleu, chevauchant aussi près d'elle que possible.

— Madame Kerr, il faut que je vous parle de votre emploi à mon service. Je crains de devoir vous remercier comme couturière.

Elle fit semblant d'en prendre ombrage.

— Lord Buchanan ! C'est ainsi que vous démontrez votre reconnaissance pour mes longues heures de travail ?

— Et ce n'est pas tout, madame, répondit-il. J'insiste pour que vous m'épousiez avant la fin du mois.

Elisabeth rit doucement.

— Je croyais que c'était moi qui avais fait la demande en mariage.

— Mais vous l'avez fait, ma chère.

La nuit tirait à sa fin quand ils arrivèrent aux écuries de monsieur Riddell. Jack resta à quelques distances pendant qu'Elisabeth remettait les rênes à un garçon d'écurie ensommeillé avec des brins de paille dans les cheveux. Quand le palefrenier se fut éloigné avec Belda, Jack revint auprès d'Elisabeth, laissant Janvier se désaltérer un peu, pendant qu'ils attendaient dans la rue déserte.

Elisabeth leva les yeux vers lui ; il lui était difficile de lui souhaiter bonne nuit. Ou était-ce bonjour ?

— Combien de temps resterez-vous à Édimbourg ? demanda-t-elle enfin.

— Si tout va bien, je devrais rentrer samedi après-midi.

— Et si les choses ne se passent pas comme vous le souhaitez ?

Sa réponse fut longue à venir, et son regard sembla fuir le sien.

— Bess, j'ai besoin de savoir que vous me faites confiance.

— Que je vous fais *confiance* ? Mais Jack…

— Écoutez-moi, dit-il, d'une voix rendue basse et rauque par l'émotion. Vous avez fait confiance à des hommes auparavant, qui vous ont menacée et effrayée, qui vous ont trahie et menti, qui vous ont maltraitée et qui ont tenté de vous violenter.

Quand il la regarda, l'intensité de son regard lui coupa le souffle.

— Je ne suis pas comme ces hommes, Bess, dit-il. Je ne pourrais jamais vous faire de mal. Et je ne veux que ce qui est le meilleur pour vous.

— Je sais, dit-elle en passant l'index sur le contour de sa forte mâchoire où elle sentit la repousse de sa barbe. C'est pourquoi je vous fais entièrement confiance. Ne suis-je pas restée étendue à vos pieds toute une nuit ?

— Oui, vous l'avez fait, dit-il en plaçant sa main sur celle d'Elisabeth, la retenant sur sa joue. Même si je me demande si vous avez vraiment dormi.

— Je n'ai pas fermé l'œil, admit-elle.

Chapitre 72

L'incertitude et l'espérance
sont des joies de la vie.
— William Congreve

Marjory se saisit de la lettre, l'ayant lue si souvent que les plis commençaient à s'user. Mais que pouvait-elle faire d'autre quand le sommeil ne venait pas ? Le lit clos, spacieux et solide, lui semblait si étrange en comparaison avec l'étroit lit gigogne qu'elle avait connu pendant des mois. Et la maison était vraiment trop vide sans sa cousine et sa belle-fille pour lui tenir compagnie.

Anne était heureuse en ménage dans sa nouvelle maison.

Quant au destin d'Elisabeth, Marjory était rongée par l'inquiétude.

Tu dois lui parler seule à seul. Elle n'avait pas donné à sa belle-fille beaucoup de choix en la matière. En avait-elle trop demandé à Elisabeth ? Trop à Son Excellence ? Les tendres regards qu'ils échangeaient étaient éloquents. Et ils ne l'avaient jamais autant été que lors du bal de la veille, dans le salon, où ils avaient dansé ensemble pendant des heures. Puisque le deuil d'Elisabeth était terminé, bien qu'il ait été précipité, Marjory était certaine que Lord Buchanan en ferait sa femme.

Je vous en prie, amiral. C'est la volonté de Dieu, je suis certaine de cela.

Avec un soupir, Marjory déplia la lettre de Neil de nouveau, ne serait-ce que pour mettre de la joie dans son cœur. Il l'avait mise dans sa main pendant le banquet de Michaelmas. « N'la lisez pas avant d'être rentrée à la maison », avait-il insisté.

Dans l'excitation du moment, alors qu'elle aidait Elisabeth à s'habiller, Marjory avait complètement oublié sa missive, jusqu'à ce que Neil, qui l'avait raccompagnée à la maison passé minuit, lui eût rappelé la lettre dans la poche de sa robe. «J'avais promis d'vous surprendre avec un présent d'Michaelmas, n'est-ce pas?» avait-il dit.

«C'est vrai», avait-elle répondu en retirant la lettre, soudainement curieuse.

«Pas avant que j'sois parti», avait-il insisté, et il l'avait embrassée sur la joue. Enfin, sur les *deux* joues. Et sur le front également. Chaque baiser lui semblait la promesse d'un bel avenir. Et les *paroles* que Neil avait dites! «J'vous veux à mes côtés», après le premier baiser. «J'ai b'soin de vous dans ma vie», après le second. Et pour finir : «J'vous aimerai toujours, Lady Kerr.»

Naturellement, elle lui avait rendu la pareille. Avec ses propres baisers. Et ses propres mots.

Le souvenir de leur séparation la faisait encore soupirer maintenant, plusieurs heures plus tard. S'attardant à la porte comme deux jeunes amants. Se murmurant des mots tendres, frais dans leur bouche comme l'eau d'une source printanière. Se tenant les mains dans le silencieux sanctuaire du petit logis.

Marjory relut sa lettre, bien qu'elle sût déjà le contenu par cœur.

À Lady Marjory Kerr
Ruelle Halliwell, comté de Selkirk
Le 29 septembre 1746

Ma bien-aimée Marjory,

Elle ravala un sanglot. *Ma bien-aimée.* Lord John ne lui avait jamais adressé des mots si tendres. *Ma chère,* oui, mais jamais *ma bien-aimée.*

J'espère que cela vous fera plaisir de recevoir cette lettre écrite de ma main.

Plaisir ? Marjory avait éclaté en larmes.

De tous les moyens employés par Neil pour lui plaire, pour l'honorer, celui-là était le plus délicat : il avait passé l'été à apprendre à lire et à écrire, gardant le secret jusqu'à maintenant, jusqu'à ce qu'il soit prêt. *Mon doux Neil.* Elle l'imagina assis à la table du petit salon du révérend Brown, s'appliquant à former chaque lettre, chaque mot.

J'espère ainsi être plus digne de vous, milady. Et c'est pourquoi j'ai demandé au ministre de me l'enseigner, ce qu'il a fait avec bonté.

Manifestement, le révérend Brown favorisait plus leurs amours qu'il le laissait entendre. Pourquoi, sinon, aurait-il aidé Neil Gibson à apprendre à lire et à écrire, l'élevant à une position sociale plus haute, en lui ouvrant le monde des livres ?

Oh, Neil, et c'est seulement un commencement !

Marjory se promit d'être plus cordiale — non, *infiniment* plus cordiale — avec le ministre, désormais.

Je prie tous les jours pour que le Tout-Puissant me procure un revenu plus important, afin de pouvoir vous demander en mariage. D'ici à ce que ce jour arrive, mon cœur est à vous.

Et le mien vous appartient. Marjory effleura sa signature formée avec application du bout du doigt.

Helen Edgar, leur gouvernante au square Milne, serait fière de son vieil ami. Même Janet, sa belle-fille qu'elle avait presque oubliée, aurait applaudi les efforts de Gibson. Et Elisabeth serait en extase.

Marjory regarda vers la fenêtre. *Rentre vite, jeune femme.* Le ciel était déjà plus clair, d'un rose chaud qui repoussait peu à peu le bleu minuit vers l'ouest.

Lorsqu'elle entendit des bruits de pas sur les pavés en bas, elle ouvrit vivement les rideaux bordés de la dentelle d'Anne. *Bess!* Marjory enfouit la lettre de Gibson dans sa poche pour la mettre en sûreté, puis ouvrit la porte et attendit fébrilement l'arrivée de sa belle-fille en haut de l'escalier. La conclusion des événements de la veille à Bell Hill était plus importante que le petit-déjeuner.

Elisabeth ouvrit la porte donnant sur la ruelle, puis leva les yeux.

— Ne devriez-vous pas être au lit?

Marjory lui fit un signe impatient.

— Je n'ai pas dormi de la nuit, car je m'inquiétais à votre sujet.

Elle attira Elisabeth à l'intérieur, puis ferma la porte, remarquant la cape de laine mouillée de sa belle-fille, sa robe de satin fripée, ses chaussures de cuir maculées de boue et sa robe de deuil drapée sur son bras.

— Alors, commença Marjory d'un ton triomphal, qui êtes-vous maintenant? La prochaine Lady Buchanan?

Une expression de surprise illumina les traits d'Elisabeth.

— J'y avais à peine réfléchi, mais oui, si nous nous marions, je porterai de nouveau le titre de « Lady ».

— *Si* vous vous mariez? hoqueta Marjory. Ne me dites pas que les choses se sont mal terminées.

— Rien n'est terminé. Enfin, pas encore, dit Elisabeth, qui déposa son réticule de satin avant de retirer ses gants. S'il y a de l'eau chaude dans la bouilloire, je prendrais bien un peu de thé.

Marjory n'avait jamais préparé le thé avec autant de précipitation. Moins d'une minute plus tard, elles étaient assises à la table de cuisine ovale, un plat de galettes d'avoine et de fromage devant elles, leur tasse de thé à la main. Marjory tenait la sienne seulement pour se réchauffer, incapable d'en prendre une seule gorgée.

— Dites-moi tout, l'implora-t-elle.

Elisabeth décrivit patiemment sa nuit dans le bureau de Lord Buchanan, bien que, de temps à autre, Marjory sentît que sa belle-fille esquivait certains détails. Lorsqu'elle arriva à la question du pardon que Son Excellence avait l'intention d'obtenir du roi, Marjory lui agrippa littéralement les mains.

— Est-ce bien vrai, Bess ?

— Nous n'aurions plus jamais rien à craindre des dragons, l'assura Elisabeth. Ni de Cumberland, ni de la prison, ni du gibet.

Marjory avait de la difficulté à absorber tout cela.

— C'était le plan du Tout-Puissant depuis le début, dit-elle doucement.

— Oui, dit Elisabeth, qui posa sa main sur celle de Marjory. Bien sûr, vous seriez graciée aussi, ce qui devrait grandement soulager Gibson.

— Oh ! répondit Marjory en retrouvant sa lettre, honteuse de l'avoir oubliée jusqu'à ce moment-là. J'ai ici quelque chose que vous devez voir, Bess, et elle la plaça dans la main de sa belle-fille, l'observant attentivement pendant qu'elle lisait.

— Gibson a écrit ceci ? dit Elisabeth en fixant la feuille de papier. Marjory, c'est magnifique !

Elle sourit, aussi orgueilleuse que toute autre épouse des exploits de son mari.

— En effet, son écriture est *très* soignée.

— Non, je veux dire qu'il est merveilleux de savoir que l'argent est l'unique obstacle qui vous empêche, vous et Gibson, de vous marier.

Marjory fut étonnée.

— En quoi cela est-il une si bonne chose ?

— À cause de ceci, dit Elisabeth en reprenant son réticule, dont elle tira le cordon pour l'ouvrir. Lord Buchanan l'a rempli d'argent juste avant notre départ de Bell Hill.

Marjory vit un flot de billets de banque se répandre sur leur table de cuisine abîmée.

— L'amiral vous a *donné* cela ?

— Non, c'est à *vous* qu'il en fait présent. Son Excellence a bien précisé : « Pour votre belle-mère. » Est-ce beaucoup ?

Marjory se mit à compter et ses mains tremblaient.

— Cent livres. Deux cents. Oh, Bess, voilà un billet de cinq cents livres !

Sans voix, elle déposa sur la table chaque billet, l'un après l'autre, sans jamais perdre le fil du compte, aussi inconcevable qu'il pût être. Quand elle eut fini, Marjory leva les yeux.

— Cela fait quinze cents livres, dit-elle.

Elisabeth en resta interdite.

— Je n'avais pas la moindre idée...

— Mais Dieu le savait. Oui, il le faut.

Marjory ne pouvait contenir les larmes qui coulaient de ses yeux ni la joie qui débordait de son cœur. *Vous m'avez bien traitée finalement, mon Dieu. Vous l'avez fait, vous l'avez fait ! Je suis arrivée les mains vides et vous m'avez comblée.*

Étourdie par l'ampleur de cette richesse, Marjory groupa les billets de la Banque royale en piles égales, essayant de comprendre ce qui lui arrivait. Mais il n'y avait rien de compréhensible dans une pareille somme. Et celle-là en particulier.

— Bess, vous ai-je déjà confié combien j'avais donné à la cause jacobite ?

— Je sais seulement que c'était considérable.

Marjory toucha légèrement chaque pile, le bout de ses doigts encore mouillé de pleurs.

— Quinze cents livres.

— Quinze cents...

Elisabeth regarda la table chargée d'argent.

— Est-ce possible que Lord Buchanan l'ait su ?

Marjory se tourna vers elle.

— Laissez-moi vous demander ceci. A-t-il compté les billets, comme je viens de le faire à l'instant ?

— Non, admit Elisabeth. L'obscurité régnait dans son bureau.

— Alors, c'était un don de Dieu, dit Marjory, plus persuadée que jamais. Bien qu'il soit passé par les mains de l'amiral, il est venu d'en haut.

Marjory plaça silencieusement les billets de banque dans le seul endroit sûr auquel elle put penser : roulés dans un bas au fond de sa malle. Elle n'avait plus à s'inquiéter du loyer, maintenant. Ni du marché. Ni de la dîme.

— Je me demande…, commença Elisabeth, qui traversa rapidement la pièce pour venir la rejoindre. Je me demande si Gibson accepterait la source de cette bénédiction. Parce que s'il pense… oh, Marjory ! s'il la voit comme un présent divin…

— Nous pourrions nous marier, comprit soudain Marjory, qui en resta bouche bée.

Elisabeth éclata de rire.

— Oui, vous le pourriez. Immédiatement.

Marjory étreignit sa perspicace belle-fille un court moment.

— Oui, mais Gibson doit en venir de lui-même à cette conclusion. Je ne voudrais pas qu'il en doute un seul instant.

— Pourriez-vous vivre avec une telle somme ?

Marjory frappa dans ses mains comme une enfant au spectacle.

— À notre âge ? Neil Gibson et moi pourrions vivre jusqu'à la fin de notre vie dans cette coquette petite demeure, manger de la viande et du bouillon tous les jours, et il en resterait assez pour partager avec nos petits-enfants.

Elle s'arrêta pour regarder Elisabeth.

— Même s'ils ne seront pas vraiment *mes* petits-enfants…

— Tout bébé que je mettrai au monde se blottira dans le creux de vos bras, l'assura Elisabeth. Même je ne peux rien promettre maintenant, vous rappelez-vous ? Pas avant que le roi n'accorde sa clémence.

— Les bénédictions viennent de Dieu, pas des hommes, insista Marjory. N'ayez pas peur, ma chérie. Son Excellence n'aura de repos que lorsque tout cela sera réglé. N'est-il pas parti vers le nord aujourd'hui même ?

— C'est ce qu'il a fait, soupira Elisabeth. Et vous avez raison.

Pensant à quelque sujet de diversion pour Elisabeth, Marjory regarda sa robe noire, jetée sur une chaise.

— Quelque chose d'important vous attend aussi, Elisabeth. Puisque vous n'êtes plus en deuil, votre habillement doit le refléter. Que diriez-vous d'ajouter une bordure le long de l'encolure ? Je connais la meilleure dentelière en ville.

— Excellente idée, acquiesça Elisabeth. Pourtant, je croyais que c'était *moi*, la meilleure couturière.

— Plus pour longtemps, lui rappela Marjory.

— C'est juste, répondit-elle. Lord Buchanan m'a informée que mes services ne seraient plus requis à Bell Hill.

— Vous voyez ? Vous serez Lady Buchanan bien avant la veille de Hallowmas, dit Marjory, qui secoua la robe noire et l'étendit sur le lit gigogne. Est-ce que Lord Buchanan a dit qui il devait rencontrer à Édimbourg ?

Leur thé étant maintenant froid, Elisabeth commença à débarrasser la table.

— Il n'a mentionné personne, répondit-elle. Seulement qu'il était le représentant du roi dans la capitale.

— Non ! fit Marjory en s'effondrant sur le petit lit, écrasant la robe de deuil d'Elisabeth. Bess, cela ne peut être qu'une seule personne. Le gouverneur honoraire du château d'Édimbourg, le général Lord Mark Kerr.

Chapitre 73

La détermination de conquérir est la moitié de la bataille
en amour comme à la guerre.
— George Stillman Hillard

Avec Dickson à ses côtés, Jack traversa en trottant le pont d'Ettrick, résistant à l'envie de regarder derrière. Autant il aurait voulu dire adieu à Elisabeth, autant il leur était impossible de s'attarder à Selkirk. Pas s'ils devaient arriver dans la capitale jeudi matin, afin qu'il ait le temps de se raser, de s'habiller comme un amiral et de se préparer à la bataille.

Il avait envoyé un messager pour s'assurer que le gouverneur était à sa résidence, mais avec l'ordre strict de ne pas l'informer de son arrivée imminente. Jack voulait utiliser l'élément de surprise à son avantage. Ayant déjà reçu froidement le général Lord Mark Kerr à Bell Hill, Jack ne pouvait qu'imaginer la réception glaciale qu'il trouverait au château d'Édimbourg s'il était attendu.

Pourtant, pour Elisabeth Kerr, il ferait tout ce qu'il faudrait.

Il ne lui avait pas dit que Lord Mark serait celui qui agirait au nom du roi dans cette affaire, sachant que cela ne ferait qu'ajouter à ses peurs. Il entendait encore la note plaintive dans sa voix, revoyait son expression abattue. *Le roi pourrait-il me refuser sa clémence ?*

Non, pas si Dieu est avec nous, Bess.

Avant de quitter Bell Hill, Jack avait inclus madame Pringle et Roberts dans la confidence, expliquant les raisons de son voyage au nord.

— Je me préoccupe peu de l'opinion de Lord Mark, mais je veux connaître le fond de votre pensée, dit-il.

L'honorerez-vous en tant que Lady Buchanan ? Ou demeurera-t-elle toujours une couturière à vos yeux ?

Leur réponse fut rapide et encourageante.

— Votre Excellence a fait un très bon choix, dit Roberts avec enthousiasme.

Et madame Pringle rayonnait.

— Vous connaissez déjà mon estime pour Elisabeth, milord, dit-elle.

Jack était certain que toute sa maisonnée suivrait leur bon exemple.

Seul Lord Mark restait à convaincre.

— Faites attention, monsieur, cria Dickson quand un gros lièvre brun se précipita en travers du chemin devant Janvier. Madame Tudhope le mettrait bien une casserole, celui-là.

Jack calma facilement son cheval, heureux d'avoir un sujet anodin pour distraire son esprit.

— Je me souviens d'une fort bonne soupe de lièvre lors de notre dernier passage à l'auberge Middleton. Nous verrons ce qu'ils auront à nous offrir mercredi soir.

— De la venaison et du faisan, annonça fièrement la cuisinière du Middleton en remettant une seconde louche de soupe de gibier dans l'assiette de Jack.

Il entendait à peine la femme au-dessus du vacarme et ne goûtait guère plus à sa soupe, la fumée âcre des chandelles de suif remplissant ses narines. À une étape d'Édimbourg, l'auberge Middleton accueillait les voyageurs de toutes les catégories sociales pour dîner et se désaltérer dans sa salle à plafond bas, avec ses larges poutres tachées de suie et ses planchers sablés.

— J'ai trouvé votre messager, annonça Dickson en faisant asseoir un jeune homme dégingandé en face de Jack. Il nous attendait près du foyer, comme on lui a d'mandé, mais il tenait compagnie au grand bol de punch.

Jack regarda sévèrement le garçon.

— Tu ne seras pas payé à moins d'avoir rempli ta mission.

— Oh, mais j'l'ai fait, milord !

Ses yeux étaient légèrement embués par les vapeurs du whisky, mais sa voix était sobre.

— J'suis allé au château c'matin et j'ai appris des dragons que l'gouverneur s'ra chez lui jusqu'à vendredi.

— Très bien, dit Jack. Qu'as-tu entendu d'autre ?

— Beaucoup au sujet des lords Balmerino et Kilmarnock. C'était des jacobites, v'savez, décapités à la tour de Londres pour haute trahison.

Jack grimaça, car il avait lu le compte-rendu dans *The Gentleman's Magazine*.

— Ça ira, dit-il au jeune homme, puis il prit une poignée de pièces dans sa bourse.

Tandis que le messager retournait d'un pas traînant vers le bol de punch, Dickson se rassit, paraissant troublé.

— Votre dame est-elle toujours loyale aux jacobites, milord, ou est-elle acquise au roi, désormais ? C'est la question que le général ne manquera pas de poser.

— Oui, dit Jack en reprenant sa cuillère, bien qu'il eût un peu perdu son appétit. Quand il le demandera, j'aurai une réponse à lui donner.

Affrontant un vent qui balayait la grand-rue en mugissant, Jack gravissait la pente vers le château d'Édimbourg, malgré les pavés glissants sous ses bottes. Le jour de la Chevauchée de la commune, son lourd uniforme d'amiral l'avait encombré. Mais en octobre, le manteau bleu royal, ainsi que son gilet écarlate en dessous, lui procurait une chaleur particulièrement bienvenue.

Dickson avait mis près de deux heures à arranger sa toilette. «Comme un pur-sang, milord», avait-il dit.

Jack n'avait offert aucune protestation, sachant qu'il aurait besoin de tous les avantages que son prestige militaire pouvait lui offrir. Sa mission était de deux ordres ce midi-là. Le premier demanderait de l'or ; le second, de l'humilité. Quoique Lord Mark eût la réputation d'être un duelliste, Jack n'avait pas l'intention d'employer son épée dans cette affaire.

Ils passèrent sous les herses du château sans rencontrer de résistance, les dragons ayant tout de suite reconnu son rang et manifesté les marques de déférences appropriées. Remontant le chemin pavé à gauche, ils dépassèrent le hangar des voitures, puis furent dirigés vers la résidence de gouverneur, de toute évidence le bâtiment le plus récent de l'ensemble.

— Une belle vue, commenta Dickson, hochant la tête vers le splendide panorama qu'offraient la capitale et la mer du Nord au-delà.

— Oui, dit Jack en jetant un bref coup d'œil.

Au retour, quand il aurait les deux ententes signées en main, il admirerait le paysage. Mais pas maintenant.

À en juger par le nombre de lucarnes et de cheminées qui perçaient le toit incliné trois étages au-dessus, la résidence du gouverneur logeait un imposant effectif d'officiers, d'adjoints, de constables et autres gardiens de la paix. Jack s'approcha de l'entrée centrale, les épaules droites, la tête haute, en se rappelant constamment qu'il avait besoin de plus que de sa seule force pour vaincre.

— «« C'est Dieu fort et vaillant », dit-il pour lui-même, « Dieu le vaillant au combat. »

— Vous priez, milord ? demanda Dickson.

— Toujours, répondit Jack, puis il leva le heurtoir de laiton.

Peu après, on les fit entrer dans le hall d'entrée, où une panoplie impressionnante d'armes de toutes sortes était accrochée aux murs.

Le lieutenant qui les accueillit était poli, mais circonspect.

— Est-ce que le général Kerr vous attend, monsieur ?

— Non, répondit Jack, mais il connaît bien mon nom. Dites-lui que l'amiral Lord Jack Buchanan désire le rencontrer. Tout de suite.

Chapitre 74

L'or aime franchir les gardes et briser
les barrières de pierre.
— Horace

Assis sur l'un des fauteuils à haut dossier qui longeaient le mur du hall de la résidence du gouverneur, Jack croisa les jambes et frotta un peu de boue de l'une de ses bottes. Il agissait comme s'il avait tout le temps du monde; montrer son impatience ne servirait en rien sa cause. Le général Lord Mark Kerr pouvait laisser ses visiteurs languir pendant une demi-heure, mais il ne pouvait pas les ignorer indéfiniment.

Finalement, le gouverneur traversa le hall, avec une épaisse liasse de documents sous le bras.

Jack fut sur pied immédiatement.

— Général, pouvez-vous me consacrer un moment?

— J'ai toujours du temps pour un pair du royaume, dit l'homme plus âgé, mais sans sourire et en employant un ton froid. Dans mon bureau, peut-être?

— Je pense en effet qu'une pièce plus grande pourvue d'une table de conférence conviendrait mieux, lui dit Jack. Je suis ici pour une affaire de quelque importance pour Sa Majesté. La présence de témoins serait désirable.

La mince moustache du gouverneur se tordit légèrement.

— Par ici, alors.

Ils passèrent par un labyrinthe de pièces, jusqu'à ce qu'ils en atteignent une qui était assez spacieuse pour contenir une table et une douzaine de chaises encore inoccupées. Jack hocha la tête, heureux de la disposition des lieux.

— Pourriez-vous convoquer dix hommes honorables de haut rang pour observer le déroulement de la réunion?

— Je pourrais en convoquer dix fois plus, dit le gouverneur d'un ton égal.

Une menace, pensa Jack, malgré toute sa subtilité. Lord Kerr se tourna vers un lieutenant posté derrière lui et énuméra une liste d'officiers.

Après quelques minutes, des gentilshommes commencèrent à entrer dans la pièce, chacun prenant la mesure de Jack. Il s'y attendait et les jaugea à son tour. Quand tous furent assis, Lord Mark s'assit au bout de la table, déposant ses papiers avec une nonchalance étudiée, tandis que Jack prenait place à l'autre extrémité. Dickson s'assit derrière lui à sa droite, un lourd coffre à ses pieds, les documents nécessaires en main.

Pendant que Lord Mark faisait les présentations d'usage des hommes autour de la table, Jack observait comment ceux-ci répondaient au général. Une politesse de circonstance, au mieux, mais dépourvue de réelle admiration. Cela lui faciliterait les choses.

— Alors, amiral Buchanan, commença Lord Mark, quelle est cette affaire si importante pour Sa Majesté qui nous vaut cette convocation ?

Jack se leva, à la fois pour démontrer son respect aux invités dans la salle et parce que cela lui procurait un avantage visible. Il était l'homme le plus grand dans la pièce et d'un rang égal à celui du général. Par-dessus tout, il avait le Tout-Puissant de son côté et il parla donc avec autorité.

— Je suis venu discuter d'une certaine propriété, déclara-t-il. La propriété du roi. Bien qu'en ce moment, général, elle soit en votre possession.

Le général arqua un seul sourcil.

— Vous voulez dire…

— Tweedsford, dans le Selkirkshire.

Lord Mark fit une geste vague de la main.

— Qu'y a-t-il à dire à son sujet ?

— Je crois que vous en avez parlé comme d'une «pauvre récompense».

Les autres murmurèrent, comme Jack s'y attendait. Quand le roi gratifiait l'un de ses sujets d'une maison ou de terres, on attendait de celui-ci un minimum de reconnaissance.

— En ma présence, continua Jack, vous avez exprimé votre intention de laisser Tweedsford inoccupée pendant un temps indéfini, et ajouté : «Dix autres années n'y changeront pas grand-chose.» Est-ce exact, général?

— Oui, répondit Lord Kerr, visiblement plus rouge, en lui jetant un regard de glace. Je pourrais avoir dit cela.

— Alors, j'ai une proposition à vous faire, monsieur, qui pourrait vous apporter un revenu appréciable, tout en procurant un foyer à une veuve. Si vous acceptez, le roi considérera que sa faveur aura été appréciée à sa juste valeur, et vous ne serez plus encombré d'une propriété dont vous n'avez que faire.

Jack regarda les témoins, mesurant leurs réactions. Quant à Lord Mark, il paraissait soulagé, et même intéressé.

Pour lui forcer la main, Jack passa à une autre tactique.

— Ou bien, je pourrais informer le roi de votre déception et faire plutôt mon offre à Sa Majesté. Vous savez comme moi que le roi Georges est toujours désireux de regarnir ses coffres.

— Non, non, protesta rapidement Lord Mark. J'écouterai volontiers votre proposition. Quels termes suggérez-vous pour la location de cette propriété?

— Un bail de quarante ans conviendrait, fit Jack, puis il resta un moment silencieux, alors que les murmures d'étonnement s'amplifiaient. C'était une durée exceptionnelle, qui nécessitait une somme en proportion. Général, reprit-il, je suis prêt à payer le montant entier d'avance, continua-t-il, puis il haussa les épaules nonchalamment avant d'ajouter : en or.

La pièce faillit exploser. Des billets de banque ne pouvaient se comparer à la valeur incontestable des guinées.

Jack fit un signe de tête en direction de Dickson, qui traversa la pièce en portant un lourd coffre de bois qu'ils avaient pris à la Banque royale une heure auparavant.

Lord Mark observa l'or se rapprochant de lui, les yeux brillants de cupidité.

— Il se peut que je connaisse cette veuve, dit-il. Il doit sûrement s'agit d'une dame très riche.

— Vous l'avez autrefois connue sous le nom de Lady Kerr, l'une de vos cousines éloignées, répondit Jack.

Il fit une pause, dans l'attente d'une réponse, mais toute l'attention de Lord Mark était retenue ailleurs, comme il l'avait souhaité. Il continua d'un ton suave :

— Vous et moi sommes aussi liés, général. Il appert que des membres de nos deux familles se sont mariés dans le Borderland, il y a plus d'un siècle et demi.

— Un hasard providentiel, acquiesça Lord Mark tandis que Dickson plaçait le coffre rempli de pièces d'or devant lui. Amiral, dit-il, considérez le marché conclu. Je fais rédiger le bail sur-le-champ.

— Ce ne sera pas nécessaire, dit Jack en se dirigeant vers lui, les documents légaux en main. J'ai pris la liberté d'en préparer un pour vous, afin que vous puissiez entrer en possession de votre or sans délai.

— Très prévenant de votre part, murmura le gouverneur, ses guinées luisant doucement à la lueur de la chandelle.

Jack avait choisi de se rendre vers Lord Mark du côté opposé de la table où se trouvait Dickson, de sorte que le général dût regarder l'un ou l'autre.

— Si vous voulez bien examiner ces documents et y apposer votre signature, l'or sera vôtre et Tweedsford cessera d'être un fardeau pour vous.

Lord Mark réclama plus de chandelles, de même qu'une plume et de l'encre. Deux lieutenants se précipitèrent à ses ordres, afin de lui procurer ce qu'il demandait. Jack s'efforça de rester le plus calme possible en plaçant deux feuilles superposées devant le gouverneur. Maintenant que l'or avait accompli son œuvre, l'humilité devait jouer son rôle.

Attirant une bougie vers lui, Lord Mark regarda d'abord le long document du dessus, lisant des passages à voix haute, confirmant les conditions de leur accord.

— Est-ce que tout est à votre convenance ? demanda Jack, présentant une plume tout en retenant son souffle.

Lord Mark caressa l'or du regard une autre fois, puis signa le document. Il n'avait pas sitôt déposé sa plume qu'il tirait le coffre vers lui.

— Maintenant, amiral Buchanan, avez-vous d'autres affaires susceptibles d'intéresser le roi ? Vous avez toute mon attention.

— Il y a une autre affaire, en effet, dit Jack, puis il fit une pause assez longue pour prier. *Mon Dieu, vous connaissez mon cœur. Mais c'est votre volonté qui s'accomplira.* Je me suis lassé de la vie de célibataire, continua l'amiral, et je désire me marier bientôt.

— Naturellement, dit Lord Mark, manifestement plus intéressé par l'or que par les affaires sentimentales. Et quelle dame honorable avez-vous choisie pour être votre épouse ?

Jack souleva le premier document pour en révéler un second. C'était un accord de mariage.

— Il s'agit d'une veuve issue d'une famille des Highlands, sans titre et sans propriété.

Lord Mark renifla.

— Eh bien, amiral, dit-il, cette dame possède à n'en pas douter les plus admirables qualités !

Les autres gentilshommes autour de la table semblèrent trouver la pointe amusante. Jack sourit également, mais son cœur martelait sa poitrine.

— Malgré tout, nous sommes faits l'un pour l'autre. Le roi peut difficilement s'opposer à l'entrée d'une femme magnifique au sein des pairs du royaume.

— Écoutez! Écoutez! fit l'un des officiers en frappant sur la table.

Ses compagnons se joignirent bientôt à lui.

Jack s'arma de courage, conscient de ce qui devait suivre.

— Mais il *y a* un empêchement à notre bonheur futur, que seul le roi peut lever.

Lord Mark leva un sourcil.

— Oh?

— Si vous pouviez agir en son nom, général, je vous en serais infiniment reconnaissant, dit Jack, tout en glissant un regard vers le coffre, un rappel de sa récente générosité.

Le geste ne passa pas inaperçu.

— Comment puis-je vous être utile, amiral?

— L'automne dernier, le roi a offert une amnistie générale à tous ceux qui renonceraient à soutenir la cause jacobite.

Jack fit une pause, voulant s'assurer que le général se rappelât l'offre clémente du roi. Les murmures cessèrent autour de la table.

— Poursuivez, dit Lord Mark d'un ton neutre.

Jack ne pouvait plus cacher la vérité plus longtemps.

— Ma fiancée, Elisabeth Kerr, et votre nouvelle locataire, ma future belle-mère, doivent bénéficier du pardon royal.

Les traits de Lord Mark se contractèrent sous l'effet d'une soudaine colère.

— Vous voulez dire que ces femmes sont jacobites?

— Elles ne le sont plus, précisa Jack rapidement, car j'ai pu m'assurer moi-même de leur entière loyauté à la Couronne. En ma présence, Elisabeth Kerr a brûlé ses rosettes jacobites en démonstration de sa fidélité au souverain.

Lord Mark contempla ses guinées un long moment.

— Je me souviens de Marjory Kerr, maintenant, dit-il. Ses fils ont sottement renié leur héritage pour suivre le jeune prétendant.

Le ton de voix perdit de sa dureté quand il ajouta :

— Elle m'a écrit pour solliciter mon aide.

Jack connaissait l'histoire, mais demanda néanmoins :

— L'avez-vous aidée, milord ?

— Non, je ne l'ai pas fait.

Une seconde de silence, puis deux.

Jack s'agenouilla lentement devant le général, priant pour avoir une force qu'il ne croyait pas posséder.

— Alors, je sollicite le pardon royal au nom de Marjory et d'Elisabeth Kerr. Je suis conscient de plaider ici pour leurs vies.

Jack inclina la tête. *Je vous en prie, mon Dieu.* Il n'y avait rien à ajouter, rien d'autre à faire.

Finalement, une réponse vint.

— Fort bien.

Jack leva les yeux pour voir le général qui plongeait sa plume dans l'encrier. Un miracle s'était produit, rien de moins. *Éternel est ton amour.* Jack se leva, mais il aurait plutôt voulu bondir sur ses pieds et crier sa joie.

Lord Mark signa son nom avec grandiloquence, puis jeta un petit peu de sable sur l'encre d'un geste négligent de la main.

— Vous voilà considéré comme marié, amiral. Quoique je doute que vous m'en remerciiez dans un an.

Les dix hommes autour de la table émirent des ricanements complices.

Jack sourit, mais pour une raison différente. *Tu es sauvée, Bess. Et tu es mienne.*

D'une main ferme, il reprit les deux documents et annonça :

— Vous êtes témoins qu'en ce jour, je suis devenu locataire de la terre qui appartenait autrefois aux héritiers de Lord John Kerr et à sa veuve, Lady Marjory Kerr. Elle résidera à Tweedsford pendant les quarante prochaines années, ou jusqu'à ce qu'elle se présente aux portes du paradis.

Les officiers hochèrent la tête pour approuver.

— De plus, j'ai obtenu, par le présent document, la permission d'épouser Elisabeth Ferguson Kerr, la veuve de Lord Donald Kerr. *Ma Bess adorée.*

Il déglutit fortement avant de poursuivre.

— Après notre mariage, Lady Buchanan résidera avec moi à Bell Hill, dans le comté de Selkirk, la paroisse de son défunt mari, sans craindre de représailles du roi pour son allégeance passée à la cause jacobite.

Jack balaya de la main les dernières traces de sable des documents, puis s'inclina pour conclure.

— Vous avez tous été témoins, dit-il solennellement, et il sera ainsi fait.

Les hommes des deux côtés de la table applaudirent, leur devoir accompli, pendant que le général Lord Mark Kerr s'occupait de mettre son coffre en sûreté.

Jack prit congé et partit rapidement, afin de ne pas laisser au général le temps de changer d'idée. Ce n'est que lorsque les deux hommes eurent franchi les herses du château que Dickson lui donna une tape dans le dos.

— Bien joué, milord.

— Oui..., soupira Jack. Enfin, c'est fait !

Chapitre 75

Crois-tu que je puisse vivre et te laisser aller,
Toi qui es ma vie même ? — non — non.
— Thomas Moore

— Cousine, vous *devez* le lui dire.

Marjory vit l'étincelle dans les yeux d'Anne et savait que toute discussion était perdue d'avance.

Même Elisabeth, dont toutes les pensées étaient maintenant tournées vers Lord Buchanan à Édimbourg, lui avait dit : « Gibson mérite de l'apprendre, chère Marjory. »

Il restait peu de temps à Marjory pour prendre sa décision. Neil viendrait déjeuner à treize heures, et les trois femmes Kerr seraient présentes pour l'accueillir. Deux d'entre elles étaient persuadées qu'il accepterait l'offre de Lord Buchanan comme un présent de Dieu, permettant au couple de se marier sans délai. Marjory en était moins convaincue.

Et si Neil Gibson se rebiffait devant cette avenue clairement présentée ? Certains hommes, en effet, appréciaient plus l'idée du mariage que sa réalité.

Ou si l'audace d'une demande en mariage de sa part l'offensait ou froissait son orgueil masculin ? Elle ne pouvait tolérer l'idée de le blesser.

Déchirée, Marjory piqua sa fourchette dans le mouton qui mijotait sur le feu, puis s'attaqua aux pommes de terre cuisant sur la grille. Elle espérait qu'en tournant le dos à Elisabeth et à Anne, elles laisseraient tomber le sujet.

Mais elles ne l'entendaient pas cette oreille-là.

Anne se lança à l'assaut la première en exhibant l'alliance d'argent à son doigt.

— Vous pourriez en avoir une comme celle-là, dit-elle d'un ton important. Dès que le révérend aura lu les bans trois sabbats d'affilée, Gibson serait à vous.

— Vous présentez cela d'une manière si simple, dit Marjory, toujours inquiète.

Cela l'indisposait d'autant plus qu'elle *détestait* se tracasser de la sorte. Même la Bible disait : « Ne te fais pas de mauvais sang. » Pourtant, elle ne pouvait s'en empêcher.

Puis, Elisabeth fit appel à ses sentiments, un procédé absolument malhonnête.

— Gibson vous aime, Marjory, lui dit sa belle-fille, passant la main autour de son coude, l'attirant loin du foyer. Pensez à la peine qu'il ressentirait s'il apprenait par quelqu'un d'autre cette heureuse nouvelle vous concernant.

Marjory se retourna vivement.

— Bess, vous ne feriez pas…

— Moi, jamais, l'assura-t-elle. Je voulais seulement dire que Lord Buchanan pourrait le mentionner devant Gibson, certain qu'il le sait déjà. Et qu'arrivera-t-il quand vous commencerez à dépenser cet argent ? Gibson est un homme intelligent, Marjory. Il devinera d'où il vient et sera blessé que vous ne lui en ayez pas parlé.

Marjory soupira.

— Mais cela équivaut à une demande en mariage.

— Précisément ! cria Anne joyeusement. Elisabeth a insisté pour que je me déclare à Michael, et voyez ce que *cela* a donné.

Elisabeth prit le bras de Marjory.

— N'est-ce pas vous qui m'avez suggéré de me présenter devant Lord Buchanan ? Nous ne sommes pas encore certaines de l'issue, mais pour ma part, je suis très optimiste.

Marjory ne pouvait réfuter leurs arguments. Après tout, peut-être était-ce *son* tour, maintenant.

— Très bien, dit-elle avec un sourire. Mais je ne peux faire cela devant un public…

— Sûrement pas, dit Anne, qui saisit Elisabeth par la manche, l'attirant vers l'escalier. Nous emmènerons Peter faire une longue promenade. Il fait un temps splendide, et son père sera heureux d'avoir une heure de tranquillité.

— Le déjeuner peut attendre, l'assura Elisabeth en ouvrant la porte, mais pas Gibson.

— Qu'est que j'peux pas attendre, jeunes femmes?

C'était Neil Gibson debout sur le seuil de la porte, son bonnet de laine à la main.

— Oh! fit Elisabeth, qui rougit jusqu'à la racine des cheveux. Eh bien… je crois que Marjory a… de bonnes nouvelles qui ne peuvent attendre. Nous serons de retour bientôt.

Les deux femmes se faufilèrent à côté de lui et descendirent rapidement l'escalier, laissant un silence embarrassé dans leur sillage.

Marjory s'essuya les mains sur son tablier. *Donnez-moi les mots, mon Dieu. Et le courage.*

Neil entra dans le logis, attendant évidemment des explications.

— Elles rest'ront pas pour le déjeuner, alors?

— Non, il n'y aura que nous, dit Marjory, tendant les mains pour l'accueillir.

Neil n'allait pas se satisfaire de lui tenir les mains, semblait-il. En trois pas, il fut près d'elle et la prit dans ses bras.

— Marjory, mon amour, dit-il d'une voix rude, l'embrassant tendrement. Je n'peux attendre d'être riche. Dites que vous voulez m'épouser, Marjory. Nous arriverons bien à nous débrouiller…

— Oh! Mais Neil, je…

Il l'embrassa une autre fois, puis appuya son front contre celui de Marjory.

— J'sais que c'est vous qui d'vez le d'mander, Lady Kerr, à cause de vot' situation. Mais c'est à moi d'faire la demande, car j'vous ai aimée le premier.

— Je ne suis pas sûre que ce soit vrai, parvint-elle à dire, malgré le sanglot qui lui serrait la gorge. Je vous aimais, mais je ne trouvais pas les mots pour décrire mes sentiments pour vous.

Elle s'écarta de lui légèrement pour le regarder dans les yeux.

— Si c'est vous qui me le demandez, Gibson, reprit-elle, alors je répondrai oui, mille fois oui !

Puis, elle l'embrassa, lui donnant tout son cœur, tout son être. Il répondit de même, jetant toute prudence aux quatre vents. Quand elle nicha enfin sa tête sous son menton, Marjory dit avec un sourire :

— Vous ai-je déjà dit combien je vous aimais, Gibson ?

— Oui, mais je m'lasse pas d'l'entendre.

Elle le lui répéta plusieurs fois. Et il l'embrassa encore plus. Alors elle se souvint du fait nouveau qui pouvait tout changer et elle l'attira vers la table.

— J'ai pas d'appétit pour l'déjeuner, Marjory, si c'est à ça qu'vous pensez.

Elle éclata de rire.

— Ce n'est pas du mouton que j'avais l'intention de vous servir.

Après avoir placé une assiette de bois vide devant lui, elle se hâta d'aller chercher le bas dans sa malle, puis elle revint avec un billet de banque à la main et de l'espoir dans son cœur.

— Le Tout-Puissant nous a fait un généreux cadeau, dit-elle en le déposant dans son assiette.

Cela valait bien plus que tout plat qu'elle aurait pu lui faire, peu importe le luxe des assaisonnements.

Il le regarda bouche bée, les yeux écarquillés.

— Cinq cents livres ? Mais où avez-vous…

Elle lui dit la vérité. Au sujet de son don insensé au prince Charlie pour une cause perdue. Et de la générosité de Lord Buchanan.

— Je crois de tout mon cœur qu'il est de la main de Dieu.

Neil hocha la tête, incrédule.

— Vous dites qu'y en a… plus?

Elle déversa le contenu du bas dans son assiette en pensant que s'il voyait tout, il comprendrait.

— C't'un miracle, dit-il enfin. Et y a que Dieu qui les fait.

Marjory soupira.

— Quel homme sage je m'apprête à marier!

Il passa son bras autour de la taille de Marjory et l'attira sur ses genoux.

— Et moi, j'y gagne une femme riche.

— Non, pas riche, mais nous ne nous mourrons pas de faim, dit-elle, avant de jeter un regard dans le logis. Quand Bess et Lord Buchanan se marieront, ce qu'ils feront sûrement, nous pourrions vivre ici, si vous le voulez.

— Oui, bien sûr, mais j'dois m'occuper à quelque chose, la mit-il en garde. J'veux pas être un homme entretenu, dit-il avant de l'embrasser, longuement cette fois-ci. Le révérend lira nos bans dimanche. Et nous nous marierons dans trois semaines, c'est cela?

Trois semaines. Elle hocha la tête, bouleversée par cette idée.

— Un jour d'sabbat, dit Neil avec conviction, et au presbytère. Si le Tout-Puissant veut qu'on s'marie, alors honorons-le comme il faut dès l'début.

— Oui, répondit-elle sans hésitation, puis elle se leva, se rappelant le déjeuner. Voulez-vous prendre quelque chose avant de retourner au travail?

— Bien sûr, dit-il en la laissant aller, mais sans jamais la quitter des yeux.

Elle le sentit qui l'observait attentivement, tandis qu'elle vaquait à ses tâches. Tranchant la viande juteuse. Ouvrant avec son couteau les pommes de terre chaudes. Peu après, quand elle vint le rejoindre à la table en apportant leurs assiettes, elle lui demanda :

— Vous vous imaginez notre vie future, alors que je ferai la cuisine pour vous, jour après jour ?

Son sourire espiègle suggérait autre chose.

— J'pensais à vous, bien sûr. Mais pas d'vant l'fourneau.

— Neil Gibson ! s'exclama-t-elle, faisant semblant d'être outrée, bien qu'elle fût secrètement ravie.

Ils n'étaient plus jeunes, mais ils n'étaient pas morts.

— Je dois penser à un présent pour vous, Marjory, dit-il, puis il savoura son mouton avec un soupir satisfait.

Elle dégagea la mèche qui lui était tombée sur le front.

— Vous m'aimez, cher Neil, avec toutes mes fautes et toutes mes faiblesses. Ce présent-là est celui d'une vie.

— Et j'suis sincère, jeune femme. Une longue vie, remplie d'tout ce qu'y a de meilleur.

Maintenant, c'est elle qui le regardait comme il l'avait fait auparavant. Et elle oublia tout ce qu'elle savait sur l'inquiétude.

Chapitre 76

Des présents venus d'en haut
dans leurs formes particulières.
— Johann Wolfgang von Goethe

— Le finirez-vous, milord? demanda Dickson, qui regardait avidement le gros morceau de bœuf encore intact dans l'assiette de son maître.

Jack fit glisser le reste de son déjeuner jusqu'à lui.

— Je croyais que vous aviez laissé vos mauvaises manières sur le navire, dit l'amiral.

— Oh, je l'ai fait, enfin la plupart! répondit Dickson en dévorant sa viande avec voracité. Mais j'ai aussi apporté mon appétit avec moi. Et c'est une honte de gaspiller un si beau morceau.

Jack regarda par la fenêtre à petits carreaux donnant sur le Grassmarket, pressé de quitter la capitale et de rentrer à la maison. Mais quand ils étaient revenus à l'auberge pour remettre leurs habits d'équitation et récupérer leurs bagages, Dickson lui avait rappelé qu'ils n'avaient pris qu'un petit déjeuner très léger ce matin-là, et que le trajet jusqu'à Middleton prendrait quelques heures. «Nous ferions mieux de déjeuner maintenant», avait suggéré Dickson. Et c'est pourquoi ils étaient assis sur les dures chaises de bois pendant que l'horloge égrenait les heures.

Lorsque Dickson eut fini de dévorer tout ce qu'il y avait dans leurs deux assiettes et qu'il se mit à lorgner celle d'un étranger, Jack s'écarta de la table.

— Il est temps de partir.

— Lord Buchanan! cria une voix venant de la porte. Est-ce bien vous?

Jack se retourna vivement et aperçut Archie Gordon, l'Écossais barbu chargé de veiller sur le bien-être de Fiona Cromar, approchant de la table d'un pas pesant. Jack avait choisi l'homme non seulement pour son honnêteté, mais aussi pour sa stature. Même le plus féroce des highlanders devrait y réfléchir à deux fois avant de chercher noise à Archie Gordon.

L'homme se laissa choir lourdement sur une chaise chancelante et planta ses coudes sur la table.

— Logez-vous ici ? demanda-t-il.

— Oui, répondit Jack, mais nous partons à l'instant pour Bell Hill.

— Eh bien, c'est justement là que j'me rendais, dit Archie hochant la tête, ses épais cheveux roux attachés sur la nuque par un catogan de cuir. Une jolie coïncidence, n'est-ce pas ?

— Je préfère penser à la divine providence, lui dit Jack. Vous devez avoir des nouvelles importantes, Archie, pour venir jusque chez moi plutôt que de m'envoyer une lettre.

L'expression joviale de l'homme disparut.

— Oui, milord.

Jack sentit son estomac se nouer.

— De bonnes ou de mauvaises nouvelles ?

— J'vous laisse juge de ça, dit Archie en frottant sa barbe d'une main.

Il fit ensuite un grand geste en direction de l'aubergiste et commanda une pinte de bière et un pâté de rognons. Il communiqua enfin ce qu'il avait à dire :

— Ben Cromar est mort.

Jack le regarda fixement.

— *Mort ?*

— Oui, dit Archie en fronçant les sourcils. Il s'est disputé avec un voisin après avoir trop bu de whisky. Cromar est tombé par terre et il s'est fracassé le crâne sur une pierre plantée dans le sol. Il y avait plusieurs témoins. C'était un accident, rien d'autre.

Jack s'adossa à sa chaise.

— Je suis triste d'apprendre cela.

— C'est bien vrai? demanda Archie, étonné. J'aurais cru que v'z'auriez été heureux, étant donné sa cruauté.

— Soulagé, peut-être, admit Jack, mais jamais heureux de la mort d'un autre homme.

— Oui, j'vois, dit Archie; il prit sa première rasade de bière et soupira. Et ce qui est sûr, c'est que Fiona Cromar est seule, maintenant, sans personne pour la faire vivre.

Jack se leva.

— Je peux remédier à cela, déclara-t-il.

Il appela l'aubergiste qui revint peu après avec une plume, de l'encre, du papier et de la cire.

— J'aurais une lettre à transmettre à madame Cromar, dit Jack. Quand vous reviendrez à Bell Hill avec sa réponse, je vous récompenserai pour vos efforts. Est-ce que ça vous va?

— Oui, milord, dit Archie. Mais si ça vous dérange pas, je déjeunerai pendant qu'vous écrivez.

Jack hocha la tête, sa plume déjà en mouvement sur la feuille. Il ne connaissait pas assez bien la mère d'Elisabeth pour deviner quelle serait sa réponse. Mais il connaissait Elisabeth. *Dites que vous le ferez, Fiona. Pour le bien de votre fille.* Jack ajouta quelques pièces d'or, puis scella bien le pli.

Dickson lui jeta un regard à la dérobée et demanda à voix basse :

— En êtes-vous bien sûr, milord?

— Oui, dit Jack, qui n'avait aucune inquiétude à confier son or à Archie.

Contrairement au jeune messager qui flânait autour du bol à punch, Archie Gordon n'était pas enclin à la boisson, et il s'était toujours révélé un homme honnête et fiable.

Archie mit la lettre dans la poche de son manteau avec un hochement de tête. C'est comme si c'était fait, disait son regard.

— Désolé d'vous avoir apporté de mauvaises nouvelles, Lord Buchanan, dit-il. Vous m'sembliez très heureux quand je vous ai vu.

— En effet, je le suis, car je me marie ce mois-ci, dit-il.

Le simple fait de prononcer ces paroles fit battre son cœur plus vite.

— Ça tombe bien, dit Archie, vous êtes dans la bonne ville. Faites le tour des *luckenbooths* su' la grand-rue et trouvez une broche d'argent pour vot' fiancée. C't'une vieille coutume écossaise.

Jack n'avait pas très envie de différer davantage leur départ. Mais si cela lui permettait de rapporter un présent de valeur à Elisabeth, quelque chose ayant une signification spéciale, alors il prendrait le temps qu'il faudrait.

— Viens, Dickson, dit-il à son compagnon. Nous partons à la recherche d'une broche.

Les deux hommes remontèrent West Bow, une rue roide et sinueuse qui les amena à l'artère principale de la ville où les *luckenbooths*, un chapelet de petites échoppes verrouillées chaque nuit, étaient installées devant la cathédrale Saint-Giles. Se frayant un chemin à travers la foule grouillante, Jack arriva devant une boutique avec une enseigne prometteuse sur le linteau de sa porte : *Patrick Cowie, orfèvre. Ici, on vend et on achète des bijoux.* Ce monsieur Cowie devait sûrement avoir quelques broches à vendre.

Jack et Dickson s'introduisirent dans la petite boutique sombre en se penchant et furent accueillis par monsieur Cowie en personne.

— Bonjour à vous, messieurs, dit-il en faisant un geste en direction d'un présentoir vitré rempli de bijoux de toutes sortes. Que désirez-vous ?

Jack commença.

— Je dois me marier ce mois-ci, et…

— Alors, j'ai juste c'qu'il vous faut, dit l'orfèvre, qui lui montra sans hésiter une petite épingle d'argent avec deux cœurs entrelacés. Toutes les fiancées d'Édimbourg rêvent d'un tel présent.

Quand Jack en aperçut plusieurs autres identiques, l'objet perdit de son attrait. Elisabeth méritait quelque chose d'unique, destiné à elle seule.

— Laissez-moi regarder, dit-il, étudiant les autres objets précieux à l'étalage. Pourrais-je voir celui-ci?

Il pointa du doigt un grand camée ovale sur lequel figurait un portrait de femme.

— Très bien, m'sieur, dit monsieur Cowie, qui prit le petit écrin de bois et le plaça dans ses mains. Gravé à Paris pour une dame de la ville, précisa-t-il.

Jack fit courir son doigt sur la coquille pêche et ivoire et sur le visage en relief.

— Je sais que cela paraîtra étrange, mais cette femme est l'image même de ma fiancée.

Dickson regarda par-dessus son épaule.

— V'z'avez raison, milord.

Jack était déjà à la recherche de sa bourse de cuir dans son gilet, certain qu'il avait fait le bon choix.

— C'est une triste histoire que celle de ce camée, révéla le marchand quand il eut l'argent en main. Mais il sera dans une bonne maison, et nul doute qu'il connaîtra une fin heureuse.

Dickson arrêta la main de Jack.

— V'lez-vous dire qu'cette broche est porteuse de malchance?

— Eh bien..., dit le marchand en agitant les mains. Je n'dirais pas *cela*...

— Je ne crois pas à la chance, l'assura Jack, alors cela n'a pas d'importance.

Il enfouit l'écrin dans la poche de son gilet et se dirigea vers la rue.

— Viens, Dickson. C'est le regard de la vraie femme que j'ai hâte de retrouver, non son portrait sculpté dans un coquillage, si ressemblant soit-il.

— Une randonnée de deux jours nous attend, monsieur, lui rappela son valet, qui pressait le pas afin de ne pas se laisser distancer.

Jack marchait déjà à grandes enjambées vers West Bow, le regard fixé sur les écuries du Grassmarket en contrebas, où Janvier l'attendait pour le ramener à la maison.

Vers Bell Hill. Vers sa promise.

Chapitre 77

Tout délai qui retarde
nos joies est long.
— Ovide

— Mais quand verrons-nous Son Excellence ? s'écria Peter. Not' pique-nique s'ra fini bientôt.

Une moue déformait son petit visage couvert de taches de son.

Elisabeth regarda les piles de canard froid et de bœuf, le monticule de fromage à pâte dure, le panier d'osier regorgeant de pommes croquantes et de poires succulentes — autant de produits frais achetés au marché la veille, maintenant disposés sur la couverture de laine.

— Nous avons de tout en abondance, dit-elle au garçon. Assez pour nourrir Lord Buchanan *et* Dickson.

— J'n'en suis pas si sûr, lança Michael en tendant la main vers une pomme. J'connais l'appétit de Dickson.

Elisabeth était heureuse d'avoir une compagnie aussi animée, en ce jour où son avenir se jouait. Le général Lord Mark Kerr n'était pas un homme charitable de nature. Est-ce que Jack était parvenu à le convaincre ? Sachant très bien que ce n'était ni le roi, ni le général, ni l'amiral qui avait le pouvoir de la sauver, elle regarda le ciel. *En ton amour, je me confie.* Elle se rappela le reste du verset et en fut réconfortée. *Mon cœur exulte, admis en ton salut.*

Les dames Kerr s'étaient levées ce matin-là pour trouver une température plutôt douce pour la saison. Elisabeth avait suggéré qu'elles apportent leur déjeuner à l'extérieur et invitent les Dalgliesh à se joindre à eux. Gibson aussi, si le révérend le permettait.

La prairie vallonnée au pied de la colline Bell lui semblait un endroit bien choisi pour un pique-nique.

« Ainsi tu pourras surveiller l'arrivée d'un certain amiral ? » l'avait taquinée Marjory.

Elisabeth pouvait difficilement s'en défendre. Jack avait dit : « Attendez mon retour samedi après-midi. » Elle observait. Et attendait. Et priait. De ces trois choses, c'était l'attente qui était la plus difficile.

Avec un soupir, elle s'étendit sur la couverture et tourna son visage vers le soleil, puisant de la force dans la chaleur de ses rayons. Il ne restait plus beaucoup de jours comme celui-là dans l'année. Même la brise occasionnelle n'avait aucun mordant. Heureusement, la route devrait être sèche à travers les collines Moorfoot. Mais n'importe quoi pouvait le retarder. Un cheval blessé. Un homme blessé…

Elisabeth sentit une ombre qui lui bloquait le soleil. Elle ouvrit les yeux pour trouver Peter penché sur elle, ses petits poings fermés sur ses hanches.

— D'vez-vous faire la sieste, comme moi autrefois ? demanda-t-il.

Elle s'assit et l'attira sur ses genoux en l'enlaçant dans ses bras.

— Oui, parfois.

Elisabeth déposa son menton sur sa petite tête bouclée et regarda les deux couples qui avaient chacun pris possession d'un coin de la couverture. Anne et Michael, joviaux et taquins, mais encore un peu timides en présence l'un de l'autre, du moins en public. Marjory et Gibson, tendres et gentils, avec une passion contenue qui chargeait chacun de leur regard.

Dans trois semaines, le couple plus âgé se marierait. Elisabeth ne leur souhaitait que de la joie, pourtant elle aurait aimé se joindre à eux à l'autel, avec Jack à ses côtés.

Quand Peter se contorsionna pour se libérer, afin de se lancer à la poursuite d'une feuille tombée tout près, Anne tourna la tête pour l'observer, les yeux remplis d'affection maternelle. Elisabeth détourna le regard, honteuse de la pointe d'envie qui perçait son cœur. Oui, elle voulait cela aussi. *Suis-je un peu égoïste, mon Dieu ? Et un peu insensée ? Oserais-je espérer ?*

Michael fut bientôt debout à la poursuite du garçon. Un bon père jouant avec son fils, comme Jack le serait sûrement un jour.

Puis, Anne s'adressa à Elisabeth et lui posa une question à laquelle n'avait pas pensé.

— Est-ce que Lord Buchanan se rendra directement à Bell Hill ? Ou s'arrêtera-t-il d'abord sur la ruelle Halliwell ?

Incertaine, Elisabeth regarda vers le manoir dissimulé par les arbres.

— Je ne puis le dire, répondit-elle. Si c'est une bonne nouvelle, il voudra sûrement me l'annoncer immédiatement. Mais si elle est mauvaise…

Non. Elle n'envisagerait pas cette possibilité.

Environ une heure s'écoula. Personne n'avait de montre de poche et ils dépendaient de la course du soleil pour estimer l'heure. Elisabeth regarda Belda, qui broutait l'herbe. Devait-elle partir avec elle à la rencontre de Jack ?

— Je ne peux attendre ici plus longtemps, admit-elle. Monsieur Dalgliesh, pourriez-vous m'aider à monter sur la jument ? J'ai décidé d'aller à la rencontre de Lord Buchanan sur la route de Selkirk.

Les sourcils froncés par l'inquiétude, Marjory l'interrogea.

— Êtes-vous certaine qu'il est sage d'y aller seule ?

— Sur Belda ? En plein jour ?

Elisabeth perçut l'accent d'impatience dans sa propre voix et s'empressa de le réprimer.

— Vraiment, je n'irai pas très loin, se reprit-elle. Pas plus d'un mille ou deux sur la route d'Édimbourg. Je ne voudrais pas qu'il nous cherche à la ville et qu'il soit déçu.

— Très bien, alors, mais je n'approuve pas ce que vous faites, dit Marjory, prenant le ton de la mère qu'elle était.

Elisabeth ne s'attarda pas, afin d'éviter l'inévitable concert d'objections. Elle leva la main pour saluer, puis guida Belda à travers les multiples buttes de la prairie, heureuse d'atteindre la route sans encombre. Alors qu'elle trottait vers la ville, elle remarqua quelques nuages qui arrivaient de l'ouest. Mais ils n'étaient ni lourds ni noirs, et l'air était calme. Il restait une heure ou plus de lumière solaire; ensuite, ce serait le crépuscule. Elle avait amplement de temps.

Jack arrivait, elle en était absolument certaine, comme si son parfum franchissait l'air. Mais elle ne le trouva pas à son logis de la ruelle Halliwell.

En chevauchant à travers la ville, Elisabeth remarqua plusieurs regards curieux. Ses voisins ne l'avaient pas vue souvent sur Belda, ni dans une robe ornée de boutons et de dentelle. Si elle devait se marier — *Non ! Pas si, mon Dieu, mais quand* —, les commères de Selkirk en parleraient pendant un mois. Un petit prix à payer pour le bonheur d'être l'épouse d'un homme admirable.

Elisabeth guida Belda à travers la porte de l'Est, puis vers le pont enjambant l'Ettrick, avant de tourner au nord vers Édimbourg, vers Jack. Elle franchit un mille, puis deux, dépassant un cavalier solitaire de temps à autre, et fut bientôt aux portes de Tweedsford. Cela lui faisait étrange de revoir cet endroit. Il n'y avait pas une âme en vue, mais monsieur Laidlaw et les autres domestiques étaient sûrement à l'intérieur.

Le ciel était plus gris, maintenant, et le soleil plus bas. *Dépêche-toi, Jack.* C'était la seule route vers le nord, il devait venir par là.

Belda piaffait, voulant manifestement continuer.

— Nous devons attendre ici, dit Elisabeth d'une voix ferme.

Au-delà de Tweedsford, la route devenait plus sinueuse, avec de longs segments déserts entre chaque propriété. En fait, Jack ne serait sans doute pas heureux de la voir ainsi sans escorte sur la grande route.

Je n'approuve pas ce que tu fais. Était-ce la voix de Marjory, ou celle de Jack ?

Elisabeth regarda par le portail ouvert, se demandant si elle oserait chercher refuge à Tweedsford, si la pluie ou la nuit devaient tomber avant que Jack apparût. *Non.* Bien que le général Lord Mark Kerr ne fût pas là présentement, elle ne pouvait compter sur ses domestiques pour l'aider.

Elle s'élança, puis rebroussa chemin, s'élança une autre fois, pour battre en retraite tout de suite après, exaspérant à la fois Belda et elle-même. Devait-elle rentrer à la maison ? Chevaucher jusqu'à Bell Hill ? Maintenant qu'elle s'était aventurée aussi loin, elle aurait voulu le rencontrer seule, sans que tous les autres fussent présents, même si elle les aimait beaucoup. Elle s'imaginait saluer Jack au loin, le surprenant par sa présence, l'accueillant avec un baiser…

Oui, elle attendrait un peu plus longtemps.

Même si la pluie ne vint pas, le crépuscule, lui, arriva. Chaque fois qu'elle entendait un bruit de sabots sur la route de terre battue, sa tête et son cœur se soulevaient d'un même mouvement. Mais quand c'était un étranger qui s'avançait en levant son chapeau pour la saluer, elle lui offrait un sourire réservé, soulagée de le voir poursuivre sa route.

Es-tu certaine qu'il est sage d'y aller seule ? La voix de Marjory, de nouveau.

Elisabeth connaissait la réponse, maintenant.

Dans la lumière déclinante, Belda hennit au son d'un autre cavalier qui approchait. Mais il y en avait plus d'un, à en juger par la fréquence des claquements de sabots. Elisabeth se retira un peu du chemin, s'humectant les lèvres, essayant de respirer. Elle ne pouvait les voir au-delà du tournant de la route, mais elle entendait leurs voix. Des voix masculines.

S'armant de courage, elle appela dans l'air du soir.

— Lord Buchanan ?

Chapitre 78

Tu ramènes le marin à son épouse.
— Alfred, Lord Tennyson

*B*ess ? Non, ce ne pouvait être elle. Pas sur cette route, ni à cette heure. Quand il entendit son nom de nouveau, tous ses doutes furent effacés.

Jack éperonna Janvier, Dickson le talonnant de près. L'instant d'après, ils franchissaient la courbe et trouvèrent Elisabeth qui attendait près des portes de Tweedsford, comme s'il était naturel qu'une dame se promenât toute seule à cheval au crépuscule.

Il amena rapidement Janvier à l'arrêt près de Belda, puis tendit la main pour prendre celle d'Elisabeth. Sa propre main tremblait. De frustration, de soulagement, de joie.

— Ma bien-aimée, que faites-vous ici ?

— Je voulais vous souhaiter la bienvenue, répondit-elle.

Lorsque le regard d'Elisabeth croisa le sien, plus rien d'autre ne compta.

Il ne pouvait l'embrasser comme il l'aurait voulu, mais il le fit néanmoins, s'inclinant sur sa selle, pressant ses lèvres sur les siennes.

— Je pars devant, milord, lança Dickson en passant près d'eux. Dois-je demander à la maisonnée de se préparer à recevoir son maître ?

— Oui, fit Jack, qui leva légèrement la tête. Et sa future maîtresse.

Les yeux d'Elisabeth s'écarquillèrent.

— Voulez-vous dire que…

— C'est ce que je veux dire, dit-il en l'embrassant de nouveau, mais en prenant bien son temps cette fois.

— Très bien, milord, lança Dickson par-dessus son épaule en s'éloignant.

Une goutte de pluie s'écrasa soudain sur la nuque de Lord Buchanan, ce qui entraîna la fin brusque de leur tendre réunion.

— Suivez-moi, lui dit Jack.

Il se dirigea à l'abri du feuillage d'un érable, à l'intérieur du portail de Tweedsford, tandis que les gouttes se mettaient à tomber plus rapidement.

Quand ils furent sous les branches, Jack descendit de cheval, puis la souleva, la prenant dans ses bras sans dire un mot.

— Devrions-nous être ici, milord ?

— Jack, lui rappela-t-il, et, oui, nous le pouvons. Lord Mark ne viendra pas ici de sitôt, je vous l'assure.

Il sortit avec précaution les deux documents de sa poche et les remit entre les mains d'Elisabeth, lui montrant l'accord de mariage d'abord, avec la franche signature de Lord Mark.

— Vous n'aurez plus jamais à craindre qu'un dragon vienne frapper à votre porte, mon amour.

— Oh, Jack ! dit-elle en l'embrassant de nouveau, puis elle lut les mots à voix haute. Pardonnées, murmura-t-elle en saisissant le document. En sécurité, pour toujours.

Il baissa les yeux vers elle. *Qu'il en soit toujours ainsi, mon Dieu !*

— Vous serez aussi intéressée par le second document, lui promit Jack en le dépliant.

Elle tint le bail près de ses yeux dans la pénombre et le parcourut rapidement.

— Marjory viendra vivre *ici* ? À Tweedsford ? dit-elle en jetant un regard sur la grande maison à l'autre bout de l'allée. Jack, est-elle au courant de cela ? demanda-t-elle.

— Bien sûr que non, car je n'aurais pas voulu faire une promesse que je n'aurais pu tenir.

Elisabeth replia soigneusement le bail, les yeux toujours tournés vers la propriété.

— Marjory a tant perdu. Tout, en vérité. Pourtant, Dieu a guéri son cœur, et vous, cher Jack, lui avez rendu sa maison.

Il ne pouvait penser à aucune autre façon de présenter la chose, alors il l'admit simplement.

— Mais il y a certaines choses que je ne peux ramener. Ben Cromar est mort.

Une série d'émotions déferla sur ses traits. Le choc, puis la douleur, enfin l'acceptation.

— Si mon frère avait été en vie, confessa Elisabeth, il n'aurait pas versé une seule larme pour cet homme.

Jack avait entendu parler de l'horrible histoire.

— Est-ce que votre mère pleurera Ben ?

Elisabeth prit son temps avant de répondre.

— C'est difficile à dire. Je n'ai pas vu ma mère depuis tant d'années…

Comme sa voix faiblissait, Jack voulut partager avec Elisabeth le contenu de la lettre qu'il avait écrite à Fiona. Mais comme il ne pouvait être sûr de la réponse qu'elle lui donnerait, il préféra tenir sa langue.

Elisabeth baissa les yeux vers le contrat de location du domaine, comme si elle n'en croyait toujours pas ses yeux.

— Tant de choses sont arrivées pendant que vous étiez parti à Édimbourg. Marjory et Gibson se marieront le 19 octobre. Leurs bans seront lus dans la matinée.

Jack sourit.

— Les paroissiens recevront tout un choc ce dimanche !

Puis, il se rappela le petit présent qu'il avait dans sa poche et le sortit rapidement.

— J'ai un cadeau pour vous, dit-il. Archie Gordon m'a dit que les dames d'Édimbourg s'attendent à recevoir un tel article de la part de leur fiancé.

— Une broche des *luckenbooths* ? demanda-t-elle. Comme c'est délicat de votre part !

Elle essaya d'ouvrir à tâtons le couvercle dans l'obscurité croissante. Jack la regarda attentivement, craignant de s'être trompé en prenant quelque chose d'autre.

— Ce n'est pas une broche d'argent, la prévint-il, mais j'espère que ce cadeau vous plaira tout de même.

— Comment ne le ferait-il pas ? dit-elle d'une voix légère. Puis elle ouvrit la boîte. Et demeura silencieuse.

— Bess, qu'y a-t-il ?

Elle souleva doucement la broche et la tint contre sa poitrine. Peu après, une larme glissa sur sa joue, puis une autre.

Jack avait de la difficulté à comprendre sa réaction. Était-elle heureuse ? Émue ? La broche était chère, bien sûr, mais ce n'était rien d'autre qu'un bijou.

— Je croyais que la ressemblance était frappante, mais si vous ne l'aimez pas, elle sera facile à revendre.

— Ce camée…

Elle essaya de parler, mais sa voix se brisa.

— Vous ne pouviez savoir…

— Qu'y a-t-il, Bess ? demanda-t-il d'une voix basse afin de ne pas la bouleverser davantage, tout en passant une main dans ses cheveux. Ne pouvez-vous rien me dire ?

Elle hocha la tête, mais évita son regard.

— Vous l'avez trouvée à la boutique de monsieur Cowie ?

— En effet, dit-il, et il se sentit soudain mal à l'aise.

L'avait-elle déjà vue à cet endroit auparavant ?

Finalement, elle lui dit tout.

— Donald l'avait fait graver pour moi à Paris. Il est arrivé à la boutique après qu'il… après Falkirk.

Jack se souvint des paroles de l'orfèvre. *Gravé à Paris pour une dame de la ville.*

— Vous étiez cette dame, soupira-t-il. Monsieur Cowie n'a jamais mentionné votre nom.

Elle ouvrit la main.

— Il est magnifique !

— Bess, si vous préférez ne pas…

— Je préfère le garder, au contraire.

Elle retira ses gants puis, avec des doigts tremblants, elle déboutonna sa cape et agrafa le camée à sa robe.

— Ne voyez-vous pas ? demanda-t-elle. J'aurais toujours dû posséder cet objet, mais je ne pouvais me l'offrir.

Elle déposa un baiser sur ses lèvres.

— Mon cher Jack, comment pourrais-je assez vous remercier ?

— En m'épousant, dit-il.

Et il l'embrassa, plus passionnément qu'il en avait l'intention.

Elle répondit sans hésitation, aussi ardemment.

— Je le ferai, murmura-t-elle. Je le ferai.

Dickson aurait été un bon crieur de nouvelles locales.

Non seulement la maisonnée entière les attendait à l'entrée de Bell Hill, mais les Kerr, les Dalgliesh et quelques autres voisins étaient rassemblés des deux côtés de l'allée.

— Pensez au passage des baguettes[28], murmura Jack à l'oreille d'Elisabeth alors qu'il la faisait descendre de cheval, puis remettait les rênes à un garçon d'écurie tout souriant. Une épreuve de loyauté pour les chevaliers des temps passés. L'idée est de parvenir de l'autre côté sans dommage.

Elisabeth arrangea sa cape.

— Si vous êtes prêt, milord, je le suis aussi.

Il lui offrit le bras.

— En avant, ma chère.

Au lieu des saluts polis et des murmures de salutation habituels, le couple fut accueilli par des poignées de main exubérantes et des paroles joyeuses. Lorsque Jack et Elisabeth arrivèrent enfin sur le seuil de la maison, il glissa un bras autour de sa taille, la tenant tout contre lui, puis il se tourna pour s'adresser à la petite foule.

---

28. N.d.T. : «Passer par les baguettes». Épreuve ou supplice militaire où un soldat devait passer entre deux rangées de soldats armés de baguettes, qui le frappaient au passage.

— Vous entendrez nos bans de mariage qui seront lus à l'église demain matin, leur promit-il, ce qui provoqua l'éruption d'un cri de joie collectif. Tout ce que je voudrais dire, c'est que Dieu vous bénisse pour votre bonté. Et pour avoir été capable de reconnaître une femme vertueuse quand elle s'est présentée à vous.

— Bien sûr qu'elle l'est, dit Marjory en venant se placer près d'Elisabeth.

— Madame Kerr, puisque vous êtes ici, je vous ai apporté une bonne nouvelle d'Édimbourg, dit-il en faisant un clin d'œil à Elisabeth. Peut-être voulez-vous la lui annoncer ?

— Avec plaisir, répondit-elle, et elle se pencha pour murmurer quelque chose à l'oreille de Marjory.

Chapitre 79

Et une moitié du monde est un fiancé.
Et l'autre moitié du monde une fiancée.
— Sir William Watson

— Tweedsford ? s'exclama Marjory, qui arrivait à peine prononcer le mot. Mais comment a-t-il... Et si... Non, c'est
impossible !

Pourtant, sa belle-fille était là, l'assurant que tout était
vrai. Et l'homme le plus généreux qu'elle eût jamais connu lui
confirmait que le bail était signé et ne pouvait plus être
révoqué.

Marjory s'agrippa au bras de Neil pour se soutenir et
regarda par la porte du hall d'entrée, espérant pouvoir repérer
une chaise, un banc, un tabouret — n'importe quoi pour l'empêcher de s'effondrer sur place.

— Monsieur Gibson...

— Par ici, Lady Kerr, dit-il.

Il la conduisit d'un pas assuré dans la maison et repéra
tout de suite un fauteuil confortable. Cet homme était une
vraie merveille.

Lorsqu'elle fut assise, elle lui fit signe de s'approcher, puis
lui confia :

— Je ne suis pas certaine de la réaction de nos voisins
quand ils apprendront le don de Son Excellence. Mais ils ne
sont pas près d'en découvrir l'origine, n'est-ce pas ?

L'expression de Neil était un peu plus sombre qu'à
l'accoutumée.

— C't'un don qui m'tracasse un peu, admit-il. Comment
lever la tête en tant que mari, alors que c't'un autre homme
qui a payé not' maison ?

Marjory pria Dieu de lui inspirer une réponse rapide.

— Comme le loyer est déjà réglé et que nous ne sommes pas mariés encore, il comptera parmi mes rares possessions, qui deviendront vôtres après le mariage.

Cette réponse sembla le satisfaire, et elle était sûrement vraie.

— Quoi qu'il en soit, cher Neil, reprit-elle, vous avez déjà vécu là-bas avant. Ce sera comme de rentrer à la maison, et elle passa autour de son coude une main déjà faite à sa forme et à sa chaleur. Cette fois-ci, par contre, vous serez le maître de Tweedsford, et plus le majordome.

L'expression de son visage s'allégea considérablement alors qu'il levait un sourcil vers elle.

— Et qu'est-ce que ça changera, puisque je serai toujours à vot' service?

Elle lui offrit un sourire taquin.

— Tout d'abord, vous dormirez dans la chambre principale.

Ses mots produisirent l'effet escompté : Neil Gibson afficha un grand sourire.

— Bess, nous ne pouvons organiser deux mariages en même temps.

Assise à la table de cuisine, Marjory s'inquiétait de la double liste de tâches à réaliser. Peut-être était-il temps de recommencer à s'inquiéter, après tout.

— Avec ma modeste cérémonie de mariage, le 19 octobre, reprit-elle, et la tienne, plus importante, le 20…

Elle lança les mains au ciel, répandant un peu d'encre sur le papier du même coup.

— Mais comment ferons-nous?

Elisabeth prit sa propre liste et la saupoudra d'un peu de sable.

— Je donnerai ceci à madame Pringle. Rien ne lui fera plus plaisir que de superviser mon mariage. Tout ce qui m'importe, c'est de me présenter au banc de la mariée au bras de l'homme que j'aime.

Marjory sonda son cœur et comprit qu'elle ressentait la même chose. Comment d'heureuses occasions en arrivaient-elles à devenir aussi compliquées ? Elle déchira sa feuille en deux.

— Ma liste d'invités sera la suivante, décréta Marjory. Annie et Michael Dalgliesh, Lord Buchanan, et toi, ma chère Bess. Ma robe sera celle que je porte, mon bouquet consistera en une seule rose de Damas du jardin de Bell Hill, si Son Excellence ne s'y oppose pas. Quant au dîner de mariage, ce sera une chaudronnée de soupe *cock-a-leekie*[29], qui mijotera sur le feu pendant que monsieur Gibson et moi échangerons nos vœux au presbytère. Servie avec du pain, je suppose. Et du fromage aussi.

Elisabeth éclata de rire et ajouta :

— Et des gâteaux.

— Naturellement, dit Marjory, qui trouvait l'idée charmante : intime, discret et simple. Après tout, c'est mon second mariage.

— Moi aussi, lui rappela Elisabeth en lui prenant la main. Vous êtes tout à fait certaine…

— Elisabeth Kerr, dit-elle d'un ton bien senti, tu as été une merveilleuse épouse pour mon fils. Je ne l'avais pas compris à l'époque, mais c'est pour moi très clair aujourd'hui. Vous avez fait tout ce que vous avez pu pour lui plaire. Et vous honorer, quand lui ne vous honorait pas. Je ne serais…, commença Marjory, puis sa gorge se serra. Je ne serais pas plus fière de vous si vous étiez ma propre fille. Vous méritez tout le bonheur du monde.

Elisabeth leva les yeux, et l'on pouvait voir son cœur.

— Je n'oublierai jamais Donald.

— Ni moi non plus. Comment le pourrions-nous ? dit Marjory en ravalant un sanglot. Peu importe son

---

29. N.d.T. : Cette soupe traditionnelle écossaise, à base de poule et de poireau, épaissie avec de l'orge, est traditionnellement servie avec un pruneau au fond du bol.

comportement odieux parfois, Donald restera toujours mon fils aîné. Et votre premier mari.

Elle asséCha ses yeux avec la bordure de son tablier, puis renifla.

— Oh ! mais voilà bien *une* chose que je refuse de voir à mon mariage : des larmes.

Marjory ne pouvait regarder Anne.

Elisabeth était encore plus mal à l'aise.

C'était un miracle que le presbytère ne fût pas inondé, tant les larmes coulaient à flots. De joie, assurément, mais des larmes tout de même. Et le temps aussi avait déjoué les souhaits de Marjory, avec une pluie continue qui avait commencé au point du jour, pour se poursuivre durant toute la matinée du sabbat à l'église, et se prolonger jusqu'au milieu de l'après-midi.

Neil, au moins, avait su garder l'œil sec et il était plus séduisant que jamais dans son manteau bleu argenté, son gilet et son pantalon assorti — un présent de mariage de la part des Dalgliesh. Peu importe ses origines modestes, Gibson était un vrai gentilhomme et il jouait son rôle à la perfection.

En ce qui concerne Elisabeth, elle avait insisté pour lui faire une nouvelle robe noire — non de laine, mais de moire de soie — avec suffisamment de dentelle et de rubans pour la satisfaire, sans pour autant trop faire lever de sourcils dans la venelle de l'Église. Puisque sa belle-fille deviendrait bientôt Lady Elisabeth, Marjory admit qu'une telle robe se révélerait utile lors d'occasions spéciales à Bell Hill.

Le mariage du lendemain, par exemple.

Marjory regarda par-dessus son épaule, soulagée de voir Michael Dalgliesh et Lord Buchanan distribuer des mouchoirs propres pour la bonne cause. Peut-être que lorsque la cérémonie débuterait et qu'elle prononcerait ses vœux, l'on n'entendrait plus de reniflements provenant des bancs derrière elle. Parce que, en toute vérité, elle-même n'arriverait plus à se retenir bien longtemps.

— Comment aimez-vous l'nouveau banc d'la mariée ? lui demanda Neil en tapotant le petit meuble de bois utilisé seulement lors des mariages. L'vieux était vraiment en piteux état.

— Vous l'avez fait ? demanda-t-elle en passant la main sur la surface de bois bien lisse et les joints parfaitement ajustés. Je crois que vous êtes un ébéniste très doué, Neil Gibson.

Quand il lui sourit, les yeux brillants, Neil paraissait plus jeune de dix ans.

— Puisque vous le mentionnez, je me demandais si vous pouviez employer quelques-unes de vos livres…

— *Nos* livres.

— C'est vrai, not' argent, s'amenda-t-il, pour acheter du bois de qualité. Du chêne ou de l'ébène ou c'qui vous plaira. J'ai l'intention de fabriquer quelques meubles. Pour la maison.

Marjory comprit le sens de sa demande. Si Neil pouvait travailler de ses mains, s'il pouvait faire quelque chose qui lui plaisait, il aurait le sentiment de participer.

— Vous êtes un homme avisé, lui dit-elle. J'ai bien hâte de voir ce que vous ferez d'abord.

— Oh ! J'ai déjà commencé, dit-il, et vous le verrez quand nous déménagerons à Martinmas.

Marjory rougit, assurée qu'il avait sans doute passé la dernière quinzaine à organiser son travail.

Enfin, le révérend vint les rejoindre, sa robe noire claquant sur ses longues jambes.

— Pouvons-nous commencer ?

Neil se leva et aida Marjory à faire de même, la tenant tout contre lui.

Elle n'osait pas le regarder. Ses yeux étaient déjà humides.

Le révérend Brown jeta un regard circulaire dans le salon comme s'il était surpris d'y trouver si peu de personnes.

— Très bien, dit-il. D'abord, y a-t-il un empêchement à ce mariage ?

— Aucun, dirent les quatre témoins à l'unisson, puis ils se sourirent mutuellement, en grands enfants qu'ils étaient à ce moment-là.

Enfin, pas vraiment des *enfants*, mais sûrement tous jeunes de cœur.

Le révérend Brown parla du mariage, de son but, de son caractère sacré, puis demanda que l'on présentât les anneaux.

Neil sortit une délicate alliance d'argent, attendant que Marjory lui offrît sa main.

Elle fut embarrassée de constater qu'elle tremblait. Beaucoup.

Mais Neil était imperturbable. Il prit sa main, la calmant immédiatement, puis glissa l'anneau à son doigt, s'arrêtant à la jointure, se préparant à prononcer son serment.

Le ministre dit :

— Neil Gibson, acceptez-vous de prendre cette femme, Marjory Kerr, pour légitime épouse ?

Neil baissa les yeux vers elle, souriant. Et puis, il sembla disparaître de la vue de Marjory alors que les larmes s'accumulaient dans ses yeux. Elle n'eut d'autre choix que d'abaisser légèrement le menton pour les laisser couler sur ses joues. Quand elle releva la tête, elle pu le voir de nouveau. Et elle en retomba amoureuse.

Mon bien-aimé. Oui, il l'était sûrement.

La voix de Neil était posée, pourtant fortement empreinte d'émotions.

— J'la prends devant Dieu et en présence d'son peuple.

Il poussa alors délicatement l'alliance en place.

Et je suis tienne, Neil. Entièrement à toi.

Le révérend Brown se tourna vers Marjory, et posa la même question qu'il avait déjà faite à des centaines d'épousées. Mais ce jour-là, c'était elle qui devait répondre.

— Et vous, Marjory Nesbitt Kerr, prenez-vous cet homme, Neil Gibson, pour légitime époux ?

Elle glissa à son doigt la lourde bague d'argent, qui venait tout juste d'être ouvrée, et le regarda dans les yeux, surprise de constater qu'elle pouvait parler.

— Je le prends devant Dieu et en présence de son peuple.

Tu es mien, Neil. Entièrement à moi.

Plus tard, Marjory ne souvint pas de ce que le ministre avait ajouté. Seulement qu'il avait parlé longuement et que tout était bien et juste. Ce qu'elle se rappelait, par contre, c'était la main chaude qui tenait la sienne, et le tendre baiser qui suivit à la porte du presbytère, puis que la pluie avait cessé et que le soleil brillait, et que Gibson l'avait prise dans ses bras.

Chapitre 80

Se marier une seconde fois
représente le triomphe
de l'espoir sur l'expérience.
— Samuel Johnson

— Bonjour! cria Sally. Et j'vous souhaite une belle journée pour vot' mariage!

Elisabeth regarda la jeune servante entrer dans sa nouvelle salle d'habillage de Bell Hill, portant un plateau de petit déjeuner chargé d'œufs, de bacon, de pain rôti et de confiture de framboises.

— Avec les compliments de madame Tudhope, expliqua Sally en déposant le plateau sur la table toute proche.

Elle lui versa une tasse de thé fumant, ajouta la juste quantité de sucre, puis lui fit une joyeuse révérence.

— Quel service! la complimenta Elisabeth, savourant sa première gorgée de thé du matin, la plus stimulante. Tu sais, Sally, j'aurai besoin d'une dame de compagnie.

Ses yeux s'écarquillèrent.

— Est-ce bien vrai?

Elisabeth ne fut pas dupe. Sally Craig était une jeune fille intelligente qui ne ratait jamais une occasion d'améliorer sa situation au manoir.

— Est-ce que cela pourrait t'intéresser?

— Oh oui! fit-elle en faisant une pirouette. Si vous voulez de moi et que madame Pringle le permet, j'suis toute à vous.

— Tu peux commencer maintenant, lui dit Elisabeth, aujourd'hui même.

— Eh bien, m'dame, votre robe lavande est aérée et r'passée. Et v'trouverez vot' salle d'habillage bien pourvue de savon d'lavande. De la part de Son Excellence, ajouta-t-elle en rougissant joliment.

Elisabeth sourit.

— Je vois que j'ai choisi la jeune femme qu'il me faut.

— Oui, m'dame, l'assura Sally en la gratifiant d'un grand sourire. Maintenant, prenez vot' p'tit-déjeuner avant qu'y refroidisse, et ensuite j'verrai à vot' toilette.

Elle prit congé, sans doute pour informer madame Pringle de sa récente promotion.

Elisabeth grignota docilement une pointe de pain grillé tartinée de confiture, tout en se disant combien cela lui ferait étrange d'avoir une femme de chambre de nouveau. La baignant, l'habillant, la coiffant. Elle se promit d'être une maîtresse équitable pour Sally. En lui enseignant les habiletés les plus utiles, en la guidant sur les questions de la foi. Elle avait d'autres plans pour le personnel de la maison, si Jack l'autorisait. Lire et écrire, pour commencer. Des travaux d'aiguille pour les femmes. De la menuiserie pour les hommes.

Elle avait déjà désiré que Donald dirigeât une heure de prière familiale chez les Kerr après le dîner, une pratique courante dans les maisons pieuses. Jack serait-il consentant? Et accepterait-il d'inclure également les domestiques?

Tant de choses à discuter! Et une vie entière pour le faire, se rappela-t-elle, débordant de joie à cette pensée. Trente, quarante, cinquante années additionnelles, si Dieu était bienveillant, et il l'était sûrement.

Elle finissait la dernière bouchée de son petit déjeuner quand elle entendit les pas d'un homme dans le corridor, puis de légers coups frappés à sa porte.

— Madame Kerr?

Elisabeth traversa la pièce, refermant sa robe de chambre.

— Je ne suis pas habillée, milord, dit-elle en parlant à voix basse à travers la porte. Je ne peux pas vous faire entrer.

— Alors, seriez-vous prête à me rencontrer... disons, dans une heure ? Dans le jardin ?

Et, baissant la voix, il ajouta :

— J'aimerais beaucoup vous voir, Bess.

— Et moi aussi. *Tellement.* Pourriez-vous demander à Sally de venir m'aider ?

Sa nouvelle femme de chambre réapparut bientôt, apportant de l'eau chaude et des linges propres, et elle semblait tout excitée.

— Son Excellence m'a dit d'venir immédiatement.

Elisabeth sourit.

— Alors, nous ne devons pas le faire attendre, n'est-ce pas ?

Pour une première tentative, Sally coiffa exceptionnellement bien la coiffure d'Elisabeth.

— Il faudra l'refaire pour le mariage, bien sûr. À seize heures, est-ce que ça vous va, m'dame ?

Elisabeth hocha la tête et un frisson la parcourut soudainement. Pas de peur, mais de nervosité. Et, oui, de pur délice.

Jack était debout dans le jardin quand Elisabeth sortit précipitamment par la porte du salon dans le brillant soleil d'octobre. L'air était piquant et sec, et le ciel sans nuage, d'un bleu éclatant.

— Dickson vous habille avec beaucoup d'élégance récemment, dit-elle à Jack, admirant son manteau brun foncé qui s'accordait parfaitement avec ses yeux.

Il haussa les épaules.

— Mon valet dit que je dois toujours avoir l'air d'un riche gentilhomme.

— Et je l'approuve, lui dit-elle. Mais il me faudra un certain temps pour coudre assez de toilettes pour jouer le rôle de Lady Buchanan.

— Ma chère, vous êtes déjà une dame, dit Jack en lui prenant la main, l'attirant plus près de lui. En ce qui concerne votre garde-robe, j'espère que vous ne m'en voudrez pas, mais j'ai retenu deux couturières afin de faire quelques robes toutes simples pour vous. Rien qui égale la qualité de vos créations, bien sûr. Sentez-vous libre de les céder à madame Dalgliesh, si le cœur vous en dit.

Elisabeth éclata de rire.

— Jack, ma cousine m'arrive à peine au menton et elle est bien plus menue. Toute robe que je lui céderais devrait être complètement retouchée.

— Rien n'est impossible pour une habile couturière, la taquina-t-il.

— J'imagine, admit-elle. Et quand ces «quelques robes toutes simples» seront-elles prêtes?

Il sourit.

— Vous en trouverez six suspendues dans votre nouvelle salle d'habillage, quand vous y retournerez.

— *Six*?

— Ces dames n'ont eu que deux semaines à leur disposition, crut-il bon de s'excuser.

— Oh! Je ne suis pas déçue, s'empressa-t-elle de dire. Je suis éblouie. Ayant porté la même robe de septembre à juin, la pensée d'avoir subitement six nouvelles robes est… disons, remarquable.

Puis elle le regarda plus attentivement.

— Mais comment ont-elles pu connaître mes mensurations?

— Je dois avouer que j'avais une complice, révéla-t-il. Votre belle-mère a fait bon usage de votre ruban à mesurer une nuit pendant votre sommeil.

Très astucieux, Marjory. Elisabeth devrait réfléchir à un moyen de lui rendre la monnaie de sa pièce pour avoir été aussi cachottière. En plaçant du sel dans son bol à sucre, peut-être, ou en cousant ses poches. Ou elle pourrait la remercier du fond du cœur quand elle la reverrait. Oui, cela lui semblait la meilleure chose à faire.

— Milord?

C'était un valet qui arrivait, porteur d'une lettre épaisse.

Jack l'accepta, puis brisa le sceau immédiatement, mais l'expression de son visage s'assombrit.

— C'est d'Archie Gordon, l'homme que j'avais envoyé à Castleton.

Lorsqu'il déplia la lettre, une autre s'en échappa. Il la tint dans la paume de sa main, le temps de lire l'entête, puis soupira.

— Celle-là est pour vous, dit-il en la remettant à Elisabeth. De votre mère.

En voyant l'expression de son visage, Elisabeth la déplia, éprouvant ses propres appréhensions. Quelque chose était-il arrivé à sa mère, une nouvelle tragédie? *Je vous en prie, mon Dieu, veillez sur sa santé.* Puis elle lut les quelques lignes en gaélique et comprit :

Ma chère Bess,

J'ai reçu une lettre de Lord Buchanan et j'ai été heureuse d'apprendre tes projets de mariage. C'est un homme d'honneur et il sera un bon mari pour toi.

Elisabeth hocha la tête, comme si sa mère avait été près d'elle dans le jardin. *Je vous crois, mère. Tout comme votre premier mari, mon père, l'avait été pour vous.*

Lord Buchanan m'a offert de venir à Selkirk, afin que je puisse m'installer dans votre maison auprès de vous. Une très belle maison, j'en suis sûre.

Oh, mon cher Jack ! Elisabeth saisit la lettre, bouleversée par sa délicatesse. Hélas, elle connaissait bien sa mère. Fiona ne quitterait jamais les Hautes-Terres.

Ma place est ici, Bess, parmi les miens et les voisins que j'ai connus toute ma vie. Tu peux être assurée qu'ils prendront bien soin de moi jusqu'à la fin de mes jours.

Une grande tristesse l'envahit. *J'aurais aimé vous voir, mère. J'aurais voulu vous parler du Tout-Puissant et de tout ce qu'il a fait pour moi.* En aurait-elle un jour la chance ?

J'attendrai avec impatience tes lettres, maintenant que je suis certaine de les recevoir. Je te promets de t'écrire aussi souvent que je le pourrai.

Le chagrin d'Elisabeth commença à s'apaiser. Elle écrirait à sa mère chaque semaine. Non, deux fois par semaine. Tout n'était pas perdu.

J'attendrai avec impatience la nouvelle de l'arrivée de ton premier enfant.

Ta mère aimante

Mon premier enfant. Voir ces mots écrits de la main familière de sa mère fit renaître l'espoir au cœur d'Elisabeth. Quoiqu'elle n'eût pas porté d'enfant pour Donald, Dieu bénirait-il son ventre cette fois-ci ? *S'il vous plaît, Père. Pour le bien de Jack.* Oui, et pour le sien aussi. *Un beau petit garçon. Ou une jolie fille.*

Elisabeth replia lentement la lettre, puis leva les yeux.

— Vous êtes si généreux, Jack, d'avoir ainsi offert à ma mère une place dans votre maison.

— Notre maison, lui rappela-t-il.

— Simplement de lui écrire et de savoir qu'elle répondra…

Elle soupira, puis respira la brise fraîche, à l'odeur de feuilles sèches et de pommes mûres.

— C'est un début, dit-elle.

— C'est un jour de commencements, dit-il en l'attirant contre lui alors qu'ils marchaient le long des parterres fleuris, devancé par Charbon, qui tortillait sa queue grise. Nos invités n'arriveront pas avant midi, lui rappela Jack. Et si nous profitions de cette belle journée pour discuter de nos plans d'avenir. Avez-vous quelque projet en tête pour améliorer la maison?

Son sourire revint.

— Plusieurs.

Chapitre 81

Dans tous les gâteaux de mariage,
l'espoir est le meilleur morceau.
— Douglas Jerrold

Plus tard dans l'après-midi, le soleil entrait à pleins rayons par les fenêtres étincelantes de Bell Hill alors que Jack traversait le hall, ne s'arrêtant que pour parler avec les musiciens, s'assurant que tout était fin prêt. Le révérend Brown attendait près du foyer, et les deux nouvelles mariées de la paroisse, Anne Dalgliesh et Marjory Gibson, étaient assises au premier rang avec leurs maris. Maintenant, si sa propre fiancée pouvait apparaître, la cérémonie pourrait commencer.

Il n'avait pas pu voir Elisabeth depuis que Sally lui avait poliment signifié de se retirer.

— Vous l'verrez au salon à seize heures, mais pas une minute avant, lui avait-elle dit, d'un ton plutôt autoritaire de la part d'une servante.

Dickson s'approcha et fronça les sourcils.

— Qu'avez-vous fait avec votre cravate, milord ?

— Rien, protesta-t-il. *Enfin, pas volontairement.*

Il se tint au garde-à-vous pendant que Dickson rectifiait sa tenue, tout en ne quittant pas des yeux le grand escalier où Elisabeth ferait son apparition d'un instant à l'autre.

— Nous n'avons rien reçu d'Édimbourg, de Lord Mark ? demanda Jack, prévoyant le hochement de tête négatif de Dickson, qui suivit en effet. Et rien de Londres ?

Jack n'avait pas l'habitude de s'inquiéter inutilement, mais tant qu'Elisabeth n'aurait pas prononcé son serment, Sa Majesté pouvait encore intervenir. Si le roi George devait s'opposer au mariage, tout ministre de l'Église d'Écosse, incluant le révérend Brown, serait forcé de s'incliner devant la volonté du souverain, qu'il y ait ou non un accord signé.

Y a-t-il un empêchement à ce mariage ? Jack ne pouvait attendre que ce moment fût passé.

— Milord, murmura Dickson, voici votre dame.

Jack leva les yeux au moment même où Elisabeth s'engageait dans l'escalier. Même encombrée de ses vastes cerceaux et de ses amples jupes, elle passait avec aisance d'une marche à la suivante. Ses cheveux d'ébène, telle une couronne, étaient rassemblés très haut au sommet de sa tête et semés de perles. Mais ce fut son sourire qui l'éblouit, le figeant littéralement sur place jusqu'à ce qu'elle fût à ses côtés.

— Lord Buchanan, dit-elle en soulevant légèrement le menton, auriez-vous l'amabilité de m'accompagner jusqu'au salon ?

Il baissa la tête vers elle en souriant.

— Avec joie.

Jack remarqua immédiatement le parfum de lavande s'élevant de sa robe et la rapidité de son pas.

— Madame est pressée, murmura-t-il.

En rougissant, elle l'attira plus près.

— Je ne le nierai pas.

— Je vous attendrai à l'intérieur, dit-il quand ils arrivèrent à la porte.

Puis, il entra dans le salon et prit place près du révérend Brown.

— Traitez-la bien, dit ce dernier d'un ton bourru, sinon vous devrez m'en répondre.

— J'y veillerai, l'assura Jack, sans jamais quitter les yeux la massive porte de bois, légèrement entrouverte.

Quand le violoniste attaqua la première note, Elisabeth fit son entrée dans une spectaculaire vague de satin. Son sourire grandissait à chaque pas jusqu'à ce qu'elle prît enfin place à ses côtés. *Mon amour. Ma Bess.*

Le révérend Brown offrit un mot de bienvenue et quelques pensées solennelles au sujet du mariage. Jack les avait entendues la veille aux noces de Gibson, pourtant il écoutait attentivement.

Puis, le ministre leva la tête et leur demanda :

— Y a-t-il un empêchement à ce mariage ?

— Aucun, dit Jack d'une voix assurée en produisant l'accord de mariage. Par ordre de Sa Majesté.

Des murmures parcoururent toute la pièce pendant que le révérend Brown examinait le document.

— Fort bien, dit-il en le mettant de côté. Lord Jacques Buchanan, acceptez-vous de prendre cette femme, Elisabeth Ferguson Kerr, pour légitime épouse ?

Jack serra sa main, n'ayant jamais été aussi assuré d'une chose dans ses quarante années d'existence.

— Ici, dit-il d'une voix claire et forte, souhaitant qu'elle portât à tous les coins du monde qu'il avait visités, je la prends devant Dieu et en présence de son peuple.

Il baissa les yeux vers elle, espérant que ses yeux disent le reste. *Oh, ma douce Bess ! De tout mon cœur, je te prends pour épouse. Tu es celle que j'ai attendue toute ma vie. Celle que le Tout-Puissant a choisie pour moi. Celle que j'aime.*

Le ministre continua :

— Et vous, Elisabeth Ferguson Kerr, prenez-vous cet homme, Lord Jacques Buchanan, pour légitime époux ?

— Oui, dit-elle en levant les yeux vers lui. Je le prends devant Dieu et en présence de son peuple.

Et ses yeux exprimèrent la suite. *Je te fais confiance, Jack. Et je t'aime de tout mon cœur.*

Le révérend Brown conclut avec conviction :

— Ce que Dieu a uni, l'homme ne doit point le séparer.

La gorge de Jack se serra. *Pas même un roi.* Puis il l'embrassa, scellant leurs vœux, engageant son cœur. *Personne d'autre que toi, Bess. Maintenant et à jamais.*

Des voix les entourèrent alors que le psaume de mariage débutait.

> Ton épouse : une vigne fructueuse
> au cœur de ta maison.
> Tes enfants : des plants d'olivier
> à l'entour de la table.

Au milieu de la clameur joyeuse, Elisabeth se dressa sur la pointe des pieds pour murmurer à son oreille.

— J'espère vous donner un fils, cher mari. Nous commencerons dès ce soir.

Son haleine réchauffa sa peau, ses paroles échauffèrent le reste de son corps.

— Je vous promets, dit-il, de faire tout le nécessaire pour assurer cette heureuse conclusion.

Il lui fit un clin d'œil, puis lui offrit son bras.

— Entretemps, Lady Buchanan, si je vous invitais à danser ?

Chapitre 82

Quelle joie surpasse celle de l'arrivée d'un nouveau-né ?
— Lady Caroline Norton

Elisabeth n'avait jamais entendu un son aussi doux. Non pas un doux soupir, mais un puissant cri strident.

Elle retomba sur son oreiller, trempée de la sueur provoquée par la chaleur du mois d'août et les heures d'efforts.

— De l'eau, gémit-elle, et une tasse apparut, offerte par les femmes qui entouraient le lit de naissance : Marjory et Anne, Sally Craig et Madame Pringle, Elspeth Cranston et Katherine Shaw.

La tradition les avait conduites à sa porte. Une femme ne donnait jamais naissance à un enfant sans que d'autres soient présentes pour donner des conseils et des encouragements, et prier pour la mère et l'enfant. Toutefois, à ce moment-là, c'était davantage le père de l'enfant qu'Elisabeth aurait voulu voir.

— Jack ! s'exclama-t-elle d'un ton un peu pathétique.

Les femmes s'esclaffèrent. Katherine Shaw, qui avait déjà mis au monde quatre filles, lui dit :

— Vous v'lez corriger l'homme qui vous a fait subir tout ça ? Ou préférez-vous qu'on s'en charge à vot' place ?

Elisabeth osa un sourire timide.

— Non, ne frappez pas mon cher époux. Il a suffisamment souffert à arpenter les couloirs de Bell Hill toute la journée.

Marjory lui passa un linge humide sur le front.

— Lord Buchanan n'a souffert que parce que vous l'avez fait, chère Bess. Maintenant, laissez madame Scott finir son travail, et nous placerons l'enfant dans vos bras.

Elisabeth regarda la corpulente sage-femme de la Back Row qui, avec son attitude bienveillante et ses mains délicates, l'avait accompagnée à travers les longues et douloureuses dernières heures.

— V'savez c'que les vieilles femmes disent? dit-elle doucement. Y a d'la joie dans la famille quand la sage-femme s'écrie : «C't'un garçon!»

Un fils. Elisabeth aurait bercé un garçonnet ou une fillette avec le même bonheur. Mais Jack serait heureux d'apprendre qu'un héritier lui était né. Et si elle mettait une fille dans ses bras un jour, son loyal mari pleurerait sûrement de joie.

Quand madame Scott décida que le garçon était prêt à être présenté, elle l'apporta à Elisabeth, son corps minuscule enveloppé dans des langes blancs, dont seul le petit visage rose émergeait.

Elisabeth esquissa un mouvement pour le prendre, quand elle surprit le regard implorant de Marjory.

— Laissons madame Gibson le tenir d'abord, dit-elle.

— Non, Bess, voulut protester Marjory, c'est votre fils.

— Avez-vous oublié la promesse que j'ai faite? Que tout bébé que je mettrais au monde trouverait place au creux de vos bras?

Elisabeth fit un geste en direction de madame Scott, qui honora ses souhaits.

Marjory reçut l'enfant avec un regard d'émerveillement, touchant son petit nez du bout de son doigt.

— Dieu est loyal, murmura-t-elle. Et vous aussi, vous l'êtes, ma chère Bess.

Elspeth Cranston observait la scène, les yeux brillants de fierté.

— Cela me fait plaisir, Marjory, de vous voir avec un garçon dans les bras. C'est ainsi que vous étiez à vingt et un ans, lorsque vous teniez Donald.

— Je me souviens, dit Marjory, d'une voix plus ténue.

— Et moi aussi, dit Anne avec un soupir, même si je n'étais qu'une fillette à l'époque.

Les autres se rassemblèrent autour de Marjory, admirant l'enfant, le déclarant le plus joli poupon de toute la chrétienté.

— Je n'ai pas connu vos fils, reconnut madame Pringle, mais je connais Lady Buchanan. Elle vous a sûrement mieux traitée que toute belle-mère ose l'espérer.

Marjory plaça avec précaution le nouveau-né dans les bras impatients d'Elisabeth.

— Personne ne saura jamais tout ce que ma Bess a fait pour moi, dit Marjory, qui s'inclina pour déposer un baiser sur son front, ses lèvres mouillées de larmes. Que Dieu vous bénisse, ma chère fille.

Un coup soudain frappé à la porte les fit toutes sursauter.

— Lady Elisabeth ?

Son cœur s'accéléra au son de la voix de son mari.

— Entrez, milord.

Jack avait franchi la porte avant que Sally ait pu assécher le visage de sa maîtresse ou lui peigner les cheveux.

— Comme vous êtes belle, lui dit-il, l'embrassant avec ferveur sur les lèvres, qui devaient être sèches et parcheminées.

Lorsqu'il baissa enfin les yeux, son fort menton se mit à trembler.

— Et qui est ce charmant garçon ? demanda-t-il.

Elisabeth le lui présenta avec des bras tremblants.

— Votre fils.

Jack le prit dans ses mains, l'étudiant comme une carte nautique, s'intéressant à chaque détail.

— Je ne m'imaginais pas qu'il serait aussi minuscule.

Elisabeth s'esclaffa.

— Je dois avouer que j'en suis bien heureuse. Mais il grandira, milord. Attendez et vous verrez.

Quand le garçonnet se mit à gigoter, Jack le remit rapidement entre les bras de Marjory, où il serait plus en sécurité.

— Le garçon portera le nom de son père, bien sûr, dit Katherine.

— Un autre Jack? protesta-t-il faiblement. C'est un nom commun et bien trop court, comme un jappement. J'espère choisir quelque chose qui sonne un peu plus royal.

— George? le taquina Elisabeth.

Son visage sévère fut une réponse assez éloquente.

— Kenneth, lança l'une des femmes présentes, et les autres approuvèrent.

— Il fut le premier roi d'Écosse, expliqua madame Pringle. Vous ne trouverez pas un nom plus royal que celui-là.

Une par une, les femmes s'écartèrent du lit d'Elisabeth, laissant aux nouveaux parents un peu d'intimité.

Jack la regarda tendrement.

— Que dites-vous de Kenneth, milady?

— Un très beau nom, acquiesça Elisabeth, voulant honorer les femmes qui l'avaient soutenue. Quoiqu'en ce moment, j'en ai un autre en tête.

— Oh? dit-il en s'approchant un peu plus. Et lequel?

Elle sourit avant de lui murmurer à l'oreille :

— Le vôtre.

La vieille église

Notes de l'auteure

Les larmes sont de douces averses
qui font pousser les graines du paradis
dans le cœur humain.
— Sir Walter Scott

Les lecteurs me demandent souvent si je pleure quand j'écris mes romans. Oh oui! Dès que mes personnages sont déchirés, vous pouvez être assurés que je m'épanche la première. Avec *Ici brûle ma chandelle*, j'ai pleuré des larmes de tristesse et dans *La nuit est à moi*, des larmes de joie. Comme le psautier l'écrit : « Au soir la visite des larmes, au matin les cris de joie » (psaume 30:5). Tout comme Marjory et Elisabeth Kerr méritaient une fin heureuse, j'ai pensé que vous, mes chers lecteurs et lectrices, en méritiez une aussi.

Avant de commencer mes recherches sur l'Écosse, j'ai passé des mois immergée dans les Écritures, étudiant le témoignage biblique dans une douzaine de traductions différentes. Puis, je me suis plongée dans une mer de commentaires, afin de m'aider à comprendre ce que Dieu essayait de nous apprendre à travers la vie de son peuple. Maintenant que vous avez lu cette interprétation du XVIIIe siècle, j'espère que vous prendrez un moment pour lire l'histoire de Ruth 1 à 4. La loyauté de Dieu et son amour bienveillant illuminent le vénérable récit de Noémie, Ruth et Boaz. Quand j'écrivais, je priais pour que l'on puisse percevoir aussi des lueurs de sa bonté dans les vies de Marjory, d'Elisabeth et de Lord Jack Buchanan.

Vers quelle meilleure source se tourner pour une épigraphe que les mots de Sir Walter Scott? Il fut nommé shérif du comté de Selkirk en 1799, s'inspirant de ses excursions dans le Borderland pour écrire ses poèmes et ses romans, et fut enterré à l'abbaye de Dryburgh, là où Lord Jack a emmené Elisabeth lors de leur première promenade à cheval. La charmante et retirée abbaye de Dryburgh est ma favorite de la région frontalière, les autres étant Melrose, Kelso et Jelburgh. Les villes sont si rapprochées que vous pouvez toutes les visiter en une seule journée et vous aurez encore le temps de prendre le thé et quelques scones.

Au XIIe siècle, Selkirk avait sa propre abbaye, jusqu'à ce que David 1er la déménage à Kelso. Un château royal est aussi apparu, avant de tomber en ruine, au milieu des réputés territoires de chasse de la forêt de Selkirk. C'est Jacques V qui a confirmé le statut de bourg royal de la ville en 1535. Pour ces raisons et d'autres, Selkirk m'a semblé un décor approprié pour un roman fondé sur l'histoire biblique de Ruth, l'arrière-grand-mère du roi David, l'ancêtre de tous les rois.

Selkirk est une ville délicieuse, non seulement en raison de ses fameux *bannocks*, regorgeant de raisins de Corinthe sucrés, mais aussi de son allure pittoresque. Toutes les rues y sont étroites, montantes et descendantes, et délicieusement sinueuses, avec une parcelle d'histoire semée ici et là. La ruelle Halliwell se targue de posséder un bon musée régional, une plaque indique l'endroit où l'auberge Forest accueillait autrefois les visiteurs, et le vieux puits s'élève toujours sur la place du marché.

Déambulez sur Kirk Wynd [la venelle de l'Église] et vous trouverez les restes d'une vieille église paroissiale où William Wallace — oui, *Cœur vaillant* — fut proclamé gardien de l'Écosse en 1298. Ma description de l'état délabré de cette vieille église n'était pas exagérée. Après que plusieurs pierres se furent détachées pour tomber sur les bancs en 1747, le « vénérable amas de pierres fut finalement rasé », pour employer l'expression d'un historien. L'assemblée de fidèles de Selkirk se réunissait à la Grammar School toute proche, pendant qu'une autre église était érigée sur le même site en 1748. Le croquis qui clôt le roman, de l'artiste écossais Simon

Dawdry, montre ce qui reste de cette église — la barrière à l'entrée et la tour du clocher —, ainsi qu'une vue charmante des collines environnantes.

Deux cartes de notre ville triangulaire m'ont guidée pendant que j'écrivais : l'une récente, de Walter Elliot, recréant le « bourg royal de Selkirk en 1714 » et l'autre, de John Wood, le « plan de la ville de Selkirk », imprimé pour la première fois en 1823. Quand j'ai eu fini d'écrire le roman, Benny Gillies, de Kirkpatrick Durham à Galloway, a créé notre carte de 1746. Si vous aimez les livres sur l'Écosse autant que moi, visitez le site www.BennyGillies.co.uk afin d'avoir un aperçu des rayons de sa remarquable librairie. C'est là que j'ai trouvé le livre *Flower of the Forest* — *Selkirk : A New History*, publié par John M. Gilbert, une ressource inestimable qui, selon l'expression de Benny, est aussi « rare qu'une dent de poule », bien que publié en 1985.

Le Scottish Borders Council Archive Service, établi à l'Heritage Hub de Hawick, m'a aussi fourni des réponses au sujet du révérend David Brown, un personnage historique. En dépit de leurs efforts méritoires, nous n'avons pu localiser avec précision le presbytère, alors je l'ai situé près de l'église, un endroit vraisemblable.

Pendant que j'effectuais des recherches sur place, j'ai dormi et pris mes repas à différents endroits dans les environs de Selkirk. Mais l'auberge Garden House, à Whitmuir, près de Bell Hill, a une place spéciale dans mon cœur. C'est là que j'ai écrit la dernière douzaine de chapitres de *La nuit est à moi*, blottie dans une chambre confortable surplombant le jardin. Robert me préparait mon porridge chaque matin, tandis qu'Hilary m'apportait mes dîners dans ma chambre, ce qui m'aidait à rester concentrée sur mon travail d'écriture. J'ai encore à la bouche le goût des tartes de hachis de fruits secs, chaudes et tout droit sorties du four. *Miam !* Mes plus sincères remerciements aux Dunlop pour leur hospitalité exceptionnelle.

Je suis choyée d'avoir donné naissance à une artiste et à une couturière, Lilly Higgs, qui m'a aidée à comprendre le processus de création de la robe de madame Pringle par Elisabeth, illustrée ci-dessus.  Je n'ai aucune habileté artistique, pourtant j'ai besoin d'impressions visuelles pour stimuler ma créativité, alors j'ai décoré mon bureau avec un plat d'étain, une cuillère de corne, un coupe-papier, une loupe et des photographies de mes personnages. Ciarán Hinds, de la production de la BBC *Persuasion* (1995), fut mon inspiration pour le personnage de Lord Jack. Oh là là !

En ce qui concerne Charbon, je n'avais pas sitôt décidé que l'amiral avait besoin d'un félin qu'un chaton gris anthracite est apparu à notre porte, à la recherche d'un nouveau foyer. Il en a trouvé un. Naturellement, nous l'avons nommé Jack. Son pelage est comme du velours, son ronronnement est prodigieux, et Jack le Chat a volé mon cœur plus entièrement qu'aucun héros ne saurait le faire. (Les amoureux des chats trouveront des photographies sur mon site Web.)

Je suis infiniment reconnaissante aux rédacteurs et réviseurs compétents qui m'ont assistée tout au long du processus consistant à créer ce roman sous sa forme imprimée : Laura Barker, Carol Bartley, Danelle McCafferty, et Sara Fortenberry, vous m'êtes précieuses au-delà des mots. Je suis aussi redevable à mon cher mari, Bill Higgs, qui a passé au peigne fin la dernière épreuve à la recherche de fautes de grammaire, de coquilles typographiques, et à notre fils talentueux, Matt Higgs, qui a mis à contribution son baccalauréat en psychologie pour l'analyse les mots, les actions et les motivations de mes personnages.

Bien sûr, je ne pourrais jamais faire ce que je fais sans vous, mes chers lecteurs ! J'aimerais vous faire parvenir mon bulletin gratuit, *O Gentle Reader !*, distribué par courrier électronique deux fois l'an. Pour vous inscrire, visitez mon site Web : www.LizCurtisHiggs.com. Et si vous désirez des signets autographiés de n'importe lequel de mes livres, contactez-moi simplement par mon site ou écrivez-moi à l'adresse suivante :

Liz Curtis Higgs
P.O. Box 43577
Louisville, KY, 40253-0577

N'hésitez pas à venir me visiter sur Facebook ou à me suivre sur Twitter — deux façons amusantes de rester en contact.

Comme j'ai aimé parcourir les monts et les vallées de l'Écosse avec vous : d'abord, en Galloway, avec *Une épine dans le cœur*, *Belle est la rose* et *L'honneur d'un prince* ; puis sur l'île d'Arran, avec *La grâce à tes yeux* ; à Édimbourg, avec *Ici brûle ma chandelle* ; et finalement, dans le Borderland, avec *La nuit est à moi*.

J'entrevois avec bonheur notre prochaine aventure ensemble. D'ici là, vous êtes une vraie bénédiction !

Guide de lecture

Toute la vie d'une femme
est l'histoire de ses sentiments.
Le cœur est son univers.
— Washington Irving

1. Marjory et Elisabeth Kerr commencent leur nouvelle vie à
    Selkirk comme des veuves déshéritées, mais elles n'arri-
    vent pas les mains vides. Quelles habilités pratiques,
    quelles forces émotives et quels dons spirituels chaque
    femme apporte-t-elle? Même ainsi pourvues, elles doi-
    vent encore beaucoup apprendre au sujet de la vie et de
    l'amour. Comment le personnage de Marjory grandit-il
    de la première à la dernière page? Et celui d'Elisabeth? De
    ces deux femmes, laquelle est votre préférée, et
    pourquoi?

2. Anne Kerr n'est pas heureuse du tout de trouver deux
    parentes éloignées et oubliées depuis longtemps appa-
    raître à sa porte, à la recherche d'un couvert et d'un toit.
    Qu'auriez-vous fait si vous aviez été à la place de la cou-
    sine Anne? Il semble qu'elle ait vécu seule pendant la
    majeure partie de sa vie adulte. Comment cela pourrait-il
    avoir influencé son caractère? Elisabeth constate : «Un
    moment, Anne semblait heureuse de son célibat, et le sui-
    vant, elle s'en affligeait.» Si vous êtes, ou si avez déjà été
    un adulte célibataire, quelles sont les joies et les difficultés
    de vivre seul?

3. Sachant qu'*Ici brûle ma chandelle* et *La nuit est à moi* sont fondés sur l'histoire biblique de Ruth, les lecteurs ont essayé de trouver la contrepartie écossaise du héros Boaz. Pourtant, ce roman met en scène au moins trois héros masculins, incluant Michael Dalgliesh, Neil Gibson et Lord Jack Buchanan. Quelles qualités héroïques possèdent ces hommes bons? Mis à part la richesse et les titres, lequel des trois vous apparaît le plus attachant, et pourquoi?

4. Quand Marjory présente la loupe de Lord John à Anne, leur relation fait un bond en avant considérable. Quel présent inattendu avez-vous déjà donné, ou reçu, qui a approfondi votre relation avec quelqu'un? Marjory est capable de partager avec Elisabeth le livre d'enfant qui avait autrefois appartenu à Donald, mais elle ne peut se séparer du soldat de bois d'Andrew. Comment expliquez-vous que Marjory attache tellement plus d'importance à l'un qu'à l'autre? De quelle possession ne vous sépareriez-vous jamais, et pourquoi?

5. Les romanciers introduisent des enfants et des animaux dans leurs histoires avec prudence, sachant avec quelle facilité ils prennent le devant de la scène. Qu'apporte le jeune Peter Dalgliesh à ce roman? En quoi vous rappelle-t-il un enfant dans votre vie ou vous-même étant enfant? Les créatures à quatre pattes révèlent généralement quelque chose sur leur propriétaire. Qu'est-ce que Charbon et Janvier nous apprennent sur Lord Jack? Et si Marjory avait un animal familier, quel serait-il, et pourquoi? Et quel animal de compagnie choisiriez-vous pour Anne Kerr? Pour le révérend Brown? Pour le général Lord Mark Kerr?

6. Les épigraphes, ou citations en tête de chaque chapitre, sont destinées à résumer l'action à venir. La citation de Robert Southey — «Et à la toute fin, un amiral arriva» — convient au chapitre 31, puisque Lord Jack Buchanan est le dernier de nos personnages principaux à faire son entrée en scène. Qu'est-ce qu'on a obtenu en retardant l'apparition de l'amiral? Comment votre opinion de Lord Jack évolue-t-elle, de cette première impression jusqu'à la scène finale? Parmi les quelques quatre-vingts autres épigraphes que compte ce roman, laquelle vous plaît spécialement, et pourquoi?

7. Après la tension, les drames et les déchirements d'*Ici brûle ma chandelle*, vous pouvez avoir été surpris de trouver plusieurs moments légers dans *La nuit est à moi*. Qu'est-ce qui est gagné par l'ajout d'une touche d'humour à une scène, et dans ce roman en particulier? Pensez à un épisode ou à un dialogue que vous avez trouvé amusant ou divertissant. Qu'est-ce qui vous a plu, et qu'est-ce que cela révélait sur chacun des personnages impliqués? Parce que le rire et les larmes sont à une extrémité du spectre des émotions — l'apathie étant à l'extrémité opposée —, nous passons souvent rapidement d'une émotion intense à une autre. Quelle scène en particulier vous a ému, et pourquoi?

8. La renaissance et la rédemption sont deux thèmes de *La nuit est à moi*. Après plusieurs pertes, qu'est-ce qui est rétabli dans la vie de Marjory? Dans celle d'Elisabeth? Quand un individu est racheté, il peut être secouru, libéré, émancipé, ou relevé, selon la situation. De quelle manière Marjory et Elisabeth sont-elles rachetées? Et comment d'autres personnages font-ils l'expérience de la

rédemption ? Roger Laidlaw, peut-être, ou Fiona Cromar ?
Y a-t-il quelques personnages dans ce roman que vous
jugez indignes de rachat ? Si oui, quels sont-ils, et
pourquoi ?

9. Imaginez Marjory, Elisabeth et Anne dix ans plus tard. À
quoi leur vie pourrait-elle ressembler en 1756 ? Où vivent-
elles, comment s'occupent-elles, et quel est l'état de leur
cœur ? L'épigraphe choisie au début du Guide de lecture dit : «Toute la vie d'une femme est l'histoire de ses
sentiments», suggérant que les femmes tendent à s'estimer elle-même en fonction du succès ou de l'échec de
leurs relations avec les autres. Êtes-vous d'accord ou non,
et pourquoi ? À quoi votre vie pourrait-elle ressembler
dans dix ans, en particulier au chapitre de vos relations
avec ceux que vous aimez ?

10. Les amateurs de romans historiques expliquent facilement leur préférence. Cynthia, de la Californie, écrit :
«Cela me transporte dans un autre monde, m'instruit
et m'enrichit, tout en me divertissant.» Et Christine, de
l'Indiana, dit ceci des romans historiques : «Cela me
transpose dans une autre époque et dans un autre lieu où
les gens vivent, aiment et évoluent exactement comme
je le fais aujourd'hui.» Si vous préférez les romans contem-
porains, quelles raisons donnez-vous généralement ? Et si
les romans historiques sont davantage dans vos goûts,
qu'est-ce qui vous plaît en eux ? Quand vous atteignez la
dernière page d'un roman, quelle émotion désirez-vous
ressentir par-dessus tout ?

Pour obtenir plus d'informations sur l'auteure, visitez le
www.LizCurtisHiggs.com.